DIAMANT

Jennifer McVeigh

DIAMANT

Oorspronkelijke titel: *The Fever Tree*
Oorspronkelijke uitgever: Viking, an imprint of Penguin Books, London

De Kern, een imprint van Uitgeverij De Fontein, Utrecht
Vertaling: Els Franci-Ekeler
Omslagontwerp: Wil Immink Design
Omslagillustraties: Getty Images/Frikkie Hitge (landschap) en
Trevillion Images/Malgorzata Maj (vrouw)
Opmaak binnenwerk: Hans Gordijn, Baarn
ISBN 978 90 325 1268 2
ISBN e-book 978 90 325 1323 8
NUR 302

www.dekern.nl

1

HET EERSTE TEKEN DAT HAAR VADER NIET IN ORDE WAS, kwam in juni.

Frances werd midden in de nacht wakker, opende haar ogen en spitste haar oren. Het huis hield zich een ogenblik volkomen stil en leek toen zachtjes zijn adem uit te blazen. Tegelijkertijd steeg het onduidelijke gemompel van gedempte stemmen via het trappenhuis naar boven. Ze griste de omslagdoek van haar bed en deed de deur open.

'Lotta?' riep ze. Stilte. Toen het krakende ritme van Lotta's gewicht op de traptreden en het meedeinende schijnsel van een kaars. Na de bollende rok van een nachtjapon kwam het brede, onverstoorbare gezicht van de dienstmeid in zicht.

'Uw vader is weer thuis, juffrouw, maar hij is niet zichzelf.' Ze liep langs Frances heen de slaapkamer in.

'Hoe bedoel je?'

Lotta bukte zich om de kaars naast het bed aan te steken. Haar borst zette bij elke ademhaling uit als een blaasbalg en bij elke ademtocht dreigde de vlam uit te waaien.

'Wat is er met hem?' vroeg Frances gejaagd. Ze greep Lotta's pols.

Heet kaarsvet droop over hun beider handen. Met een van pijn vertrokken gezicht trok Lotta haar hand weg. 'Ik weet het niet. Hij is door een koetsier thuisgebracht. Die zei dat hij in elkaar was gezakt.'

Frances kon zich zoiets helemaal niet voorstellen. Haar vader was geen man die in elkaar zakte. Daarvoor was hij veel te groot en sterk. Hij was in ieder opzicht een indrukwekkende figuur. De loopjongen die, zoals het verhaal ging, uit het niets een meubelimperium tevoorschijn had getoverd zoals een goochelaar bankbiljetten uit de zakken van paupers toverde.

Ze nam de blaker van Lotta over en ging naar beneden. In de hal plakten haar voeten aan het dambord van tegels. Haar vader zat in de studeerkamer in een leunstoel naast de gedoofde haard. Zijn overhemd was opengeknoopt. Grijze baardstoppels bedekten de diepe groeven in zijn wangen. Hij stak wat bleekjes af tegen de achtergrond van de groene muren en het glanzende rozenhout, maar toen hij haar zag, glimlachte hij vol genegenheid. Hij was alleen maar moe, constateerde ze opgelucht, verder mankeerde hij niets. Een glas cognac hing losjes tussen zijn vingers. Als hij het nog meer liet hellen, zou de cognac op het tapijt stromen. Zijn borst was ontbloot en ze zag dat zijn lichaam er strakker en compacter uitzag dan ze zich herinnerde, alsof het langzaam begon te krimpen nu hij een dagje ouder werd. Als kind had ze altijd bewondering gehad voor zijn enorme kracht, voor het gemak waarmee hij haar, giechelend en spartelend, op zijn schoot had getrokken.

'Ach, Frances, ik heb nog zo tegen Lotta gezegd dat ze je niet wakker moest maken,' zei hij. Hij stak zijn hand naar haar uit alsof hij zich verontschuldigde dat hij niet opstond. Ze greep zijn vingers, glimlachte en bukte zich om hem een zoen te geven. Hij was op reis geweest voor zaken en ze was blij dat hij weer thuis was.

'Wanneer bent u aangekomen? Bent u ziek?'

'Nee, hoor. Alleen een beetje moe.'

Opeens bedacht ze dat het misschien allemaal zijn eigen schuld was. 'Hebt u te diep in het glaasje gekeken?'

Hij begon te lachen. Het was een gulle, warme lach die haar angst bijna wegnam en haar onwillekeurig een glimlach ontlokte. Hij keek naar de leunstoel tegenover de zijne. 'Zie je hoe pienter mijn dochter is, Matthews?'

Frances draaide zich om. Ze had geen erg gehad in de man die in de stoel achter haar zat, aan de andere kant van de haard. Hij had een glad, hoekig gezicht met een smal voorhoofd en gepommadeerd bruin haar dat rond zijn oren kort was geknipt. Ze herkende hem niet meteen, maar toen hij opstond en een stap naar haar toe deed, herinnerde ze zich hem. 'Meneer Matthews.'

'Je moet nu dokter Matthews zeggen,' zei haar vader.

'Natuurlijk.' Hij was een neef van haar vader en had jaren geleden een zomer bij hen gelogeerd. Ze herinnerde zich dat hij toen ook al altijd zo ernstig had gekeken. 'Waar is dokter Firth?'

'Dokter Firth is de stad uit,' zei Edwin Matthews, zorgvuldig articulerend. Hij had op zijn zestiende al geklonken als een schoolmeester die een klas toesprak.

Frances stond op de houten vloer naast haar vaders stoel, met haar rug naar de lege open haard en haar tenen tegen de rand van het tapijt. Het donkere, glanzende eikenhout voelde ruw aan onder haar voetzolen en ze wreef met haar grote teen over de gladde kop van een spijker. Ze was niet naar behoren gekleed en rilde. Het was te koud om in haar nachtjapon in de studeerkamer te staan. Ze kreeg bovendien het gevoel dat ze de mannen midden in een belangrijk gesprek had gestoord. Hun zwijgen leek haar te vertellen dat ze moest gaan. Ze zou Edwin Matthews dankbaar moeten zijn dat hij midden in de nacht bij haar vader was gekomen, maar ze was alleen maar gefrustreerd. Ze had haar vader al heel lang niet gezien en moest van alles met hem bespreken. Zonder dat daar vreemden bij waren.

'In elk geval bent u nu weer thuis,' zei ze tegen haar vader. 'We zullen u goed verzorgen.'

'Ik mankeer niets, Frances.' Hij maakte een wuivend gebaar, ineens ongeduldig. 'Ga jij nu maar gauw weer naar bed. Ik ben alleen maar wat overwerkt en heb de dokter laten komen opdat hij me een middeltje kan geven waardoor ik beter zal kunnen slapen.'

Ze keek hem nog even aan. Hij hief zijn glas op alsof hij wilde zeggen: 'Dank je voor je bezorgdheid, maar nu moet je gaan', maar zijn hand beefde toen hij het glas naar zijn lippen bracht. Over in elkaar zakken werd niet gerept. Misschien had Lotta overdreven. Ze besloot er niets over te zeggen, niet nu. Ze bukte zich, gaf hem nog een zoen en ging weer naar boven.

Op de overloop bleef ze staan bij de slaapkamer van haar vader waar Lotta de dekens terugsloeg. 'Ik wil de dokter spreken nadat mijn vader naar bed is gegaan. Zou je hem willen verzoeken even te wachten?'

Het raam van haar slaapkamer glansde bleek en koud achter de gordijnen. Ze sloeg haar omslagdoek wat strakker om zich heen, stapte tussen de plooien van de rode damasten gordijnen en keek naar de straat. Het regende niet meer. Buiten was het volkomen stil. Het was nog te vroeg voor de slagersjongens met hun blauwe voorschoten. De lantaarn aan het einde van de straat had een dof aureool in de melkwitte mist. Ze zag een lantaarnopsteker uit de glanzende nevel opduiken, zijn ladder tegen de dwarsarm plaatsen en de knop omdraaien. De vlam slonk tot een oranje bal, flikkerde en doofde. De man bleef nog een ogenblik staan, met zijn hand tegen de lantaarnpaal geleund, naar de straat achter zich kijkend alsof hij wachtte tot de stad zou ontwaken en de slaap uit haar ogen wrijven.

Het kaarsvet was op de rug van haar hand gestold tot een glad, hard plakje. Toen ze een vuist maakte, brak het in stukjes die op de grond vielen. Ze streek met haar vingertoppen over de rode huid en liet ze naar de zachte binnenkant van haar pols glijden. Haar hart klopte snel, rusteloos, een echo van de doffe pijnsteken in haar maag. Stel dat hij ziek was? Van dat angstige vooruitzicht had ze nachtenlang wakker gelegen toen ze nog klein was en zijn bulderende stem en onverstoorbare kalmte de enige dingen waren die na de dood van haar moeder de sombere sfeer en de stilte in het huis hadden verjaagd.

Ze kwam weer achter de gordijnen vandaan en stak de lamp op de kaptafel aan. Het licht viel op een keur aan borstels en kammen, Chinese poederdoosjes en flesjes met parfum en geurige oliën. Ze borstelde haar haar tot het een knetterende, vurige massa koperen krullen was, maakte het toen vochtig met lavendelwater en vlocht het tot een lange vlecht. Ze keek naar zichzelf in de kleine spiegel boven de tafel. Ze was negentien en zou moeten bruisen van toekomstplannen, maar ze voelde zich alsof het leven langzaam uit haar werd geknepen. Ze schudde haar hoofd, streek over de vlecht en keek in de spiegel naar de twee porseleinen poppen die haar vader haar ooit had gegeven, zij aan zij op de stoel naast het bed. Ze staarden haar aan met hun glazen ogen, en tussen hun half geopende lippen hing niets dan stilte.

Er werd op de deur geklopt. 'De dokter wacht beneden op u, juffrouw Frances.'

Lotta had hem naar de serre op de begane grond gebracht, waar hij voor het raam stond met zijn hoed al in zijn hand, klaar om te vertrekken.

'Hoe is het met mijn vader?'

'Hij slaapt nu.' Hij deed een paar stappen naar haar toe. 'Het is me een genoegen u weer te zien, juffrouw Irvine, al had ik gehoopt dat ons weerzien onder aangenamer omstandigheden zou plaatsvinden.' Ze werd onrustig van zijn warme woorden die ze onheilspellend vond, al had ze niet kunnen uitleggen waarom. Zijn ogen, zag ze, waren erg bleek, bijna grijs, in het zwakke licht dat het groene glas van het tuinraam een warme kleur gaf. Ze waren scherp en oplettend en erg helder: zonder die ogen zou zijn gezicht een masker zijn geweest. Ze vond hem geen knappe man – misschien keek hij te ernstig om knap genoemd te kunnen worden – maar zijn blik was zo intens dat je wel naar hem moest blijven kijken.

'Moet ik me zorgen maken?' vroeg ze. Toen hij geen antwoord gaf, drong ze aan: 'Dokter Matthews, is hij ziek?'

De arts stond zo stil dat hij een silhouet leek, afgetekend tegen het raam, met de vingertoppen van zijn half gekromde hand rond de hoek van haar bureau. Hij had iets koudbloedigs. Waar het licht op de zijkant van zijn gezicht viel, was zijn huid vaal en mat. Hij was vermoedelijk de hele nacht op geweest. Hij likte aan zijn lippen. 'Ik geloof dat hij lijdt aan een zenuwinzinking.'

'Een zenuwinzinking?' Ze lachte kort. 'Weet u zeker dat het niet iets anders is?'

Hij gaf geen antwoord.

'Ik geloof dat u mijn vader niet erg goed kent, dokter Matthews. Hij is geen nerveus type.'

'Dat is in de meeste van die gevallen zo.'

'En wat zou – naar uw mening – de reden zijn voor die zenuwinzinking?'

'Juffrouw Irvine, u zou weer naar bed moeten gaan.' Hij legde zijn hand luchtig op haar bovenarm. 'En weest u vooral niet ongerust.'

Ze rilde en schudde zijn hand van zich af. Het was misschien een gebaar geweest dat beroepsmatige zorgzaamheid moest uitdrukken, maar het leek eerder een intimiteit tussen hen te suggereren. Ze had er spijt van dat ze zich niet had aangekleed voordat ze naar beneden was gegaan. 'Dank u, maar u hoeft zich over mij geen zorgen te maken.'

Na een korte stilte zei ze: 'Dokter Matthews, alles wat mijn vader aangaat, gaat ook mij aan.'

'Ik vrees dat ik u over hem niets kan vertellen wat u niet al weet.'

Wat Edwin Matthews ook mocht denken, dit was beslist niet waar. Ze wist vrijwel niets over wat haar vader buitenshuis deed.

'Ik wil graag weten of hij tegen u iets heeft gezegd.'

'Uw vader en ik hebben gepraat, ja, maar hoofdzakelijk over mijnen in Kimberley.'

'Investeert hij in steenkool?'

'Nee.' Hij stootte een droog lachje uit. 'Het zijn diamantmijnen. En hij heeft niets over investeren gezegd. Kimberley is in Zuid-Afrika. Ik woon in de Kaapkolonie.'

Ze kreeg een kleur. Natuurlijk. Kimberley was de stad van de beroemde diamantmijnen.

'Wie heeft deze gemaakt?' Edwin pakte de aquarellen van haar vaders rozen die op het bureau lagen.

'Ik.' Ze was door het slechte weer al twee weken gedwongen geweest binnen te blijven en had het grootste deel van die tijd hier in de serre achter haar schildersezel doorgebracht. Er was weinig bezoek geweest en het verstrijken van de tijd was gemarkeerd door het tikken van haar verfkwasten tegen het glas van de potjes waarin ze ze uitspoelde, en de gedempte stemmen van de kooplui die vanuit de lagergelegen keuken tot haar waren doorgedrongen.

'Ze zijn erg goed.' Hij bekeek haar aandachtig, alsof hij een berekening in haar voordeel bijstelde, wat haar irriteerde. Die arrogante inslag had hij als jongen ook al gehad. Hij beoordeelde alles volgens zijn eigen maatstaven.

'Hebt u les gehad?' vroeg hij.

Ze haalde haar schouders op. 'Ik heb een poosje les gehad in portretschilderen, maar ik schilder liever bloemen en planten.' Frances hield ervan om elk detail – de nerven, de haartjes, de subtiele kleurschakeringen die aan de meeste ogen ontgingen – nauwgezet weer te geven. Een schilderij was altijd een compromis. Het haalde het niet bij het voorwerp dat je schilderde, maar het verschil – de poging tot afbeelden – was schoonheid op zich. Ze wees naar de bloemen in de vaas op de tafel. 'Rozen uit mijn vaders tuin. Zijn ze niet beeldschoon?'

'Jawel, maar ik hou niet van gekweekte bloemen. Hun schoonheid heeft iets overdadigs.' Hij zweeg even. 'Ze zijn zo overdreven decoratief.'

'Maar evengoed prachtig.'

'Ik kan pracht niet bewonderen als steriliteit de prijs is die ervoor betaald wordt.' Hij hief een van de aquarellen op. 'Deze rozen groeien uit stekken omdat ze zichzelf niet kunnen voortplanten. Ze worden geënt op de sterkere wortels van andere planten om te kunnen groeien. Ze worden door een tuinman opgekweekt in een perfect uitgebalanceerde omgeving. Monsterlijk, noemde Darwin ze; planten die veel te ver zijn afgeweken van hun natuurlijke vorm.'

'En als je ze in het wild zou laten groeien?' vroeg ze nieuwsgierig.

'Dan zouden ze ofwel doodgaan ofwel terugkeren tot hun moederstam.' Hij legde de schilderijen neer en zei: 'Ik moet u uw nachtrust gunnen.' Toen hij langs haar heen naar de deur liep, hield ze hem tegen, want ze wilde niet dat hij zou gaan zonder nadere uitleg.

'Ik begrijp niet wat de oorzaak van een mogelijke zenuwinzinking kan zijn,' zei ze aandringend. 'Ik heb mijn vader nooit nerveus gezien. Hij is voor niets en niemand bang.'

'We zijn allemaal ergens bang voor, juffrouw Irvine,' zei hij zachtjes, terwijl hij zijn kille blik over haar heen liet gaan. 'Alleen weten sommigen van ons het beter te verbergen dan anderen.'

Zijn woorden deden een zaadje van angst ontkiemen. Toen hij weg was, voelde ze hoe het in haar binnenste begon te groeien, hoe het zijn koude ranken om haar ribben wikkelde en een beangstigende droefenis in haar vermoeide geest liet sijpelen.

2

TOEN HAAR OUDERS PAS GETROUWD WAREN, LEIDDE FRANces' vader een zo respectabel mogelijk leven. Ze hadden een klein huis in St.-John's Wood, maar geen eigen rijtuig, en een dienstmeisje dat overuren maakte om te voorkomen dat het huis in wanorde zou veranderen. Op de dag dat Frances zes jaar werd, huurde haar vader een rijtuig. Het was een hemelsblauwe dag en de straten glommen van de regen die 's nachts was gevallen. Water spatte achter hen op toen ze door het open landschap van Kensington reden, langs half aangelegde straten en bouwterreinen die in modderpoelen waren veranderd door de karrenwielen van de werklieden, langs houthandels, vuilnisbelten en steenovens waar dezelfde hete schroeigeur omheen hing als bij broodovens. Overal klonken bouwgeluiden: de luide stemmen van de arbeiders en het gebonk van emmers die langs steigers omhoog werden getrokken. Haar moeder moest toen al ziek zijn geweest, want Frances herinnerde zich dat haar opwinding een beetje was bedorven door bezorgdheid om haar moeders bleke gezicht en haar vermoeide ogen, die ze bij elke hobbel en kuil in de ongelijke weg eventjes sloot.

Ze stopten voor een groot huis met een gestuukte façade. Haar vader stelde haar voor aan een kleine, gedrongen Ierse man met een gulle glimlach en hetzelfde zachte, rollende accent dat haar vader had. 'Kerrick, ik geef je opdracht alles te doen wat Frances wil.' Kerrick nam haar mee naar twee schimmels die met hun zachte, besnorde lippen aan haar vingers nibbelden en hun hete adem in haar haar bliezen. Toen ze had gevraagd wie er in het huis woonde, had haar vader lachend geantwoord dat het van hen was.

Acht maanden later was haar moeder gestorven. Het huis dat zo veel geluk in het vooruitzicht had gesteld, veranderde in een plek vol triest verwijt. Frances vermoedde dat haar vader erg ongelukkig was, maar was daar niet zeker van. Na de begrafenis sprak hij met geen woord meer over haar dood, en ondanks het feit dat er dingen waren die ze graag wilde weten, zoals waarom de longen van haar moeder ziek waren geworden en of ze pijn had geleden, durfde ze niets te vragen. In opdracht van haar vader werd ieder spoor van haar moeder verwijderd. De klerenkasten werden geleegd, foto's van de muren gehaald en al haar brieven en dagboeken uit de serre weggehaald. De langwerpige salon, waar Frances in haar verbeelding elegant geklede vrouwen voor de goudomrande spiegels had zien ronddraaien, werd afgesloten. Haar vader werkte hard en was vaak van huis. Hij leefde voor zijn zaken en als hij al eens gasten mee naar huis nam, waren dat klanten met wie hij in de studeerkamer ging zitten, waar ze rookten en praatten met de deur dicht.

Elke ochtend kwam er een huisonderwijzer die haar rekenen, aardrijkskunde en wat Latijn onderwees. Hij bracht tubetjes waterverf voor haar mee en leerde haar de beginselen van schilderen, maar ze verkwistte vele stapels tekenpapier voordat ze doorhad dat bij kleur alles draaide om de subtiele nuances. Haar kindermeisje zat hele middagen in de kinderkamer kussens te borduren voor de bruidsschat van haar nichtje. Ze had geprobeerd Frances over te halen het te leren, maar had niet aangedrongen, omdat meneer Irvine had gezegd dat ze zijn dochter niet mocht dwingen dingen te doen die haar niet interesseerden.

Frances zwierf 's middags door het huis, altijd op zoek naar nieuwe plekjes waar ze dan ging zitten en haar gedachten samen met de stofdeeltjes door de hoge kamers liet zweven. Wanneer ze later, als volwassene, aan het huis dacht, zag ze het vanuit de vreemde perspectieven die ze als kind had gekend. Een kastdeur die van ouderdom was kromgetrokken, zodat ze hem van binnenuit kon dichttrekken, de eetkamertafel die leek op het deksel van een doodskist, ruw en ongelakt aan de onderkant, de georgiaanse stoelen met de bolle poten die haar insloten als de gespierde kuiten van de gasten.

Haar moeder was een Hamilton en haar familie woonde in Mayfair, maar Frances leerde die pas een paar jaar na de dood van haar moeder kennen. De Hamiltons moesten niets van haar vader hebben, vanwege zijn Ierse bloed en lage afkomst, en hadden altijd geweigerd Frances te erkennen. Haar vader, hoorde ze later, was echter hardnekkig blijven proberen de familie voor zich te winnen, in de hoop dat Frances daar profijt van zou hebben, en uiteindelijk hadden ze zich laten vermurwen. Toen Frances negen was, werd ze uitgenodigd voor een bezoek aan haar nichtjes Lucille en Victoria. Ze was zenuwachtig en dacht dat ze geen goede indruk had gemaakt, maar er kwam een nieuwe uitnodiging en daarna ging ze er eens per maand naartoe, al wist ze dat er nooit een tegenbezoek zou volgen.

Een paar maanden nadat ze voor het eerst bij de Hamiltons was geweest, merkte ze 's avonds aan tafel dat haar vader naar haar zat te staren. Ze beet in het vlees dat ze op haar vork had gespietst. Hij trok met afkeer zijn lip op. 'Frances, heb je helemaal geen manieren?'

Ze begreep dat ze iets fout deed, maar ze wist niet wat.

'Je hebt een mes. Waarom gebruik je dat niet?'

Ze keek naar haar mes en kreeg een kleur. Ze had het nog nooit gebruikt, niet aan tafel, en haar vader had daar nog nooit eerder iets van gezegd.

'Verdikkeme nog aan toe!' Hij sloeg zo hard met zijn vuist op de tafel dat Frances er samen met de kandelaars van opsprong. 'De Hamiltons hebben gelijk. Je bent tien jaar, maar je eet als een wilde!' Ze legde haar vork neer en keek hem geschrokken aan. Haar leven lang had ze niets anders gedaan dan proberen te voorkomen dat ze hem zou teleurstellen. 'Als ik wilde dat je de manieren van een fabrieksmeisje zou krijgen, had ik je naar familie in Manchester kunnen sturen!'

Hij nam een gouvernante in dienst om het probleem op te lossen. Juffrouw Cranbourne arriveerde met kordate doortastendheid. Elk aspect van Frances' leven werd onder de loep genomen. De gouvernante stelde vast dat ze fronste als ze geconcentreerd bezig was, krom liep en op haar nagels beet. Haar stem was te schril – een teken van weerspannigheid – en ze besteedde veel te veel tijd aan schilderen en dagdromen. Voortaan werd elke minuut van de dag gevuld met taken. Ze kreeg les in briefschrijven, bloemschikken, portrettekenen, borduren en haken. Ze leerde hele etiquetteboeken uit haar hoofd. Ze borduurde kussens en slippers, maakte schellenkoorden, beschilderde haardschermen en boetseerde een mand met fruit. Ze leerde niet alleen bloemen drogen, maar ook de Latijnse namen ervan kennen. Ze kreeg haarspeldjes, dure borstels en kammen, leerde alles over pijpenkrullen en vlechten, en hoe ze haar haar boven op haar hoofd kon vastzetten met een haarband. Voor haar sproeten – het resultaat van een trage en zwakke bloedsomloop – werden koude baden, karnemelkcrème en dagelijks een bord wortelsoep als ontbijt voorgeschreven. Ze mocht onder geen voorwaarde in de zon lopen en de ramen van haar slaapkamer werden bedekt met mousseline.

Frances volgde de instructies van de gouvernante braaf op, niet zozeer om juffrouw Cranbourne een plezier te doen, maar haar vader, en omdat ze wist dat haar nichtjes haar minder zouden plagen als ze met sommige van hun sociale vaardigheden kon wedijveren. Ze vond de meeste aspecten van haar nieuwe leven saai, maar voor één van de nieuwigheden was ze oprecht dankbaar. Juffrouw Cranbourne stelde aan haar vader voor een piano te kopen en daar stemde hij mee in. Haar moeder, vertelde hij haar, had erg mooi gespeeld. Er kwam tweemaal per week een leraar die de muziek voor haar uit de doeken deed als een vreemde taal en als Frances speelde, voelde ze dat het huis tot leven kwam en tijdelijk het thuis werd dat het had kunnen zijn als haar moeder niet was gestorven.

Ze was dertien toen Edwin Matthews vanuit Manchester naar Londen kwam om een poosje bij hen te wonen. Het was een erg warme zomer en in Londen was het verschrikkelijk benauwd. De stank van het riool drong het huis binnen, de verzuurde melk klonterde in de thee, en de lucht boven de stad was doortrokken van rook. Haar vader haatte de hitte. 's Avonds klaagde hij dat het net leek alsof ze in Rome woonden, wat Frances prompt deed denken aan de plaatjes van het Romeinse caldarium die ze had gezien, met een vloer die leek op een plaat gloeiend marmer.

'Geef hem het gevoel dat hij hier welkom is.' Haar vader duwde zijn bord van zich af, leunde tegen de rugleuning van zijn stoel en stak een sigaar op. Nu de avond was gevallen, was het raam naar de straat opengezet en deed een briesje de vitrage opwaaien. 'En zeg niets over zijn moeder.' Dat had hij niet hoeven zeggen. Frances wist allang dat dode moeders geen geschikt onderwerp van gesprek waren.

Ze had tot dan toe niet eens geweten dat Edwin Matthews bestond. Hij was geboren in Manchester en drie jaar ouder dan zij. Zijn moeder had zich de dood in gedronken en haar man achtergelaten met vijf zonen. Edwins vader, die in de staalindustrie werkte, had Frances' vader geschreven met een verzoek om financiële steun. Edwin werkte hard, zei hij, en zou met de juiste begeleiding iets kunnen bereiken.

Hij arriveerde per trein op de heetste dag van het jaar, gekleed in een blauw wollen jasje met grote zweetplekken in de oksels. Hij stond bij hen op de stoep met een koffer vol boeken en een buitengewoon verlegen houding: een lange, tengere jongen met een bleke huid en zulke smalle handen dat je ze kon aanzien voor meisjeshanden. Zijn glimmende gezicht zag er verhit uit. Zijn voorhoofd zat vol puistjes die doorliepen tot op zijn neus. Toen Kerrick – in hemdsmouwen – zijn jasje van hem wilde aanpakken, schudde hij zijn hoofd en kleurden zijn wangen vuurrood.

Haar vader had gezegd dat hij zich in een Londens huishouden misschien slecht op zijn gemak zou voelen en kreeg gelijk. Edwin gedroeg zich alsof hij voortdurend bang was iets om te gooien. Hij trok zijn schoenen uit voordat hij naar boven ging, betrachtte extreme voorzichtigheid als hij een deur opendeed en was in staat urenlang te lezen zonder een vin te verroeren, behalve om bladzijden om te slaan. Hij was uitermate netjes en waste voor elke maaltijd zijn handen tot ze rood en ruw waren.

De eerste avond, herinnerde ze zich, had hij bijna het huis in brand laten vliegen. Hij had geen idee hoe een gaslamp werkte en had voor het slapengaan de vlam uitgeblazen. Frances werd wakker omdat ze Kerrick hoorde schreeuwen en op de deur van Edwins kamer bonken, hem waarschuwend vooral geen lucifer aan te steken en meteen naar buiten te komen. Ze stond boven aan de trap toen Edwin hakkelend zijn verontschuldigingen aanbood. Ze zag dat zijn pyjama hem te klein was, waardoor zijn magere enkels onder de pijpen uitstaken. Hij keek naar boven en toen hij zag dat zij daar stond, kreeg hij een blos van schaamte.

Ondanks zijn sociale onzekerheden was hij erg onafhankelijk en zat hij liever in zijn eentje dan in het gezelschap van anderen. Hij deed Frances denken aan een kind waarover ze in de krant had gelezen, dat tot zijn achtste geen woord had gezegd en toen opeens aan het ontbijt *King Lear* was gaan declameren.

Hij probeerde niets nieuws tenzij hij precies wist hoe het moest en observeerde hun huishouden nauwgezet tot hij precies kon nadoen hoe ze spraken, liepen, bezoekers ontvingen en theedronken. Binnen een paar weken had hij zich van het accent ontdaan dat de mensen eraan zou hebben herinnerd dat hij van oorsprong Iers was. Dit alles, besefte ze later, was van levensbelang voor zijn vorming. Hij zou alleen een goedlopende praktijk kunnen krijgen als hij in staat was zich als een gelijke onder de leden van de gegoede stand te bewegen.

Wanneer ze aan tafel zaten vroeg haar vader hem uit over de familie. Frances kreeg de indruk dat ze honderden familieleden hadden en kon onmogelijk alle namen onthouden: Irvines, Matthews, O'Rourkes, Doherty's, Connelly's, O'Donnells. Elk van die families was een verhaal apart. Haar vader wist Edwin uit zijn tent te lokken en moedigde hem aan zijn mening te geven over de hongersnood van zijn vaders generatie, de bombast en hebzucht van de Engelse landheren, de krottenwijken van Manchester en de familieleden die het geluk hadden gehad naar Amerika te kunnen emigreren. Al die verhalen schilderden een somber plaatje waar Frances niets mee te maken wilde hebben. Tot Edwins komst had ze slechts vaag geweten dat ze van Ierse afkomst was en nu bezoedelde hij hen met zijn verhalen over smerigheid en wanhoop.

'Papa, hij is zo onbeschaafd,' zei ze tegen haar vader toen

ze alleen waren. Edwin had slechte manieren; hij vergat het botermes te gebruiken en deed met de dessertlepel suiker in zijn thee. Haar vader werd opeens heel stil, maar ze ging roekeloos door en besloot het woord uit te proberen dat ze van haar nichtje Lucille had gehoord. 'Ik wil niet met een Afrikaan aan tafel zitten.'

De klap in haar gezicht – het was de eerste en enige keer dat haar vader haar sloeg – kwam volkomen onverwachts. Ze voelde zich alsof ze was gebrandmerkt. Hij stormde de studeerkamer uit, haar met open mond en een gloeiende wang achterlatend. Ze hadden het er nooit meer over gehad, maar op dat moment was het tot haar doorgedrongen dat er een verschil bestond tussen haar en haar vader – een verschil dat er misschien altijd was geweest, maar dat pas door Edwin aan het licht was gebracht.

'S Avonds, na het eten, mocht haar vader haar graag horen spelen. Edwin keek dan naar haar met een blik waarmee een verzamelaar naar een uniek porseleinen voorwerp keek. Als ze was uitgespeeld, vroeg hij beleefd aan haar vader of hij in de bibliotheek een partijtje met haar mocht schaken. Zelf zou ze dat geweigerd hebben, maar haar vader gaf altijd zijn toestemming. Alleen tijdens het schaken hoorde ze Edwin ooit vertrouwelijk praten. Hij sprak tegen haar met de zorgvuldig afgewogen woorden die men gebruikt om een kind iets te leren, legde een methodische belangstelling voor haar strategie aan de dag en leerde haar de grondbeginselen van het spel tot ze in staat was zelfstandig een adequate verdediging op te zetten. Hij instrueerde haar geduldig, negeerde haar recalcitrante zwijgen, en als ze verslagen was en haar koning neerlegde, blij dat het spel ten einde was, vertelde hij haar nog eens uitgebreid, met een betweterig genoegen, hoe ze had kunnen winnen. Als ze van het speelbord opkeek, zag ze dat hij naar haar keek met een onverholen nieuwsgierigheid, alsof ze een wiskundig vraagstuk was dat hij, als hij het eenmaal had opgelost, in zijn voordeel zou kunnen gebruiken.

Ze herinnerde zich hoe vervelend ze zijn intrede in hun leven had gevonden en dat ze blij was van hem af te zijn toen hij aan het einde van de zomer vertrok om te gaan studeren.

3

EEN MAAND NADAT HAAR VADER WAS TERUGGEKEERD, werd Frances uitgenodigd op een bal bij de Hamiltons. Het was een barre avond. Ze moesten de raampjes potdicht houden tegen de striemende regen toen de koets met horten en stoten door de natte straten reed. Frances was nerveus en had moeite stil te blijven zitten terwijl Lotta, binnensmonds verwensingen mompelend, een losgeraakte haarspeld op zijn plek probeerde te krijgen. Even later klepperden de paardenhoeven niet langer op de natte kinderhoofdjes, maar zonken ze knerpend in grind. Frances hoorde portieren die werden dichtgeslagen en geschrokken kreetjes van andere gasten die op het korte stukje van hun koets naar het huis door de regen moesten. Kerrick maakte het portier open en bukte zich druipend om de treeplank uit te klappen. Toen Frances opkeek naar het schitterende huis, zag ze uit alle hoge ramen op de eerste verdieping licht naar buiten stromen. Het gaf haar altijd een vreemd gevoel om hier als gast te komen, omdat dit het huis was waarin haar moeder was opgegroeid. Dat feit, in combinatie met haar aangeboren verlegenheid wanneer ze in een groot gezelschap verkeerde, maakte haar nerveus. Ze haalde diep adem om moed te vatten, tilde haar rokken op en haastte zich naar het bordes, waar bepoederde livreiknechten die speciaal om hun gespierde bouw en knappe uiterlijk gekozen waren, water van hun jasjes schudden.

Gasten verdrongen zich in de grote hal en hun stemmen weerkaatsten tegen de plavuizen. Water stroomde in straaltjes van de nog in bont gehulde vrouwen, wier gezichten glommen van de kou. Ze arriveerden in grote, rumoerige groepen, en hadden blijkbaar ook al samen gedineerd. Frances besefte dat zij de enige was die in haar eentje was gekomen. Gilletjes en luidruchtige begroetingen klonken op in de garderobe, die gevuld was met het gekwetter van in de rondte draaiende meisjes die allemaal tegelijk praatten. Ze gaf haar jasje en omslagdoek aan Lotta en monsterde zichzelf in de hoge spiegel. Rood haar, zoals altijd moeilijk in bedwang te houden, en een japon van wit gestippelde mousseline. Ze hadden de stof helemaal uit Parijs laten komen op advies van de naaister, een norse vrouw met hardhandige manieren en een rij spelden tussen haar opeengeklemde lippen. Ze had gezegd dat ze precies wist wat de laatste mode was, maar Frances had er nu spijt van dat ze haar had geloofd. Vergeleken bij de gladde japonnetjes van de andere meisjes was haar rok te wijd en had het lijfje een ouderwetse snit. Ze maakte een ouwelijke indruk, alsof ze al getrouwd was. Twee giechelende meisjes staken hun armen door elkaar toen ze langsliepen. Frances benijdde hen. Ze had weinig zin om in haar eentje de balzaal te betreden, maar wierp nog een laatste blik in de spiegel en herinnerde zichzelf eraan dat ze was gekomen om plezier te maken.

Een brede stenen trap voerde in een sierlijke bocht naar de balzaal op de eerste verdieping waar ze terechtkwam in golven van geluid. Een orkestje dat achter een rij marmeren pilaren was opgesteld, speelde een polka. De dansvloer was een kaleidoscoop van japonnen, die steeds naar het centrum wentelden om dan weer uit te waaieren naar de rand van de zaal. Aan het rijkelijk versierde plafond hingen flonkerende kristallen kroonluchters en tussen de open gordijnen waren guirlandes van witte rozen en paarse viooltjes opgehangen. Een butler liep rond met champagne in hoge, zilveren glazen. Frances pakte er een van het dienblad en bracht het, beslagen en koud, naar haar lippen. Ze moest aan heren voorgesteld worden om haar balboekje te kunnen vullen, maar zag haar tante nergens. Er had nog nooit een man belangstelling voor haar getoond, laat staan dat iemand haar het hof had gemaakt, en ze had veel ontzag voor het gemak waarmee Lady Hamilton omging met de stroom aanbidders van haar dochters.

Opeens zag ze haar nichtje Lucille, een popperige schoonheid met een bleke huid en donkerblauwe ogen, die met haar hoofd een beetje schuin naar een vriendin stond te luisteren. Haar geborduurde waaier ging open en dicht als de traag wuivende staart van een kat. Frances aarzelde, er opeens niet zeker van of ze wel naar haar toe wilde gaan. Lucille's zelfvertrouwen in deze situaties was zo volkomen dat Frances er juist onzeker van werd. Haar nichtje had een instinct voor de nuances van de beau monde en was op haar best met veel mensen om zich heen.

'Frances! Lieve!' zei Lucille toen ze haar zag naderen. Haar blik gleed over haar japon. 'Ben je hier helemaal alleen?'

'Lotta wacht beneden,' zei Frances, alhoewel dat niet het antwoord op haar nichtjes vraag was.

'Hoe maakt je vader het?'

'Goed, dank je.' Dat was niet helemaal waar. Sinds hij uit Manchester was teruggekeerd, was hij nog steeds niet de oude, maar Frances had geen zin om zijn gezondheidstoestand met Lucille te bespreken.

'Ha!' Lucille glimlachte triomfantelijk. 'Ik wist dat hij zich door het nieuws niet uit het veld zou laten slaan. Per slot van rekening is hij niet de enige investeerder. Alhoewel moeder ervan overtuigd was dat hij...' Lucille spreidde haar handen met een gebaar dat op een niet gespecificeerde catastrofe leek te duiden.

'Welk nieuws?' vroeg Frances. Lucille, die een scherp oor had voor de roddelpraatjes in de gegoede kringen, scheen altijd veel meer te weten dan zij.

'Heb je het niet gehoord?' Lucille trok haar fijntjes getekende wenkbrauwen op en bekeek haar onderzoekend. Niet voor het eerst voelde Frances zich alsof ze onder een microscoop werd gelegd en dat Lucille zich over haar naïviteit verbaasde alsof ze de kenmerken van een eigenaardige nieuwe diersoort had ontdekt.

'O... iets over spoorwegaandelen,' zei Lucille uiteindelijk. Ze haalde haar schouders op. 'Het is vast niet belangrijk.' Ze glimlachte verzoenend en liet haar blik door de zaal gaan.

'Zeg, is dat niet die neef van je vader die ooit een hele zomer bij jullie heeft gelogeerd?'

Frances volgde Lucille's blik en probeerde geen verbazing te tonen over het feit dat Lucille altijd precies wist wie iedereen was. Dokter Matthews stond naar haar te staren. Zijn haar was boven zijn smalle voorhoofd recht naar achteren gekamd. Hij hield haar blik een ogenblik vast en wendde toen zijn ogen af. Het irriteerde haar dat hij er was en ze hoopte dat hij haar niet ten dans zou vragen.

'Moeder voelde zich zeker verplicht hem uit te nodigen,' zei Lucille. 'Vanwege je vader.'

'Hij is nu arts,' zei Frances, die zich om de een of andere reden voor hem verantwoordelijk voelde. 'En hij woont in de Kaapkolonie.'

'Heb je hem dan gesproken?'

'Hij is een paar weken geleden bij ons thuis geweest.'

'Duidelijk een Ier! Je nodigt ze één keer uit en komt dan nooit meer van ze af.'

Frances deed haar mond al open om iets te zeggen, maar haar nichtje legde haar hand op haar arm en zei: 'Frances, je moet niet altijd happen!'

'Frances?' Haar tante onderbrak hen om haar voor te stellen aan een dikke man van middelbare leeftijd die zo transpireerde dat zijn haar aan zijn voorhoofd geplakt zat en de zweetdruppeltjes in zijn hals liepen.

'Nooit getrouwd, maar niet wegens gebrek aan geld,' fluisterde Lucille in Frances' oor voordat hij haar naar de dansvloer leidde.

'Warm hier,' zei de man amechtig en hij glimlachte naar Frances toen hij zijn handschoenen in zijn zak stak en haar hand in zijn vochtige, vlezige handpalm klampte. Terwijl hij haar over de dansvloer leidde, liet hij over haar schouder zijn blik speurend over de gasten gaan. 'Er ontbreken vanavond nogal wat mensen.'

'Hoe bedoelt u?'

'Zo te zien heeft een aantal heren van stand vanwege die ellende met de Northern Pacific Railway vanavond vroeg het bed opgezocht.' Hij glimlachte naar haar.

Toen dezelfde man haar een uur later weer voor een dans kwam vragen, veinsde Frances duizeligheid. Ze liep de aangrenzende zaal in, waar een overdaad aan etenswaren tentoongespreid was. Tafels beladen met gelatines, koekjestorens, kersentrifles en een keur aan cakes in opzichtige kleuren. Snijplanken met parelhoenderbouten, hele hammen en in plakjes gesneden koude tong. Het roze vlees van een grote zalm was zo slordig onder de zilveren huid vandaan gepeuterd, dat het eruitzag alsof een kat zich eraan tegoed had gedaan. Mannen en vrouwen zaten in groepjes met zilveren vorkjes in hun hand, hun mond bettend met driehoekige witte servetjes. Frances kon onmogelijk in haar eentje gaan zitten eten. Ze zou naar huis kunnen gaan, maar daarmee zou ze erkennen dat ze zich niet amuseerde. Ze wilde alleen maar een paar minuten alleen zijn. De deur van de bibliotheek aan de overkant van de gang stond op een kier. Ze liep ernaartoe en ging naar binnen.

De muren waren betimmerd met grijs eikenhout en boekenplanken reikten in gewelfde nissen van de vloer tot aan het plafond. Rijen schitterende, in leer gebonden boeken stonden symmetrisch gerangschikt. Ze liep over een Turks tapijt met een intrinsiek patroon naar een van de twee schuiframen die uitkeken op de achtertuin. De luiken waren gesloten. Frances tilde een van de haakjes op en klapte het luik open. Het zware hout draaide verrassend soepel op de scharnieren. Ze legde haar voorhoofd tegen de ruit, genietend van de koelte van het glas. In de stilte van de bibliotheek hoorde ze het rollende ritme van een wals, het zwellende geluid van stemmen toen de muziek stopte en het ritme van voeten op de marmeren vloer toen er een nieuw nummer werd ingezet.

Ze herinnerde zich de bibliotheek heel goed. Toen ze klein was, had ze een paar keer bij haar nichtjes gelogeerd toen haar vader op reis was. Ze had ernaar gehunkerd alleen te zijn maar Lucille en Victoria hadden haar vrijwel nooit met rust gelaten. Ze hadden haar betast alsof ze een zeldzaam schepsel was dat ontleed moest worden. Ze hadden haar strikken losgetrokken om aan haar wilde rode haar te plukken en haar handschoenen uitgetrokken om haar met sproeten bezaaide handen te bekijken. Als ze er eindelijk genoeg van hadden gekregen, had Frances door het huis gezworven, voorwerpen opgetild, laden opengetrokken en in de diepste hoeken van de kasten gekeken in de hoop iets te ontdekken dat van haar moeder was geweest. Lady Hamilton had het niet leuk gevonden dat Frances in alle kamers van haar huis snuffelde. Toen ze haar had betrapt, had ze haar hand gegrepen en boos gezegd: 'Nieuwsgierig Aagje.' Ze had hardhandig de huid aan de binnenkant van Frances' pols tussen haar vingers genomen en gezegd: 'Ik wil niet hebben dat je in mijn spullen zit te snuffelen als een handelaar die uit is op een koopje.' Pas later had Frances begrepen dat ze met die belediging had bedoeld dat Frances net zo was als haar vader.

Door de kieren van het raam drong een klein beetje frisse lucht door tot de lederen bedomptheid van het vertrek. Ze rook de geur van nat gras, maar toen ze haar handen langs haar gezicht tegen de ruit legde, zag ze alleen duisternis met daarin nog donkerder vormen die bomen moesten zijn. Ze richtte zich weer op en zag de vorm van haar gezicht in het glas verschijnen, vertekend tot een bleke spookverschijning. Glanzende witte huid omgeven door een dikke bos haar, ogen als zwarte holtes met in het midden een cirkel van licht. Ze likte aan haar volle lippen, maar hun vorm ging verloren in de wazige kwaliteit van het spiegelbeeld. Het schijnsel van een lamp viel op de rand van haar smalle kin en haar hoge jukbeenderen. Toen ze klein was, had haar vader haar vaak een elfje genoemd en met één brede hand haar gezicht omvat. Zijn vingers roken dan naar warme huid en tabak en hij had gegrapt dat ze te klein en te teer was om een echt meisje te zijn. Ze was sindsdien lang geworden, maar had nog steeds die smalle botten en die scherpe hoeken.

Er waren dagen dat ze het gevoel had dat haar gezicht niet het hare was en dat ze naar een volslagen vreemde keek als ze voor de spiegel stond. Ze slaagde er dan niet in zich te vereenzelvigen met de opvallende kleuren van haar uiterlijk en vond het vreselijk dat die altijd de aandacht trokken. Het was allemaal zo uitgesproken Iers. Het was de reden waarom de mensen haar anders bejegenden. Ze zag hoe ze naar de rode krullen en groene ogen keken. Meisjes gedroegen zich prikkelbaar en gereserveerd, jongens bleven gefascineerd op afstand, en haar moeders familie, voor wie ze zo duidelijk de dochter van een Ierse pauper was, gedroeg zich met openlijke afkeer. Kon ze maar net zo zijn als iedereen.

Lucille's vraag zat haar dwars. Had haar vader in de spoorweg geïnvesteerd? Hoe ernstig zou de situatie zijn? Ze had hem vanavond thuis in een zwijgzame, afwezige bui aangetroffen en het was haar opeens opgevallen dat hij ouder was geworden zonder dat ze daar erg in had gehad. Hij had de rugleuning van een stoel vastgepakt om zich op te richten uit de gebogen houding die zijn schouders kromde. Zijn haarlijn trok zich steeds verder terug van zijn voorhoofd en zijn wangen zagen er hol uit. Toen hij had gezien dat ze naar hem keek, was zijn hele gezicht veranderd, want een glimlach had de zuiverheid van het onbewaakte moment weggenomen. Hij had haar een knipoogje gegeven, en juist daardoor had ze een steek van bezorgdheid gevoeld en iets wat vreemd genoeg leek op gewetenswroeging.

Ze rilde. Het vuur in de open haard was nagenoeg gedoofd nu de houtblokken tot as waren verpulverd en slechts hier en daar nog gloeiden. Er brandden maar twee lampen in het grote vertrek, een ervan op een kaarttafel. Het gepolijste tafelblad liet een smalle rand van het groene vilt vrij waarmee de onderzijde was bekleed. Twee kleine, harde stoelen stonden scheef bij de tafel en de stukken op het schaakbord wezen erop dat het laatste spel een uitputtingsslag was geweest. De tweede lamp stond op een groot, mahoniehouten bureau dat tussen de ramen achter in het vertrek was geplaatst. Het leren inlegwerk had een taupekleurige glans. Afgezien van een kleine wereldbol stond er niets op het bureau. Ze gaf de bol een slinger en hield met een impulsief gebaar haar vinger ertegen. Ze voelde hem onder haar vingertoppen draaien, langzaam in vaart afnemend door de zachte druk die ze erop uitoefende.

'Het lot tarten is een gevaarlijk spel.'

Frances draaide zich met een ruk om. Er stond een slanke man in de deuropening, omlijst door licht. Toen hij naar voren kwam, zag ze dat het Edwin Matthews was. De laatste persoon die ze wilde zien. Ze wilde niet praten over haar vaders ziekte en ze wilde ook geen Ierse reünie. Als ze heel eerlijk was, vond ze zijn aanwezigheid op het bal een tikje gênant, wat haar deed beseffen dat ze het in zekere zin eens was met Lucille. Ze zei niets, in de hoop dat hij zou vertrekken. Nu hij haar hier had aangetroffen, zou hij ervan uitgaan dat ze zich niet amuseerde, wat hem een voorsprong op haar gaf, al wist ze niet precies waarom.

Ondanks dat alles vond ze het stiekem wel fijn dat iemand haar had gevonden. Hij keek haar aan met zijn lichte, grijze ogen en wees met een brede armzwaai naar de deur. 'Hun conversatie interesseert u niet?'

Zijn gelaat toonde niets van de beweeglijke opgewondenheid en verhitte geestdrift die de gezichten van de andere gasten kenmerkten. Hij zag er onbehaaglijk uit in zijn smoking, als een vogel met geleende veren, maar maakte niettemin een zelfverzekerde indruk, alsof hij verwachtte zijn voordeel te kunnen doen met de situatie.

'Men praat uitsluitend over de gekelderde spoorwegaandelen.'

'Heeft uw vader daar niet in geïnvesteerd?'

Het was ronduit onthutsend dat hij dit had geweten en zij niet. 'En wat dan nog? Mijn vader is altijd erg voorzichtig.'

De dokter liet het uiteinde van een sigaret dansen op een zilveren sigarettendoosje. 'Mag ik?'

Ze knikte instemmend en keek toe toen hij een lucifer uit een glazen potje pakte dat op de schoorsteenmantel stond, de kop stevig langs de geribbelde rand streek en zijn hoofd boog om de sigaret naar het blauwe vlammetje te brengen. Ondanks alles was ze nieuwsgierig. Zou een arts uit de koloniën de euvele moed hebben met haar te flirten? Ze ging ervan uit dat hij hier niet zomaar was. Hij leek haar geen man die ooit zomaar iets deed of per ongeluk ergens was. Een ogenblik ging zijn gezicht schuil achter een rookwolk. Toen die wegtrok, wees hij naar het schaakbord. 'Zullen we een partijtje spelen?'

Ze aarzelde. Ze kon in opspraak komen als iemand binnenkwam en hen zonder chaperonne aantrof, maar uiteindelijk won de nieuwsgierigheid het. Ze wilde dat hij iets zou loslaten, dus stemde ze ermee in een partijtje te spelen.

Hij pakte een asbak en zette die op de kaarttafel. Onder in de asbak lag een uitgedrukte sigarenpeuk. Ze rook de rijke, zoete tabaksgeur. Hij trok een stoel voor haar naar achteren en toen ze ging zitten, streken zijn knokkels langs de achterkant van haar japon. Hij begon de stukken op te stellen. Ze herinnerde zich zijn neiging om te zwijgen. 'Is het waar,' vroeg ze om hem tot een gesprek uit te lokken, 'dat als alle diamanten in de Kaapkolonie gelijktijdig verkocht werden, één diamant niet meer waarde zou hebben dan een doodgewone kiezelsteen?'

'Misschien,' zei hij, terwijl hij de pionnen zo schikte dat hun vierkante voetstukken parallel stonden aan de vakjes van het speelveld. 'Als ze allemaal gelijktijdig verkocht zouden kunnen worden. Maar de meeste zitten nog in de grond.' Hij keek naar haar op. 'Eerlijk gezegd maak ik me meer zorgen om de mensen die de diamanten uitgraven dan om de stenen zelf.'

'De magnaten?'

'En de inboorlingen die voor hen werken.'

'Zijn die erg primitief?' vroeg ze met een theatrale uithaal.

Hij wierp een korte blik op haar maar gaf geen antwoord op haar vraag. Geïrriteerd door zijn afkeurende reactie richtte ze haar aandacht op het schaakbord. De schaakstukken waren schitterende figuurtjes uit de Slag bij Waterloo, uit ivoor gesneden soldaten, blauwe uniformen tegenover rode. Hij pakte een pion, hield zijn armen achter zijn rug en stak ze toen voor zich uit, opdat ze zou kiezen. Zijn handen waren wit en haarloos en toen Frances op een ervan een tikje gaf, draaide hij die om en hij opende zijn lange vingers als een bloem tot het schaakstuk op de gerimpelde handpalm zichtbaar werd.

Frances concentreerde zich niet op het spel, maar keek hoe de dokter speelde. Er lag een beheerste voldoening opgesloten in zijn lichaam, en een frustrerend overdreven nauwgezetheid in de manier waarop hij de stukken verplaatste. Ze schaamde zich ervoor dat ze wilde dat hij iets zou zeggen over haar positie en had er spijt van dat ze had toegestemd in het spel. Van tijd tot tijd zwol het feestgedruis aan omdat de deur van de balzaal openging en ze hoorde gedempte stemmen en doelbewuste voetstappen van mannen die naar buiten gingen om te roken.

Toen de openingszetten gedaan waren, zette Frances haar loper met opzet in een zodanige positie dat hij hem makkelijk kon slaan, maar hij ging daar niet op in en schoof zijn toren erlangs. Ze deed snel een tegenzet waarbij ze haar stukken allemaal in gevaar bracht, maar hij bleef weigeren haar te slaan, zelfs toen hij met zijn loper haar dame kon nemen. Ze werd steeds roekelozer, maar hij hield zich in. Uiteindelijk zette hij haar heel slim schaak door slechts één van haar pionnen van het bord te nemen en daarmee zijn dame in een aanvalspositie te brengen. Toen het spel voorbij was, leunde hij achterover op zijn stoel om haar vervolgens aandachtig te bekijken.

'Hebt u geen interesse voor mij, juffrouw Irvine?'

Hij keek haar recht in de ogen en ze beantwoordde zijn blik. 'Integendeel. U hebt overtuigend bewezen dat u van ons tweeën de beste schaker bent.' Ze was tevreden over zichzelf dat ze niet hapte. Ze stond op om te vertrekken, maar hij duidde met een gebaar aan dat ze weer moest gaan zitten.

'Ik moet voor het einde van het jaar terugkeren naar de Kaap.' Hij bleef haar kalm aankijken, maar op zijn voorhoofd klopte een blauw adertje.

Op de gang klonken stemmen en gehaaste voetstappen. Ze hielden halt voor de deur van de bibliotheek, maar liepen toen weer door. 'U zou de Kaapkolonie wel interessant vinden, juffrouw Irvine.' Hij likte aan zijn lippen. 'Ik hoop dat ikzelf na verloop van tijd ook uw belangstelling mag winnen.' De muziek was weer gestopt en het enige wat Frances nu hoorde was het trage tikken van de klok op de schoorsteenmantel.

'Waarvoor zou ik precies belangstelling moeten krijgen?'

'Voor het huwelijk. Ik vraag u om uw hand.'

Frances knipperde verrast met haar ogen. Ze had een wat kunstmatige liefdesverklaring verwacht, maar niet dit.

'De kans bestaat dat ik redelijk wat geld zal verdienen.' Hij leunde naar voren en liet zijn blik over haar gezicht glijden. 'Het is anderen vóór mij ook gelukt... als ik een plaats kan veroveren binnen bepaalde kringen...' Hij pauzeerde en ging toen op gedempte toon verder. 'U zou me kunnen helpen. Door me voor te stellen aan de juiste mensen.'

'Door u voor te stellen aan de juiste mensen?' vroeg ze ongelovig. 'Wat denkt u dat mijn vader zou zeggen als hij dit zou horen? Vindt u niet dat u zijn liefdadigheid schandelijk uitbuit?'

'Bent u gelukkig in Londen?'

De vraag overrompelde haar en het duurde een paar ogenblikken voordat ze een antwoord had gevonden. 'Of ik gelukkig ben is uw zaak niet.'

Ze schoof haar stoel achteruit en stond op. Misschien had ze hem aangemoedigd, ze had in elk geval zijn spel gespeeld, maar nu hij zijn zegje had gedaan, besefte ze dat ze zich in een volkomen ongepaste situatie bevonden.

Hij stond ook op en liep met haar mee naar de deur. 'Als u van gedachten mocht veranderen...'

Hij had veel te veel zelfvertrouwen en opeens stond hij haar tegen. 'U bent een goede schaker, dokter Matthews, maar ik kan u verzekeren dat dit ons laatste spel was.'

Ze liet hem bij de deur staan en verliet haastig het vertrek.

4

FRANCES ZAT IN DE SALON OP DE EERSTE ETAGE VAN DE VILla in Mayfair op haar oom te wachten. Lucille en Victoria hadden zich niet laten zien, alhoewel de etiquette voorschreef dat ze haar gedag moesten komen zeggen als ze thuis waren en Frances boven af en toe een schaterende meisjeslach en roffelende voeten hoorde. Het was duidelijk dat haar nichtjes eenvoudigweg geen zin hadden om naar beneden te komen. Ze was zo nerveus dat ze het liefst was blijven staan, maar had toch maar plaatsgenomen op een van de zachte, donkerbruine banken. Ze wilde geen opdringerige indruk maken, omdat dat het soort kritiek zou kunnen uitlokken die haar oom op haar vader had gehad en haar nu te beurt zou kunnen vallen. Het was twee weken geleden dat haar vader was gestorven en ze hoopte dat haar oom haar had laten komen om haar een plaats in zijn gezin aan te bieden.

De salon was een indrukwekkend vertrek met een hoog

plafond dat rondom was afgewerkt met kroonlijsten. Er stond een overdaad aan donkere meubelstukken met klauwpoten en alle vrije plekjes in de zee van fluweel waren opgevuld met gelakte mahoniehouten tafeltjes met witmarmeren bladen waarop vergulde lampen stonden. Haar tante was een verwoed verzamelaarster van De Morgan-vazen en de geglazuurde, overwegend donkerrode afbeeldingen van honden die op allerlei wild jaagden, glansden je vanuit alle hoeken van de kamer tegemoet. Als kind was Frances verrukt geweest van de vanzelfsprekende grandeur van dit huis. De Hamiltons woonden hier al meer dan zestig jaar, maar ze was er niet zeker van of dat de reden was waarom het huis de indruk wekte onaantastbaar te zijn, of dat het kwam door de overtuigende omvang van de familie. Hoe wankel was het uiterlijk vertoon van haar vaders leven dan geweest. Dat was na zijn dood wel duidelijk geworden. Het had niets van de stabiliteit die Frances hier zag: zelfs meer dan een halve eeuw nadat de familie hier was komen wonen, was dit huis bestand tegen elke denkbare calamiteit.

Het patroon van groene en bruine ruitjes in de glas-in-loodramen tegenover haar maakte de kamer vrij donker, omdat het felle licht van augustus erdoor buiten werd gehouden. Er brandde geen vuur in de haard en geen van de lampen was ontstoken. Haar oom was erg gesteld op kwaliteit, zoals hij het noemde, maar had een afkeer van verkwisting, een van de punten van kritiek aan het adres van haar vader, die van sigaren en late avonden op zijn club had gehouden, wat erop wees dat hij niet had geloofd dat wereldse geneugten en een lange levensduur rechtstreeks met elkaar in verband stonden.

Na een paar minuten stond ze ongeduldig op. Haar zwarte rok van crêpe de Chine maakte een ruisend geluid toen ze naar de hoek van de kamer liep waar rechts van een breed erkerraam een piano stond. Ze leunde met haar elleboog op het mahoniehout en keek in de wardiaanse broeikas die op de vensterbank stond. Het uit glas en lood vervaardigde terrarium was rijkelijk versierd en had op de bodem een laagje grind dat vrijwel geheel schuilging onder de weelderig groeiende varens. De planten groeiden veel te dicht op elkaar. De bladeren drukten tegen het glas alsof ze erom smeekten vrijgelaten te worden en de ruitjes waren beslagen door de vochtige warmte. Toen ze zich nog dichter over het terrarium boog, rook ze de zoetige verrottingsgeur van vochtige vegetatie. In de onderste hoeken ontrolden zich lichtgroene uitlopers met dikke knoppen die eruitzagen als zachte, behaarde slakken. De glazen stolp beschermde de planten – de varens zouden snel sterven als ze werden blootgesteld aan de vervuilde Londense lucht – maar zou ze uiteindelijk ook laten stikken.

'Deel je deze liefhebberij van mijn dochters?' Frances draaide zich om en zag haar oom binnenkomen. 'Zij vinden natuurlijke historie fascinerend.' Frances sprak hem niet tegen, al wist ze dat haar nichtjes hun belangstelling voor de wereld van de planten lang geleden al hadden verloren. Het was een kortstondige bevlieging geweest die net lang genoeg had geduurd om hun vader van hun vlijt te overtuigen.

'Goedemiddag, oom. Dank u wel dat u tijd voor me hebt vrijgemaakt.'

Hij was zoals altijd in het zwart gekleed en fronste licht zijn wenkbrauwen, als een man die een dreiging voelt aankomen, een man die niet weinig bang was voor wat de wereld van plan was hem in de weg te leggen. Frances vond hem iemand die misschien op vele gebieden een lafaard zou blijken te zijn, behalve als het aankwam op het beschermen van zijn gezin. Die obsessie weerhield hem ervan nauwe banden te smeden met buitenstaanders en Frances, die tot nu toe geen reden had gehad zijn gevoelens ten opzichte van haar op de proef te stellen, wist niet zeker of zij behoorde tot degenen die hij meende te moeten beschermen.

Hij maakte een uitnodigend gebaar naar de bruine bank en ging in een fauteuil tegenover haar zitten. 'Hoe maakt mevrouw Arrow het?'

'Goed, dank u.' Met deze vraag sneed hij meteen het probleem aan, maar ze wilde niet gedwongen worden haar angsten nu al op tafel te leggen. Haar vaders zuster, mevrouw Arrow, was veertien dagen geleden uit Manchester naar Londen gekomen. Het was een vrouw die met een geniepig genoegen het feit hekelde dat haar broer tot armoede was vervallen en van Frances een dankbaarheid eiste die haar nu al volledig had afgemat. Elk gesprek begon met verholen kritiek. 'Als we eenmaal in Manchester zijn, wil ik niet dat je...' Ze had voor drie van haar vijf kinderen een kindermeisje nodig en had erin toegestemd Frances in huis te nemen met de bedoeling dat zij die rol zou vervullen.

'Dat is fijn. Welnu, ik heb een brief ontvangen die op jou betrekking heeft.' Hij ontvouwde een vel papier dat hij uit zijn binnenzak haalde. 'Van ene dokter Matthews.'

Frances voelde alle spieren van haar gezicht verstijven.

'Hij vraagt om je hand.' Haar oom keek haar glimlachend aan. 'Wat zeg je daarvan?'

'Wat moet ik daarvan zeggen?' Ze probeerde een effen toon aan te slaan, omdat ze wist dat hij van te veel emotie nerveus werd. 'Ik kan niet met dokter Matthews in het huwelijk treden.'

'Ik begrijp heel goed dat het misschien niet is wat je had verwacht, Frances, maar alles bij elkaar genomen is hij een goede partij. Hij heeft een overtuigende brief geschreven. Hij noemt daarin zijn vriendschap met je vader en de goedhartigheid die je vader in vroeger jaren ten opzichte van hem aan de dag heeft gelegd. Hij is een gediplomeerd arts met een praktijk in Kimberley. Hij heeft momenteel weliswaar weinig kapitaal, maar hij is jong en er is geen enkele reden waarom hij in de koloniën niet een succesvol man zou worden.'

'Oom, alstublieft, u begrijpt het niet.'

'Frances.' Zijn stem hield nu een waarschuwing in, gevat in staal.

'Ik ken hem amper.'

'Hij schrijft dat hij je onlangs heeft ontmoet, hier bij ons thuis? Jullie hebben een partijtje geschaakt? Dat klinkt welhaast als hofmakerij.'

'Ik mag hem niet.' Frances haalde diep adem om de paniek te onderdrukken die in haar oprees. Ze moest haar oom met praktische argumenten voor zich zien te winnen. 'U hebt geen idee wat voor iemand hij is. Een en al ambitie. Vanaf de dag dat hij uit Manchester is gekomen om de zomer bij ons door te brengen, heeft hij naar manieren gezocht om in onze familie binnen te dringen.'

Haar oom keek haar onbewogen aan, legde zijn handen tegen elkaar met zijn vingertoppen onder zijn kin en zei op een effen toon: 'Ik heb met hem gesproken. Dat verbaast je? Ja, ik heb hem verzocht langs te komen. Zie je, in tegenstelling tot wat jij wellicht denkt, gaat jouw toekomst mij wel degelijk aan het hart. Hij sprak in genegen bewoordingen over jou en ik heb kunnen vaststellen dat hij een fatsoenlijke man is met behoorlijke vooruitzichten. Jouw vader heeft je een bevoorrecht leven gegeven en daarom zul je je aan bepaalde veranderingen moeten aanpassen, maar dokter Matthews zal goed voor je zorgen.'

'En als ik nee zeg?'

'Dan zul je bij je tante in Manchester moeten gaan wonen.'

'Dat kan ik onmogelijk doen en dat weet u best!' Er kroop een wanhopige klank in haar stem. 'Dan zal ik de rest van mijn leven voor haar moeten werken.'

Haar oom keek naar zijn handen en zweeg.

'Ze is heel anders dan ik!' Frances stond op en beet op haar lip.

'Niet zo veel anders dan jij, Frances,' zei haar oom langzaam. 'Ze is nog altijd de zuster van je vader.'

Frances zag zichzelf in de met goud omlijste spiegel boven de open haard. Ze had er spijt van dat ze was opgestaan. Voor haar oom moest dat een teken van slechte opvoeding zijn. Onder de arend met zijn gespreide vleugels werd haar beeltenis in het bolle, donkere glas vertekend weergegeven. Vonkend rood haar waaierde in dikke krullen uit rond haar hoofd en de smalle, hoekige vorm van haar gezicht was zo vervormd dat haar mond een bittere trek had. Wat haar oom betrof, was haar Ierse bloed veel te opvallend. Het herinnerde hem eraan dat haar moeder haar leven had vergooid en opeens vroeg ze zich af of hij er soms blij om zou zijn als hij haar nooit meer zou hoeven zien. 'Dus... bij u ben ik niet welkom?'

'Goede genade, Frances! Je bent precies je vader,' zei hij. Hij vertrok zijn mond afkeurend.

'Stel dat Lucille bij haar zou moeten gaan wonen!' Frances verhief beschuldigend haar stem. 'Hoelang denkt u dat zij dat zou volhouden?'

Hij gaf niet meteen antwoord, maar toen hij uiteindelijk weer sprak, klonk hij erg afstandelijk en had zijn stem een ijzige klank. 'Ik heb mijn uiterste best gedaan om me ervan te verzekeren dat mijn dochters goed verzorgd achterblijven als mij iets mocht overkomen. Ik wil jou er graag aan herinneren, al begrijp ik niet goed hoe je dat kunt zijn vergeten, dat mevrouw Arrow noch dokter Matthews familie van mij is. Maar nu je deze vraag hebt gesteld, is mijn antwoord dat ik hoop dat ik mijn dochters voldoende fatsoen en nederigheid heb bijgebracht om te aanvaarden wat het leven hun zal brengen. Je hebt het de afgelopen weken niet makkelijk gehad, Frances, en ik leef met je mee, maar ik raad je aan nu maar gewoon te accepteren dat het leven niet altijd over rozen gaat.'

Hij had ofwel niet ten volle begrepen in welke positie ze zich bevond, of ervoor gekozen zijn handen van haar af te trekken. Ze voelde zich onbegrepen. Vanwege zijn wantrouwen tegenover anderen had hij een muur opgetrokken rond zijn familie en het was haar nu duidelijk dat zij daarbuiten stond. Nu ze niets meer te verliezen had, gooide ze op tafel wat haar nog het meest verbijsterde. 'En uw loyaliteit ten opzichte van mijn moeder dan?'

'Jouw moeder vond dat de familie van jouw vader goed genoeg voor haar was, en als ze nog zou leven, neem ik aan dat ze die dus ook goed genoeg zou vinden voor haar dochter. Met je besluiteloosheid doe je haar geen eer aan.'

Hij zuchtte en stond op, ten teken dat het onderhoud voorbij was. 'Ik neem aan dat je weet dat de dood van je vader nogal wat kosten met zich heeft meegebracht. Denk niet dat wij niet goedgeefs zijn geweest. Maar dit gaat niet over kosten. Ik kan niet zeggen dat ik je openhartigheid op prijs stel, maar als jij zo eerlijk voor je mening uitkomt, zal ik hetzelfde doen. Mijn vrouw en ik hebben je situatie uitgebreid besproken. We zijn er niet zeker van dat je een type bent om de tweede viool te spelen, voor wie dan ook. Je moet goed bij jezelf te rade gaan of je wel gelukkig zou zijn als je hier zou wonen, in de schaduw van je nichtjes. Ik heb het idee dat je die vraag ontkennend zult moeten beantwoorden.'

Frances zei maar niet dat ze tot heel veel bereid zou zijn om haar nichtjes te plezieren als daardoor voorkomen kon worden dat ze als een dienstmeid in het huis van haar tante zou moeten wonen. Ze wist dat hij niet van gedachten zou veranderen en haar trots had al genoeg klappen opgelopen. 'Ik verzoek u dokter Matthews te laten weten dat ik niet op zijn aanbod kan ingaan.'

'Is dat je definitieve besluit?'

Ze knikte. Ze moest wel. Ze kon niet in het huwelijk treden met een man van wie ze niet hield; een man die bereid was haar onfortuinlijke situatie uit te buiten teneinde haar tot een huwelijk te dwingen. Toen ze zich omdraaide naar de deur, zei hij, misschien gepikeerd dat ze zo abrupt vertrok, en in een opwelling van onbaatzuchtigheid die hem niet zozeer door Frances' situatie dan wel door vaderlijke trots werd ingegeven: 'Je moet nog een keertje langskomen voordat je uit Londen vertrekt. Mijn dochters zijn erg gul en hebben vast allerlei spulletjes die ze je willen meegeven naar Manchester.'

Ze keek nog één keer om voordat ze het vertrek verliet en zag dat haar oom een half verdorde geraniumkop verwijderde, alweer volledig toegewijd aan het welzijn van zijn eigen gezin.

Het liep al tegen het einde van de middag toen ze thuiskwam. Haar tante stond in de deuropening van de zitkamer met haar jongste kind op haar arm. Het was een forse vrouw met rood kroeshaar dat doorschoten was met grijs. Als ze zich kwaad maakte, kreeg ze rode uitslag op haar neus en wangen. Frances herkende vaag iets van zichzelf in de gelaatstrekken van de oudere vrouw en vroeg zich af of dit haar voorland was.

'Waar bleef je zo lang?' Haar tante gaf haar een venijnige klap in haar gezicht. Voordat Frances kon reageren stak de vrouw haar het kind toe en zag ze zich gedwongen het wurm van haar over te nemen. Het gezicht van het jongetje was bleek en glom als porselein. Waterig snot liep uit zijn neus. Toen hij met een nat handje naar haar mond greep, rook ze de plooien tussen zijn vingertjes, vochtig en zuur als zachte kaas.

'Arme Jimmy! Wat hij nodig heeft, Frances, is een kindermeisje dat op de tijd weet te letten. Je zou weleens wat dankbaarheid mogen tonen dat ik bereid ben je in huis te nemen. En dat doe ik alleen omdat ik zo'n goed hart heb, want van kinderen verzorgen heb jij duidelijk geen kaas gegeten. Wat doe je nou weer?' riep ze toen Frances er niet in slaagde het wriemelende kind in bedwang te houden. 'Kippenkracht heb je. Dat krijg je ervan als je nog nooit van je leven hebt hoeven werken.'

Frances zette het jongetje op de grond en vluchtte de trap op naar haar slaapkamer zonder zich iets aan te trekken van het geschreeuw van haar tante. Ze deed de deur op slot en luisterde niet naar het gekrijs dat beneden opsteeg. Voor het eerst sinds de dood van haar vader voelde ze een emotie die sterker was dan verdriet.

Ze was één keer met haar vader bij haar tante op bezoek geweest. Het gezin woonde in een klein rijtjeshuis in een straat die zo lang was dat je geen van beide uiteinden kon zien. Er hokten zo veel mensen binnen die vier muren, zo veel zeurende, huilende kinderen die op haar schoot probeerden te klimmen, dat Frances had gedacht dat haar hoofd uit elkaar zou barsten van het lawaai. Ze waren er in de winter geweest en er hadden condensdruppeltjes over de beslagen ruiten gelopen. Op de muren van de huiskamer zat goedkoop imitatiebehang waarvan de kleur vanwege de gaslamp van oranje in zwart was veranderd, en het vochtige vloerkleed stonk. Het dienstmeisje had rode, tranende ogen, alsof ze voortdurend huilde. Frances was de achtertuin in gelopen, waar het buitentoilet was. De deur zat dichtgevroren en ze had ertegen moeten schoppen om de scharnieren los te werken. Kakkerlakken scharrelden in de kieren tussen de planken. Ze was doodstil blijven staan, met haar handen tegen elkaar gedrukt, en had de plek bestempeld als een soort persoonlijke hel.

Haar vader was dood. Ze was zijn bescherming kwijt en werd gedwongen terug te keren naar de stad waar hij was opgegroeid. Anders dan hij dacht ze niet dat ze ooit zou kunnen ontsnappen als ze daar eenmaal was. Het was niet ongebruikelijk dat een huisgezin een afgeleefd familielid dat zich in het zweet had gewerkt voor kost en inwoning en zelf geen kinderen had, alleen maar aanhield tot ze te oud was geworden om zich nuttig te maken. Ze kon er niet van op aan dat de kinderen van haar tante op haar oude dag voor haar zouden zorgen. Zij zouden zich hun verplichting tegenover haar vader niet herinneren. Je had alle kans dat ze dan naar het armenhuis gestuurd zou worden. Als ze geen manier vond om te voorkomen dat ze mee moest naar Manchester, zou ze daar de rest van haar leven spijt van hebben.

5

FRANCES STREEK HAAR ROUWJURK GLAD, ZOOG DE INKT-vlek van haar vinger en las de brief nogmaals. *Dokter Matthews. Gaarne zou ik iets met u willen bespreken.* Ze was er nog steeds niet zeker van dat ze de brief wilde versturen. Zou ze ooit iets anders dan aversie kunnen voelen voor een man die om puur opportunistische redenen zijn aanzoek had gedaan? Als hij haar niet ten huwelijk had gevraagd, had haar oom haar misschien in huis genomen. Door zijn brief was de kans daarop definitief verkeken. Hij had het voor haar oom bijzonder makkelijk gemaakt om van haar af te komen en het was heel goed mogelijk dat hij dat had geweten.

Zonlicht stroomde door het raam naar binnen. Het was te warm voor september. De dikke stof van haar japon, die meer wol dan zijde bevatte, deed haar transpireren en de naden schuurden over haar huid. Ze stak een vinger onder de manchet om haar polsen wat koelte te geven. Wat zou hij ervan denken als hij hoorde dat ze van gedachten was veranderd?

Het glanzend gewreven blad van het oude schrijfbureau was bedekt met condoleancebrieven. Het bureau stond voor het raam zodat ze uitzicht had op de tuin. Ze zag dat het gras, dat altijd zorgvuldig kort werd gehouden, over het pad groeide. Het moest gemaaid worden, maar niet door Kerrick. Vanochtend was er weer een stapel brieven bezorgd. Niet de brieven die ze had verwacht, van de politici en zakenmensen die vrienden van haar vader waren geweest zolang het hem voor de wind was gegaan en die hem in de steek hadden gelaten toen hij failliet ging. Deze brieven waren van mensen van wie ze nog nooit had gehoord, gemachtigden van liefdadigheidsinstellingen en doodgewone mannen en vrouwen die uiting gaven aan hun dankbaarheid voor haar vaders goedgeefsheid. Ze had niet geweten dat hij zich met liefdadigheidswerk had beziggehouden en het deed haar goed dat er mensen waren die daarom van hem hadden gehouden, mensen die hem niet hadden laten vallen toen het hem tegenzat. Ze had sommigen van die mensen misschien kunnen ontmoeten als de regels van fatsoen haar hadden toegestaan de begrafenis bij te wonen, maar helaas was ze gedwongen geweest de hele dag thuis te blijven met mevrouw Arrow.

Frances legde de brief neer en liet haar hoofd tussen haar handen zakken. De hele ochtend had ze geluisterd naar de voetstappen van mensen die door de gangen van het huis liepen. Nu was dat eindelijk opgehouden en hoorde ze alleen nog af en toe een applausje opklinken als een voorwerp voor een mooi bedrag onder de hamer ging. Het grootste deel van het meubilair zou morgen worden weggehaald – alleen de serre en haar slaapkamer waren gespaard. Haar tante was al teruggekeerd naar Manchester, wat een verademing was. Frances zou haar stroom van commentaar op de veiling niet hebben kunnen verdragen.

Ze hoorde een klopje op de deur.

'Thee, juffrouw Frances?'

'Graag, Kerrick, dank je. Hoeveel zijn het er inmiddels?'

Er verscheen een diepe frons op Kerricks voorhoofd toen hij zijn gezicht vertrok van afkeer. 'Meer dan honderd sinds vanochtend.' Hij stond licht gekromd in de deuropening nu zijn schouders door ouderdom naar voren werden getrokken.

'En de verkoop?'

'Die ziet er goed uit, juffrouw. Het ontbrak uw vader niet aan mooie voorwerpen. Maar er zijn ook veel heren die alleen maar zijn gekomen om te kijken.'

Het huis en de inboedel zouden niet voldoende opbrengen om haar vaders schulden af te lossen. Voor haarzelf zou er geen cent overblijven. 'Hij heeft te veel en onverstandig geïnvesteerd,' was het vonnis van haar oom na een langdurige bespreking met haar vaders juridisch raadsman. Toen ze om nadere uitleg had gevraagd, had hij met zijn duim en wijsvinger in de brug van zijn neus geknepen en met zorg het woord 'bankroet' gemeden.

Uit de kranten was ze meer te weten gekomen. Haar vader had zijn bedrijf als onderpand gebruikt om geld te lenen, dat hij vervolgens had geïnvesteerd in de Northern Pacific Railways, een bedrijf dat bezig was een spoorweg aan te leggen door een gigantisch, nog niet in kaart gebracht gebied ten zuiden van de grens met Canada. Zes weken geleden had de Northern Pacific Railways zich failliet laten verklaren. De omvang van het project en de afgelegen ligging van het gebied hadden het de nekslag gegeven. Er stond een plattegrond in de krant. Ze hadden een spoorweg willen aanleggen over de hele breedte van Amerika, van de Grote Meren tot de Stille Oceaan. Het was Frances meteen duidelijk waarom plannen voor een spoorweg dwars door die wildernis tot haar vaders verbeelding hadden gesproken. Toen ze klein was, had hij haar vaak zijn verzameling landkaarten laten zien. Hij rolde die dan uit op zijn bureau en wees haar allerlei nog niet in kaart gebrachte streken in Canada en Afrika aan. Zijn gezicht lichtte op als hij het over die afgelegen gebieden had en ze had het gevoel gekregen dat hij zich in Londen opgesloten voelde, in zijn bewegingen belemmerd door de regels en voorschriften van de society.

Nu moesten zijn schulden worden afgelost en het honorarium van de advocaat en het loon van het personeel betaald. Haar oom was haar te hulp gekomen en ze was dankbaar maar ook verontrust over zijn efficiënte handelwijze. De begrafenis, een nieuwe werkkring voor het personeel, de verkoop van het huis – het was allemaal binnen een maand geregeld. Kerrick had veertien jaar voor hen gewerkt en zou over een paar dagen zomaar uit haar leven verdwijnen. Van haar vaders bestaan op deze aarde was vrijwel niets meer over. Irvine & Hitchcock, het meubelbedrijf dat ooit het grootste van Engeland was geweest, was verkocht voor een fractie van de waarde. En nu de veiling, alsof haar oom had besloten de lust van het publiek voor schandalen te bevredigen door het huis aan de hele wereld bloot te stellen. Zelfs Frances moest stilletjes afgevoerd worden en als ze eenmaal weg was, kon de familie van haar moeder in alle rust vergeten dat zij ooit had bestaan.

Als ze de brief verstuurde, moest ze Edwins aanzoek accepteren. Afrika intrigeerde haar. Het kon een nieuw begin zijn. Ze zou wel wennen aan een minder welvarend leven, aan minder luxe dan ze gewend was. Het probleem was dat ze bang was dat ze Edwin nooit zou mogen. Hij had een te serieuze inborst. Hij analyseerde alles altijd tot op het bot, tot er geen greintje plezier meer aan te beleven viel. Wanneer ze in zijn gezelschap verkeerde, had ze altijd het gevoel dat hij iets van haar verwachtte, een morele rechtschapenheid gelijk aan de zijne. Hij had een beroep gedaan op haar oom en onbeschaamd de dood van haar vader gebruikt om zijn verzoek kracht bij te zetten, ook al had ze hem tijdens hun laatste ontmoeting duidelijk gemaakt dat ze geen belangstelling had voor zijn aanzoek. Het was ambitie. Hij wilde haar niet omdat hij van haar hield, maar omdat ze een bevestiging van zijn succes zou zijn.

Ze herinnerde zich hem als jongen, overdonderd door het huis met de grote tuin en de witte Kensington-façade, de stille kamers en de grote boekenkasten. Omdat hij al die dingen zelf nooit zou kunnen verkrijgen, had zijn ambitie hem op het idee gebracht te trouwen met het meisje dat ermee was opgegroeid. Hij kende haar eigenlijk helemaal niet en het waren deze parallelle beweegredenen die haar zo nerveus maakten. Het kon best zijn dat hij deze gevoelens aanzag voor liefde, maar in haar ogen was het weinig meer dan hebberig eigenbelang.

Toch was het beter dan een leven bij haar tante in Manchester. Ze zou in elk geval onafhankelijk zijn. Ze las de brief nogmaals, nam abrupt een besluit, vouwde hem dubbel en stak hem in een envelop, die ze nog een paar seconden vasthield alvorens hem op de zilveren schaal te leggen. Kerrick kwam binnen met de thee, zette het dienblad op de lage tafel, pakte de brief van de schaal en verliet de kamer.

Frances keek weer uit het raam. Ze knipperde tegen het felle licht en zag twee vrouwen op het grasveld staan, twee dames van de veiling, op zoek naar iets wat ze aan hun vriendinnen konden doorvertellen. Ze tuurden door de ramen naar binnen en toen ze haar zagen kijken, zwaaide een van hen beschaamd. Frances leunde naar voren, duwde de luiken dicht en sloot zichzelf daarmee op in het donker.

Ze had er geen moment bij stilgestaan dat hij misschien niet zou komen. Ze had de hele dag in de serre zitten wachten. Het was warm en stil in huis. Af en toe kwam er een ploeg mannen om meubelstukken weg te halen en dan werd de stilte doorbroken door hun gegrom en gekreun en door het schrapen van hout op marmer. Toen ze er zeker van was dat hij niet zou komen, ging ze naar haar slaapkamer om haar koffers te pakken, maar ze voelde zich wee van teleurstelling. Stapels japonnen, open laden, hoedendozen en schoenen hadden haar kamer in een rommelmarkt veranderd. Twee kleine koffers stonden open op het bed. Hoe zou ze ooit kunnen besluiten wat ze moest meenemen? Haar tante was erg streng geweest in haar instructies. Er was bij haar thuis niet voldoende ruimte voor een meisje van stand. Ze mocht slechts meenemen wat ze absoluut nodig had.

Om vijf uur klopte Lotta op haar deur.

'Dokter Matthews is er, juffrouw Frances. Hij wacht op u in de serre.'

Hij stond met zijn rug naar haar toe, zijn pet in zijn hand, zijn blik op de tuin gericht. Ze bleef een ogenblik naar hem staan kijken. Hij stond volkomen stil, een tengere man in een kostuum met licht gerafelde randjes en een te korte snit voor de huidige mode. Zo zou het zijn als ze met hem trouwde. Ze haalde diep adem en ging naar binnen.

'Dokter Matthews. Erg aardig van u dat u bent gekomen.'

Hij draaide zich om. 'Juffrouw Irvine. Mijn welgemeende condoleances.'

Ze knikte en maakte een uitnodigend gebaar naar de lage, met chintz beklede stoelen die aan weerskanten van de open haard stonden. Ze namen tegenover elkaar plaats. Hij legde zijn handen op zijn schoot en keek haar bedachtzaam aan. Met zijn zwijgen gaf hij haar het gevoel geanalyseerd te worden. Ze was vergeten dat hij de kunst om haar alle wapens te ontnemen, uitstekend beheerste. Van de verlegen, onzekere jongen van zestien was niets over. Hij was niet langer een logé die van de liefdadigheid van haar vader afhankelijk was. Zij had nu iets van hém nodig en ze vermoedde dat hij wist wat het was. Het raam stond open en samen met een zachte stroom koele lucht kwamen er gedempte verkeersgeluiden naar binnen.

'U zult het wel prettig vinden om uw familie na zo'n lange afwezigheid te zien.'

'Ja, maar morgen vertrek ik weer. Als de weersomstandigheden het toelaten.'

Ze keek verbaasd. 'Terug naar Zuid-Afrika? Nu al?'

'Een wijziging in mijn plannen.' Hij glimlachte kort, ingehouden. 'En u? Wat gaat u nu doen?'

'Mijn tante heeft aangeboden me in huis te nemen. Ik reis volgende week per trein naar Manchester.' Ze praatte door om de stilte op te vullen. 'Eerlijk gezegd beangstigt dit vooruitzicht me een beetje. Ze heeft drie kinderen onder de acht en ik word geacht hun kindermeisje te zijn. Dat wil zeggen, tot ik een andere betrekking vind, of een echtgenoot.' Ze bloosde toen ze besefte dat ze een fout had gemaakt. 'Mijn oom heeft een zeepfabriek. Ik zal dus in elk geval schoon zijn.'

Hij glimlachte alsof hij ergens op wachtte. Ze voelde een blos opstijgen in haar hals. Toen keek hij van haar weg, stond op, streek met zijn handen over zijn haar en liep naar het raam. Zijn bewegingen waren snel en soepel en ze besefte dat zijn zwijgzaamheid bedrieglijk was. Na een paar ogenblikken kwam hij terug. Hij bleef naast haar stoel staan en keek op haar neer.

'Zullen we eerlijk tegenover elkaar zijn?' Hij wachtte tot ze instemmend knikte en ging toen door. 'De Kaapkolonie is heel anders dan Engeland. Bij onze laatste ontmoeting was ik net terug in Londen. Mijn opwinding had mijn beoordelingsvermogen beïnvloed. Ik was vergeten hoe de maatschappij hier in elkaar zit, hoe rigide die kan zijn. Ik had geen reden een ander antwoord te verwachten dan je me al had gegeven.'

Hij ging naast haar op zijn hurken zitten, pakte haar hand en hield die luchtig vast. Zijn huid was bleek, bijna doorschijnend. Op zijn bovenlip parelden zweetdruppeltjes. 'Niettemin was ik diep teleurgesteld. Ik zou erg graag willen dat je mijn vrouw werd, Frances.' Hij pauzeerde. 'Wellicht ben jij door de omstandigheden van gedachten veranderd, maar dat geldt niet voor mij. Het besluit ligt echter in jouw handen.'

Frances gaf niet meteen antwoord, want ze was zich er scherp van bewust dat alles afhing van wat ze nu zou zeggen. Op een fluisterende toon, verlegen door de plotselinge intimiteit die haar antwoord tussen hen zou creëren, zei ze: 'Ik wil graag met je mee naar Zuid-Afrika.'

Hij trok haar zachtjes naar zich toe en fluisterde haar naam. Toen hij haar kuste, merkte ze dat zijn lippen verrassend koel waren. Ze draaide snel haar hoofd opzij, maar hij bleef onhandig gehurkt zitten, legde zijn hoofd op haar schouder en gaf haar natte zoenen in haar hals. Dit had ze niet verwacht. Hij kreunde zachtjes. Ze huiverde en keek over zijn schouder naar het raam. De zon was achter de bomen verdwenen en ze zag een vlieg die, duizelig van de warmte, steeds weer tegen de ruit vloog. Ik heb de juiste beslissing genomen, zei ze tegen zichzelf, toen ze zijn vingers rond haar taille voelde. Ik zal Engeland vergeten en proberen gelukkig te worden.

6

FRANCES DEED DE VOORDEUR DICHT EN BLEEF IN DE HAL van het huis staan. Het was begin oktober, een maand nadat ze met Edwins aanzoek had ingestemd. Ze hoorde de koetsier buiten kreunend haar koffer op het rijtuig laden. De bedienden waren allemaal naar hun nieuwe betrekkingen vertrokken en de kamers moesten nog wennen aan de stille, stoffige leegte. Overal hadden de muren een patroon van lichte rechthoeken waar de inmiddels verkochte schilderijen hadden gehangen. Lotta was vanochtend als laatste vertrokken en nu was Frances voor het eerst van haar leven helemaal alleen. Ze stond roerloos in de hal, niet in staat om, nu het moment was aangebroken, te vertrekken. Zolang ze nog in dit huis had gewoond, had ze een band met haar vader behouden, maar als ze zo dadelijk de voordeur achter zich dichttrok, zou ze alles wat ze in haar leven had gekend, achterlaten.

De afgelopen maand had ze hier vrijwel in haar eentje doorgebracht. De kok was kort na de begrafenis vertrokken en Frances had de door Lotta bereide maaltijden aan haar bureau in de serre gegeten. Ze had gehoopt dat Lucille haar zou komen opzoeken, maar haar nichtje had zich niet laten zien. Ze wou dat ze iemand had aan wie ze kon vertellen hoe eng ze het allemaal vond. Dat ze Engeland voorgoed ging verlaten vervulde haar met angst en ze wilde van iemand horen dat ze niet vergeten zou worden. Ze was bij de Hamiltons langsgegaan, maar het dienstmeisje had haar verteld dat de familie voor een maand naar Bath was vertrokken. Ze werd vaak midden in de nacht met bonkend hart wakker. Het was steeds dezelfde droom. Ze dreef in een zwarte zee en wanneer ze gilde, hoorde niemand haar.

Na een paar minuten liep ze de gang in. Haar hakken tikten op de stenen vloer. Ze duwde de deur van haar vaders studeerkamer open. Bij het vertrouwde geluid van de piepende scharnieren zag ze in haar verbeelding haar vader achter zijn bureau zitten, maar toen ze naar binnen ging, was de kamer volkomen leeg. De gordijnen waren neergehaald en zelfs de vloerbedekking was weg, waardoor de ruwe, ongepolijste vloer zichtbaar was geworden. De kamer rook nog wel naar hem. Naar sigarenrook en iets anders dat was blijven hangen.

Het enige wat er na de veiling was overgebleven, was zijn stoel, die moederziel alleen midden in het vertrek stond, bijna alsof zijn geest daar zat. Het groene leer van de zitting had kreukels gekregen en in het midden was een kuil die door de jaren heen door zijn gewicht was ontstaan. Ze legde haar hand erop, half verwachtend dat het leer warm zou aanvoelen, maar het bleek juist koel te zijn en plakte een beetje aan haar hand. Ze ging op de stoel zitten en trok haar knieën op naar haar borst. Toen ze vreesde dat ze zou gaan huilen, klemde ze haar kiezen op elkaar en drukte de muis van haar handen tegen haar ogen tot ze in het zwart lichtflitsen zag. Misschien zou de wereld stil blijven staan als ze zo bleef zitten, en dan hoefde ze niet te gaan. Maar nee, er werd ongeduldig op de voordeur geklopt. Dat was natuurlijk de koetsier die wilde vertrekken. Ze zette haar voeten op de grond, stond op en liep voor de allerlaatste keer door de gang en de hal naar de voordeur.

Paddington Station was een deinende zee van stoom en kabaal. Mensen haastten zich in alle richtingen. Frances, die niet aan dergelijke drukte gewend was, bleef een ogenblik verbluft staan. Ze had slechts een paar minuten om met haar koffer bij de trein te komen, maar ze zag nergens en kruier. Met een verwensing aan het adres van de koetsier die haar plompverloren op de stoep had achtergelaten, zeulde ze haar koffer naar de stationshal. Steeds botsten er mensen tegen haar op. Een jongetje dat met de *Penny Post* leurde, liep heen en weer terwijl hij luidkeels het laatste nieuws verkondigde. Normaal gesproken had ze Kerrick of haar vader om haar te helpen, maar wat normaal was geweest, bestond niet meer. Ze moest zich nu in haar eentje zien te redden.

'Kijk uit waar je loopt!' Twee jonge kruiers kwamen op haar af met karren hoog beladen met koffers.

'Als je hier blijft staan, word je omvergereden!' riep een van hen en hij botste met opzet tegen haar aan waardoor ze languit op de natte stoep viel. Ze krabbelde overeind, sloeg de modder van haar rok en zwoegde verder langs de rand van de menigte tot het iets minder druk werd. Ze zag een taartjeswinkel die gesloten was en bleef een ogenblik in het portiek staan om op adem te komen. Ze zag nog steeds geen beschikbare kruier. Twee zakenmensen in zwarte pandjesjassen liepen haar voorbij zonder haar een blik waardig te keuren. Opeens trok er iemand aan haar mouw en toen ze omkeek, zag ze een man met een dikke buik in een oude, blauwe koetsiersjas zonder knopen die zwart was uitgeslagen van de schimmel. Zijn vette haar plakte aan zijn hoofd en zijn adem rook naar alcohol. 'Naaigaren, juffrouw?'

Ze schudde haar hoofd zo nadrukkelijk mogelijk, maar hij leunde naar voren en stak haar een doosje met smoezelig naaigaren toe. Zijn hand was opgezwollen van de kou en de voegen tussen de kussentjes van strakke, rode huid waren zwart van ingebed vuil. Hij schuifelde naar voren toen ze achteruitdeinsde. 'Naaigaren, juffrouw?' Hij deed een stap naar haar toe. 'Ze kosten maar een penny per stuk.'

Frances draaide zich om, maar hij was te kwiek. 'Heb je je tong verloren? Voel je je te goed voor mij?'

Hij kwam waggelend op haar af, lachend en met zijn heupen draaiend, tot ze klem stond in het portiek met haar schouders tegen de klopper van de deur en de jas van de man, die stijf stond van ouderdom, tegen de voorkant van haar japon gedrukt. Hij greep haar pols en hield die vast. Toen hij grijnsde, zag ze een mond vol gebroken, vergelende tanden.

'Ik heb wat centen nodig,' zei hij, geniepig lachend. Ze probeerde hem met haar vrije hand van zich af te duwen, maar kon niets beginnen tegen zijn zware lichaam. Hij greep haar hand, bracht die ruw naar haar andere arm, hield beide polsen met één hand omklemd en begon met zijn andere hand haar lichaam af te tasten, op zoek naar een verborgen portemonnee. Frances gilde. Plotsklaps werd de kerel bij haar vandaan getrokken door een lange, stevig gebouwde man in een tweedjasje met wild zwart haar en een volle baard. De garenverkoper haastte zich weg.

'Alles in orde?' vroeg de man. Hij legde zijn hand op haar schouder en bekeek haar onderzoekend. Hij had donkere ogen, als poelen van inkt. 'Heeft hij u iets gedaan?'

'Nee. Dank u.' Haar stem trilde. 'Zou u me misschien kunnen helpen? Ik moet met de trein van één uur naar Southampton, en die kan elk ogenblik vertrekken. Ik kon nergens een kruier vinden.'

'Ik reis toevallig met dezelfde trein,' zei de man. Moeiteloos tilde hij haar koffer op zijn schouder. 'Perron drie. We moeten snel zijn als we hem nog willen halen.' Hij baande zich een weg tussen de mensen door en ze volgde in zijn kielzog. Hun trein stond er nog, dikke rookwolken uitstotend, terwijl geüniformeerde mannen erlangs liepen om portieren te sluiten.

'U hebt geluk dat ik net langskwam,' zei de man toen hij haar in de trein hielp. Er klonk een schril fluitsignaal en de trein kwam met een schokje in beweging.

'Dank u,' zei ze, zich in de deuropening omdraaiend, maar hij was al weg. Toen ze naar buiten leunde, zag ze hem over het perron naar de wagons van de eerste klas rennen.

De trein daverde met te veel vaart door de buitenwijken van de stad om nog een heldere laatste blik op Londen te kunnen werpen, maar wensen dat hij langzamer zou rijden had geen zin. Haar leven in Engeland was voorbij. In de zak van haar mantel zat een biljet van de Female Middle Class Emigration Society. Edwin had haar overtocht naar Kaapstad betaald en geregeld dat ze met dames van deze organisatie kon reizen. In een coupé aan het einde van de wagon trof ze de groep jonge vrouwen aan die samen met haar naar Zuid-Afrika vertrokken. Toen ze de coupé betrad, keek een non van middelbare leeftijd met ronde ogen en roodgeaderde wangen met tegenzin op van haar Bijbel.

'Juffrouw Irvine?'

Frances knikte.

'Gelukkig. Ik was bang dat we nu al iemand waren kwijtgeraakt.' Ze drukte een zakdoekje onder haar neus. 'Ik ben zuster Mary-Joseph, de matrone van de groep.'

De meisjes schoven op om ruimte te maken en Frances ging zitten tussen het raam en een meisje met blonde krullen die witte tanden ontblootte in een gulle lach en haar een pepermuntje aanbood.

'Dank je,' zei Frances. Ze stak haar hand in het papieren zakje.

'Ik heet Mariella.'

'Frances.'

Het meisje boog zich naar haar toe en ademde pepermuntgeur in haar oor. 'Ze zit niet echt de Bijbel te lezen. Er zit een ander boek in het omslag.'

'Welk boek dan?' fluisterde Frances.

'Daar probeer ik juist achter te komen.'

Zuster Mary-Joseph stond in dienst van de liefdadigheidsorganisatie en had tot taak een oogje te houden op het morele welzijn van haar acht pupillen, teneinde te voorkomen dat die verliefd zouden worden op de eerste de beste matroos die naar hen lachte. Frances wist dat deze meisjes net zo nerveus waren ten aanzien van het leven dat hun in Zuid-Afrika wachtte als zijzelf, maar benijdde hen niettemin. Zij hadden ingetekend als onderwijzeres of verpleegster. Zij behielden tot op zekere hoogte de zeggenschap over hun leven en zouden kunnen trouwen met een man van hun keuze. Ze tekende met haar gehandschoende wijsvinger een lijn op de beslagen ruit, waardoor er een streepje flikkerend groen zichtbaar werd. Er viel niets meer te veranderen aan de toekomst die ze met een vaartje tegemoet ging.

Ze had gisteren pas haar rouwkleding afgelegd en al haar japonnen in een doos gedaan die samen met het restant van haar bezittingen bij Lucille en Victoria zou worden afgeleverd. Edwin had haar geschreven dat ze alleen eenvoudige spullen moest meenemen. Hij had laten doorschemeren dat ze het niet breed zouden hebben door uit te leggen dat hun dagelijks leven er nogal eenvoudig zou uitzien. In de koloniën, had hij geschreven, waren de meisjes niet zoals in Engeland. Ze vonden het niet beneden hun stand om zelf te koken, te naaien en de was te doen. Mooie japonnen en witte handschoenen zou ze er niet nodig hebben. In plaats daarvan, had hij gezegd, kon ze de ruimte in haar koffer gebruiken voor nuttige voorwerpen die in Zuid-Afrika niet te koop waren. Minstens twee paar stevige, hoge wandelschoenen, handschoenen om in de tuin te werken, een goed gevulde naaikist, een rol tule om klamboes te maken, en minstens tien meter gordijnstof. Haar bruidsschat moest geheel en al op praktische zaken ingesteld zijn. Kom niet in de verleiding, had hij geschreven, om tafelzilver en duur linnengoed mee te nemen. Je hebt veel meer aan pollepels en een of twee goede ijzeren pannen. Als het enigszins mogelijk is, breng dan ook een naaimachine mee. Daar zul je veel plezier van hebben. Frances kon zich met geen mogelijkheid een situatie voorstellen waarin ze veel plezier zou hebben van een naaimachine. Ze wist niet eens hoe ze daarmee moest omgaan.

Edwins lijst was zo bespottelijk dat elke keer dat ze zich probeerde voor te stellen wat voor soort leven haar in Zuid-Afrika wachtte, ze zichzelf achter een naaimachine zag zitten, met dikke tuinhandschoenen en zware wandelschoenen. Als hij niet zo serieus was geweest, zou ze er hartelijk om gelachen hebben. Het was duidelijk dat hij geen idee had van haar bekwaamheden. Hij had haar willen hebben omdat ze een nichtje van Sir John Hamilton was en verwachtte nu van haar dat ze met net zo weinig tevreden zou zijn als een missionarisvrouw. Toch had ze gedaan wat hij had gezegd. Ze had wandelschoenen en tuinhandschoenen gekocht en kostbare ruimte in haar koffer opgeofferd voor twee ijzeren kookpotten. Ze had al haar mooie japonnen achtergelaten. Afgezien van twee katoenen jurken, haar zwarte, wollen rok met keurslijf, haar kousen en onderkleding, had ze slechts één paar witte, kalfsleren handschoenen, een kleine hoeveelheid kant en een zijden avondjurk ingepakt – er moest zelfs in Zuid-Afrika toch wel een keer een gelegenheid zijn om die te dragen. Ze had een jurk van witte mousseline voor de bruiloft en een paar strooien hoeden tegen de zon. Ze had geen idee wat er in Zuid-Afrika te koop was, maar had voor alle zekerheid een paar potten cacaoboter, twee flessen tuberoosparfum, een voorraad talkpoeder voor minstens zes maanden en een flinke hoeveelheid badzeep ingepakt. Verder een huishoudalmanak, een cadeautje van haar tante, Lady Hamilton, en, diep weggestopt onder in de koffer, haar schildersezel en tubetjes waterverf.

Twee meisjes op de bank tegenover haar hadden al vriendschap gesloten en waren in een levendig gesprek gewikkeld over wat erger was, een Boer of een Bosjesman. Hun stemmen kwinkeleerden boven het broze zwijgen van de rest van de inzittenden uit. Af en toe werd de coupé wegens een tunnel tijdelijk in duisternis gehuld en zwegen de meisjes abrupt, maar zodra de trein weer het licht in schoot, hervatten ze hun discussie. Graanakkers maakten plaats voor glooiende groene heuvels, de lucht betrok en de eerste regendruppels tikten tegen het raam. Een kerkhof dat erg dicht bij de spoorlijn lag, had grafstenen die omhoogstaken als gebroken tanden. De spoorlijn liep tussen de hoge wanden van een uitgegraven heuvel van kalksteen en kwam toen uit in een brede, weelderige vallei. Ze reden langs een haagdoornbos en zagen op een open plek tussen de bomen een foeilelijk stenen gebouw met een plat dak: het armenhuis van Southampton. Plotseling waaierde het landschap weer uit en reden ze langs de rand van Southampton Water naar de monding van de Itchen. Een strook strand met helderwitte kiezelsteentjes boog in een flauwe bocht weg van de rails en toen waren ze er.

Er kwamen meteen kruiers aan boord om hun koffers uit te laden en op karretjes te zetten waarop DE KAAP stond. Frances stapte uit de trein achter een magere jongen die een vogelkooi droeg die bijna net zo groot was als hijzelf. Zijn moeder greep zijn hand en zei dat hij moest voortmaken. De meisjes liepen over het perron langs de wagons van de eerste klas waar in livrei gestoken bedienden bagage uitlaadden. Frances zag de man die haar had geholpen nergens en vroeg zich af of het hem soms niet meer gelukt was in de trein te stappen.

Het station lag aan een promenade, een open terrein met alleen maar zee en lucht, omlijst door de groene heuvels die aan weerskanten van de Solent oprezen. De wind rukte aan hun paraplu's en liet hun rokken opbollen als zeilen. De lucht was vochtig en had de pikante, metaalachtige smaak van zout met de onderliggende, weeïge stank van rotte vis. Postkarren van stoomvaartmaatschappijen met namen als Oriental en The West India kwamen aangereden uit de haven. Koetsen en bagagekarren vochten om een plek op de kade om hun vracht uit te laden en passagiers af te zetten die naar hun bedienden snauwden terwijl ze over de natte klinkers wegliepen. Een man riep kwelend: 'Gemberbier! IJskoud gemberbier!' maar de kleumende mensenmassa was er niet in geïnteresseerd. Zuster Mary-Joseph duwde de meisjes voor zich uit naar een zeeman die boven het kabaal uit riep: 'Hier voor de *Cambrian*! Passagiers voor de Kaap!'

Ze voegden zich bij een aantal doorweekte mensen die stonden te wachten tot ze in een kleine sleepboot zouden worden geholpen. Boven de open kuip van de boot was een stuk zeildoek gespannen dat beschutting moest bieden tegen de regen. De zee zag er donker en smerig uit onder de sluier van motregen. Er stond een hoge deining die roestige kratten en pakken natte kranten tegen de steiger smeet. Toen Frances aan de beurt was, liep ze naar voren, greep de hand van de scheepsjongen, zette voorzichtig haar voet op het glibberige hout en stapte in de kuip van de boot. Zwarte rook rees op naar de grijze, natte hemel. Toen een postboot naast hen wegvoer, deinde de kleine sleepboot heftig op de golven van het kielzog en schuurde tegen de met alg bedekte stenen van de steiger. Toen ze uitvoeren over de Solent klaarde het iets op. Zeemeeuwen cirkelden krijsend boven de schepen, als grijze flitsen tegen een hoge, witte lucht. Een van de meisjes wees het Isle of Wight aan en ze tuurden allemaal naar de flauwe streep van de heuvels aan de horizon.

De sleepboot tufte naar de haven en stopte in de schaduw van de *Cambrian*. Het stoomschip torende boven hen uit, roerloos op het water. Met zijn stalen wandplaten en zwarte schoorstenen was het net een fabriek. Twee platte kolenschepen lagen ernaast en de bemanning was bezig zakken met kolen aan boord te hijsen. Frances schikte haar sjaal over haar schouders om te voorkomen dat het zwarte kolengruis op haar jurk zou neerdalen. Het was koud en een sombere stemming had zich meester gemaakt van de meisjes. Hun opwinding was veranderd in bezorgdheid. Het zeewater dat in de kuip van de boot stond, drong in hun schoenen. Toen Frances haar tenen bewoog werd water door de naden naar buiten geperst. Eindelijk voeren de kolenschepen weg maar in hun plaats legde nu een kleine, luxe boot aan die eerstklaspassagiers naar het schip bracht, en er lagen er nog meer te wachten terwijl er nu een fijne motregen op iedereen neerdaalde. De vrouwen van de Female Middle Class Emigration Society zouden nog een poosje op hun beurt moeten wachten.

Een uur later, toen ze tot op hun hemd doorweekt waren,

mochten de meisjes eindelijk via een ladder aan boord klimmen. Ze kwamen terecht in een wirwar van reizigers van alle standen, van eersteklas tot benedendek. Een angstig kijkende vrouw hield haar omslagdoek stijf omklemd en vroeg aan niemand in het bijzonder waar haar bagage was. Vaten, kisten en kratten werden aan boord gehesen door matrozen die boven het lawaai uit luidkeels naar elkaar riepen. Kooien vol kakelende kippen werden boven op elkaar gestapeld en een koe likte doodgemoedereerd verse verf van de reling.

'Juffrouw Irvine?' Frances draaide zich om en zag een heer met een rossig gezicht en rode bakkebaarden naar haar toe komen. 'Wat een toeval!' zei hij. 'Ik wist niet dat u ook met de *Cambrian* reist.'

'Meneer Nettleton.' Ze bood hem haar hand. Hij keek om naar een groepje dat bij de achtersteven stond.

'Liza!' Hij wenkte zijn echtgenote. 'Kijk eens wie ik heb gevonden!'

Je kon mevrouw Nettleton, een vriendin van haar nichtje Lucille, onmogelijk over het hoofd zien. Het was een lange vrouw, een tot in de puntjes verzorgde schoonheid: geplukte wenkbrauwen en een prachtige, modieuze hoed versierd met felgekleurde papegaaienveren waarop regendruppeltjes parelden die door de wind onder haar paraplu waren geblazen. De hoed zag er belachelijk frivool uit tegen de achtergrond van de grijze zee. Ze stond te praten met een breedgeschouderde heer, die Frances meteen herkende. Het was de man die haar op het station te hulp was gekomen. Hij had de trein dus toch gehaald. Ze keken geen van beiden in haar richting, maar Frances wist dat mevrouw Nettleton haar had gezien.

'Liza!' riep haar echtgenoot nogmaals. 'Het is juffrouw Irvine!'

Zijn vrouw zei iets tegen haar metgezel en kwam toen naar hen toe. Ze glimlachte flauwtjes naar Frances. 'Hoe maakt u het, juffrouw Irvine?' Ze gaf haar geen hand. 'Mijn condoleances.'

'Dank u.'

De man kwam bij hen staan, keek naar haar en knipoogde toen hij haar blik opving. Zijn ogen, die donkere wimpers en zware oogleden hadden, waren niet zwart, zoals Frances in het donkere station had gedacht, maar hadden een warme lichtbruine kleur met vlekjes groen. Ze leken op stenen die in water lagen. Ze glimlachte naar hem. Er viel een ongemakkelijke stilte toen iedereen wachtte tot mevrouw Nettleton hen aan elkaar zou voorstellen. Opeens besefte Frances dat Liza Nettleton, die haar van kindsbeen had gekend, helemaal niet van plan was haar voor te stellen. Ze verstijfde van schaamte en voelde een blos opkomen in haar hals.

Mevrouw Nettleton negeerde Frances en zei tegen haar man: 'Ik vind het schandalig dat ze ons nog steeds niet onze kajuit hebben gewezen. Ik vind dat je een woordje moet gaan wisselen met de steward.'

De andere man wreef over zijn baard en keek naar Frances. 'Wij hebben het genoegen van een ontmoeting reeds mogen smaken, maar ik heb geen tijd gehad u naar uw naam te vragen.'

'O, hebt u elkaar al ontmoet?' Meneer Nettleton keek opgelucht. 'Juffrouw Irvine, dit is meneer William Westbrook. Meneer Westbrook, juffrouw Frances Irvine.'

Frances bood de man haar hand. Hij zag er niet uit als een Engelsman, alhoewel hij accentloos sprak. Hij had een verzorgde baard, dik en zwart. Zijn neus was recht en klein, al waren zijn neusgaten een tikje wijd en hij had volle lippen en een brede mond die glimlachte toen hij naar haar keek. Ze besefte dat hij wist hoe opgelaten ze zich voelde en dat hij daar schik in had.

'Juffrouw Irvine is een nichtje van Sir John Hamilton,' zei meneer Nettleton met een ongeruste blik op zijn echtgenote, die niet blij keek. Hij wendde zich weer tot Frances. 'Heb ik uw naam op de passagierslijst over het hoofd gezien? In wiens gezelschap reist u?'

'Ik reis in groepsverband naar Kaapstad.' Ze bracht haar hand naar haar keel en begon nerveus aan de zachte huid te plukken. Op de onthulling dat ze tweedeklas reisde, zouden vast vervelende vragen volgen.

Mevrouw Nettleton wierp een blik op het kleumende groepje meisjes bij de reling. 'Met de Female Middle Class Emigration Society?' Frances knikte. 'Ik heb in Londen liefdadigheidswerk voor ze gedaan. Uitmuntende organisatie. Het is zelfs zo,' zei ze terwijl ze haar hand op meneer Westbrooks arm legde, 'dat mevrouw Sambourne, de voorzitster van de vereniging, een heel goede vriendin van me is.' Ze slaagde erin naar Frances te glimlachen op een manier die zowel meelevend als ongeïnteresseerd was. 'Als ik u ergens mee kan helpen, moet u me dat vooral laten weten. Mevrouw Sambourne heeft me speciaal verzocht een oogje op haar meisjes te houden.'

'En u, meneer Westbrook,' zei mevrouw Nettleton op een vertrouwelijke toon terwijl ze hem bij Frances vandaan probeerde te leiden, 'hebt beloofd ons te helpen met onze bescheiden theatervoorstelling. Kent u *The Palace of Truth*?'

Hij negeerde haar en zei tegen Frances: 'Juffrouw Irvine, reist u zonder familie?'

'Ja.'

'Dan moet u beslist een keertje samen met ons dineren.'

Mevrouw Nettleton fronste haar voorhoofd en nam de stof van meneer Westbrooks jas tussen twee vingers. 'Dat is een erg aardig voorstel, en goed bedoeld, maar ik denk niet dat mevrouw Sambourne ermee zou instemmen dat u een van haar meisjes voortrekt.'

'Nonsens! U kent juffrouw Irvine persoonlijk. Als ik het met de kapitein bespreek, zal hij het vast wel goedvinden dat we haar uitnodigen om samen met ons in de eetzaal van de eersteklas te dineren.' Hij glimlachte warm en openhartig naar Frances, en zijn ogen flonkerden ondeugend. Hij bedoelde het inderdaad goed, maar hij vond het blijkbaar ook leuk om de sociale scrupules van mevrouw Nettleton op de proef te stellen en Frances wilde daar niet aan meedoen. Het was niet prettig om als lokaas ingezet te worden teneinde mevrouw Nettleton tegen de haren in te strijken. Het stak haar erg dat mevrouw Nettleton had geweigerd haar voor te stellen en het incident had haar opnieuw duidelijk gemaakt dat emigratie gepaard ging met vernedering. Je kon niet uit Engeland vertrekken zonder ook de maatschappelijke kringen achter je te laten.

'Dank u, maar ik vrees dat mevrouw Nettleton gelijk heeft. Ik kan niet met u dineren. En als u me nu wilt verontschuldigen?'

Toen ze wegliep, hoorde ze nog net mevrouw Nettleton

op een harde fluistertoon zeggen: 'Meneer Westbrook, u moet me beloven dat u niet met haar gaat flirten. Dat zou niet eerlijk zijn. U hebt geen idee hoe zwaar sommigen van deze jonge vrouwen het hebben. Ik weet van mevrouw Sambourne dat...'

Frances had gehoopt dat ze in Zuid-Afrika een nieuw begin zou kunnen maken, dat ze aan de Engelse adel zou kunnen ontsnappen, maar de *Cambrian* bood haar net zo min bescherming als de salon van haar oom.

7

VANWEGE EEN STORM OP ZEE MOEST HET SCHIP NOG TWEE dagen in de haven blijven liggen, in afwachting van gunstiger weersomstandigheden. Aan boord werd entertainment gepland voor de duur van de reis. Er zou wekelijks een krantje worden uitgegeven dat de naam *Cambrian Argus* kreeg en twee oudere dames in de eersteklas besloten dat er een concert moest worden gegeven. Ze hielden audities en om haar gedachten te verzetten deed Frances eraan mee. De dames vonden haar een adequate pianiste en gaven haar toestemming elke dag om vier uur te oefenen op het klavier in de muziekkamer.

Toen ze daar voor het eerst naartoe ging, hoorde ze in het trapgat iemand haar naam noemen. 'Juffrouw Irvine?' Ze draaide zich om. Een man kwam vanaf het dek langzaam de trap af. Hij stond als een donkere gedaante afgetekend tegen het daglicht, maar toen haar ogen zich aanpasten, herkende ze meneer Westbrook, die zijn stoere kaak scheef hield en zijn wenkbrauwen fronste.

'Bent u boos op mij?'

'Boos?'

'U dacht gisteren dat ik de draak met u stak.' Hij kwam naar beneden en bleef naast haar staan, erg dichtbij in de kleine ruimte aan de voet van de trap. Ze vond het knap van hem dat hij dat aan haar had kunnen merken.

'En was dat niet zo?'

'Het is niet makkelijk om zo'n reis te ondernemen, naar een nieuw werelddeel, helemaal in je eentje.' Hij steunde met zijn hand tegen de wand boven haar hoofd. Ze voelde de warmte van zijn lichaam. Zijn arm nam het daglicht grotendeels weg, waardoor ze in een schemerige duisternis stonden. 'Ik weet nog dat ik me erg eenzaam voelde toen ik voor het eerst naar Afrika ging.'

Het was lang geleden dat iemand haar troost had geboden en hij leek haar zo goed te begrijpen dat ze in de verleiding kwam hem in vertrouwen te nemen. Ze haalde haar schouders op en glimlachte. 'Eerlijk gezegd maakt het waarschijnlijk niemand iets uit of ik in Zuid-Afrika of in Engeland ben.'

Hij bleef naar haar kijken. 'Irvine. Is dat een Ierse naam?'

'Ja,' zei ze, een beetje geprikkeld om de vraag. 'Mijn vader was Iers.'

'Was hij koopman?'

'Nee, winkelier. Hij maakte en verkocht meubels.' Ze ging het voor hem niet mooier maken dan het was. Hij mocht ervan denken wat hij wilde.

'Ik heb Ierse vrienden. Ze kunnen goed drinken.'

Ze lachte. 'Ja. Mijn vader bezat dat talent ook.'

'Was uw vader de Irvine van Irvine & Hitchcock?'

'Ja.'

Ze zette zich schrap voor een schampere opmerking over het faillisement, maar hij zei in plaats daarvan: 'Wat een toeval. Het was dus uw vader die het onderkomen voor dakloze armen, The Charity for the Houseless Poor, in het leven heeft geroepen.'

Frances knikte bevestigend. 'Al ben ik daar pas na zijn dood achter gekomen. Hij heeft mij nooit iets over zijn liefdadigheidswerk verteld. Kent u die organisatie?'

'Enigszins. Uw vader liet veel mensen delen in zijn succes. Hij had de naam erg gul te zijn. En deze liefdadigheidsorganisatie is uniek, omdat ze iedereen toelaat, ongeacht zijn of haar sekse, ras en criminele achtergrond. Ik ben deels Joods, dus staat het principe van liefdadigheidsorganisaties die niet discrimineren me erg aan. In het bewuste gebouw slapen elke nacht ongeveer zeshonderd mensen die anders op straat hadden moeten overnachten. Wij doneren eigenlijk alleen maar wat geld en worden af en toe uitgenodigd voor een diner. Uw vader was een bijzonder charismatische man.' Hij keek haar vriendelijk aan. 'U bent er vast trots op zijn dochter te zijn.'

Ze was lange tijd juist niet trots geweest. Na zijn dood had ze van alle kanten beschuldigingen en afkeuring moeten incasseren en ze besefte nu dat ze heimelijk had gewacht tot iemand eindelijk iets zou zeggen over de goede eigenschappen van de man die ze zo had gerespecteerd en van wie ze zo veel had gehouden.

'Veel mensen beweren het tegendeel,' zei ze.

'Die mensen zijn dom. Uw vader was een geniale zakenman. Dat sommigen dat niet van hem konden hebben, is niet belangrijk. Een man moet worden beoordeeld om wat hij gedurende zijn hele leven presteert, niet om één enkele inschattingsfout.' Hij bracht zijn arm naar beneden en liet zijn knokkels knakken. 'Bovendien is het nu ook weer niet zo dat hij de enige was die op Northern Pacific had gegokt. Ik zou liever grote hoogten bereiken en dan alles verliezen, dan middelmatigheid als doel kiezen en nooit iets riskeren.'

Meneer Westbrook had een mooier en eerlijker hommage aan haar vader gebracht dan alle mensen die hem persoonlijk hadden gekend. Voor het eerst had iemand over zijn achtergrond gesproken – over het feit dat hij uit een arme, Ierse familie kwam – als iets waarvoor je je niet hoefde te schamen, maar waar je juist trots op kon zijn. De enorme druk van haar verdriet viel van haar af. Ze wilde dat hij zou blijven. Ze had hem nog niets over hemzelf kunnen vragen, maar hij maakte aanstalten om door te lopen. 'Goedendag, juffrouw Irvine. Ik wens u alle goeds toe op de Kaap.'

8

DE WARME, OVERVOLLE HUT ROOK NAAR SCHAAMTE. ZE waren vrachtgoed dat werd geëxporteerd. Vrouwen zonder vrije keuzes. Door hun familie verstoten, uit schaamte of om de kosten van hun onderhoud uit te sparen, en emigratie was een bevestiging van hun falen.

'Ik ga liever dood dan dat ik mijn hele leven voor andere mensen moet zorgen.' Mariella maakte de veters van haar laarsjes los, zette een voet op de rand van Frances' kooi en begon haar kous af te rollen. Naast haar was Anne bezig haar petticoat los te knopen. Het was een driepersoonshut, maar tussen de kooien was zo weinig ruimte dat slechts twee van hen zich gelijktijdig konden aan- of uitkleden. Mariella bukte zich kreunend om de kous van haar voet te trekken. Haar dikke, glanzende, blonde lokken hingen tot op Frances' bed. Ze was elke ochtend uren bezig om het op te steken en pijpenkrulletjes te maken met een krultang die ze verwarmde boven het vuur in de grote kajuit op het voordek. Wanneer ze haar kleren uittrok en haar weelderige roze lichaam bevrijd werd van het strakke korset, was het alsof ze in volume toenam. Ze vond het heel gewoon om naakt in de hut te staan en met haar grote, roomwitte borsten met de brede, donkere tepelkringen te pronken. Frances, die nog nooit met andere meisjes in één kamer had geslapen, verbaasde zich over haar nonchalante gebrek aan zedigheid en vond het eerlijk gezegd een beetje aanstootgevend.

Anne sliep in de kooi tegenover de hare. Het was een tenger, katholiek meisje met een ovaal gezicht en zwart haar dat ze in een middenscheiding droeg, waardoor ze eruitzag als een Italiaanse madonna. Haar handen waren klein en teer en altijd in de weer met bollen wol, waarvan ze omslagdoeken en kousen voor haar moeder breide. Ze zag er jonger uit dan haar achttien jaren, zei weinig en lachte nog minder. Frances vermoedde dat ze nu al heimwee had. Ze zou in Zuid-Afrika als verpleegster gaan werken en Mariella zat haar weer eens te jennen.

'De hele dag andermans ziekten inademen, mij niet gezien.' Mariella stapte uit haar rok, maakte de riempjes van haar queue de Paris los en leunde met haar onderarmen op de kooi boven die van Frances om de rijgveters door Anne te laten losmaken.

'Op het benedendek zit een man die bij een explosie in de mijn een arm heeft verloren. Hij zei dat er twee verpleegsters nodig waren om hem in bedwang te houden toen zijn schouderblad weer op zijn plek werd genaaid. Hun schorten waren zo rood geworden, zei hij, dat het leek alsof iemand een pot verf over ze had uitgegoten.'

'Mariella!' zei Frances verwijtend. Anne beet op haar onderlip en keek alsof ze ieder moment in huilen kon uitbarsten.

'Wat?' Mariella boog haar hoofd om haar te kunnen zien. 'Ik wil alleen maar weten waarom ze het doet.'

'Niet iedereen gaat naar de koloniën om een man te zoeken, Mariella,' zei Anne, terwijl ze het laatste stukje van de veter lostrok.

'Alsof jij een aanbod zou afslaan als iemand je vroeg.'

Mariella wurmde zich uit haar korset en trok een nachtjapon over haar hoofd. Ze plantte een brede, roze voet op de rand van de kooi, met haar tenen vlak bij Frances' neus, en hees zich omhoog. 'In Engeland zijn niet genoeg mannen meer. Ze zijn allemaal naar de koloniën afgereisd. Ik ben van plan het evenwicht te herstellen.' De anderen lachten onwillekeurig. Mariella had er een handje van de vinger op de waarheid te leggen.

Zuster Mary-Joseph stak haar hoofd om het hoekje van de deur om te controleren of de meisjes in bed lagen en een paar minuten later werd de scheepsbel geluid ten teken dat de lichten gedoofd moesten worden. Frances blies haar kaars uit. Het was hun eerste nacht op zee. Vanmiddag waren eindelijk de kanonnen afgeschoten en de vlaggen op de kade gehesen en algauw was Southampton in de schemering achter hen verdwenen. De tweedeklashutten bevonden zich in het voorste deel van het schip, dicht bij de schoorsteenpijp, en de hitte van de stoommachines was goed voelbaar. Frances, die eraan gewend was een kamer voor zichzelf te hebben, vond het warm en benauwd in de kleine hut met de twee andere meisjes erbij. Ze had gevraagd of de patrijspoort 's nachts open mocht blijven, maar daarop had Mariella geschokt gereageerd. Stel dat er een golf naar binnen sloeg en ze allemaal nat werden?

'Hoe kun je er zo zeker van zijn dat je het leuk zult hebben in Zuid-Afrika?' vroeg Anne in het donker. 'Je weet helemaal niet wat je ervan moet verwachten.'

'Dat is waar,' antwoordde Mariella, 'maar het kan niet erger zijn dan wat ik in Engeland heb achtergelaten.'

'En je vader dan? Mis je hem niet?'

'Mijn vader is een waardeloze zuiplap. Ik heb drie jaar lang veertien uur per dag knopen aangenaaid in een jassenfabriek in Bristol om hem te onderhouden en toen hij eindelijk zelf werk vond, heeft hij mij het huis uitgezet om plaats te maken voor een meisje dat half zo oud is als hij.' Mariella was ouder dan hen beiden en meestal onverstoorbaar. Het deed pijn haar bittere toon te horen.

'Ik ben het met je eens,' zei Anne, de stilte doorbrekend. 'Zuid-Afrika moet beter zijn. Daar is in elk geval werk te krijgen. Dat was het ergste toen mijn vader was gestorven. De hulpeloosheid. Mijn moeder en ik hadden geen idee hoe we aan de kost moesten komen.'

'Ik dacht dat jij verpleegster was,' zei Frances.

'Toen nog niet. Mijn moeder heeft werk gevonden als naaister en verdiende net genoeg om mijn opleiding te betalen. Maar dat was maar voor één jaar en er was geen enkel ziekenhuis dat me daarna in dienst wilde nemen. Te veel meisjes met meer ervaring.'

'Heb je in Zuid-Afrika dan wel een baan?'

'Ja. Ik zal in Kaapstad moeten beginnen maar ik hoop dat ik uiteindelijk naar Kimberley kan gaan. Daar is een verpleegster, zuster Clara, die aan het hoofd van het ziekenhuis staat. Ze is beroemd in heel Zuid-Afrika. Men zegt dat ze onvermoeibaar is als het gaat om mensen helpen. Ze is bijna een heilige. Toen ze tien was, heeft ze gezegd dat ze missiezuster wilde worden en dat is haar gelukt, tegen de wens van haar ouders in. Zo vastberaden is ze.'

'En jij, Frances?' vroeg Mariella.

'Ik?' zei ze, onwillig hun haar verhaal te vertellen.

'We hebben allebei onze ziel blootgelegd. Nu ben jij aan de beurt. Wat heb jij voor pikant verhaal?'

'Ik heb helemaal geen pikant verhaal. Mijn vader is gestorven.' Ze slikte. Het was nog steeds moeilijk om het hardop te zeggen. 'En mijn oom wilde me niet in huis nemen. Ik ben nergens voor opgeleid. Ik zou in Engeland geen werk hebben kunnen krijgen.'

'Dus heb je het eerste het beste aanzoek aanvaard?'

Ze verbaasde zich erover dat Mariella haar situatie zo snel doorhad, maar de manier waarop ze die in een paar woorden samenvatte, was gek genoeg troostgevend. 'Ja. Daar komt het op neer.'

'Een stelletje zielenpoten bij elkaar! Laten we ervoor zorgen dat we ons op de *Cambrian* in elk geval amuseren, zolang het nog kan.'

Toen Frances midden in de nacht wakker werd, was het donker in de hut. Ze had geen idee hoelang ze had geslapen. Ze werd zich bewust van het geluid van de zware omwentelingen van de schroefas in de machinekamer, het gekraak van de houten delen van het schip en toen, vlak bij haar, de snelle, oppervlakkige ademhaling van een meisje dat huilde.

'Anne?' fluisterde ze.

Het ademen stokte en werd toen hervat, met een ingehouden snik. Frances tuurde in het donker tot de kleine kajuit vorm kreeg. 'Wat is er?'

'Heb je het gehoord van de *Castle*?' vroeg Anne met een verstikte stem. 'De bootsman zegt dat het water daar wel een kilometer diep is. Ik word helemaal akelig als ik daaraan denk.' Frances had over de *Castle* gehoord. Het schip was kort na middernacht bij Sint-Helena op de rotsen gelopen en zo snel naar de bodem van de zee gezonken dat de bemanning niet eens tijd had gehad de passagiers te waarschuwen. Vier matrozen waren de enigen die de ramp hadden overleefd.

'Je mag best bang zijn. Dat is niets om je voor te schamen,' zei Frances troostend, maar dat was slechts een halve waarheid. Ze waren allemaal bang en beschaamd, ieder op zijn eigen manier. Ze dacht aan haar oom, die had geweigerd haar in huis te nemen, en aan de manier waarop hij bijna achteloos zijn minachting over haar vader had laten blijken, en ze dacht aan haar nichtjes, die zich schaamden voor de verandering van haar status.

'Jij vindt het vast heel fijn om naar Zuid-Afrika te gaan.' Anne klonk oprecht blij voor haar. 'Want jij gaat daar trouwen!'

Frances gaf geen antwoord en liet het gesprek een stille dood sterven in het zacht bonkende gedreun van de scheepsmachines. Lang nadat Anne's ademhaling zich met die van Mariella had gemengd in het zachte, trage ritme van de slaap, lag Frances nog wakker. Ze dacht aan het smerige, overvolle huis van haar tante in Manchester en aan al die kinderen die haar als een bediende zouden hebben behandeld die hen van 's ochtends vroeg tot 's avonds laat moest verzorgen, baden en opvoeden. Edwin Matthews was voor haar alleen maar een man die na de dood van haar vader opnieuw in haar leven was gekomen. Hij had haar een uitweg geboden en zij had de kans aangegrepen, maar hij verschilde eigenlijk niet veel van haar oom. Hij had zorgvuldig het juiste tijdstip afgewacht en haar in een kooitje opgesloten. Het was misschien beter dan een leven van dienstbaarheid bij haar tante, maar het voelde niettemin aan alsof ze in de val was gelopen.

Toch zat er meer aan vast. Hij was erin geslaagd haar uit haar evenwicht te brengen. Hun gesprek was niet zo eenvoudig geweest als ze had gedacht. Ze had verwacht dat hij zich ervoor zou schamen dat hij haar in een hoek had gedreven en was ervan uitgegaan dat hij zou erkennen dat hij zich in een beschamende positie bevond. In plaats daarvan had hij haar aangekeken met een stille verwachting en voorkomendheid waar ze het benauwd van had gekregen. Toen hij haar had gekust, had hij geprobeerd dat langzaam en behoedzaam te doen en hij had zijn handen slechts heel licht rond haar taille gelegd, maar hij had zijn verlangen net zomin kunnen verbergen als zijn bezitsdrang en het daarmee gepaard gaande gevoel van triomf. Het was ronduit vernederend. En nu zou hij haar volledig willen bezitten, elk deel van haar willen onthullen, en ze zou gedwongen zijn zich voor hem open te stellen.

Ze kreeg kippenvel bij het vooruitzicht. Ze trok haar hand onder het laken vandaan en keek in het donker naar haar bleke huid om zich ervan te verzekeren dat ze er nog was, zoals een schip zich op de sterren richt om zijn koers te vinden. Wat word je voor iemand als er niets meer is waaraan je je kunt vastklampen? Ze ging zitten, tastte naar de kaars en stak die aan, ook al was dat verboden. Ze haalde diep adem om de angst die in haar opwelde te onderdrukken.

Toen haar moeder was gestorven, had ze zich slap en hol gevoeld, zoals de konijnen die in de bijkeuken hingen met hun ingewanden in de gootsteen. Maar ze had haar vader gehad om haar te helpen het enorme verdriet te verwerken. Hij had dat verdriet op zijn eigen schouders geladen. Hij was tussen haar en de dood in gaan staan en zolang hij er was, had ze zich geborgen gevoeld. Nu was hij dood en ze was er niet zeker van dat ze het zonder hem kon redden. Zijn afwezigheid had een koude, donkere plaats in haar binnenste gecreëerd, die alleen maar groter leek te worden, en er was niemand die haar goed genoeg kende om dat een halt toe te roepen.

Ze reikte naar de plank boven haar bed en pakte het boek van Tennyson. Tussen de pagina's zat een foto. Zolang ze zich kon herinneren had die foto in de serre gehangen en het was het enige wat er van haar moeder bewaard was gebleven. Frances had de foto meegenomen toen ze was vertrokken. Ze had hem uit de lijst gehaald en zich afgevraagd of haar moeders vingers de laatste waren geweest die hem hadden aangeraakt. De randen waren een beetje vergeeld en begonnen om te krullen. Frances wist dat de foto was genomen in de dierentuin, op de dag dat het eerste nijlpaard uit Afrika daar was gearriveerd. Aan de rechterkant van de foto waren de metalen spijlen van een kooi nog net zichtbaar. Haar moeder had een smal gezicht en een sterke kaaklijn.

Ze was geen schoonheid, maar had karakter. Ze stond arm in arm met haar man en keek naar hem op, met haar mond halfopen en haar lippen gevormd tot een lach. Hij keek naar de fotograaf, maar aan de kuiltjes in zijn wangen kon je zien dat hij moeite had zijn gezicht in de plooi te houden. Wat hadden ze gezegd in de seconden vlak voordat de foto was genomen? Frances voelde een steek van verdriet. Hij was er niet meer en hun geluk kon nooit meer worden hersteld.

Ze wist niet hoe haar ouders elkaar hadden leren kennen, maar had wel enig idee over hoe haar vader was opgegroeid. Hij had het daar nooit met Frances over gehad, maar zijn zuster, mevrouw Arrow, die haar een verwend nest vond, had haar uitgebreid verteld hoe het leven vroeger voor hen was geweest. Haar vader was de oudste en enige in leven gebleven zoon van een Iers, katholiek echtpaar dat tijdens de grote hongersnood was geëmigreerd. Ze waren in Manchester terechtgekomen. Hij was zes toen het gezin zich in Engeland vestigde. In Ierland hadden ze een boerderij gehad en een redelijk goed bestaan geleid, maar in Manchester hadden ze genoegen moeten nemen met de benedenverdieping van een huisje met één raam en uitzicht op niets dan grijze bakstenen. De vier dochters die daar waren geboren, hadden het bed gedeeld met hun ouders, en Tom, haar vader, had op de vloer geslapen. Ze moesten de achtertuin en het buitentoilet delen met zes gezinnen en een massa ratten die 's winters brutaal naar binnen kwamen. Frances' grootvader had werk gevonden bij een looierij, waar het zijn taak was op straat uitwerpselen te verzamelen. De dochters hadden leren naaien bij het licht van een walmende kaars. Mevrouw Arrow had haar dat allemaal verteld terwijl ze Frances' mooie japonnen had betast en met haar ogen de rijkdom had geschat in de kasten van dit jonge meisje dat nooit had geweten hoe het is om grote pannen water te moeten koken boven een open vuur en luizen uit de naden van je ondergoed te verwijderen. Maar hoe had hij Frances' moeder leren kennen? De kille ogen van haar tante lieten daar niets over los, maar Frances had haar niet nodig voor dat deel van het verhaal.

De kokkin van de Hamiltons was al aardig op leeftijd, maar had een ijzersterk geheugen en werkte al zo lang voor de familie dat ze de generaties onwrikbaar trouw was. Ze had artritis en Frances ontdekte dat ze bereid was met haar te babbelen als ze haar hielp met werkjes die haar vingers niet meer aankonden. Dus dopte ze bonen en zette ze haar oren open.

'Ze was het lievelingetje van Sir John,' vertelde de kokkin aan Frances terwijl ze deeg kneedde op een plaat wit marmer. 'En daarin zat hem de kneep. Toen je grootvader erachter kwam, kon hij het haar niet vergeven. Ze mocht het huis niet meer verlaten. Hij zei dat ze alleen over zijn lijk met een winkelbediende zou trouwen.' Ze zuchtte diep en streek met haar met bloem bedekte pols langs haar voorhoofd. 'Je vader kwam aan de deur, maar ze weigerden hem binnen te laten. De volgende dag is je moeder er stiekem vandoor gegaan en daarna heeft ze nooit meer een voet in dit huis gezet. Je grootvader verbood iedereen over haar te praten of bij haar op bezoek te gaan. Zelfs niet toen we wisten dat ze op sterven lag. Pas toen je grootvader was overleden, heeft je oom je in dit huis toegelaten.'

Het doffe geluid van de scheepsbel gaf aan dat het twee

uur was. Frances blies de kaars uit. Een haan die niet voor de bel wilde onderdoen, kraaide schor. Iets hards en kouds, iets wat ze niet herkende, stroomde door Frances' bloed. Woede was tot een dun, hard laagje rond haar verdriet gestold. Waarom moest ze zich schamen voor het feit dat haar vader failliet was gegaan? Waarom moest zij naar de koloniën worden verbannen? Heel even stond ze zichzelf toe zich in te beelden dat ze voldoende geld had om onafhankelijk te zijn.

9

FRANCES MOEST TOCH WEER IN SLAAP ZIJN GEVALLEN, want toen ze wakker werd, was het schip flink aan het stampen. Een glas schoof heen en weer op de vloer tussen de kooien. In de donkere hut hing een zure geur die ze niet kon thuisbrengen tot ze boven zich Mariella hoorde kokhalzen. Ze riep haar op een fluistertoon. Mariella gaf kreunend antwoord en vroeg om een spuugkom. Frances gunde zichzelf nog een paar seconden respijt en stapte toen uit bed. Ze moest zich aan de kooien vasthouden omdat de hut onophoudelijk van voren naar achteren helde. Ze stak een kaars aan en vond in het flikkerende licht een zinken kom onder haar bed. Ze gaf hem aan Mariella, die hem net op tijd kon aanpakken. Frances zag haar bezwete gezicht en haar met braaksel besmeurde vingers toen ze zich eroverheen boog.

Ze sloeg haar wollen omslagdoek om haar schouders, verliet de hut en liep op de tast door de smalle gang naar de badkamer: een hokje met stromend water en een kleine zinken tobbe. Anne zat daar op de vloer geknield in de toiletpot te kotsen. Frances reikte langs haar heen en keerde naar de hut terug met een nat washandje waarmee ze Mariella's gezicht en handen waste. Ze liet het lijdzaam toe toen Mariella's hoofd willoos op haar schouder kwam te rusten. De huid van het meisje was klam en ze kreunde zachtjes en blies haar stinkende adem in Frances' hals. Tegen de tijd dat Frances het natte laken van het matras had gehaald en haar een schone nachtpon had gegeven, was achter de patrijspoort het eerste daglicht zichtbaar. Anne kwam terug en kroop weer in haar kooi. Ze was een betere patiënte dan Mariella. Ze zorgde voor zichzelf en er kwam geen enkele klacht over haar lippen.

Slechts één keer, toen Mariella de volgende dag vroeg of ze haar wilde voorlezen terwijl het schip nog steeds sterk deinde, werd Frances zelf ook misselijk. Toen haar maag samentrok en ze een beetje duizelig werd, ging ze snel het dek op, waar ze in de stromende regen wachtte tot het zou wegtrekken. De kapitein zag haar staan en vroeg hoe ze heette.

'Nou, juffrouw Irvine,' zei hij opgewekt, 'het doet me deugd iemand te treffen die nog op haar benen staat, maar ik vrees dat u vanavond weinig tafelgenoten zult hebben.' Hij kreeg gelijk. Ze zat in haar eentje in de eetzaal van de tweedeklas tot er een groepje Engelse soldaten binnenkwam. De zwaaiende lantaarn aan de balk boven de tafels verspreidde slechts een flauw licht waardoor de soldaten geen erg hadden in Frances, die helemaal in de hoek zat. Ze waren nog jong, maar al gehard, als vers leer dat iemand in de regen had laten liggen. Frances wist dat ze de afgelopen dagen op allerlei manieren hadden geprobeerd met de meisjes op het tussendek te flirten. Ze hadden zelfs ergens verse bloemen weten te bemachtigen die ze hen hadden aangeboden in eiermandjes. Frances vond het interessant om hen nu vrijuit te horen praten. Hun taalgebruik was grof, nu ze door niemand gedwongen werden fatsoensregels in acht te nemen. Twee van hen schilden een appel en er ging een fles drank rond. Een van de soldaten vertelde dat hij van een vriend een negermeisje had gekocht voor een fles Zuid-Afrikaanse cognac.

'Een koopje. Ze was nog tamelijk vers.'

De fles tikte tegen een glas toen hij weer over de tafel werd geschoven. 'Die zwartjes zijn in elk geval een stuk gedweeër dan blanke vrouwen.'

'Wat vinden jullie van die nikkers die ze hebben opgehangen wegens spionage? Ik heb gehoord dat ze die gedwongen hebben met touwen in een boom te klimmen en zichzelf op te hangen.'

'Waar was dat?'

'In de Transvaal. Toen een ervan weigerde te springen, hebben ze hem in zijn kont geschoten. En toen hij een tak greep om zijn val te breken, hebben ze zijn handen kapotgeschoten.'

Een van de soldaten gromde. 'Dat is niet erg netjes.'

'Nee, maar wel grappig.'

Frances had eens in een hotel in Londen een Afrikaanse bediende gezien, maar die had gewone kleren gedragen en Engels gesproken. Ze kon zich geen voorstelling maken van een land vol zwarte mannen in dierenvellen.

Toen ze de volgende ochtend aan dek kwam, werd ze verblind door het felle daglicht. Een straffe wind verjoeg de laatste wolken, liet de tuigage rinkelen en deed de zeilen bollen. Golven stormden op het schip af, twee, drie meter hoog. Ze rezen dreigend op naar het dek, maar het schip rees steeds mee, zodat ze uiteindelijk schuimend langszij verder rolden. Een waas van water werd over het dek geblazen. Frances likte het zout van haar lippen en lachte. De wilde, lege natuur vervulde haar met blijdschap na de bedompte warmte en de verstikkende stank van de hut. Er waren weinig mensen op de been. Ze zag het jongetje met de vogelkooi met gekruiste benen tegen de wand van het luikgat zitten. Hij hield de kooi met één hand vast en probeerde de vogel ertoe te bewegen op zijn groezelige vinger te gaan zitten. De strenge vrouw die hem op het perron had opgejut was nergens te bekennen. 'Waar is je moeder?' vroeg ze.

De jongen bleef ingespannen naar de vogel kijken, die van het ene stokje op het andere hipte en zijn kopje gejaagd op en neer bewoog naar de vinger van de jongen. 'Mijn tante? Die voelt zich niet lekker.'

'Zijn je ouders in Zuid-Afrika?'

Hij schudde zijn hoofd. De vogel greep nu met één klauw de tralies en zette zijn andere poot op de wijsvinger van de jongen alsof hij wilde testen of die stevig genoeg was. Toen de vinger geschikt was bevonden, schuifelde het dier opzij tot hij beide klauwen om de vinger had geklemd. De jongen keek lachend op naar Frances. 'Ik wist dat ik hem uiteindelijk wel zover zou kunnen krijgen.'

'Heb je hem al lang?'

'Nee. Mijn moeder heeft gezegd dat ik op hem moest passen, maar mijn tante zegt dat hij de koude nachten niet zal overleven.'

'Kun je hem niet meenemen naar beneden?'

Hij schudde zijn hoofd. 'Dat mag niet. Hij praat te veel.'

Frances gaf de jongen een aai over zijn bol. Het was alsof ze haar hand op een bergje donzen veertjes legde. Ze haalde een suikerklontje uit haar jaszak en gaf het aan hem. Hij glimlachte. Ze vroeg: 'Hoe heet je?'

'Gilbert.'

'Kun jij me vertellen, Gilbert, welk kledingstuk voor een schip onmisbaar is?'

'Hoe bedoelt u?'

'Het is een raadsel,' zei ze glimlachend. 'Denk er maar over na.' Ze liet hem daar zitten en liep naar de achtersteven, waar ze stopte bij de krijtlijn die elke ochtend op het dek werd getrokken. Het deel van het dek achter de lijn was exclusief bestemd voor de eersteklaspassagiers. Twee matrozen zaten hoog in de bezaansmast om een klapperend zeil te reven. Ze hoorde luide stemmen die half door de wind werden weggeslagen en zag een groep mannen – drie matrozen en een passagier in hemdsmouwen – een eindje verderop over de reling gebogen staan. Witte vogels cirkelden om hen heen, steeds naar het water duikend.

Een steward die zag dat Frances stond te kijken, zei: 'Ze hebben een grote vis aan de haak. Meneer Westbrook is er al een uur mee aan het vechten.'

Ze was erg benieuwd naar William Westbrook als visser en bleef wel een halfuur in het flikkerende zonlicht staan kijken, tot ze de vis eindelijk aan boord konden hijsen. Hij was wel twee meter lang en heel breed. Een zwaardvis, zag ze. Vol bewondering keek ze naar de lange spies. De vis lag uitgeput op het dek. Uit zijn open bek stak een geroeste haak zo lang als haar onderarm. De matrozen lachten en sloegen meneer Westbrook op zijn schouders. De mouwen van zijn overhemd waren opgerold, de kraag stond open en zijn haar hing in vochtige krullen in zijn nek. Hij gaf het vistuig aan een van de bemanningsleden en ging op zijn hurken zitten om zijn handen te wassen in een emmer water. Zijn overhemd, dat doorweekt was van zweet en zeewater, plakte aan zijn borst. Hij keek over het dek in haar richting. Ze zag dat hij haar herkende en voelde zich betrapt. Haar oren waren gevuld met het gebulder van de zee. Hij bleef naar haar kijken en zijn mond vertrok tot een brede glimlach. Ze wendde verlegen haar blik af. De matrozen hadden een haak door de staart van de vis gestoken. De kieuwen gingen ritmisch open en dicht, een rij rode sneden in het dikke, witte vlees. Twee scheepsjongens takelden hem omhoog en een derde stak een mes in zijn buik. Bloed gutste uit de snee. Frances kon niet aanzien hoe de vis werd mishandeld. Ze drukte haar hand tegen haar mond en slikte. Toen ze weer naar meneer Westbrook keek, stond hij tegen het roer geleund met de kapitein te praten, die lachte en zijn hand schudde.

'Vindt u me een bruut?' Meneer Westbrook was bij haar komen staan. Hij had één hand om de reling gelegd en hield de andere boven zijn ogen tegen de zon.

Ze ontkende het, maar hij zei: 'U mag het best eerlijk zeggen, juffrouw Irvine.'

Dus knikte ze, en ze zei: 'Het lijkt erg gemeen ten opzichte van de vis.'

'Ik denk niet dat u die mening ook zou zijn toegedaan als

u degene was die hem had gevangen. Het is geweldig om je met zo'n vis te meten. Het donkere lichaam dat onder water heen en weer zwemt, man en vis gewikkeld in een felle strijd.' Hij lachte. 'U lijkt niet overtuigd.'

'Dat ben ik ook niet.'

'Uw medelijden is misplaatst. De zee ziet er vandaag vriendelijk uit, maar ze kan erg vals zijn. Als het mocht gaan stormen, zullen wij een speelbal op haar golven zijn.'

Frances glimlachte. 'Reden te meer om haar te paaien.'

Hij lachte. 'Daar hebt u gelijk in. Maar ik ben nooit goed geweest in paaien.'

Zijn houding gaf blijk van hetzelfde evenwichtige zelfvertrouwen dat haar voorheen ook was opgevallen, al was die nu verzacht door zijn jongensachtige geestdrift. Hij was tevreden over zijn vangst, wiegde op de ballen van zijn voeten, had één hand in zijn broekzak gestoken en kneep zijn ogen tot spleetjes tegen de zon. Het zou haar niet verbaasd hebben als hij zomaar voor de lol in het want was gesprongen om naar het kraaiennest te klimmen. Ze glimlachte.

'Dat daarentegen...' Hij wees naar de achtersteven van het schip, waar matrozen lijntjes met lokaas hadden uitgegooid voor de duikende vogels en er eentje beet hadden. De bootsman haalde het hevig fladderende dier naar zich toe en drukte de vleugels plat. Ruw trok hij de haak uit de gestrekte, rochelende keel. 'Dat is pure wreedheid.'

'Ik vrees dat ik het verschil niet zie.'

'Hebt u ooit geprobeerd zeemeeuw te eten?'

Ze moest onwillekeurig glimlachen en hij grinnikte. Zijn plezier was aanstekelijk en voor het eerst sinds de dood van haar vader ervoer ze een ongeremde blijdschap.

‘Ik had hem wel willen schilderen,’ zei ze plotseling.

‘Wie?’

‘Die zwaardvis van u,’ zei ze.

‘Dat kunt u alsnog doen,’ zei hij vergenoegd.

Ze lachte. ‘Met zo’n zee? Dat zal niet gaan.’

Hij zette zijn ellebogen achter zich op de reling. Zwijgend keken ze naar de zeilen en het bewegende blauw van de zee en de lucht. Ze voelde zich bij hem net zo op haar gemak als ze zich altijd bij haar vader had gevoeld. Ze leken op elkaar, deze mannen, groot van gestalte en vol charisma. Ze bezaten een moeiteloze charme en hadden de benijdenswaardige gave om van het leven te genieten. Ze kreeg de indruk dat meneer Westbrook zich net zomin iets van het kleingeestige gemoraliseer van de Engelse society aantrok als haar vader. En ze was er zeker van dat er meer achter hem stak dan je op het oog zou zeggen. Hij hield van een lolletje, maar kon ook serieus zijn, en hij had met zo veel hartstocht over de liefdadigheidsorganisatie van haar vader gesproken dat ze ervan overtuigd was dat hij hoogstaande idealen koesterde.

‘Juffrouw! Juffrouw! Ik weet het!’ Gilbert kwam vlak voor hen hijgend tot stilstand.

Frances bukte zich. ‘Fluister het in mijn oor.’

Hij boog zich naar haar oor. Ze knikte.

‘Wat wordt hier gefluisterd?’ vroeg meneer Westbrook.

Gilbert grijnsde van oor tot oor. ‘Welk kledingstuk is voor een schip onmisbaar?’

Ze keken allebei naar meneer Westbrook toen hij erover nadacht. Hij deed er lang over. Uiteindelijk kreunde hij en zei: ‘Een kiel?’ Gilbert schaterde. Meneer Westbrook schudde lachend zijn hoofd. ‘Hebt u dit bedacht, juffrouw Irvine?’

Ze lachte vrolijk mee. Gilbert trok aan haar mouw. 'Nog eentje!'

's Middags trof ze een briefje aan op haar bed. Het was een uitnodiging voor het diner.

Aangezien meneer Nettleton en ik mogelijk de enige eersteklaspassagiers zijn die zich goed genoeg voelen om te kunnen eten, zou u het als uw plicht moeten beschouwen ons gezelschap te komen verlevendigen. W.W.

Frances keek naar het vlotte handschrift en glimlachte. Haar handen transpireerden een beetje, waardoor haar vingers vochtige afdrukken achterlieten op het dure linnenpapier. Impulsief bracht ze het naar haar neus en rook de flauwe muskusgeur van sandelhout. Gegeneerd liet ze het briefje weer zakken. Meneer Westbrook wilde haar slechts tegemoetkomen. Hij vond het sneu dat ze in haar eentje reisde en wilde haar het gevoel geven erbij te horen. Dat was erg aardig van hem, maar juist vanwege die voor hem vanzelfsprekende ruimhartigheid mocht ze hem meer dan goed voor haar was. Het briefje was een gewiekste combinatie van intuïtie en luchthartigheid, bedoeld om haar op haar gemak te stellen. Hij had haar in haar eenvoudige katoenen jurk op het dek zien staan en haar stekelige trots snel doorzien. Hij had in één keer begrepen dat ze verdrietig en eenzaam was en dat ze helemaal niet naar Zuid-Afrika wilde. Hiermee probeerde hij haar op een subtiele manier te vertellen dat hij het begreep. Ze kreeg een brok in haar keel en moest tot haar eigen verbazing een paar tranen wegvegen.

Zijn goedheid maakte haar kwetsbaar. Alhoewel ze dolgraag nogmaals met hem wilde praten, zou ze zijn medelijden niet kunnen verdragen, noch de hoon van mevrouw Nettleton, dus schreef ze een kort briefje terug waarin ze de uitnodiging afsloeg.

10

DE VOLGENDE DAG KNAPTE HET WEER NOG MEER OP EN NU voeren ze onder een staalgrijze lucht over een bijna gladde zee. Het schip, waarop het voorheen zo stil was geweest dat niemand het je kwalijk had genomen als je had gedacht dat het maar een handjevol passagiers aan boord had, begon te gonzen van bedrijvigheid, als een bijenkorf waar iemand een steen tegenaan had gegooid. Na verloop van tijd ontstond er een vaste dagindeling. Om acht uur het ontbijt, dan een lome wandeling over de dekken, lunch gevolgd door backgammon – er was al een toernooi georganiseerd – om vier uur thee en om zeven uur een eenvoudig avondmaal.

Frances ervoer aan boord van de *Cambrian* een mate van vrijheid en onafhankelijkheid die ze niet eerder had gekend. In Engeland had ze zelden of nooit het huis mogen verlaten zonder haar vader of Lotta als gezelschap. Nu kon ze in haar eentje het schip verkennen en een praatje maken met wie ze wilde. Zuster Mary-Joseph toonde weinig belangstelling voor de meisjes en wilde het liefst met rust gelaten worden. Ze las romannetjes die ze in haar Bijbel verborg, zoals Mariella al had ontdekt, en scheen gedwongen te zijn geweest te emigreren om aan een schandaal in Engeland te ontkomen. Dat klonk aannemelijk. Waarom zou iemand er anders in toestemmen een groep jonge vrouwen naar de koloniën te vergezellen voor het geringe salaris dat de liefdadigheidsorganisatie zich kon veroorloven?

De zitkamer op het tussendek was een verzamelplaats voor een grote verscheidenheid aan mensen. Alle jongedames die met de Female Middle Class Emigration Society reisden, wachtte een baan als gouvernante, lerares of verpleegster, en Frances kende al een aantal andere mensen van gezicht. Een elegante vrouw met rood doorlopen ogen die aldoor zwaar hoestte ging naar een sanatorium bij Kaapstad. De lucht van Zuid-Afrika scheen de beste ter wereld te zijn voor longlijders. Twee Zweedse neven met witblond haar en een roodverbrand voorhoofd praatten met iedereen die luisteren wilde over de handel in diamanten, en een slimme, energieke jongeman deed goede zaken door passagiers op de foto te zetten.

Er was een koopman uit Natal met een ruige, grijze baard en wangen die door de zon tot dikke rimpels waren gedroogd. Elke dag stalde hij dierenhuiden uit, in de hoop zich op de terugweg naar Zuid-Afrika van het restant van zijn koopwaar te kunnen ontdoen. Hij had huiden van poema's en zebra's en een leeuwenkop die blijkbaar niet erg goed was geconserveerd, want hij stonk naar verrot vlees en Mariella zwoer dat ze een made in de neusgaten had zien wriemelen.

Hij verkocht ook struisvogelveren, prachtige ivoren beeldjes en vliegenmeppers die van de staarten van jakhalzen waren gemaakt. 's Avonds zat hij bij het licht van een lantaarn op het dek en kwamen mannen en vrouwen om hem heen staan om te luisteren naar zijn verhalen over koortsmoerassen, olifantenjachten en gebergten waar het wemelde van luipaarden.

Kapelaan Ames was de enige priester aan boord. Hij was nog jong, hooguit twintig, en had een glad, bleek gezicht waar rode vlekken op verschenen als hij opgewonden raakte. Hij had de gewoonte met zijn handen langs zijn gezicht te wapperen wanneer hij sprak en was op weg naar Oost-Afrika om daar een missiepost te beginnen. Hij droeg om de dag een mis op en hield dan een gloedvolle preek. 's Zondags konden de mensen bij hem ter communie gaan.

Een dikke, zwaargebouwde Italiaanse man met een hangsnor en waterige ogen had een dansende beer en een aap. Hij zei dat hij had besloten te emigreren om een betere markt te zoeken. In Londen had er niemand meer belangstelling voor zijn dansende beer en Frances kon wel zien waarom. Het aapje, dat een militair uniform aan had, zat de hele dag op de schouders van zijn baasje, maar de beer zag er zeeziek en ongelukkig uit. Hij had een muilkorf voor en zat aan een ketting en als zijn baasje 'Doe een dansje!' riep, maakte hij een onhandige koprol over het dek en liep dan waggelend in een kringetje om de stok die de Italiaan vasthield. Af en toe klom het aapje op de schouders van de beer om hem aan zijn oren te trekken. Als de beer naar hem uithaalde, sloeg de Italiaan hem met zijn stok tot hij brulde.

De derdeklasreizigers waren arme sloebers. Iedereen wist

dat ze op het benedendek dicht op elkaar gepakt zaten en op warme dagen verspreidde zich over het schip een rioolstank die in je keel bleef hangen. De vrouwen waren de hele dag bezig met naaien, standjes uitdelen en emmers zeewater over hun kinderen gieten in de hoop dat ze geen luizen zouden krijgen.

Er was een groep schachtbouwers uit een kolenmijn in Lancashire, sterke kerels die naar Zuid-Afrika werden gestuurd om de nieuwe machines te bedienen die daar naartoe waren geëxporteerd. Ze zaten de hele dag het gereedschap te oliën dat ze daarginds nodig zouden hebben en vertelden elkaar sterke verhalen over gesmokkelde diamanten: over een vrouw die per koets uit Kimberley was vertrokken terwijl ze nonchalant een tros druiven in haar hand hield, met in elke druif een diamant; en over een timmerman die erin was geslaagd voor tweehonderdduizend pond aan diamanten in het handvat van zijn beitel mee te smokkelen, maar bij aankomst in Southampton was gepakt door een privédetective.

Mariella stond elke middag met een groepje meisjes bij de krijtlijn die de scheiding vormde met het dek van de eersteklas. Ze steunden op elkaars schouders, leunden tegen de reling, giechelden en stootten elkaar aan terwijl ze de eersteklasreizigers bespiedden. Ze gaven de namen van politici en hun echtgenotes aan elkaar door, wezen de lords en lady's aan, roddelden er lustig op los en bekeken ieder detail van de japonnen die de dames droegen. Frances voelde zich aangetrokken tot de kameraadschap tussen de meisjes, maar als Mariella haar naar de groep wenkte, bleef ze op de achtergrond, omdat ze niet wilde dat de Nettletons of meneer Westbrook haar erop zouden betrappen dat ze naar hen keek.

Ze stond elke dag vroeg op en ging dan met een kopje koffie naar het bovendek. Op dat uur van de dag waren er heel weinig passagiers op de been en ze mocht graag naar de matrozen kijken die de dekken boenden, de zeilen uitschudden en het koper poetsten tot het glom. Het was dan koel en fris en het dek stond nog niet vol met de ligstoelen die na het ontbijt werden uitgezet. George Fairley was er altijd nog eerder dan zij en trok met gretige trekken aan zijn eerste sigaret van de dag. Hij was midden veertig, een kleine, stevige man met zacht, bruin haar en de onaangename gewoonte de zijkanten van zijn nagels tot bloedens toe stuk te bijten.

Hij was een prater en Frances mocht graag luisteren, allang blij dat ze dan haar eigen verhaal niet hoefde te vertellen. Hij had een kleine boerderij gehad, maar was door de crisis alles kwijtgeraakt. Hij vertelde haar over de kalkriviertjes op zijn land in Devon en hoe hij een keer in een sneeuwstorm schapen had geschoren. Hij vertelde haar ook dat hij een gruwelijke hekel had aan de nieuwe steden met de grote fabrieken die zwarte rookwolken uitbraakten. Frances had niet geweten dat de stoomschepen die graan en gekoeld vlees invoerden uit Amerika de Engelse boeren zo veel schade hadden berokkend.

'Uiteindelijk ben ik terechtgekomen in Sheffield, waar ik in een staalfabriek werkte die onderdelen maakte voor de schepen die er de oorzaak van waren dat ik failliet was gegaan!' George lachte wrang en wreef over de stoppels op zijn kin. 'En dat heeft me op het idee gebracht om te emigreren.'

Hij hoopte diamanten te vinden en rijk te worden, in elk

geval rijk genoeg om gerieflijk te kunnen leven. Frances was geboeid door zijn verhalen over de diamantvelden. De rivier de Vaal was een utopie in de woestijn, zei George. Op de oevers van een kolkende massa groen water lagen grote rotsblokken. Als je die wegrolde, zag je eronder een hele laag diamanten glinsteren, stenen zo groot als een kievietsei. George had een oom die slechts twee weken op de oever van de Vaal had hoeven graven om rijk naar huis te kunnen terugkeren.

Op een ochtend stonden ze te kijken naar een zwerm zwaluwen die sinds ze uit Engeland waren vertrokken achter het schip aan vlogen. De vogels stegen op en doken neer met bliksemsnelle bewegingen, als een voortdurend van vorm veranderende zwarte wolk, over het water scherend zonder ooit achterop te raken.

William Westbrook liep langs hen over het dek. George sprak hem aan. 'Meneer, zou ik u iets mogen vragen?'

'Natuurlijk.' Meneer Westbrook bleef staan en knikte naar Frances zonder haar te groeten. Ze vroeg zich af of hij boos was dat ze zijn uitnodiging voor het diner had afgeslagen.

'Ik heb gehoord dat u veel van diamanten weet?' vroeg George verwachtingsvol.

'Ik weet er wel iets van, ja.'

'Ik heb contacten aan de Vaal. Kunt u me wellicht nog adviezen geven?'

'Wat hebt u tot nu toe voor werk gedaan?'

'Ik was boer.'

'Dan adviseer ik u naar huis terug te keren en weer op het land te gaan werken.'

George staarde hem aan. 'Hoe bedoelt u?'

'De Vaal is niets waard. De oevers zijn opgedroogd.'

'Opgedroogd?' vroeg George Fairley ongelovig.

'Er wordt daar al jaren niet meer gegraven. De kampen zijn verhuisd naar New Rush in Kimberley, maar ook daar kunt u weinig beginnen. Een claim kost duizend pond en zelfs als u zo veel geld had, is de grond zo hard als steen.'

George verwerkte die informatie. Frances zag hoe moeilijk hij het ermee had.

'Hoe hard precies? Kun je er niet in graven?'

'Alleen als je je echt kapot werkt, en dan nog –'

'Maar hoe doet iedereen dat dan? Ik heb gehoord dat je met een beetje geluk rijk kunt worden.'

'Dat was vroeger. Nu de claims worden geconsolideerd is het te duur. Je moet een ploeg arbeiders hebben, bewakers die erop toezien dat ze niks stelen, invloed bij de leden van het bestuur van de mijnen opdat ze u er niet uit werken, en uiteraard betrouwbare mannen die voor u de goede stenen van de slechte scheiden.'

'Maar er zullen toch wel meer vindplaatsen zijn?'

'Dacht u dat men daar niet naar heeft gezocht? Mannen die de bodemstructuur beter kennen dan u?' William Westbrook was zeker tien jaar jonger dan George, een broekje bij hem vergeleken, maar het was duidelijk dat hij veel meer ervaring had en dat je zijn woorden niet in twijfel kon trekken. Hij sprak respectvol maar ferm. 'Ik zal u vertellen wat ik weet, meneer, omdat het misschien uw leven kan redden. Ik heb mannen kapot zien gaan aan het zoeken naar diamanten. Ze waren er slechter aan toe dan de zwarten. Ze kropen in de mijnen rond zonder dat ze nog een hemd aan hun lijf hadden.'

George Fairley keek hem sprakeloos aan. 'Maar... zelfs als u gelijk hebt, kan ik niet naar huis terugkeren. Ik heb daar helemaal niets meer.'

Meneer Westbrook haalde een beetje ongeduldig zijn schouders op. 'U kunt beter in Engeland in een armenhuis zitten.'

'Ik geloof u niet, meneer,' zei George. Zijn stem klonk scherp van woede. Hij gooide de peuk van zijn sigaret over de reling. 'U wilt gewoon geen concurrentie. U moet u schamen.' Hij draaide zich op zijn hakken om en liet hen staan.

'Waarom hebt u dat gedaan?' vroeg Frances.

Meneer Westbrook keek haar vanonder zijn zware oogleden koeltjes aan. Ze had hem nog nooit zo ernstig zien kijken. Zijn kaken stonden strak en op zijn gezicht lag een ondoorgrondelijke uitdrukking. Alle vrolijkheid was verdwenen. 'Ik heb hem alleen maar de waarheid verteld.'

'Maar moest u die zo naargeestig afschilderen?' Hij gaf geen antwoord. 'Hij heeft alles wat hij had in deze onderneming gestoken.'

Zijn neusgaten sperden zich open en zijn ogen waren volkomen vlak toen hij haar aankeek. 'En geeft u zo veel om hem?'

Dat was een belachelijke vraag. 'Hij had behoefte aan hoop, meneer Westbrook, niet aan iemand die zijn toekomst de grond in stampt.'

'Ik heb hem verteld hoe het zit, juffrouw Irvine. Misschien klinkt de waarheid naargeestig, maar daar is niets aan te doen. In een land als Zuid-Afrika kan niet iedereen een goede boterham verdienen. Een man van zijn leeftijd kan beter in Engeland blijven, bij zijn familie.'

Hij was verdwenen voordat ze de kans kreeg haar verontschuldigingen aan te bieden. Pas toen ze er later over nadacht, besefte ze dat ze naïef was geweest. Het was heel goed mogelijk dat hij gelijk had en ze wenste dat ze hem niet had tegengesproken over een onderwerp waar ze helemaal niets vanaf wist.

11

TWEE DAGEN LATER MELDDE DE KAPITEIN DAT ER STORM OP komst was. Om vijf uur stak de wind op en werd de lucht donker. Het daglicht werd opgezogen door een loodgrijs wolkendek. Hout kraakte terwijl het schip door de hoge deining zwoegde. Frances daalde af naar de hut en trof Anne op de rand van Mariella's kooi aan. Het was kil en klam in de hut en Mariella zat over te geven in de spuugkom.

'Wat zeggen ze boven?' vroeg Anne, met ongeruste ogen naar Frances opkijkend. Frances gaf haar hand een kneepje. 'Dat we de patrijspoorten dicht moeten houden.'

Anne streelde Mariella's hoofd en gaf haar een nat washandje. Toen zette ze de kom naast haar en daalde af naar haar eigen kooi, doodmoe van het rijzen en dalen van het schip. Frances ging ook liggen en gaf zich over aan de onrustige deining van de oceaan. Ze probeerde niet te denken aan de naderende storm. Toen Mariella vroeg of ze nog wat tonicum konden krijgen tegen de misselijkheid, bood Frances aan het te gaan halen. Ze was blij met een excuus om de hut te verlaten. Zuster Mary-Joseph had een paar deuren verderop een hut voor zich alleen. Frances klopte aan en ging naar binnen. De vloer van de smalle ruimte naast de kooi was bezaaid met bevuild linnengoed en bordjes met etensresten. Toen Frances om tonicum vroeg, wuifde de non zwakjes, te ziek of te bang om iets te kunnen zeggen, maar Frances drong aan tot ze zei: 'Er is niks meer over. Jullie hebben alles al opgedronken.' En ze draaide zich om naar de muur.

De dokter had vast nog wel iets op voorraad. De ziekenboeg was op het achterste deel van het schip, achter de machinekamer. Het viel niet mee om door de smalle gangen van het tussendek te lopen, waar de lampen flikkerden en deuren open en dicht klapten. Bij elke stijging of daling van het schip kon er iemand als een kanonskogel op je af komen. Nadat ze een paar minuten door de blank staande gangen had gewaad, waar braaksel in het water dreef, besloot ze een van de smalle trappen naar het dek te nemen. Via het dek kon ze sneller bij de achtersteven komen dan binnendoor. Bovendien wilde ze zien of de storm echt al was losgebarsten of dat het beneden erger leek dan het was. Het waaide hard. De wind greep de deur toen ze die opende en liet hem tegen de wand klappen. Ze bleef een ogenblik geschrokken staan en stapte toen naar buiten.

Het dek was een donkere vlakte van nat hout. De avond was gevallen en de storm had iedereen, op een paar bemanningsleden na, naar binnen gejaagd. Frances bevond zich in een maalstroom van geluiden: de bulderende zee, de rinkelende tuigage, het fluiten van de wind in de touwen. Ze greep zich aan het want vast om overeind te blijven en boog door haar knieën om de klappen van de golven op te vangen. Een waas van water woei over het schip. Het zout prikte in haar ogen. Met een wild gebaar streek ze het natte haar uit haar gezicht. Het was allemaal al veel erger dan ze had gedacht.

Ze rende naar de reling en keek uit over het water. De lantaarn die boven in de bezaansmast hing, zwenkte naar stuurboord, zwiepte omhoog en zwenkte naar bakboord. Heen en weer gleed de cirkel van licht, over het schip en over de zee. Elke keer viel het schijnsel op de kolkende watermassa alvorens weer naar boven te zwiepen. Elke keer verlichtte het heel even de toppen van de golven die op het schip af stormden.

De windkracht leek met de minuut toe te nemen en in de gloed van het lamplicht zag ze striemende regendruppels op zich af vliegen. Ze schuifelde zijwaarts over het dek, zich vastklemmend aan de reling. Twee matrozen riepen iets naar elkaar, maar de wind vervormde hun woorden tot de roep van zeemeeuwen. Plotseling nam het schip een duik. Het dek rees sidderend op tot het bijna verticaal stond. Frances sloeg met haar gezicht tegen de reling. Zeewater sloeg over haar heen en haar benen gleden onder haar vandaan. Ze wilde gillen, maar haar mond zat vol water, dat zo koud was als smeltend ijs en vingers had die in haar keel drongen. Ze voelde een scherpe pijn onder haar arm, maar toen werd ze opeens in haar val geremd. Een hand hield haar arm omklemd als een bankschroef. Ze graaide naar haar redder, kreeg zijn jas te pakken en trok zich ernaartoe.

De man drukte haar tegen de reling, zodat ze weer wist wat onder en boven was en niet bang hoefde te zijn dat ze weer zou vallen.

De wind bulderde. Ze was zich bewust van de kracht van de man en van de regen die op hen neer kletterde en haar tot op haar huid doorweekte. Ze drukte haar gezicht tegen zijn borst. Hij trok zijn jas op rond haar hoofd en sprak in haar oor. Zijn lippen raakten haar huid.

'We staan hier voorlopig redelijk veilig, maar u moet precies doen wat ik zeg. Kunt u lopen?'

Ze vond het doodeng om nogmaals het open dek te moeten oversteken, maar bewoog haar hoofd bevestigend op en neer tegen de natte wol van zijn jas. De storm was nu met volle kracht losgebarsten. Ze hoorde de zeemeeuwkreten van de matrozen, het piepen van touwen, het grommen van de scheepsmotor. Ze stond op haar benen te trillen en een doffe pijn bonkte boven haar oog op de plek waar ze met haar hoofd tegen de reling was geslagen. Ze vond het schip opeens net zo nietig als de papieren bootjes die ze als kind in snelstromende riviertjes had losgelaten en die willoos om hun as hadden gedraaid tot ze onder water waren gesleurd.

Het schip dook in een golf en richtte zich weer op. De man riep in haar oor: 'Nu!' Hij draaide haar een halve slag om zodat ze voor hem kwam te staan en hij met zijn rug tegen de reling, en gaf haar een duw. Ze haastte zich wankelend en glibberend over het bewegende dek, met het gewicht van de man in haar rug. Bij de trap rukte hij de deur open, duwde haar naar binnen en strompelde samen met haar naar beneden. Opeens was ze doodmisselijk. Ze boog zich voorover en braakte zeewater. Gal en zout dropen uit haar neus en mond.

'Dat was interessant.'

Ze keek op. Water stroomde over haar gezicht. William Westbrook keek haar geamuseerd aan. 'Sommige mensen zouden zoiets zelfmoord noemen.' Hij schudde zijn hoofd terwijl hij met zijn handen door zijn haar wreef. Waterdruppels vlogen van hem af als regen van een hond.

Ze was duizelig en misselijk en bukte zich nogmaals om over te geven. Toen ze zich weer oprichtte, voelden haar benen heel licht en heel koud en toen ze een hand uitstak, kon ze de muur niet vinden. Meneer Westbrook ving haar op door zijn arm onder de hare te steken. 'Ho, niet flauwvallen.'

Hij zette haar aan een tafel in de salon van de eersteklas, vond ergens een paar dekens die hij om haar heen wikkelde en gaf de angstig kijkende steward opdracht koffie te brengen. Toen de koffie niet snel genoeg kwam, ging hij naar de kombuis om te kijken waar de steward bleef. Frances was verdoofd van de kou. Ze had geen gevoel in haar benen, van haar voeten tot haar dijen, en haar bovenlichaam begon onbedaarlijk te schokken. Toen het eenmaal was begonnen, hield het niet meer op. Vier mannen die in een hoek van het vertrek zaten te kaarten, gaven een fles aan elkaar door en bulderden elke keer van het lachen als het schip schuin kwam te staan en hun spel in de war gooide. Verder was de salon verlaten. De meeste lampen waren gedoofd en het rode fluweel en de vergulde spiegels aan de muren leken met hun eigen grandeur te spotten nu er buiten zo'n angstaanjagende storm woedde. Een paar flessen wijn waren op de grond gevallen en rolden heen en weer. Bij elke duik van het schip gleden er een paar van de door passagiers in de steek gelaten, halfvolle borden van de tafels op het tapijt.

Frances had gedacht dat ze gedurende die eerste dagen op zee al een storm had meegemaakt, toen ze voor het eerst het stampen en rollen van het schip had gevoeld en van de kapitein een complimentje had gekregen om haar zeebenen. Nu begreep ze pas wat een storm was. Het was afgrijselijk en angstaanjagend. De zee loeide en brulde, tilde het schip op en smeet het zo hard weer neer dat het leek alsof het in tweeën zou breken. De wind raasde als water dat door een tunnel werd gestuwd. Ze hield zich aan de bank vast om te voorkomen dat ze door het vertrek werd gesmeten en probeerde niet te denken aan hoe koud en zwart de zee was en wat ze zou moeten doen als ze daarin terecht zou komen. Ze was bang om dood te gaan. Niet bang voor de dood op zich, maar voor de waarheid die sterven met zich meebracht. Het wekte een knagende angst in haar op die al haar zekerheden ondermijnde: dat het leven mooi en waardevol was, dat de dood van haar ouders niet zinloos was geweest, dat iets anders dan angst ten grondslag lag aan alles wat je deed.

Meneer Westbrook kwam terug met een grote mok koffie waar hij een schoteltje op had gelegd tegen het morsen. Hij ging naast haar zitten, haalde een fles uit zijn jaszak en goot een scheutje in de mok. Toen lepelde hij de hete, donkere vloeistof in haar mond, met de mok onder haar kin om op te vangen wat erlangs drupte. Het gewicht van zijn lichaam, de stevige vorm van zijn dij, heup en borst, drukte tegen haar aan en hield haar op haar plek, terwijl ze klappertandend lepeltjes koffie naar binnen zoog. De koffie was sterk en de warmte trok langzaam door haar lichaam. Toen het beven ophield, drukte hij de mok in haar handen, ging tegenover haar aan de tafel zitten en grinnikte naar haar. 'Misschien had ik die vis niet moeten vangen?'

Ze kon nauwelijks geloven dat hij in deze omstandigheden in staat was grapjes te maken. Het leek waarachtig of hij hier schik in had. De enorme kracht van de storm bood een uitlaat aan zijn rusteloze energie en gaf hem iets te doen. Hij leek helemaal niet bang. Hij was net zoals haar vader: de wetenschap dat hij dood zou kunnen gaan deed hem niets, en ze putte moed uit zijn nabijheid.

Ze glimlachte naar hem. 'Dank u wel dat u me hebt gered.'

Er kroop een trage glimlach over zijn gezicht. 'Hoe denkt u me daarvoor te belonen?'

Ze wendde verlegen haar ogen af. Ze zat nog te bibberen en was bang. 'Dat zal misschien niet nodig zijn.'

'Zo makkelijk komt u er niet van af.' Hij raakte geruststellend haar hand aan. 'Een stoomschip heeft een betere kans dan een zeilschip. Tenzij de storm nog heviger wordt, blijft dit schip heus wel overeind.' Na een korte stilte voegde hij er nog aan toe: 'Ik was teleurgesteld dat u niet op mijn uitnodiging was ingegaan. Waarom bent u niet gekomen?'

'Ik weet het niet.' Haar woorden klonken beverig en ze had moeite haar lippen te bewegen. De koffiemok brandde in haar handen en haar vingers begonnen pijn te doen. 'Ik geloof dat ik niet goed wist hoe ik uw goedhartigheid kon aanvaarden. Het was heel vriendelijk van u, maar –'

'Vriendelijk?' Hij lachte. Op de tafel draaide hij een theelepeltje om en om tussen de vingers van zijn hand. 'Frances, ik had je uitgenodigd omdat ik je graag mag. Ik wilde je zien.' Hij sloeg alle vormelijkheid nu in de wind en tutoyeerde haar zelfs. Ze had een beetje het gevoel dat er in deze omstandigheden geen regels meer golden. Hij keek haar in de ogen en ze wist dat ze iets moest zeggen, maar vertrouwde haar stem niet. Hij legde het lepeltje neer en wreef met de duim van zijn rechterhand over een smal, rood litteken op zijn jukbeen dat haar nog niet eerder was opgevallen.

'Hoe komt u daaraan?'

'Dit litteken? Van mijn vader.'

'Toen u nog klein was?'

Hij nam haar hand losjes in de zijne. Ze voelde hoe ruw zijn huid was en zag hem glimlachen. 'Frances, je bezorgdheid is allerliefst, maar mijn vader had geen losse handen. Hij had wel een smeltoven. Er is een stukje metaal tegen mijn wang gevlogen.'

Ze keken allebei op toen de deur dichtviel. Een vrouw in een nachtgewaad rende slingerend door de salon, zich vasthoudend aan de banken. Ze sperde haar mond open in een geluidloze angstkreet en werd gevolgd door een man in zijn ondergoed.

Meneer Westbrook lachte. 'Respectabele mensen die aan een vlaag van verstandsverbijstering lijden. Morgenochtend schamen ze zich dood.'

De storm woedde onverminderd voort. Toen ze haar koffie op had, bracht hij haar terug naar haar hut. Hij gebruikte zijn gewicht als een wig in de smalle gang om te voorkomen dat ze zouden vallen. Er brandde geen enkele lamp meer en in het donker wisten ze soms niet wat boven en onder was. Toen ze bij haar deur waren aangekomen, deed ze die niet open, maar draaide ze zich naar hem om. Ze was bang en wilde niet dat hij zou gaan. Haar hartslag bonkte in haar oren, luider dan het kraken van het schip. 'Het komt wel goed,' zei hij. Hij legde zijn hand tegen haar wang. 'Men heeft zwaardere stormen overleefd.' Toen was hij weg en moest ze op eigen kracht haar angst zien te bedwingen.

Gedurende de nacht werd het nog veel erger. De storm raasde met een brute kracht. Het voelde aan alsof ze hun ondergang tegemoet gingen. Frances lag volledig gekleed in haar kooi, zo misselijk dat ze keer op keer moest overgeven in de spuugkom die ze naast zich hield. Toen het schip een keer sterk rolde, werd ze opzij gesmeten en kon ze niet voorkomen dat de kom kiepte. Het waterige braaksel stroomde over de lakens en bleef stinkend en glibberig aan haar huid en kleren kleven. Ze hoorde Mariella zachtjes jammeren. Uit de kooi van Anne kwam alleen maar het klikkende geluid van haar rozenkrans. Frances klampte zich vast aan de randen van haar kooi zonder te kunnen huilen of bidden. In plaats daarvan hield ze in haar doodsangst het beeld van William Westbrook voor ogen. Zijn zelfvertrouwen en hooghartigheid hadden sterk genoeg geleken om de storm te bedwingen. Ze probeerde te blijven denken aan de kracht van zijn lichaam toen hij haar op het dek had vastgegrepen en in veiligheid had gebracht, worstelend tegen de kracht van de zee. Ze proefde de bittere smaak van de koffie nog op haar tong, en haar lippen waren gevoelig van het hete lepeltje dat hij keer op keer naar haar mond had gebracht. Ze klampte zich vast aan gedachten aan hem terwijl ze zich schrap zette tegen de golven.

De dag daarop werd ze laat op de ochtend wakker. Ze wist meteen dat de storm voorbij was. Het schip rolde niet meer, het geluid van de motor was gezakt tot een zacht geronk, en toen ze door de patrijspoort naast haar kooi keek, zag ze dat de horizon netjes recht stond. De hut was verlaten. Ze ging naar de badkamer om zich te wassen en toen ze terugkwam, was Anne bezig de vloer te dweilen. Mariella stak haar hoofd om het hoekje van de deur. 'Goedemorgen, slaapkop. Hier heb je wat toast en jam. Zeg maar netjes dankjewel. Iedereen heeft opeens trek en op het schip is het een chaos.' Ze gaf Frances het bord en bleef in de deuropening staan.

Frances likte een klodder jam van haar vinger. 'Hoezo chaos?'

'Door de storm is een van de reddingsboten aan stukken geslagen, de kok is dronken, twee dekken staan blank en een steward heeft zijn been gebroken. O, en een belangrijke eersteklaspassagier heeft brandwonden opgelopen aan een hete kreeftensaus.'

'Waarom aten ze dan ook kreeftensaus?' vroeg Frances, waar de anderen om moesten lachen.

'En een vrouw is gisteravond bijna overboord geslagen, maar William Westbrook heeft haar gered.'

'Wie is William Westbrook?' vroeg Anne.

Mariella keek haar verbaasd aan. 'Alleen maar de meest begeerde vrijgezel op de *Cambrian*, Anne. Weet je dat niet eens?' Anne glimlachte en haalde haar schouders op.

'Wie was de vrouw?' vroeg Frances. Ze stond op en strekte haar armen boven haar hoofd om de doffe pijn in haar ribben, die bij haar val een flinke klap hadden gehad, te verlichten.

'Dat weet ik niet.' Mariella leunde naar binnen en kietelde haar in haar oksel. Frances trok lachend haar armen naar beneden. 'Maar ze is nu natuurlijk helemaal hoteldebotel. Zulke knappe helden als William Westbrook kruisen niet elke dag je pad.'

12

LATER OP DE OCHTEND ZAG ZE MENEER WESTBROOK EEN partijtje dektennis spelen met Emma en Joanna Whitaker, twee nichtjes over wie Frances had gehoord dat ze bij het concert een fluitduet zouden uitvoeren. Ze bleef staan kijken, niet in staat weg te gaan. De nichtjes waren mollige meisjes met rozige wangen, een brede mond en een daverende lach, en ze wedijverden voortdurend met elkaar om complimentjes van meneer Westbrook. Frances besefte pas hoezeer ze ernaar verlangde met hem te praten toen het partijtje was afgelopen en hij haar straal voorbijliep met Emma Whitaker, die haar arm door de zijne had gestoken en met haar andere hand haar racket in de rondte liet draaien. Als hij niet naar me kijkt, dacht Frances, wil dat zeggen dat er tussen ons niets is. Net toen ze er zeker van was dat hij zou weglopen zonder zelfs maar naar haar te knikken, keek hij om en knipoogde hij naar haar. Ze voelde opluchting en dankbaarheid in zich opwellen. Hij had dus al die tijd geweten dat ze hier had gestaan.

Ze probeerde realistisch te zijn. William Westbrook was erg populair en ze vermoedde dat hij gul was met zijn attenties. Zowel mannen als vrouwen voelden zich tot hem aangetrokken. Hij was charmant, beschaafd en goed in sport en spel. Ze had gehoord dat hij bij het backgammontoernooi dat aan boord werd gehouden de gedoodverfde winnaar was. De belangstelling die hij voor haar had getoond, was misschien te vergelijken met de manier waarop een man op een lome zomerdag bereid was met een kind een spelletje te doen. Iets om de tijd te doden. Maar al haar pogingen om hem te vergeten waren vergeefs. Ze slaagde er niet in hem uit haar hoofd te zetten.

Ze merkte dat ze geen vragen hoefde te stellen om dingen over hem te weten te komen. De andere passagiers waren net zo nieuwsgierig naar hem als ze zouden zijn naar een klassiek beeld als dat aan boord zou worden onthuld. Ze wilden zien of hij inderdaad zo volmaakt was als men beweerde of wellicht gebreken had. Hij was in elk geval een man vol tegenstrijdigheden. Hij had perfecte manieren, maar leek zich niet veel aan te trekken van vormelijkheden. Hij bezat de doortastendheid en ambitie die kenmerkend waren voor Joden, maar hield ook van geintjes. Ondanks zijn Joodse bloed had hij sterke sociale banden – hij was lid van de Kimberley Club en een neef van Joseph Baier, de rijkste en misschien invloedrijkste man in Kimberley – maar Frances wist dat hij op het schip regelmatig met de matrozen zat te drinken en zelfs een worstelwedstrijd had gehouden (en eervol verloren) met een van de stokers. Alhoewel hij zelf niet welgesteld was, had hij de rijkdom van Baier als ruggensteun, en men sprak over hem als een man die al een aanzienlijke vinger in de pap had.

Pas twee dagen later sprak ze hem weer. Ze was in de muziekkamer aan het repeteren toen ze vanuit haar ooghoek zag dat hij naast haar was komen staan.

Toen ze stopte, zei hij: 'Je hebt me niet verteld dat je pianospeelt.'

'Waarom had ik u dat moeten vertellen?'

'Om indruk op me te maken?'

'Bent u nu onder de indruk?'

'Nog niet.' Hij reikte naar voren en sloeg de pagina van de bladmuziek om. Hij had een brede hand met vierkante knokkels en sterke, eeltige vingers. Toen hij zich langs haar heen boog, rook ze weer de muskusachtige geur van sandelhout.

'Zou je dit voor me willen spelen?'

Het was een pianosonate van Chopin. Ze kende het stuk goed en begon zelfverzekerd te spelen, tot hij opeens met zijn hand haar nek omvatte. Het was alsof haar huid eerst bevroor en toen gloeiend heet werd. Een rilling gleed vanaf haar nek over haar rug helemaal naar beneden. Ze raakte in de war en sloeg een paar keer mis. Toen hij een lok van haar haar achter haar oor streek, gaf zijn aanraking haar zo'n schok dat ze abrupt opstond. De pianokruk viel om. Hij keek haar indringend aan. Haar benen begonnen te trillen. Toen hij een stap naar voren deed, voelde ze dat zijn knie haar raakte. De beweging deed haar rokken ruisen. Ze stapte achteruit, botste tegen de piano en hoorde het dreunen van een paar bastonen. Ze wilde zo graag dat hij haar weer zou aanraken dat ze er bang van werd. Het was een destructief verlangen. Het was niet rationeel en vereiste geen woorden. Het was alsof ze wilde dat hij haar zou verpulveren. Ze stapte weg, maar hij greep haar hand om haar tegen te houden.

'Frances. Wees niet bang.' Plotseling glimlachte hij en hij kneep zachtjes in haar hand, geruststellend en om haar uit die begeerte terug te halen. Hij wist wat ze wilde terwijl ze dat zelf amper had beseft. Het was alsof hij de duistere aspecten van haar verlangen naar het licht bracht, en zijn woorden creëerden tussen hen een intimiteit die nog meer effect had dan zijn aanraking.

'Vanavond wil ik met je dineren. In de eetzaal van de eersteklas. Kom je?'

Ze knikte zwijgend omdat ze haar stem niet vertrouwde. Hij liet haar los. Later dacht ze na over de manier waarop hij haar naam had uitgesproken, alsof hij haar kende, haar begreep en haar zijn bescherming bood. Dat hij volkomen kalm was gebleven terwijl zij zo in de war was geraakt, maakte duidelijk hoe kwetsbaar ze was.

Frances stond aarzelend bij de ingang van de eetzaal. Ze wist dat ze laat was, maar nu ze hier eenmaal stond, durfde ze het roodfluwelen gordijn niet opzij te duwen en naar binnen te gaan. Zuster Mary-Joseph had haar toestemming gegeven in de eersteklas te dineren op voorwaarde dat ze om negen uur terug was in haar hut. Ze hoorde aan het geroezemoes dat het diner al begonnen was. Lachsalvo's stegen op achter het gordijn en een vrouwenstem kweelde mee met een tingeltangel. Frances had haar avondjurk aangetrokken, blij dat ze die uiteindelijk toch in haar koffer had gedaan.

Pas toen ze vanmiddag was teruggekeerd naar de hut, had ze zich Edwin herinnerd. De waarheid was onontkoombaar. Ze was verloofd. Over een week of drie zou ze mevrouw Matthews zijn. Toch had ze besloten met William Westbrook te gaan dineren. Was het te laat om te proberen de toekomst te veranderen?

De eetzaal ambieerde grandeur, maar door ouderdom en het licht van de zonsondergang dat door de lange dakramen naar binnen viel, had het vertrek een wat verlopen aanzien. De sfeer was die van een wintersalon op een zomeravond, klam en muf, en er hing een indringende geur van gekookt vlees en parfum. Stewards in livrei serveerden champagne en mulattenmeisjes namen de bestellingen van de passagiers op.

'Juffrouw Irvine!' Meneer Nettleton stond op aan een tafel achter in de zaal en wenkte haar. Ze zwaaide terug en liep tussen de tafels door, waarbij ze zichzelf zag weerspiegeld in de manshoge spiegel die de schoorsteenpijp verbloemde. Het blauw van haar japon werd duidelijk gereflecteerd, maar haar lichaam was bijna onzichtbaar. Haar bleke, sproetige huid en rode haar werden één met de gulden tinten van het interieur en door de doffe plekjes op de spiegel, waar het weer in zat, had ze iets van een wazige, zwevende geest.

De heren stonden op toen ze de tafel naderde. William had een servet in zijn hand en hield het boven zijn ogen tegen het rode zonlicht dat precies op zijn gezicht viel en zijn huid in gloeiend koper veranderde. Ze werd nerveus toen ze hem zag. Waarom had ze hier in hemelsnaam in toegestemd?

Ze werd voorgesteld aan het echtpaar Musgrave. De man had dikke, natte lippen en was slecht geschoren. Haren ontsproten uit zijn brede gezicht als uit het achterste van een varken. Zijn vrouw was erg gezet en had een enorme, deinende boezem waarop een piepkleine zwarte poedel rustte. Het diertje lag met zijn kopje in haar hals en keek Frances met zwarte kraaloogjes aan. Mevrouw Nettleton, die er naast deze overdaad aan vlees nog knokiger uitzag, glimlachte vluchtig naar Frances.

'Sjampie?' vroeg meneer Nettleton met stemverheffing boven het geroezemoes in de zaal uit. Ze knikte. Hij schonk een glas voor haar in. Het gesprek aan tafel ging over de illegale diamanthandel in Kimberley.

'Die verrekte kaffers verbergen ze in hun achterste!' bulderde meneer Musgrave. Hij dronk zijn champagne in één keer op en schonk bordeaux in zijn glas.

'Meneer Musgrave!' zei mevrouw Nettleton vermanend en ze tastte naar haar met diamanten bezette halsketting.

'Het is waar,' zei William, met een brede glimlach aan het adres van mevrouw Nettleton. 'De mooiste diamanten rond de hals van een vrouw kunnen op plaatsen hebben gezeten waar je maar beter niet aan kunt denken.'

Mevrouw Nettleton lachte als een boer met kiespijn en mevrouw Musgrave zei: 'Men zegt dat ze ze ook in muildieren verstoppen.'

'Dat klopt. En in honden.'

'Vreselijk!' Ze drukte haar gezicht in de vacht van de poedel.

William ving Frances' blik op en glimlachte. Zijn oogleden zakten half in een uitdrukking van samenzweerderige intimiteit, en ze zag dat hij wist dat ze zat te denken aan de manier waarop hij haar die middag had aangeraakt. Genot en verwachting welden in haar op en ze voelde een blos opstijgen in haar hals.

'Vertel eens, Frances,' zei mevrouw Nettleton op een opgewekte, moederlijke toon, 'wat ga je precies doen in Zuid-Afrika? Reis je door naar Port Elizabeth?'

'Nee, slechts tot aan Kaapstad.'

'Heb je daar al een betrekking? Ik ken er een paar welgestelde Engelse families. Meneer Nettleton en ik zouden bij hen een goed woordje voor je kunnen doen.'

'Dank u, maar ik heb geen betrekking nodig.' Iedereen keek naar haar toen ze zweeg. 'Ik ben verloofd. Ik ga in Kaapstad trouwen.' Ze keek naar William toen ze het zei en zag zijn blik verbaasd over haar heen glijden. Verraste reacties en felicitaties klonken op rond de tafel.

'Juffrouw Irvine, u reist met een emigratieorganisatie, nietwaar?' vroeg mevrouw Musgrave die voor haar man langs naar Frances toe leunde. 'Maar heeft u dan in financieel opzicht geen verplichtingen aan de organisatie?'

Frances knikte. 'Dat klopt.'

'Dan bent u de aangewezen persoon om een onbevooroordeelde opinie te geven over ons debat. Ik probeer de emigratieorganisaties te verdedigen tegenover mijn tafelgenoten, maar vrees dat ik daarbij enige hulp nodig heb.'

Frances keek benard de tafel rond. Het laatste waar ze behoefte aan had, was een discussie over de politieke achtergronden van vrouwenemigratie.

Mevrouw Musgrave hief haar boezem op de tafel en klopte op mevrouw Nettletons hand. 'Zeg gerust wat je denkt, Liza. Niemand hoeft zich te schamen voor zijn mening. We hebben de ontwikkeling van ons land te danken aan het principe van vrije discussie.' Mevrouw Nettleton kreeg een kleur en trok haar hand terug.

Mevrouw Musgrave keek Frances weer aan. 'We hadden het over het probleem van het overschot. Wat is daarover uw mening?'

'Het overschot?' vroeg Frances niet-begrijpend. Ze wierp een blik op William in de hoop dat hij haar te hulp zou schieten, maar hij staarde naar haar als van een afstand, alsof hij haar opnieuw inschatte. Op zijn voorhoofd lag een lichte frons en hij beet op de rand van zijn onderlip. Zijn handen waren voortdurend in beweging, zag ze. Nu hield hij een dwarsliggend mes in evenwicht op zijn wijsvinger. Mevrouw Musgrave bedoelde het misschien goed, maar omdat ze gelijk wilde krijgen, was ze onvoorspelbaar. Wat zou ze allemaal gaan zeggen?

'Het overschot, ja. Een miljoen overtollige vrouwen in Groot-Brittannië kunnen alleen maar aan een man komen als ze naar de koloniën gaan. Wat moeten we in hemelsnaam met hen aanvangen als ze in Engeland blijven?'

'Ik heb niet gezegd dat ik tegen emigratie ben,' zei mevrouw Nettleton, in haar wiek geschoten. Haar stem klonk schril en ze keek hulpzoekend naar haar man. 'Ik steun het werk van mevrouw Sambourne juist van harte, maar zij is soms wat naïef. Net zoals u, mevrouw Musgrave, laat zij zich leiden door haar hart. Soms moet iemand hardop de waarheid zeggen. De reputatie van emigratieorganisaties is zo goed als de vrouwen die ze accepteren. Zelfs mevrouw Sambourne beklaagt zich erover dat de meesten van haar protegees hun principes laten varen zodra ze aan boord van het schip stappen. U moest de verhalen eens horen die ze daarover kan vertellen!'

'Kom, kom, zo erg zal het toch niet zijn?'

'Ik vind het bewonderenswaardig dat u geen oordeel wenst te vellen, maar u weet net zo goed als ik dat emigratieorganisaties in feite gewoon huwelijksmakelaars zijn.'

Frances zat er doodstil bij, maar begon zich erg op te winden. Ze draaide haar servet om haar wijsvinger. Deze mensen hadden er geen enkel benul van hoe machteloos de meisjes op het tussendek waren, hoe miskend en verstoten ze zich voelden, en dat ieder van hen wegens een persoonlijke tragedie op de *Cambrian* zat. Ze hadden er geen idee van hoe het voelde om naar de koloniën afgevoerd te worden.

'Waarom zouden ze geen huwelijksmakelaars mogen zijn?' vroeg ze op een kille toon. Ze keek de tafel rond. William zou waarschijnlijk nooit meer iets tegen haar zeggen, maar ze ergerde zich mateloos aan het feit dat ze geen zeggenschap over haar eigen toekomst had. Ze bracht haar hand naar haar keel en trok aan de huid. 'De raison d'être van de gegoede burgerij van Londen is voor huwbare vrouwen een man te vinden. Waarom zouden de vrouwen die niet geschikt genoeg worden bevonden voor Engeland hun geluk niet elders mogen beproeven?'

'Omdat wij ons goede geld doneren opdat zij in de koloniën gaan werken, niet opdat ze zich verslingeren aan de eerste de beste matroos die zijn oog op hen laat vallen!'

Er viel een stilte over de groep toen ieder van hen de betekenis van deze woorden tot zich liet doordringen. Toen Frances weer sprak, trilde haar stem van woede. Ze keek indringend naar mevrouw Nettleton, probeerde haar blik vast te houden. 'Je zou denken dat deze jonge vrouwen in elk geval zouden kunnen rekenen op de steun van hun eigen landgenoten. In plaats daarvan voegt u uw vooroordelen toe aan hun al zo penibele positie. Is het een wonder dat ze de eerste de beste kans op een huwelijk aangrijpen?'

'Goed gezegd!' zei mevrouw Musgrave. Ze reikte langs haar man om haar klamme handpalm even op de rug van Frances' hand te leggen.

Meneer Nettleton probeerde de gemoederen te sussen. 'Niemand zegt dat de meisjes op het tussendek in enigerlei opzicht misbruik maken van de situatie. Ik ben ervan overtuigd dat ze eerzame bedoelingen hebben. Zelfs de schone deernen van mevrouw Sambourne waren –'

'De schone deernen van mevrouw Sambourne – zoals jij ze noemt – waren weinig beter dan ordinaire prostituees,' viel mevrouw Nettleton hem scherp in de rede. 'Vorig jaar zijn er vijftig zogenaamd eerbare vrouwen naar Kaapstad gestuurd. De bewoners daar waren zo kwaad dat ze hun ontscheping een volle week hebben verhinderd! Mevrouw Sambourne was zo goed geweest voor ieder van de vrouwen een betrekking te zoeken bij gegoede families, maar het heeft niet lang geduurd voordat ze in hun oude zonden vervielen.'

'Allemaal ten bate van de mensheid, lieve,' zei meneer Nettleton.

Meneer Musgrave grinnikte. 'Dit is taalkundig interessant. De dames die in Londen op paarden paradeerden om een man van stand te vangen, de bekende *"pretty horse breakers"*, worden op de Kaap "Londense deernen" genoemd.'

Mevrouw Nettleton sloeg geen acht op hem. 'Als ze zeggen dat ze naar de koloniën gaan om te werken, dan moeten ze daar ook gaan werken. Het is op de Kaap verschrikkelijk moeilijk om aan degelijk Europees personeel te komen. Ik ken iemand die binnen een halfjaar twee kindermeisjes is kwijtgeraakt omdat ze opeens een vent hadden gevonden. Nu moet ze genoegen nemen met een koffermeisje.'

William legde het balancerende mes neer en zei, met een valse glimlach: 'Maar mijn beste mevrouw Nettleton, is het ene kindermeisje niet net zo goed als het andere?'

'Zou u willen dat een kaffermeisje op uw kinderen past? Misschien mag u die vraag niet beantwoorden tot u zelf kinderen hebt.'

'En misschien zou u die vraag niet mogen stellen tot u een kaffer hebt ontmoet,' zei William gevat.

Mevrouw Nettleton kreeg een hoofd als een boei en deed er het zwijgen toe.

Mevrouw Musgrave streelde peinzend de oren van haar hond en zei: 'Ik heb een ingezonden brief in *The Times* gelezen waarin stond dat baby's de pigmentatie van hun kindermeisje kunnen overnemen. Hun huid wordt vettig en vlekkerig, waardoor ze op mulatten lijken. Een Engelse moeder zwoer dat het waar is.'

William lachte schamper. 'Dat moet dan een Engelse moeder zijn die zich heeft laten nemen door een zwarte ram.'

Er bleef een gespannen stilte hangen tot meneer Musgrave instemmend grinnikte en de stewards binnenkwamen om het eten op te dienen. Het was een waar banket. Frances kon amper geloven dat dezelfde koks die zulke karige maaltijden kookten voor de tweedeklasreizigers, in staat waren deze overdaad te bereiden. Een terrine met schildpadsoep en een met vichyssoise, gestoofde zalm met hollandaisesaus, een kreeftensalade gevolgd door een kalfsbout, gebraden parelhoender en geroosterde aardappelen. Frances, die meer dan genoeg had van gebakken lever en gekookt rundvlees, had zich erop verheugd weer eens lekker te eten, maar nu stond de pronkzuchtige overdaad haar tegen. Wat dacht ze wel? Wat deed ze hier, tussen de eersteklaspassagiers? Die vonden het amusant om het politieke aspect van haar financiële tragedie te bespreken, maar wat had zij daaraan? En William, die tegenover haar zat? Ze kon niet om het miserabele besef heen dat alles waar ze op had durven hopen zo goed als zeker was vernietigd door haar bekentenis dat ze verloofd was. Met veel moeite lepelde ze een bordje soep naar binnen.

Het gesprek kabbelde van het klimaat in de Kaapkolonie naar de problemen rond het geven van feesten. Inheemse bedienden, beweerde meneer Musgrave, waren een groot probleem, omdat ze zich steevast te buiten gingen aan de drank van hun baas en vaak tipsy waren tegen de tijd dat ze de gasten moesten bedienen. Hij veegde de hollandaisesaus van zijn mondhoeken en zei: 'Die zwartjes zijn net kinderen. Je moet ze opvoeden en dat wil zeggen dat je de drank buiten hun bereik moet houden.'

'Je moet de zwartjes anders ook beschermen tegen de Boeren,' zei mevrouw Musgrave. 'Zoals die de wilden behandelen is gewoon verschrikkelijk. Hoe eerder we de Transvaal van ze overnemen, hoe beter.' Frances had geen idee waar de Transvaal was en kreeg de indruk dat Boeren een soort blanke wilden waren.

'Maar de Boeren waren daar veel eerder dan wij. Ze hebben het land ontgonnen en de inheemse stammen verdreven,' zei meneer Nettleton. 'Ik vind wat u zegt dus wel een beetje oneerlijk.'

'Dat is wel zo, lieve,' zei mevrouw Nettleton, 'maar de Boeren *zijn* barbaren. Ze zijn weinig beter dan Ieren.' Ze wierp een vluchtige blik in Frances' richting. 'Ze geloven niet eens in een collectieve staat.'

'Dat idee van hen staat mij juist wel aan,' zei William. 'Het is verrassend romantisch voor zo'n praktisch ingesteld volk.'

'Het is misschien romantisch, maar het is ook absurd. Hoe kun je een land bestieren zonder centrale regering?'

'In principe hebt u gelijk,' zei William. 'Ze zijn ongeletterd en bijgelovig, ze weigeren zich te wassen en stinken daarom een uur in de wind, de meesten van hen betalen geen belasting en hun wegen zijn een verschrikking, maar ik bewonder hun moed. Ze hebben Holland achter zich gelaten, al het comfort van de beschaafde wereld opgegeven, in wezen de Verlichting de rug toegekeerd, om naar het hart van Afrika te trekken. Ze vinden dat ze er recht op hebben een eenvoudig en eerlijk bestaan te leiden, zonder bemoeienissen van buitenaf. Elke man wil meester over zijn eigen bestaan zijn. Wist u dat de kleinste boerderij van de Boeren vijfentwintig hectare bestrijkt? Hun land is niet erg vruchtbaar, vaak weinig meer dan een woestijn, maar Boeren schrikken niet terug voor ontberingen. Ze geloven in ouderwetse waarden die stadsmensen als wij, die geheel afhankelijk zijn van de overheid, allang zijn vergeten.'

'Zoals?'

'Familie, gastvrijheid en het recht op autonomie.'

'Ik ben het met u eens wat familie en gastvrijheid betreft, maar ik kan best zonder autonomie,' schimpte mevrouw Nettleton, daarmee blijk gevend dat ze er niets van had begrepen. Williams verlangen naar vrijheid had iets wispelturigs en ontwapenends. Frances kon zich wel vinden in zijn ideeën dat je een hoekje van de wereld zou mogen zoeken waar je aan niemand verantwoording verschuldigd bent, een stukje aarde dat helemaal van jou alleen is. Het herinnerde haar eraan hoe haar vader zich over zijn landkaarten had gebogen, dromend over de nog onaangetaste delen van de wereld.

Toen de gelatinepuddinkjes waren verminkt en het tafelkleed besmeurd met plasjes sap van de geglaceerde sinaasappels, werd de koffie opgediend. Meneer Nettleton vroeg wie er zin had om te kaarten. Frances was blij dat ze zich kon excuseren. Toen ze opstond om te vertrekken, kwamen de heren overeind. Ze wachtte heel even of William iets zou zeggen, maar hij was met meneer Musgrave in gesprek over vissen en onderbrak zijn woordenstroom nauwelijks om haar een goedenavond te wensen.

Ze ging het dek op en liep naar de boeg van het schip. De klok in de eetzaal had op halfnegen gestaan. Ze had nog een halfuur voordat ze zich beneden moest melden. Het was een heldere, kalme avond en de sikkel van de maan stond laag aan de hemel. Ze leunde op de reling en luisterde naar het water dat ruisend langs de boot stroomde en haar eraan herinnerde dat ze met elke mijl dichter bij de man kwam met wie ze zou moeten trouwen.

Zou ze nogmaals een gelegenheid krijgen met William te praten? Ze betwijfelde het. De uitnodiging voor het diner had een kans geleken om hem beter te leren kennen, maar in plaats daarvan waren ze juist verder uiteengedreven. En ze kon de Nettletons en de Musgraves niet uitstaan, met hun kleingeestige kortzichtigheid, zelfvoldane oordelen en slaafse gehoorzaamheid aan de regels van de society. Ze wilde William uitleggen dat ze niet hield van de man die ze ging huwen en dat het vooruitzicht op een leven met Edwin Matthews in Kimberley voor haar te vergelijken was met levend te worden begraven. Maar ze wist niet eens of hij genoeg om haar gaf om te luisteren.

'Een doktersvrouw.' De stem klonk vlak achter haar en toen ze omkeek, stond William naast haar. Hij streek een lucifer af en ze rook de zoete geur van tabak. 'Zal hij je gelukkig maken?' vroeg hij.

Ze keek hem recht in de ogen. 'Wat denk je zelf?'

Hij leunde op de reling en keek uit over het water. 'In mijn ogen is een verloving een beetje te vergelijken met het vagevuur. Je weet niet of je in de hemel of de hel zult komen.'

'Ben jij getrouwd geweest?'

'Verloofd. Maar ik ben uiteindelijk niet met haar getrouwd.'

'Waarom niet?'

Hij lachte. 'Ik had het waarschijnlijk wel moeten doen. Ze was knap en erg rijk. Maar ze zou me nooit gelukkig hebben gemaakt. Ik ben een bullebak.' Hij wierp een blik op Frances. 'Ik heb iemand met pit nodig.'

Er viel een stilte. Ze zag zijn sigaret steeds korter worden en dacht: zo dadelijk gooit hij de peuk in de zee en laat hij me hier staan, en dat is dan het einde. Hij nam een laatste trek aan de sigaret en liet hem in het water vallen. 'En ik maar denken dat je een wanhopig meisje was dat bereid was de oceaan te trotseren om in de koloniën te gaan werken.'

'Jij en mevrouw Nettleton.'

Hij lachte kort. 'Ik vind dat je haar heel goed hebt aangepakt. Nu weet je wat ik elke avond moet verduren.'

'Ja. Ik zou dat voor geen geld ter wereld nog een keer willen meemaken.'

'Was het zo erg?'

Ze haalde haar schouders op.

'Ik had je niet moeten uitnodigen,' zei hij berouwvol. Hij streek over zijn baard. 'Niet zo lang geleden zou ik op dezelfde manier zijn behandeld.'

'Dat vind ik moeilijk te geloven.'

'Toch is het zo. Wij verschillen niet zo veel van elkaar, jij en ik. Iers, Joods – we zijn allebei buitenstaanders. Toen ik achttien was, was er in heel Londen geen dame van stand die zelfs maar naar me zou hebben gekeken. Ik ben in Whitechapel opgegroeid in een huis zonder ruiten in de ramen, en met vier paar schoenen voor acht kinderen.'

'En?'

'Mijn neef Baier heeft pure mazzel gehad. Hij werkte op een suikerplantage in Natal. Hard werk voor weinig geld. Toen er in Kimberley diamanten werden ontdekt, heeft hij zijn gereedschap ingepakt en is hij ernaartoe gegaan. In het begin had hij geen geld genoeg om iets te kopen. Er vielen tropische regenbuien en meer dan veertig procent van de mijn stond onder water. De prijs van een graafclaim was hoger dan ooit tevoren. Toen de Raad van Bestuur van de mijnen pompcontracten uitvaardigde, heeft Baier voldoende geld bij elkaar geschraapt om met een transport van de Boeren mee te rijden naar Victoria West om een pomp te kopen. Het pompcontract bracht binnen een paar maanden voldoende geld op om te kunnen investeren. Hij heeft op de juiste plaatsen claims gekocht en die goed beheerd. Hij heeft me op zijn kosten aan Oxford laten studeren. Drie jaar later, met de macht van een paar honderdduizend pond achter me, werd ik door de gegoede burgerij respectabel genoeg bevonden.'

'En wat doe je met die gloednieuwe respectabiliteit?'

Hij hees zich op een stapel kratten, zodat hij iets hoger zat dan zij, met bengelende benen. Hij haalde zijn hand over zijn krullen en glimlachte naar haar. 'Ik werk voor Baier.'

'En heb je daar plezier in?'

'De sfeer in Kimberley is heel apart. De stad staat aan de vooravond van een economische hausse. Waar ter wereld zou ik kunnen ontbijten met een goudgraver uit de Australische mijnen, lunchen met een goudzoeker uit Californië, dineren met een handvol Duitse speculanten en 's avonds laat whist spelen met een cockney die een diamant van twintig karaat heeft opgegraven en nu achteloos sigaren aansteekt met bankbiljetten? Kimberley is een smerige, verdorven, krankzinnige stad, maar wie slim is, kan er rijk worden.'

'Ik had niet gedacht dat je zo op wereldse goederen gesteld was.'

William grinnikte. 'Ja, ik geef het eerlijk toe.' Hij schudde zachtjes zijn hoofd. 'Ik heb gewoon het geluk dat mijn leermeester de beste zakenman van de hele Kaapkolonie is. Baiers ervaring is ongeëvenaard. Op het moment zoeken we financiers zodat we een contract kunnen afsluiten waardoor hij de exclusieve importeur van de nieuwe generatie stoommachines voor de mijnen wordt.'

'En als je voldoende financiers hebt gevonden? Ga je dan terug naar Engeland?'

'Dat denk ik niet. Engeland is niet geschikt voor iemand als ik. Ik vind de sfeer daar verstikkend. Men is zo traag in zakendoen en er zijn te weinig gelegenheden om een goede slag te slaan. Te veel regels, te veel verwachting, te veel vrouwen als mevrouw Nettleton die door het raam gluren om te zien hoe je je thee drinkt. Afrika heeft oneindig veel mogelijkheden. Daar zijn de regels nog in de maak, en ze worden gemaakt door mensen als Baier. En het gaat niet alleen om geld. De Kaapkolonie heeft ook behoefte aan politici en staatslieden. Ik weet wat ik daarstraks over de Boeren heb gezegd, maar het is een onbeschaafd volk dat zo veel mogelijk land wil bezitten, de zwarten haat en de Engelsen weg wil hebben. Er zijn mannen van een bepaald kaliber nodig om ze in de hand te houden. Wat zou ik in Engeland ooit kunnen bereiken, dat hiermee valt te vergelijken?'

Hij sprong van de kratten en stak zijn handen in zijn zakken om ze in bedwang te houden. 'Ik wil zo ontzettend veel dingen doen. Er zijn zo veel plaatsen die ik wil zien. Weet je dat er in Afrika mensen zijn die nog nooit een Europeaan hebben gezien, dieren die nog nooit een geweerschot hebben gehoord? Je hebt geen idee hoe opwindend het is om de hele dag door de bush te trekken, op de prairies op koedoes te jagen of in de bergen het spoor van een luipaard te volgen, en om 's nachts in de openlucht te slapen onder een hemel met miljoenen sterren. Het is een gloednieuw land.' Hij glimlachte naar haar. 'En jij?' vroeg hij. 'Waarvan raakt Frances Irvine in vuur en vlam?'

Wat moest ze daarop antwoorden? Ze kon zich niet herinneren ook maar iets te hebben beleefd dat de moeite van het vertellen waard was voordat ze aan boord van de *Cambrian* was gestapt. Maar William Westbrook dwong je eerlijk te zijn.

'William. Mijn verloofde...' Ze aarzelde, durfde zich eigenlijk niet bloot te geven. 'De dokter. Ik ken hem amper.' Hij trok vragend zijn wenkbrauwen op. Ze ging door. 'Wat ik wil zeggen, is dat ik niets om dit huwelijk geef. Dat het voor mij geen enkele betekenis heeft.' Ze meed zijn blik en keek naar haar handen. Ze wist dat haar verklaring erg bleek afstak bij wat hij allemaal had gezegd en dat het zonneklaar was dat ze verliefd op hem was. Ze dacht eerst dat hij niet op haar woorden zou reageren. Hij bleef doodstil staan. Maar toen deed hij een stap naar voren, zodat ze zijn been tegen haar rokken voelde drukken en de sigarettengeur rook die in zijn kleren hing.

'Doe je dat altijd als je zenuwachtig bent?' vroeg hij zachtjes. Hij keek naar haar hand, die ze ongemerkt naar haar hals had gebracht om aan de huid van haar keel te plukken.

'Blijkbaar,' zei ze. Ze slikte en liet haar arm zakken.

Hij legde de rug van zijn hand tegen haar wang. 'En wat je me probeert te vertellen is dat je niet vastbesloten bent met die arts van je in het huwelijk te treden?'

'Nee.' Ze keek naar hem op. Haar hart klopte heel snel. 'Ik bedoel ja. Daartoe ben ik niet vastbesloten.'

'En je staat nog altijd bij me in het krijt omdat ik je leven heb gered.'

'Ik dacht dat je dat was vergeten.'

'Nee, hoor.' Hij lachte. 'Ik wacht alleen het juiste moment af.' Toen keek hij weer ernstig. Hij legde zijn brede hand rond haar nek en streek met de duim van dezelfde hand traag maar nadrukkelijk over haar lippen en trok haar onderlip iets naar beneden, zodat haar mond werd geopend. Ze leunde naar hem toe en toen hij zijn hoofd boog dacht ze dat hij haar zou kussen, maar in plaats daarvan fluisterde hij in haar oor: 'Ik dacht dat emigrerende meisjes gewaarschuwd werden tegen verleiders aan boord van de schepen.'

'Het kan me niet schelen,' fluisterde ze terug, opeens dapper.

Hij liet zijn hand echter naar haar schouder zakken en zei: 'Frances, het is hier koud. Je kunt beter naar binnen gaan.'

Hij draaide zich om en liet haar bij de reling staan, terwijl in de diepte het water langs de boeg ruiste en ze onder dekking van de duisternis onmerkbaar steeds dichter bij Kaapstad kwamen. Ze zag hem als een schaduw over het dek glijden, zijn hoofd buigen bij de deur naar de trap en naar beneden afdalen.

13

EEN WARME, WINDSTILLE RUST DAALDE NEER OVER DE AT-lantische Oceaan. 's Middags zat ze op het dek met Anne. Ze probeerde te schilderen, maar haar gedachten waren bij William. Ze kwelde zichzelf met de gedachte dat hij niet om haar gaf tot ze zich met een rilling van genot de druk van zijn duim op haar mond herinnerde. Aangezien een heiig waas weinig bescherming bood tegen de felle stralen van de zon, zocht iedereen beschutting onder parasols en strooien hoeden. Op het promenadedek waren luifels gespannen en de eersteklaspassagiers slenterden in witte linnen pakken en luchtige japonnen door de trillende hitte.

Op een middag knoopte meneer Nettleton een praatje met haar aan. Een handjevol eersteklasreizigers had besloten te profiteren van de schaduw op het tweedeklasdek en hij was een van hen. De zee was zo glad dat Frances de weinige wolken in het water weerspiegeld zag. William zat achter hen in een chaise longue te praten met kapelaan Ames.

'We gaan *De twaalfde nacht* opvoeren en zijn op zoek naar een Viola. Bent u wellicht bekend met haar tekst?' vroeg meneer Nettleton.

William stak zijn hand onder de zoom van haar japon en omvatte haar enkel. Ze was met stomheid geslagen.

'Ik vrees van niet,' wist ze uiteindelijk uit te brengen. Ze voelde dat haar been begon te trillen. William voelde dat blijkbaar ook, maar hij praatte gewoon door terwijl hij zijn wijsvinger in kringetjes rond haar enkel liet gaan en hem toen onder het riempje van haar schoen stak.

'Niet zo bescheiden, juffrouw Irvine,' zei meneer Nettleton. 'U moest eens weten hoe belabberd de rest ervoor staat. Orsino kent nog maar een derde van zijn tekst.'

William draaide zijn hoofd om zonder zijn ontdekkingstocht rond haar enkel te staken en begon voor te dragen:

Indien muziek der liefde voedsel is,
Speelt voort dan, voort! en geeft mij overdaad,
Opdat mijn liefde er ziek van worde en sterve

Hij hield elk van haar zenuwen aan een apart touwtje alsof ze een marionet was die hij kon laten bewegen zoals hij wilde, en wanneer hij aan die touwtjes trok, bezorgde dat haar een heerlijk, kwellend genotsgevoel. Een blos verspreidde zich over haar gezicht.

'Westbrook, je bent onuitstaanbaar,' zei meneer Nettleton. 'Je weigert Orsino te spelen, maar smijt met zijn teksten alsof je ze zelf hebt bedacht.'

William lachte en zette zijn gesprek voort zonder zijn

hand vanonder haar japon weg te nemen. Ze stond versteld over zijn aanmatigende gedrag dat leek te willen getuigen van het bestaan van intimiteit tussen hen. Was dit hofmakerij? Ze wist dat ze, door roerloos te blijven staan, hem toestemming gaf haar aan te raken, maar was niet in staat zich te bewegen. Hij stak zijn vinger tussen haar huid en de binnenkant van haar schoen. Haar hart bonkte in haar oren en ze voelde haar knieën knikken. Ze tilde haar voet half van de grond, hem tegemoetkomend, maar toen trok hij zijn hand abrupt weg. Haar gezicht was gloeiend heet en ze was duizelig.

'Alles in orde, Frances?' Meneer Nettleton legde zijn hand op haar arm.

Ze knikte, maar hij trok evengoed een stoel bij en liet haar daarop plaatsnemen.

'Niets zeggen, rustig blijven zitten. Het is ook zo warm. Ik zal een glaasje water voor je halen.'

Kapelaan Ames sprak op een schrille toon met William. Zijn adamsappel puilde uit boven zijn witte boord en zijn wangen waren rood gevlekt. Het duurde even voordat Frances begreep dat hij van streek was.

'U hebt precies dezelfde verantwoordelijkheden als ieder ander, meneer Westbrook.'

'Ik zou u erkentelijk zijn als u me in herinnering zou willen brengen wat mijn verantwoordelijkheden zijn, kapelaan Ames.' Sarcasme droop van Williams stem.

'Dat u uw medemensen dient lief te hebben en te eren, of zij nu blank of zwart zijn.'

'U weet helemaal niet hoe ik mijn medemensen behandel. We hebben elkaar tot op dit moment nog nooit ontmoet.'

'Speculanten en monopolisten. Als u dat zelf niet bent, werkt u voor hen. Zij verslinden het land, lokken oorlogen uit, zetten mensen gevangen vanwege hun huidskleur.'

'Het kan mij niets schelen wat voor huidskleur iemand heeft als hij een gestolen diamant in zijn hand heeft. Het is niet mijn bedoeling uw tere gevoelens te kwetsen, meneer de kapelaan, maar het is een feit dat die dieven over het algemeen nikkers zijn.'

De geestelijke kromp ineen. 'En kunt u het hun kwalijk nemen dat ze stelen? Nadat hun land hun is ontstolen?'

'Had u liever gehad dat de Romeinen nooit voet aan land hadden gezet in Brittannië?' William sprak lijzig en op zijn gemak. Het was duidelijk dat hij genoot van de discussie. 'We hebben een beetje moeten lijden, maar uiteindelijk hebben ze het stempel van hun beschaving op ons gedrukt. We woonden niet meer in plaggenhutten, aten gezond voedsel, keken vol bewondering naar het wonder van de badhuizen. Had u liever gewild dat we halve wilden waren gebleven? En zie wat er van de Engelsen is geworden toen de Romeinen weer vertrokken. Vierhonderd jaar van barbarisme en bijgeloof! Dat is de aard van geschiedenis, of vooruitgang. Doet u, een groentje uit Engeland, met uw verheven idealen en uw zondagschoolmoraal, dus geen pogingen mij en mijn neef te vertellen hoe we ons dienen te gedragen.'

De kapelaan deed zijn mond open en dicht als een vis. Hij keek alsof er te veel gedachten gelijktijdig door dezelfde tunnel geperst werden en een opstopping veroorzaakten, zodat geen ervan onder woorden gebracht kon worden. Frances had medelijden met hem. Hij werd vernederd, maar het was ook dom van hem om het tegen William op te nemen.

William buitte zijn voorsprong nog verder uit. 'Er zit voor miljoenen aan diamanten in de mijnen van Kimberley. Die zijn voor de zwarten geen rooie cent waard zonder een blanke die ze weet te verhandelen. En hoe kan een zwarte zich ontwikkelen, zich scholen, als daar geen geld voor is?'

'U dorst naar rijkdom, meneer Westbrook, en ik naar liefde.'

'Liefde?' herhaalde William op een overdreven ongelovige toon. 'Dit kan nooit een kwestie van liefde zijn! Hoe denkt u onze positie in Zuid-Afrika te steunen met liefde? Of had u liever dat we Kimberley overdragen aan de Boeren? Hebt u gezien met hoeveel liefde een Boer een zwarte afranselt?' William leunde achterover en wreef met een bruinverbrande hand over de zijkant van zijn baard. 'Met wiens geld gaat u de wilden bekeren? Hebt u zelf geld? Uw liefde, meneer de kapelaan, is een kostbare zaak.'

Kapelaan Ames duwde met een rood aangelopen gezicht van woede zijn stoel achteruit en stond op, waarbij hij pardoes tegen meneer Nettleton opbotste, die net kwam aanlopen met een dienblad met glazen gekoeld water die allemaal omvielen. Het water stroomde over de kapelaan en de glazen vielen kapot op het dek.

'Verdikkemme!' riep meneer Nettleton.

'Daar koelt hij in elk geval van af,' zei William gevat toen de kapelaan boos wegliep. Frances lachte, maar zwakjes. Het was een onaangenaam gesprek geweest en alhoewel William de kapelaan had verslagen met zijn aangeboren genialiteit, had hij hem niet echt fair behandeld.

14

'JUFFROUW IRVINE.' DE JONGEN HOLDE OVER HET DEK NAAR haar toe. 'Ik heb een briefje voor u!'

'Dank je wel, Gilbert,' zei ze. Ze woelde door zijn haar en vouwde het briefje open.

Juffrouw Irvine, ik moet u onder vier ogen spreken. Er is een hut naast de machinekamer die wordt gebruikt als opslagruimte. Zullen we daar om acht uur afspreken?
W.W.

Frances stopte het briefje in de zak van haar jurk. Verwachting en angst vochten om voorrang. Ondanks de risico's die ze liep als ze met hem betrapt zou worden, zou ze er om acht uur zijn. Ze wilde hem wanhopig graag weer zien.

Iemand tikte op haar schouder en toen ze zich omdraaide, zag ze dat het Mariella was. 'Sta je weer te dromen? Je wordt nog zo bruin als een okkernoot als je aldoor in de zon voor je uit staat te staren. Hier' – ze gaf Frances een glas melkwit water – 'drink iets. Deze hitte wordt onze dood nog.' Frances nam een slok en trok een vies gezicht. Het water was warm en troebel en smaakte naar het metaal van de vaten.

Mariella boog haar hoofd dicht naar Frances toe, zodat die haar warme pepermuntadem rook. 'Dát, meisjelief,' zei ze en ze wees naar de deur van de stookkamer, 'zal je gedachten vast wel afleiden.' Twee stokers hadden hun dienst erop zitten. Ze droegen een lange broek en een wollen shirt met de knopen open en de mouwen opgerold. Een van hen trok het shirt over zijn hoofd en de andere tilde een emmer op en goot het zeewater over hem heen. De meisjes bleven staan kijken toen de man vermoeid zijn zwarte vingers door zijn natte haar haalde en zijn schedel masseerde. Het water droop, zwart van het kolengruis, over zijn borst en kletterde op het dek, waar het wegliep door de goten. Hun gespierde lichamen glommen van het zweet en hun huid glansde als gewreven leer.

Mariella knipoogde naar Frances. 'Het is daar beneden vijftig graden, maar zien ze er niet goed uit?'

Frances glimlachte, al was het behoedzaam. Mariella was eerlijk en openhartig over de dingen die ze zelf niet met woorden kon beschrijven. Ze zou haar dolgraag over Williams briefje vertellen en haar om raad vragen, maar was bang dat haar vriendin iets zou zeggen waarmee alles bedorven zou worden.

Nu zwaaide Mariella met een krantje. 'Kijk eens wat ik heb gevonden?' Het was een exemplaar van de laatste *Cambrian Argus.*

Mariella bladerde naar de laatste pagina en las voor: 'Op

28 oktober, om 20.30 uur, wordt er op het officiersdek een gemaskerd bal gehouden. De dames en heren worden verzocht in kostuum aan het diner te verschijnen. Alle eerste- en tweedeklaspassagiers zijn welkom.' De meisjes keken elkaar aan en begonnen te lachen.

'Men zegt dat op een gemaskerd bal ieders diepste geheimen worden onthuld,' zei Mariella. 'Pas als je je als iemand anders voordoet, kun je je ware zelf onthullen.'

'En welke kant van jezelf ga jij onthullen?'

'Ik? O, ik ga me voor de verandering heel zedig kleden, terwijl meneer Fairley, die altijd zo beheerst is, me hartstochtelijk zijn liefde zal verklaren.'

'George Fairley? De boer?' vroeg Frances verbaasd en ze barstten in lachen uit.

'En de anderen?'

'Eens kijken. De mooie Jandice...' Mariella knikte naar een meisje dat over het dek wandelde met een streng uitziende oudere vrouw die haar arm omklemd hield. 'Is jou aan haar iets opgevallen?'

'Alleen dat haar kleren al tien jaar uit de mode zijn. Ze draagt zelfs nog een hoepelrok!'

'Inderdaad. Een perfecte vermomming. Haar moeder beweert dat ze missieposten gaan oprichten in Afrika, maar het zou mij niets verbazen als ze op het bal verschijnt als de maagd Maria met een baby in haar armen.'

'Is ze zwanger?' vroeg Frances geschokt.

'Jazeker,' zei Mariella. 'Daarom heeft ze zo'n stralende huid en houdt ze altijd haar hand op haar buik.'

Op dat moment verscheen William aan dek. Frances kon het niet nalaten te vragen: 'En meneer Westbrook?'

'Ah, William Westbrook.' Mariella klonk nu iets serieuzer en meed Frances' blik. 'William Westbrook is verloofd met een rijke jongedame in Zuid-Afrika. Haar vader is een diamantmagnaat en zij is de erfgename van het fortuin.'

'Nee, dat heb je mis, Mariella,' zei Frances. 'Hij is verloofd geweest, maar heeft het huwelijk afgezegd.'

'Dat is niet de versie van het verhaal die ik heb gehoord. Haar vader heeft hem verzocht het geheim te houden tot hij terug zou zijn uit Engeland. Ik denk dat het een soort test is, voor het geval meneer Westbrook van gedachten mocht veranderen.'

Mariella's woorden raakten Frances als een klap in haar gezicht. Haar maag trok samen en haar borst leek te worden omvat door een hete tang. Waarom had William haar dat niet verteld? Hoe kon hij verloofd zijn en haar evengoed hebben gestreeld? Maar was het echt zijn schuld? Toen ze hem had verteld dat ze niet per se met Edwin wilde trouwen, had hij haar niet gekust, terwijl zij zich zo ongeveer in zijn armen had gestort. Hoe had ze zo naïef kunnen zijn?

Mariella legde haar hand op haar arm. Frances schrok op uit haar gedachten en keerde terug naar de echte wereld, een wereld van lucht, water en cirkelende vogels. 'Een verstandshuwelijk,' zei Mariella. 'Het meisje schijnt niet mooi te zijn, maar heeft genoeg geld om dat te compenseren.'

Frances knikte en dacht: Wat een geluk dat ik erachter ben gekomen voordat ik naar het rendez-vous ben gegaan. Maar, god, wat doet het pijn.

15

FRANCES' WERELD WAS INGESTORT. DAGENLANG LAG ZE IN de hut, in haar nachtjapon, onder het mom dat ze ziek was. Ze voelde zich diep vernederd en schreeuwde het af en toe uit als ze terugdacht aan iets wat ze had gedaan of gezegd. Het concert werd gehouden zonder dat ze eraan deelnam. Ze zou het niet hebben kunnen verdragen hem te zien. Het schip passeerde de evenaar en het bleef snikheet. Op een avond kwamen de meisjes haar vertellen dat de *Cambrian* goede voortgang maakte. Ze zouden binnen een week in Kaapstad aanleggen. Het nieuws vervulde Frances met angst. Diep in de buik van het schip lag ze bezweet tussen de vochtige lakens. Het enige waar ze aan kon denken was William – de manier waarop hij haar nek had gestreeld toen ze pianospeelde, zijn hand rond haar enkel, zijn duim op haar lip – en ze vocht tegen de golven van verlangen.

Omdat het te warm was om te kunnen slapen en ze zich

niet kon concentreren op het boek dat Mariella haar had gegeven, lag ze in de smalle kooi alleen maar te staren naar de zee die zich tot aan de horizon uitstrekte, met pijn in haar hoofd van het dreunen van de motoren. Ze hoorde de gedempte kreten van passagiers die op het dek games wonnen bij tennis, het schrapende geluid van de stoelpoten aan de kaarttafels, voetstappen van de mensen die de trappen afdaalden voor de lunch. Ze beeldde zich bij elk geluid in dat het William was en zag hem haarscherp voor zich, een donkere, lachende figuur tot wie iedereen zich aangetrokken voelde.

’s Ochtends vroeg, wanneer de andere meisjes nog sliepen en het erg stil was, hoorde ze soms voetstappen boven hun hut en vroeg ze zich af of de gelijkmatige, soepele tred die van William was. Een keer lag ze zo stil dat een rat vanachter Anne’s kooi tevoorschijn kroop en over de houten stijl naar boven klauterde. Hij had een bruine vacht, een spitse snuit en grote, bijna transparante oren. Ze rilde. Het diertje keek om en staarde haar onbevreesd aan, terwijl zijn dikke staart zwiepte als een zweep.

De *Cambrian* legde een dag in Sint-Helena aan om brandstof in te nemen en de passagiers mochten van boord. Mariella en Anne besloten het kleine, historische stadje Jamestown te gaan bekijken, maar Frances ging niet mee. In plaats daarvan wachtte ze tot het stil was geworden op het schip en liep toen op haar blote voeten naar de badkamer. Ze vulde de tobbe, kleedde zich uit en waste eerst haar lichaam en toen haar haar. Het vuil gleed samen met de zeep in straaltjes van haar af en daarmee ook een deel van haar teleurstelling en schaamte. Door de zeelucht was haar huid erg droog geworden, dus smeerde ze haar gezicht in met cacao-olie, deed wat parfum achter haar oren, en kamde haar haar. Toen kleedde ze zich aan en ging rechtop in bed zitten met haar schetsboek. Door de patrijspoort zag ze het eiland, in nevelen gehuld: steile, onherbergzame klippen die oprezen uit de diepte.

Voor het eerst in weken was het heerlijk rustig op het schip. De motoren waren stopgezet en afgezien van wat kreten van de matrozen die de kolen aan boord laadden, was het zo stil dat ze het water tegen de romp hoorde kabbelen. Haar oogleden werden zwaar, haar haar lag koel en vochtig op haar schouders, ze liet haar hoofd tegen het kussen zakken.

'Hier zit je dus de hele dag.'

Iemand had de deur van de hut opengeduwd. William leunde in hemdsmouwen tegen de deurpost met het louche zelfvertrouwen van een met verlof zijnde korporaal. Met zijn donkere ogen bekeek hij haar onderzoekend. Ze schudde haar hoofd om goed wakker te worden en verzocht hem toen op een kille toon weg te gaan. Hij negeerde dat en keek de hut rond, op zoek naar een plek waar hij kon gaan zitten. In de kleine, overvolle ruimte had zijn lichaam de lenige, gespannen energie van een gekooid dier.

'Ik heb je verzocht weg te gaan,' zei ze, maar hij deed alsof hij haar niet hoorde. 'Wat zouden de mensen denken als ze je hier zagen?'

'Niemand zal me hier zien.'

'Dat kun jij makkelijk zeggen.'

'Frances, er is niemand van enige betekenis aan boord. Ze zijn allemaal aan wal gegaan. Je reputatie loopt geen gevaar.'

Hij ging op het voeteneinde van haar bed zitten. Haar voeten raakten klem onder het gewicht van zijn dijen. Geschrokken trok ze ze onder het laken vandaan en trok haar knieën op naar haar borst.

'Kijk niet zo naar me. Jezus! Ik dacht dat we vrienden waren. Wat is er gebeurd?' Hij glimlachte en legde zijn hand op haar knie. Haar huid begon te tintelen. Hij liet zijn hand liggen en streek met één vinger over haar knieschijf. Haar klamme vlees vlamde tot leven. Ze sprong van het bed en bleef trillend van woede tussen de twee kooien staan.

'Hoe waag je het hierheen te komen?' Ze flapte de beschuldigende woorden eruit. 'Wat zou je vrouw daarvan denken?'

De glimlach in zijn ogen doofde en zijn gezicht trok strak. 'Ze is mijn vrouw niet.'

'Is dat niet slechts een kwestie van tijd?'

'Frances, je kunt die toon van verontwaardigde deugdzaamheid rustig laten varen. Ik ben niet degene die verloofd is.'

'Ik heb van mijn aanstaande huwelijk nooit een geheim gemaakt.'

'En ik wel? We hebben amper twee woorden met elkaar gewisseld. Wanneer had ik het je moeten vertellen?' Hij keek verongelijkt.

'Toen je me hebt verteld dat je verloofd was geweest en het had uitgemaakt?'

'Als je even terugdenkt, zul je je herinneren dat jij je aanbood voor een kus en dat ik daar niet op ben ingegaan.' Frances voelde dat ze bloosde. 'Ik wilde je beter leren kennen. Ik wist niet hoe je zou reageren.' Hij kamde met zijn vingers door zijn haar, streek de zwarte krullen van zijn voorhoofd. 'Waarom dacht je dat ik je onder vier ogen wilde spreken? Ik wilde een kans op een eerlijk gesprek.'

'O ja?' vroeg ze. Ze wou dat ze hem kon geloven.

Hij lachte en zei: 'Dacht je dat ik van plan was je met geweld te nemen?' Ze bloosde nog feller. Hij leunde naar voren, legde zijn hand in haar knieholte en trok haar zachtjes naar zich toe.

'Was je dat dan niet van plan?' vroeg ze, niet in staat zich van hem los te maken.

Hij grinnikte. 'Ik had gehoopt dat jij het initiatief zou nemen.' Ze voelde de druk van zijn vingers door de stof van haar rokken. Ze wekten haar tot leven. Het stemmetje van de voorzichtigheid fluisterde dat hij nog steeds geen adequate uitleg had gegeven, maar dat leek niet belangrijk meer. Al haar achterdocht was weggenomen door zijn overtuigende houding en het gemak waarmee hij haar begreep.

'Hoe had ik een risico kunnen nemen zonder te weten of je om me gaf? Ik moest je spreken.' Begeerte kroop prikkelend omhoog over haar dijen. Zijn gezicht stond nu zo serieus, de blik in zijn ogen was zo zacht.

'Maar hoe zit het dan met...?' Ze kon het niet hardop zeggen.

'Eloise? Dat is een regeling die mijn neef heeft getroffen. Ik heb erin toegestemd omdat ik toen geen reden had om dat niet te doen. Nu is dat anders.'

'Zal je neef het je toestaan?' De woorden klonken vulgair, alsof ze ten bate van zichzelf met hem onderhandelde.

'Wat zou hij me moeten toestaan?' Hij lachte en stak zijn hand onder haar rokken. Het was een schok om zijn huid op de hare te voelen. 'Dat ik de verloving verbreek? Ik vind niet dat mijn neef daar iets over te zeggen heeft.' Hij streelde het zachtje plekje in haar knieholte. Ze huiverde van genot en ze liet haar been knikken op de plek waar zijn hand lag. Hij leunde naar voren en kuste de stof van haar jurk vlak onder haar taille.

Ze was zo van verlangen vervuld dat ze geen woord kon uitbrengen. Hij zag dat blijkbaar, want hij pakte haar hand en trok haar naast zich op het bed. Buiten klonk het tuffen van een kleine motorboot die de baai doorkruiste. Hij omvatte haar gezicht met één hand, met haar wang in zijn handpalm. Ze wilde dat hij de afstand tussen hen zou overbruggen voordat ze van gedachten zou veranderen.

Hij stak zijn hand onder haar haar, tilde het op, nam de zachte krullen tussen zijn vingers.

'Wat ben je mooi. Ik wil je helemaal voor mezelf, Frances.' Hij glimlachte teder naar haar. 'Maar je mag me niet het gevoel geven dat de begeerte alleen maar van mijn kant komt.'

Ze staarde hem met grote ogen aan, maar hij verroerde zich niet. Hij keek haar alleen maar aan. Instinctief boog ze haar hoofd, zodat de rand van zijn handpalm naar haar mond gleed. Ze kuste de huid, proefde de zoutige smaak op haar tong, stond toe dat hij zijn duim tussen haar lippen in haar mond stak. Hij kreunde zachtjes en leunde nu naar voren om haar te kussen. Zijn baard prikte tegen haar huid en zijn tong duwde zachtjes tegen haar lippen tot ze net zo soepel werden als de zijne.

In de verte, los van de rillingen van haar begeerte, hoorde ze stemmen. Roepende stemmen van matrozen en het harde tikken van metaal op hout. Instinctief trok ze zich terug. 'Er zijn mensen op het dek.'

Hij probeerde haar weer te kussen, maar ze hield hem tegen. Hij luisterde naar de geluiden en gromde gefrustreerd. 'Goed, dan ga ik, maar zul je me voortaan vertrouwen als ik je verzoek iets te doen?'

'Ja. Dat denk ik wel,' zei ze zachtjes.

'Goed zo,' zei hij. Hij streek een lok achter haar oor en stond op. 'Want ik wil je vaker zien.' Ze keek naar zijn sterke, gebruinde handen toen hij voor de spiegel zijn stropdas schikte. Hij draaide zijn brede, donkere gezicht heen en weer om zichzelf te bekijken. Ze wilde hem vertellen hoe gelukkig ze was, maar toen hij naar haar keek was het bijna alsof hij haar niet zag. Met een snelle glimlach bukte hij zich om een kus op haar lippen te drukken. 'Het is verstandig om voorzichtig te zijn. Op een schip doen de mensen niets liever dan roddelen over liefdesaffaires.' Hij maakte de deur open, gluurde de gang in en was verdwenen.

Het dek glansde onder de zon, licht werd weerkaatst op metaal, de lucht trilde van de hitte die opsteeg uit de machinekamer. Tegen vieren daalde er een lusteloze loomheid over het schip neer. Degenen die hadden zitten lezen waren door het zachte gebrom van de motor in hun stoel ingedommeld, of afgedaald naar hun hut. Slechts één groepje eersteklaspassagiers vermaakte zich nog. Ze deden op het dek een of ander gezelschapsspel en hun lachsalvo's rolden over het schip. Frances zag de nichtjes Whitaker en William, die weer de spil van het gezelschap was. Hij wenkte een steward die even later terugkeerde met twee ijsemmers vol champagne.

Ze zuchtte, legde haar penseel neer, nam haar hoed af en streek haar haar glad. Ze had vandaag geen geduld om te schilderen. Haar vingertoppen voelden prettig aan op haar hoofd en ze masseerde de huid alvorens haar haar achter haar oren te strijken. Anne was naar de hut gegaan, maar Frances was niet in staat de plek te verlaten waar ze naar William kon kijken. Hij had haar gekust en gezegd dat hij haar vaker wilde zien en elke keer dat ze daaraan dacht, golfde de begeerte door haar heen. Ze pakte haar penseel en begon weer te schilderen. Op de achtersteven klonk een nieuw lachsalvo.

Ze keek ernaar en zag Emma Whitaker haar blinddoek afnemen. William keek langs de anderen naar Frances, wenkte Emma en fluisterde iets in haar oor. Het meisje glimlachte en liep over het dek naar Frances. Angst sloeg haar om het hart. Wat had William tegen haar gezegd?

'Wilt u misschien met ons meedoen?' vroeg Emma Whitaker aan Frances. De champagne had een blos op haar wangen getoverd. 'We spelen blindemannetje, maar meneer Westbrook doet vervelend en speelt aldoor vals en het zou veel leuker zijn als we meer spelers hadden.'

Frances schudde haar hoofd. 'Dat kan ik echt niet doen.'

'Waarom niet? Omdat het op het eersteklasdek is?' Het meisje lachte. 'Dat heeft heus niemand in de gaten, en zo ja, dan sturen we meneer Westbrook wel om het te regelen.' Ze bood Frances haar arm. Frances kon geen weerstand bieden. Ze legde haar penseel neer en stond op.

William knipoogde naar haar toen ze het groepje naderden. Met Frances erbij waren ze met hun vijven: William, de nichtjes Whitaker en Daniel Leger, een kleine man met een stug gezicht en een haakneus. William legde zijn hand op zijn hoofd en zei lachend dat hij in een vorig leven acrobaat was geweest. Ze waren blijkbaar goede vrienden, maar toen meneer Leger Frances een glas champagne gaf, glimlachte hij iets te breed, bijna veelzeggend, en zei: 'Erg leuk dat u met ons meedoet, juffrouw Irvine.'

Ze speelden een paar rondjes, haar glas werd bijgevuld, en toen was het haar beurt om geblinddoekt te worden. Ze ving een van de nichtjes Whitaker, maar wist niet welke, dus kreeg ze straf.

'Je moet een spreuk van achteren naar voren zeggen!'

'Welke spreuk?' vroeg ze.

William zei: 'Waar een wil is, is een weg.'

Ze struikelde giechelend over de woorden. Ze kon zich niet concentreren omdat ze wist dat William naar haar stond te kijken. Bij de volgende ronde werd William geblinddoekt. Hij negeerde opzettelijk alle aansporingen behalve die van Frances. Omdat het duidelijk was dat hij juist haar wilde vinden, liet ze zich uiteindelijk klem zetten tegen het want. Ze bleef doodstil staan toen hij zijn handen uitstak om haar gezicht te betasten. Ze rook zijn huid en de zoutachtige geur van zijn adem die de smaak van de champagne op haar tong was. Zijn vingers gleden over haar gezicht en betastten haar haar. Ze voelde haar spieren slap worden van begeerte.

Uiteindelijk riep hij: 'Mejuffrouw Joanna Whitaker.' De nichtjes gilden van plezier.

'Meneer Westbrook, neem uw blinddoek af!' Hij deed dat en glimlachte naar Frances, zonder zelfs maar verbazing te veinzen dat hij niet mejuffrouw Joanna Whitaker maar Frances voor zich had.

'Straf!' riep een van de nichtjes vrolijk.

'Ja. William, je moet zes vleiende dingen over juffrouw Irvine zeggen die met een "a" beginnen.'

William bleef heel dicht bij Frances staan en zonder te hoeven nadenken zei hij op een zachte toon: 'Aardig, aanhankelijk, alert, aanminnig, aanbiddelijk, achtenswaardig.' Ze glimlachte naar hem en dacht bij zichzelf dat als ze hem zou trouwen, ze verder niets meer te wensen zou hebben.

16

HET GEMASKERDE BAL WERD DRIE DAGEN VOOR DE AANkomst van het schip in Kaapstad gehouden. Toen de meisjes in wolken poeder en parfum hun hutten verlieten, greep Mariella Frances' hand en trok haar nog even terug. Ze duwde een fles in haar hand. Het glas voelde koel en glad aan in haar handpalm. Toen Mariella lachte, rook Frances de sterke, scherpe geur van alcohol. Mariella had zich verkleed als zigeunerin. Haar glanzende krullen waren gevat in een koperen hoofdband met kleine belletjes die rinkelden wanneer ze zich bewoog.

'Hoe kom je aan die fles?' vroeg Frances. Met een draaiende beweging trok ze de kurk eruit. Het maakte een piepend geluid. Haar vader had thuis altijd cognac gedronken, maar Frances had het nooit aangeboden gekregen. Ze proefde voorzichtig. De drank was puur en helder en verspreidde zich door haar mond als rook.

'George heeft hem gewonnen met kaarten. Het heet eau de vie en het komt uit Frankrijk.'

'Sinds wanneer krijg jij cadeautjes van George?'

Mariella zette de fles aan haar mond, nam een slok en lachte naar Frances. 'Sinds hij me ten huwelijk heeft gevraagd.'

'O, Mariella, wat heerlijk voor je! Maar wanneer is dit allemaal gebeurd?'

Haar vriendin drukte de fles weer in haar hand. Frances nam een klein teugje en liet de drank door haar keel glijden. De alcohol trok een vurig spoor naar haar maag en rolde door haar mond, verdampend tot een koud waas op haar tong.

'Op Sint-Helena. We zijn samen naar de top van de Jacobsladder gelopen.'

'En heeft hij daar zijn aanzoek gedaan?'

Mariella knikte.

'Wat romantisch!' Frances omhelsde haar. 'Ben je gelukkig? Nee, dat hoef ik je niet te vragen.' Mariella's ogen straalden. 'Waar gaan jullie wonen? In Kimberley?'

Mariella schudde haar hoofd. 'Een van de eersteklaspassagiers heeft George een baan aangeboden op zijn boerderij in Stellenbosch, niet ver van Kaapstad. Daar gaan we dus eerst naartoe, maar uiteindelijk willen we wel naar Kimberley. Jij bent daar dan al, Frances, en misschien Anne ook, als het nieuwe ziekenhuis tegen die tijd klaar is. Hier,' zei ze en ze reikte Frances de fles weer aan. 'Neem een flinke slok. Het maakt de beentjes los en dit is beter dan het spul dat ze boven serveren.'

Frances zette de fles aan haar mond en hield haar hoofd achterover. Ze liet de drank naar binnen lopen tot ze haar maag in vuur en vlam voelde staan en transpiratie op haar onderarmen prikte. Kon ze Mariella over William vertellen? De openhartige opwinding van haar vriendin deed haar wensen dat ze haar eigen geluk met haar kon delen. Ze wilde het bekrachtigd zien door aan de hele wereld te vertellen wat er was gebeurd. Toch hield ze zich in. Hij had bijna genoeg gezegd om haar ervan te overtuigen dat hij van haar hield, maar ze was nog steeds niet helemaal zeker van hem.

Mariella bukte zich om de gespen van haar schoenen vast te maken en Frances bekeek zichzelf nog een keer in de spiegel. Ze was verkleed als de Keltische koningin Boudica, in een lange, kastanjebruine japon die ze van een van de meisjes had geleend, met koperen armbanden en een geweven haarband die haar rode haar omvatte en rond haar schouders liet dansen. Haar gezicht zag er ouder uit dan ooit tevoren en in haar ogen lag een harde, lichtzinnige blik; een eigenaardig zelfvertrouwen gaf haar het gevoel dat ze – in elk geval vanavond – de touwtjes in handen had en er alles van kon maken wat ze wilde.

'Kijk eens!' Anne wees naar de zee en de meisjes stopten even om naar de maan te kijken die druipend uit zee oprees als een grote, gouden bal. De glimmerende oceaan leek op een woestijn van zwart zand en de lage maan wierp schaduwen op de zacht deinende oppervlakte.

'Wat een mal trio zijn wij!' zei Mariella lachend. Ze stak haar armen door die van haar vriendinnen. De meisjes keken elkaar lachend aan. Anne had zich verkleed als Lente, in een groene, zijden jurk met een sluier van witte mousseline en roze zijden bloemen die ze zelf had gemaakt.

'Vinden jullie nu ook dat vanavond alles heel vreemd aanvoelt?' vroeg Anne. Ze keek naar de verklede passagiers. Frances zocht naar William, maar zag hem nergens. Robinson Crusoe, in bont gehuld met een parasol, knielde voor een Zwitsers melkmeisje en kuste haar hand. Gelach klonk op boven het geroezemoes. Stewards liepen rond met dienbladen vol glazen champagne, en een Turk trok aan de snor van een Don Juan. Struisvogelveren wuifden boven de hoofden van oosterse dames, een Cleopatra zakte op haar hurken om de boze bui van een kleine, Russische tsaar te sussen. Het was net alsof goden de geschiedenis hadden opengebroken en mannen, vrouwen en kinderen uit alle hoeken van de wereld hadden geplukt opdat die hen in het hiernamaals zouden vermaken. In de masten waren lantaarns opgehangen die hun schijnsel op het water wierpen. Het was windstil en de zee was zo kalm dat je bijna kon horen hoe het hiernamaals het oor te luisteren legde.

'Het is net de laatste dans van de verdoemden,' zei Frances, maar ze dacht: alstublieft, God, zorg dat William vanavond met mij danst en dat we in Kaapstad gaan trouwen.

De meisjes pakten elk een glas wijn en gingen met hun rug tegen de reling naar de dansende mensen staan kijken. Opeens zag ze hem, aan de overkant van het dek. Hij droeg een japon met wijde rokken en een pruik waarvan de donkere krullen tot op zijn schouders vielen. Ze glimlachte. De japon was hem te kort, waardoor ze zijn kousloze enkels kon zien. Hij leunde met zijn ellebogen op de reling en liet zijn blik over de dansende menigte gaan. Was hij naar haar op zoek? Ze hief haar hand op om zijn aandacht te trekken, maar liet hem weer zakken toen ze zijn vriend Daniel Leger

– gekleed als jockey en half zo groot als hij – iets in zijn oor zag fluisteren. William lachte en zette zich af tegen de reling. Ze liepen over het dek en verdwenen naar beneden. Frances vond het vreselijk om hem te zien gaan.

'Waarom is emigratie zo'n lelijk woord?' vroeg Anne.

'Als je in Engeland bent, denk je dat het leven daar het enige belangrijke is,' zei Mariella. 'Je beseft niet dat er mensen zijn die het niets kan schelen dat je vertrekt om werk te zoeken. Voor hen is dat heel normaal.'

'Ik vond het niet prettig dat ik moest zeggen dat ik ging emigreren,' bekende Anne.

'Hoe wagen ze het een oordeel over ons te vellen?' zei Frances, haar teleurstelling verbijtend. 'Welk recht hebben ze daartoe?'

'Over vijf jaar zijn we Engeland helemaal vergeten.' Anne glimlachte. 'Denk je even in waar we dan zijn.'

'Jij bent dan in elk geval hoofdverpleegster,' antwoordde Frances. 'Zo'n bazig type in een gesteven uniform.'

Anne lachte. 'Onze eigen familieleden zullen ons niet herkennen!'

'En wat kan ons dat schelen?' zei Mariella.

'Maar we moeten wel contact houden,' zei Anne ernstig. Ze greep hun handen en bracht ze naar elkaar. Eventjes klampten de meisjes zich aan elkaar vast, warme handpalmen op de rug van warme handen, vingers met elkaar verstrengeld, terwijl de zee onder hen door stroomde en hen steeds dichter bij Zuid-Afrika bracht. Ze wisten dat alles zou veranderen als ze daar eenmaal waren.

De avond vorderde en William was nergens te bekennen. Frances voelde zich roekeloos. Over drie dagen kwamen ze in Kaapstad aan. Dit was hun laatste kans. Ze dronk een glas wijn en nog een, maar voelde zich na elk glas nog wanhopiger dan ervoor.

'Boudica,' zei William later, toen hij opeens achter haar stond. 'Bevallig, bedwelmend, betoverend. De "b" was makkelijker geweest.' Hij zei het met een glimlach vol zelfspot, nam het glas uit haar hand en zette het ergens achter hem neer. Hij had zijn baard bijgeknipt waardoor ze de vierkante vorm van zijn kin beter kon zien. Zijn tanden flonkerden in zijn gebruinde gezicht. Zelfs gekleed als een vrouw zag hij er mannelijker uit dan menige man aan boord. Toen hij lachte, dansten de pijpenkrullen. Hij streek ze naar achteren. 'Ik snap niet hoe jullie hiermee omgaan,' zei hij. 'Die verdraaide dingen zitten aldoor in de weg. Je had me moeten zien toen ik soep at.' Hij trok een grimas en ze begon te lachen, blij dat hij er eindelijk was.

'Is het heel erg?' vroeg hij, bezorgd aan de rode japon van tafzijde trekkend.

'Erg?' Ze lachte. 'Helemaal niet. Hoe kom je aan die jurk?'

'Geleend van mevrouw Musgrave.'

Hij hield haar hand vast, besefte ze opeens. Hij leidde haar over het dek naar de dansvloer. Ze kon niet goed nadenken. Haar geest, beneveld door de wijn en de eau de vie, hield haar lichaam niet bij. Zijn arm lag zo luchtig rond haar taille dat zijn vingertoppen de stof van haar japon amper raakten. Zijn lichaam was warm en een beetje bezweet. Hij rook naar sigaretten en pommade, een combinatie die niet strookte met de linten op zijn rug die haar vingers beroerden en het zachte ruisen van hun japonnen terwijl ze dansten. Dit was het bedwelmende mengsel dat hij creëerde, de subtiele, bedrieglijke combinatie van humor en ernst waar ze geen verweer tegen had. Ze was niet zeker van zichzelf wanneer ze bij hem was. Ze kende de regels van de hofmakerij niet. Hij liep altijd een stap op haar voor en dat leidde tot het verrukkelijke maar gevaarlijke genot van de overgave, net zoals het spel dat ze vroeger met haar nichtjes speelde, waarbij je je met gesloten ogen moest laten vallen en erop vertrouwen dat je partner je zou opvangen.

'Frances,' zei hij, naar haar toe leunend om in haar oor te fluisteren, waarbij zijn adem als donzen veren over haar huid streek, 'nog even over die kwestie dat ik je leven heb gered. Vind je niet dat het de hoogste tijd is om me daarvoor te belonen?'

Haar hartslag versnelde. Een ogenblik dacht ze dat hij haar daar, midden in de dans, ten huwelijk zou vragen. Maar toen zei hij: 'Kom over vijf minuten naar de deur van het achterdek.'

'Ik kan niet –'

'Wat kun je niet?' Hij keek haar aan. Zijn ogen lachten.

Ze wilde zeggen 'Ik moet zeker weten dat ik je kan vertrouwen', maar in plaats daarvan zei ze: 'Niet waar we helemaal alleen zijn. Alsjeblieft niet.'

Hij keek alsof hij in haar teleurgesteld was en ze voelde zich opeens erg saai. 'Frances, je bent een volwassen vrouw. Je bent geen kind meer.' Hij glimlachte teder. 'Ik beloof je dat ik niet van je zal verlangen dingen te doen die je niet wilt doen, maar het moet jouw beslissing zijn.'

Hij liep weg. Ze keek naar zijn brede rug die tussen de dansende mensen verdween en dacht: hij wil mij. Van alle vrouwen die hij kan krijgen, wil hij mij.

'juffrouw Irvine, mag ik deze dans?' Het was George Fairley. Hij stak uitnodigend zijn hand uit. Ze greep zijn hand om hem te feliciteren en zag kuiltjes in zijn wangen komen toen hij lachte, maar kon zich niet concentreren op wat hij zei. Ze kon alleen maar aan William denken, of die echt op haar stond te wachten, en wat hij tegen haar zou zeggen als dat zo was. 'Ik kan nu niet dansen,' zei ze verontschuldigend. 'Maar misschien straks?'

Ze drong door de menigte naar de deur van het achterdek, deed die open en zag tot haar grote opluchting dat hij er was. Hij stond onder aan de trap.

'Ik wist dat je zou komen,' zei hij glimlachend.

Ze wankelde toen ze de trap afdaalde, maar hij pakte haar hand stevig vast en trok haar mee door de gang. Ze moest rennen om hem bij te houden. Aan de ene kant van de gang waren hutten. Toen ze langs een open deur kwamen, zag ze Daniel Leger op een bed zitten met een als ballerina verkleed meisje op zijn schoot. Hij keek op en knipoogde naar haar toen ze langskwamen. William stopte voor de hut ernaast. Hij trok haar naar binnen en deed de deur achter zich dicht.

'Is dit jouw hut?'

Hij knikte. Hij stond tegen de deur geleund en keek naar haar toen ze om zich heen keek. Er stond een smal bed tegen de wand, met ertegenover een paar jasjes op hangertjes en daarboven een jachtgeweer in een foedraal. De hut was net zo groot als die op het tussendek waar in elk ervan drie meisjes sliepen. Het enige licht was de zachte gloed van een gaslamp die in de laagste stand was gedraaid, en het rook er naar leer en sandelhout. Ze zag zichzelf in de ronde spiegel boven de wastafel. Haar krullen vielen over de rug van haar roestbruine japon en haar armen waren bloot. Ze zag eruit als een meisje in een sprookje, verdwaald in het bos.

Het was erg stil in de hut na de drukte van het feest. De stilte bulderde in haar oren. Ze legde haar hand tegen de muur om zich in evenwicht te houden. Haar hart bonkte. Ze wilde dat William iets zou zeggen om haar op haar gemak te stellen, maar hij liep naar een klein mahoniehouten rek aan de muur waarin een stopfles en een glas stonden. Hij haalde ze eruit, goot wat van de goudkleurige vloeistof in het glas, nam een slokje en bood het haar aan. Zijn adem had een waas op het glas achtergelaten, waarin de afdruk van zijn lippen zichtbaar was. Ze pakte het van hem aan. De alcohol smaakte bedompt, turfachtig, en had een rokerigheid waarvan haar mond verdoofd raakte.

'Whisky,' zei hij. Ze knikte. Ze vond zijn grote gestalte intimiderend nu ze met hem alleen was. Hij was een kop groter dan zij en bezat een ingehouden, atletische energie die hem rusteloos maakte. Hij nam het glas weer van haar over. Het tikte tegen zijn tanden toen hij het aan zijn mond zette. Ze voelde de hitte van zijn handen, als brandende kooltjes, op slechts een paar centimeter afstand van haar lichaam. Zou hij haar aanraken? Ze zou het niet mogen wensen. Ze zou de hut moeten verlaten, maar de alcohol had iets in haar losgemaakt.

'Twijfels?' vroeg hij. Hij trok haar hand weg bij haar keel.

Ze keek hem met grote ogen aan.

'Hou je van hem?' vroeg hij.

'Van Edwin? Nee.'

'En van mij?' vroeg hij, met een jongensachtige, pruilende

blik. Dit was niet wat ze had verwacht. Hij moest allang begrepen hebben dat ze van hem hield, maar niettemin zag hij er opeens kwetsbaar uit in zijn jurk, met de pijpenkrullen die tot op zijn schouders vielen en zijn gebruinde armen in de te korte mouwen van teer kant.

'William.' Dit was de eerste keer dat ze zijn naam uitsprak. Ze bracht haar hand naar zijn wang. Zijn baard voelde prikkerig aan. Hij nam een slokje en keek haar aan. Ze liet haar hand zakken, opeens onzeker. Toen hij dichter bij haar kwam staan, deed ze instinctief een stap achteruit en ze voelde de deurknop in haar rug. Hij hief zijn hand op, stak zijn wijsvinger in de hals van haar japon en liet hem onder de stof via haar schouder naar achteren glijden.

'Als we gewoon even zouden kunnen praten –' zei ze.

Hij viel haar in de rede. Zijn stem klonk schor. 'Ik heb geprobeerd mezelf ervan te overtuigen dat ik je met rust moet laten, Frances Irvine. Dat ik je met je dokter moet laten trouwen. Maar ik lig nachten wakker omdat ik aldoor aan je moet denken.' Hij boog zijn hoofd en streek met zijn lippen langs de hare. Met een plotselinge, instinctieve beweging hief ze haar gezicht op naar het zijne om het contact met zijn lippen vast te houden, maar zijn mond was alweer buiten haar bereik en haar kus landde op zijn kin, onhandig, dwars door zijn baard heen. Ze voelde de harde haartjes op het puntje van haar uitgestoken tong. Hij kreunde, zette het glas neer en drukte zijn mond op de hare. Ze vleide zich tegen hem aan. Zijn vingers lagen in haar nek en zakten langzaam af langs haar rugwervels. Op alle plekken die hij aanraakte, begon haar huid te gloeien.

Pas toen hij haar japon over haar schouders naar beneden trok, besefte ze dat hij de haakjes had losgemaakt. Verward probeerde ze de jurk weer omhoog te trekken, maar hij greep haar pols, hield haar hand opzij en trok met zijn andere hand aan het midden van haar korset, zodat haar borsten vrijkwamen, blank en vol. Haar adem stokte en ze wilde zich tegen hem aan drukken om haar naaktheid te verbergen, maar hij deed een stap achteruit en keek naar haar lichaam.

Ze was opeens helemaal de kluts kwijt. Ze had geen idee wat ze moest doen. Ze wilde de schouders van de japon omhoogtrekken, maar hij hield nu haar beide polsen zo strak vast dat het pijn deed en ze ophield met tegenstribbelen.

'Wat heb je te verliezen?' vroeg hij. Hij streek met de rug van zijn hand over een van haar borsten. Ze beefde bij zijn aanraking. Ze ademde hijgend, van angst en genot. Hij trok zijn eigen japon naar beneden en stapte eruit. Eronder droeg hij een loszittende katoenen broek die met een koord bijeen was gebonden onder de harde spieren van zijn buik. Hij glimlachte, trok haar naar zich toe, drukte haar tegen zijn borst, kuste haar voorhoofd. Een snik welde in haar op. 'Frances,' zei hij, haar natte wangen kussend, 'wees niet bang.' Ze voelde de warmte van zijn borst tegen haar lichaam en toen trok hij haar zachtjes neer op het bed tot ze op haar rug lag en naar hem opkeek. Hij ging naast haar liggen, steunend op zijn elleboog. Hij streek het haar van haar voorhoofd, tilde met zijn andere hand haar rokken op en legde zijn vingers op haar geheime plekje.

Haar hele lichaam schokte van de bruuske intimiteit, maar hij suste haar en streelde haar gezicht. Zijn andere hand begon haar te strelen, heel zacht, tot ze als vanzelf haar heupen naar hem ophief en haar benen spreidde. Hij ging boven op haar liggen en bewoog zich nu gejaagder, trok gehaast haar rokken omhoog. Ze probeerde ze terug te duwen, maar kon zich niet bewegen vanwege zijn gewicht. Hij trok haar directoire naar beneden en even later voelde ze een scherpe, stekende pijn. Ze slaakte een kreet, die gedempt werd omdat haar mond tegen zijn schouder zat. Hij stootte dieper, zijn heupen bonkten tegen de hare, genot boorde in de pijn, tot hij opeens stopte, rilde en verslapte.

Zwaar hijgend rolde hij van haar af. Ze probeerde zich met een laken te bedekken, maar hij hield haar hand tegen en leek erg met zichzelf ingenomen. Hij streek het vochtige haar van haar wang en zei: 'Je ogen zijn zo groen als die van een kat.'

Hij glimlachte loom met zijn mond half geopend. Zijn ogen leken erg donker toen ze vanonder zijn luikende oogleden naar haar keken. Ze hief haar hand op, legde hem op de spieren van zijn schouder en volgde hun strakke, gebeeldhouwde lijnen met haar vingers. In haar binnenste klopte iets, half genot, half pijn, alsof ze was uitgehold. Ze was bang dat ze zou gaan huilen en wou dat hij haar in zijn armen zou nemen, maar hij verroerde zich niet.

Na een paar ogenblikken zei ze: 'Meneer Leger heeft ons gezien.'

'Hij zal niks verklappen.'

'Wie was dat meisje?'

'De ballerina?' William draaide zich op zijn rug. 'Een grietje van het benedendek.'

Dat stak. Opeens schaamde ze zich en besefte ze ten volle wat ze had gedaan. Was ze niet net zoals het meisje dat ze bij Daniel Leger op schoot had zien zitten? Ze bekeek de hut, zo mannelijk, tot in de kleinste details. Waarom had ze zich laten meetronen? William merkte misschien aan haar zwijgen wat ze dacht, want hij pakte haar hand.

Dat gaf haar voldoende moed om te vragen: 'Je huwelijk met Eloise?'

'Je moet me wat tijd geven. Ik heb in Kaapstad een paar dagen nodig om iets te regelen.'

'De Emigration Society heeft daar een pension.'

'Kun je daar logeren?'

Ze knikte.

'En de dokter?' vroeg hij.

'Ik schrijf hem wel.'

'Wacht daarmee tot ik alles heb geregeld met de ouders van Eloise. Dat is eenvoudiger.' Hij legde zijn hand op haar haar en streelde toen haar hals. Een huivering trok door haar lichaam. Ze draaide zich naar hem toe en legde haar hoofd op zijn schouder, maar hij tikte zachtjes op haar wang en zei: 'Tijd om te gaan.'

Hij bleef op het bed liggen toen ze de haakjes aan de voorkant van haar korset losmaakte en het optrok over haar borsten. Hij gaf haar de haarspeldjes die op het laken waren gevallen. Ze bekeek zichzelf in de spiegel. Haar ogen schitterden, donker en onbekend. Haar gezicht was smal en bleek en haar haar was losgeraakt en waaierde in verwarde krullen uit rond haar hoofd, zodat ze eruitzag als Medusa.

Toen hij opstond voelde ze zijn lichaam tegen haar rug drukken. Hij tilde de lokken uit haar nek en kuste die, waardoor er weer een rilling over haar rug gleed en elke spier van haar lichaam erom smeekte dat hij haar weer op het bed zou neervlijen. Maar in plaats daarvan begon hij de haakjes van haar jurk naar elkaar toe te trekken om haar er weer in op te sluiten. Hij was daar net zo goed in als Lotta en ze besefte dat dit niet de eerste keer was dat hij een meisje had geholpen zich aan te kleden. Toen gaf hij een tikje op haar billen en zei: 'De muziek zal zo dadelijk wel ophouden.'

Ze draaide zich naar hem toe. Ze kon de warmte van zijn huid bijna proeven, het zweet van hun lichamen en zijn lippen. Opeens leek hij heel afstandelijk.

'Wanneer kan ik je weer zien?' Haar stem trilde en ze wist dat ze een wanhopige indruk maakte. Ze kon het van zichzelf niet uitstaan dat ze het had gevraagd.

'In Kaapstad. We moeten voorzichtig zijn.'

'Niet eerder?'

'Frances. Geduld.' Hij greep haar sjaal van het bed en wikkelde die om haar hoofd. 'Boudica wordt een bedoeïene. Als je iemand ziet die je kent, zeg je dat je op zoek was naar de scheepsarts. Zijn hut is verderop in de gang.'

Hij deed de deur voor haar open, met één arm gestrekt tegen de deurpost, zodat ze daar onderdoor moest duiken om naar buiten te komen. Ze draaide zich om voordat ze wegliep en wierp hem nog een smachtende blik toe. Hij glimlachte naar haar, op zijn blote voeten, met zijn broek op zijn heupen en zijn met donker haar bedekte borst ontbloot. Ze wilde dat hij haar zou kussen, dat hij iets zou zeggen om hun toekomst te bezegelen, maar hij nam zijn hand weg van de deurpost met een gebaar dat je ongeduldig zou kunnen noemen. Ze draaide zich om en liep door de gang naar de wervelende muziek en de koude nachtlucht.

17

FRANCES ZAT VERSCHRIKKELIJK IN ANGST OM WAT ZE HAD gedaan en of William zich wel aan zijn belofte zou houden. Soms, als ze Mariella hoorde praten over George Fairley en hun plannen voor Stellenbosch, kreeg ze het enorm te kwaad. Ze brandde van verlangen om Mariella alles te vertellen, maar wist dat ze dat niet kon doen. Tot William zijn verloving officieel had uitgemaakt, kon ze immers niets zeggen. De nuchtere Mariella zou misschien niet inzien hoe precair de situatie was.

’s Avonds in bed begon ze aan zichzelf te denken als Frances Westbrook. William zou een groot politicus worden, een succesvol staatsman, en ze zouden samen Afrika verkennen. Ze zou met hem meegaan als hij op jacht ging. Ze zouden in tenten slapen en als hij ’s nachts bij haar kwam, zou hij zijn armen om haar heen slaan en haar zo dicht tegen zich aan drukken dat hij haar ribben zou kneuzen. Hij zou geen makkelijke levenspartner zijn, maar ze had begrip voor zijn ambitie. Dat hij zo rusteloos en doelbewust was, kwam door zijn enorme passie voor het leven. Hij kon beter met spanningen omgaan dan de meeste mensen. Zij zou echter een baken voor hem zijn bij zijn wilde ondernemingen. En daartegenover stond dat William haar uit haar sociale keurslijf zou bevrijden. Zijn oordeel over mensen was gebaseerd op de vraag of ze hem interesseerden, niet op wie ze waren. Hij zat niet vastgeklonken aan de regels van de maatschappij, zoals haar oom, en hij gaf geen zier om de Hamiltons en haar vaders Ierse achtergrond.

Naarmate de Kaap dichterbij kwam, bedacht ze dat ze enkele praktische zaken met hem zou moeten bespreken. Hoelang zou ze in Kaapstad moeten blijven voordat ze iets van hem zou vernemen? Waar zou het huwelijk voltrokken worden? De kamer in het pension was niet gratis en alhoewel ze liever niet over geld wilde praten, was de bittere waarheid dat ze vrijwel geen cent bezat. Het weinige dat haar oom haar had gegeven, was vooruitgestuurd naar Edwin als bruidsschat.

Op de derde dag na het bal schalde er een kreet over het schip: 'Land in zicht!'

Het silhouet van de Tafelberg rees als een donderwolk op boven de horizon. De kapitein deelde de passagiers mede dat ze de volgende ochtend na het ontbijt in de haven zouden aanleggen. Frances voelde zich erg vreemd. Over een paar dagen zou haar leven voor altijd veranderen. In paniek liet ze Gilbert een briefje naar William brengen dat ze hem na het middageten op het dek wilde treffen.

Ze stond een halfuur op hem te wachten, met vlinders in

haar buik van de zenuwen. Stel dat hij niet kwam? Stel dat ze hem nooit meer zou spreken? Nu ze Kaapstad in zicht hadden, leek alles erg onzeker.

'Frances.' Opeens was hij er. Hij zei haar naam en legde zijn hand heel zacht tegen haar wang, zodat haar haar tegen haar oor knetterde.

'Ik maakte me zorgen,' zei ze.

'Dat ik niet zou komen? Of ben je al van gedachten veranderd?' Hij glimlachte. Er lag een groene glans in zijn ogen toen hij naar haar lachte en van pure opluchting voelde ze al haar zorgen van zich af glijden.

Nu hij er was, voelde ze zich dom. Hij had belangrijker dingen aan zijn hoofd. Zij kon haar verloving makkelijk verbreken, maar hij zou strijd moeten leveren met de familie van Eloise Woodhouse. Mariella had haar verteld dat die in de Kaapkolonie erg veel invloed had. Ze herinnerde zichzelf eraan dat hij omwille van haar enorme risico's nam, al vergat ze haar eigen situatie niet. 'Hoelang moet ik in Kaapstad wachten?'

William streelde haar gezicht met de rug van zijn hand. Zijn knokkels gleden over haar huid. 'Juffertje ongeduld.' Hij was zo kalm en zelfverzekerd. Wanneer ze bij hem was, voelde ze hoe de wereld zich naar zijn wil voegde.

'Maar je weet niet eens hoe het pension heet!'

'Frances,' zei hij, nu met een zweem van ongeduld, 'ik heb contacten. Alle informatie van de Emigration Society staat in de boeken van het schip.'

Uiteraard. Wat was het toch dom van haar, dat ze zich altijd alles door hem moest laten uitleggen. Waarom vertrouwde ze niet gewoon op hem? Maar ze wist uit ervaring dat het vertrouwen dat ze voelde als ze bij hem was, snel verdween zodra hij weg was. 'Zul je me schrijven?'

'Ben je altijd zo veeleisend?'

Ze wendde gekwetst haar gezicht af, maar hij legde een vinger onder haar kin en draaide haar hoofd weer naar zich toe. 'Ik plaag je maar, Frances. Ik zal je zelfs morgen een briefje schrijven. Ik beloof het.' Hij pakte haar hand en bracht die naar zijn lippen.

'En jij? Wat beloof jij mij?' vroeg hij met een ondeugende glimlach. Hij trok de handschoen van haar hand en bracht haar vingertoppen een voor een naar zijn mond. 'Je moet me beloven' – ze voelde zijn vochtige lippen op haar middelvinger – 'dat je elke nacht dat we niet bij elkaar zijn aan me zult denken.'

'Daar kun je van op aan,' zei ze. Haar vingertoppen gloeiden van zijn kussen en haar hart klopte in haar keel als de vleugels van een vlinder tegen de binnenkant van een stolp. Pas toen hij weg was, besefte ze dat ze hem niet om geld had gevraagd. Ze zou zich moeten zien te redden met wat ze had.

De volgende ochtend waren ze de Kaap tot op een steenworp afstand genaderd en nog voordat de bel voor het ontbijt werd geluid, wemelde het op het dek van passagiers die een eerste blik op hun nieuwe land wilden werpen. Het was een windstille dag en er kwam een vloot van kleine vissersboten naar hen toe geroeid. Toen ze binnen gehoorsafstand waren, riepen de vissers: 'Nieuws! Nieuws! Wat is het laatste nieuws?'

In een estafette van kreten gaven de matrozen in korte

zinnen door wat er tot een maand geleden in Londen zoal was gebeurd.

Frances stond samen met de andere passagiers dicht bij de reling om alles goed te kunnen zien. De Tafelberg rees steeds hoger voor hen op. Met zijn platte top verrees hij majestueus en imposant boven de baai, als een portiersloge bij de ingang van het nieuwe continent. Algauw waren ze er zo dichtbij dat ze de bomen op de hellingen konden onderscheiden. Toen Frances omkeek, zag ze William tussen de mensen door haar richting uit komen, mevrouw Nettleton voor zich uit duwend.

'Hier kunt u alles goed zien.' Hij loodste mevrouw Nettleton door de passagiers tot ze naast Frances bij de reling stond.

'Juffrouw Irvine,' zei William met een buiging.

Frances begroette hen en mevrouw Nettleton vroeg nukkig hoe het met haar was, voordat ze haar aandacht weer aan William wijdde. Hij ging achter hen beiden staan en keek over hun hoofden. Frances voelde de andere passagiers naar voren dringen.

William wees door de nevelen naar een klein, kaal eiland dat er laag en vlak uitzag. 'Dat is Misery Island.'

'Wat een nare naam. Wie woont daar?' vroeg mevrouw Nettleton.

'Hoofdzakelijk lepralijders en krankzinnigen.'

Een paar minuten later konden ze op het vasteland een grote vuurtoren onderscheiden met ernaast een indrukwekkend gebouw. 'Dat is het Somerset Hospital, dat onlangs is gebouwd voor het vorstelijke bedrag van twintigduizend pond. Laat niemand zeggen dat de Britten geen geld in hun koloniën steken.'

William legde één hand luchtig rond Frances' bil. Ze verstijfde.

'En dat, mevrouw,' vertelde William kalmpjes, 'is de beruchte Breakwater Prison.' Hij wees naar een vierkant, grijs gebouw. 'Geen gevangenis met de gebruikelijke criminelen. Veel van de mensen die daar hun straf uitzitten zijn artsen, juristen en kooplieden. Gegoede burgers die betrapt zijn toen ze diamanten uit Kimberley wilden smokkelen. Laat u er dus niet toe verleiden, mevrouw Nettleton, om zo'n flonkerend steentje in uw zak te steken als u een kijkje gaat nemen in de mijnen.'

'Wat zegt u toch een malle dingen.' Mevrouw Nettleton giechelde en trok aan zijn mouw. Frances voelde dat William zijn duim heen en weer liet gaan over haar bil. De bewegingen leken afdrukken op haar huid achter te laten, als wanneer je over fluweel streek. Ze had nog nooit, besefte ze, zo hartstochtelijk naar iemand verlangd als naar William.

'Is het een erg nare gevangenis?' vroeg mevrouw Nettleton, duidelijk hopend op gruwelverhalen.

'Het is er afschuwelijk.' William wurmde zijn voet tussen Frances' schoenen en duwde haar benen een stukje uiteen, zodat ze bijna haar evenwicht verloor en zich aan de reling moest vastgrijpen. Ze voelde zijn knie in haar knieholte drukken, terwijl zijn duim nu cirkels tekende op haar bil. 'Er zitten minstens duizend gevangenen. Ze moeten slapen op een betonnen vloer en men laat de hele nacht het licht aan, waardoor ze geen oog dichtdoen. Ze moeten de hele dag werken, vastgeketend tussen twee zwarten om te voorkomen dat ze praten, en als ze iets doen wat tegen de regels is, worden ze op de tredmolen gezet.'

'Wat is dat?'

'Een machine met bewegende treden die langs een blinde muur draait. De gevangene moet daar voor straf op lopen, soms twaalf uur achtereen. Denkt u zich eens in hoe dat is op een bloedhete zomerdag.'

'En wat gebeurt er als ze niet meer kunnen lopen?' vroeg mevrouw Nettleton, zich huiverend inlevend in het horrorverhaal.

'Dan blijft de molen gewoon draaien en wordt door de treden het vlees van hun schenen tot op het bot afgeschraapt.'

'Wat afschuwelijk!' riep mevrouw Nettleton uit. Ze draaide zich naar hem om en zei: 'Maar nu, meneer Westbrook, moet ik gaan controleren of beneden alles naar wens verloopt.'

'Natuurlijk.' William haalde zijn hand weg van Frances' bil en leidde mevrouw Nettleton terug door de menigte zonder zelfs maar naar haar te kijken.

Dit is liefde, dacht Frances. Als hij haar aanraakte, stroomde ze ermee vol, en als hij wegliep bleef er van haar niet meer over dan een leeg omhulsel waar de wind dwars doorheen blies.

18

EEN KLEINE, PROPERE KAMER. HET HUIS STOND OP EEN heuvel en bood uitzicht op een stoffige, door witte huisjes met rieten daken omzoomde straat, die helemaal tot aan de haven liep. Het was bloedheet. Het schuifraam stond open en een briesje uit zee bracht de geur van vis en geroosterde koffiebonen met zich mee. De zon was uit het zicht verdwenen, maar spuwde oranje vlammen de lucht in en de zee had in de avondschemering een dieppaarse kleur. De hele dag had Frances naar de straat zitten kijken. Ze was alleen naar beneden gegaan om te lunchen. Als ze haar ogen sloot, deinde de kamer op en neer en was het net alsof ze zich nog op het schip bevond.

Toen ze drie dagen geleden waren ontscheept, bleek Kaapstad te gonzen van het nieuws over de nieuwe pokkenepidemie die een maand daarvoor in de stad was uitgebroken. Nadat ze de douane waren gepasseerd, waren de meisjes naar een hospitaaltent gebracht, om ingeënt te worden tegen de ziekte. De verpleegsters hadden gezegd dat het de ergste epidemie was sinds jaren.

Ze hadden hun eerste avond aan wal gezamenlijk doorgebracht in het pension en de volgende ochtend afscheid van elkaar genomen. Anne was naar het ziekenhuis van Kaapstad gegaan en Mariella was met George Fairley naar Stellenbosch vertrokken, waar hun huwelijk zou worden voltrokken. Frances had gelogen door te zeggen dat Edwin haar zou komen halen. Nu, drie dagen later, had ze nog steeds niets van William gehoord.

Een pikzwarte dwerg zat op een platte steen die als een bruggetje over een sloot was gelegd die langs de straat liep. Hij zat daar de hele dag al en was bezig een stuk hout te bewerken. Ze had het gevoel dat ze allebei ergens op wachtten. Af en toe kwam er een bloemenventer langs met grote manden vol felgekleurde bloemen. Toen het donker werd, startten kikkers hun schorre concert en vulde de lucht zich met het gezoem van insecten.

Er werd geklopt. Een dienstmeisje, een kleurlinge die naar kokos rook, kwam binnen met het avondeten. Ze zag er eerder oosters dan Afrikaans uit met haar amandelvormige ogen en haar geoliede zwarte haar dat zo strak was opgebonden dat het haar ogen nog verder tot spleetjes leek te trekken. De glanzende knot werd op zijn plaats gehouden met een goudkleurige haarpin.

Ze wist al wat Frances haar zou vragen.

'Geen brieven, mevrouw,' zei ze toen ze het dienblad neerzette. Frances was niet in staat haar teleurstelling te verbergen. 'Weet je het zeker?' vroeg ze.

Het dienstmeisje knikte en deed het raam dicht. Frances sprong overeind. 'Laat het raam open.' De kleine kamer gaf haar een opgesloten gevoel en het vooruitzicht op een vierde eenzame nacht was niet te verdragen. Het dienstmeisje schudde echter haar hoofd. 'Dan eten de muggen u op,' zei ze. Ze deed de gordijnen ook nog dicht en sloot daarmee de wereld buiten. Ze dekte de tafel, stak de lamp aan en vertrok.

Er lag een brief op het bureau. Ze had hem overhandigd gekregen toen ze in het pension was aangekomen, maar toen ze de envelop had opengescheurd, bleek hij alleen maar van Edwin te zijn.

Ik heb de praktijk in Kimberley moeten opgeven. Ik hoop dat je niet al te teleurgesteld bent. Ik heb een goede positie gevonden in Rietfontein, een boerenbedrijf een paar kilometer bij de stad vandaan. Ik leg het wel uit als je er bent, maar kan je helaas niet komen afhalen. Je kunt het beste de trein nemen, en dan de diligence naar Jacobsdal, vanwaar je met paard en wagen naar de boerderij kunt komen.

Hij had de brief ondertekend met *Je toegewijde toekomstige echtgenoot.* Frances voelde haar hart samenknijpen van angst. Zou ze uiteindelijk toch met hem moeten trouwen?

Ze ging op de rand van het bed zitten en keek naar haar eigen brief, die op de schoorsteenmantel lag. Hij was geadresseerd aan Edwin. Hoe zelfverzekerd was ze geweest toen ze hem had geschreven, luttele uren nadat ze in Kaapstad was aangekomen. De stijl was zakelijk. *Tussen ons is geen sprake van liefde,* had ze geschreven. Geïrriteerd schudde ze echter elke gedachte aan Edwin, hoe hij de brief zou lezen, hoe zijn kille, grijze ogen haar zogenaamde luchtige oprechtheid zouden ontleden, van zich af. En hij zou gelijk hebben. Ze voelde zich schuldig, al lag een deel van de schuld bij hem. Zijn liefde was hebzuchtig en egoïstisch. Hij wilde via een huwelijk met haar alleen maar zijn ambities bevredigen.

De envelop lag op de schoorsteenmantel als een aantijging en in het flauwe lamplicht kreeg ze het onaangename gevoel dat Edwin ernaast tegen de muur geleund stond te lezen wat ze had geschreven, en dat hij met een meewarige blik naar haar keek. *Frances, wat een rommeltje heb je van je leven gemaakt.* Ze pakte een glas van de tafel bij het bed en gooide het met een gefrustreerde kreet tegen de schoorsteenmantel. Het raakte de schoorsteen en spatte uiteen in een regen van scherven. Door de klap schrok ze op uit haar apathie. Ze stond met licht trillende benen op en begon zich te kleden om uit te gaan. Ze moest William spreken. Ze kon niet langer wachten. Het geld was op. Toen ze haar handschoenen aantrok en voor de spiegel haar hoed opzette, voelde ze zich iets beter. Praktische zaken waren niet Williams sterkste punt. Hij had er waarschijnlijk helemaal niet bij stilgestaan hoe het was om in een pension van een liefdadigheidsorganisatie te moeten wachten tot hij zou schrijven. En het kwam waarschijnlijk helemaal niet in zijn hoofd op dat ze twijfels over hem had. Als ze hem eventjes kon spreken, zou hij haar geruststellen, net zoals de vorige keer. Ze herinnerde zich hoe benauwd ze zich had gevoeld en hoe hij had gelachen om haar bezorgdheid.

Ze keek zichzelf aan in de spiegel en merkte dat ze best kon lachen als ze haar best deed. Alles zou in orde komen.

Ze nam aan dat William bij zijn neef logeerde en het was niet moeilijk om te weten te komen waar Joseph Baier woonde. Hij was per slot van rekening een van de machtigste mannen van Zuid-Afrika. Het huurrijtuig reed door de stoffige, stille, met bomen omzoomde straten en stopte voor een groot huis van drie verdiepingen, dat eruitzag alsof het was gekopieerd van een Hollands schilderij. Het had een spitse gevel en een hoge trap voor de ingang met aan weerskanten trapleuningen die eindigden in een krul. Ze kon zien dat alle kamers verlicht waren, omdat het licht door de kieren in de luiken naar buiten ontsnapte, en ze hoorde de vrolijke klanken van een blaasorkest. Voor de gesloten voordeur stond een oosterse man in livrei op wacht.

Nu Frances er was, verloor ze haar zelfvertrouwen. Kon ze echt zomaar naar binnen gaan? Ze verzocht de koetsier een stukje door te rijden en stapte honderd meter verderop uit. Aan weerskanten van de straat waren tuinen aangelegd en de lucht was gevuld met het geluid van krekels. Frances liep terug naar het huis. Ze passeerde een omgevallen boom, die op de grond lag met zijn wortels ontbloot als gedroogde tentakels, wit glanzend in het donker. Een eindje verderop was de haag die de grens van Baiers terrein markeerde.

Haar rok bleef ergens aan hangen. Ze keek om en slaakte een geschrokken kreet. Iemand hield de zoom van haar rok vast, een kleine, dikke negerin met een wilde, kroezende haardos, gekleed in kleurige vodden. Ze had een lelijk, gerimpeld, zwart gezicht dat helemaal opgezwollen was. De vrouw graaide naar haar, stak haar hoofd naar voren en liet haar ogen in de kassen rollen tot alleen het wit zichtbaar was. Frances rukte haar rok los. De vrouw slaakte een gil die overging in een kakelende lach. Frances probeerde bij haar vandaan te komen, maar de vrouw kwam met zwaaiende armen achter haar aan. Haar voddige kleren waaierden in de warme avondlucht uit als de geschroeide vleugels van een nachtvlinder.

Ze waren nu dicht bij het huis. Frances ging snel in de schaduw van een rij bomen staan toen ze een koets zag voorrijden.

'Ga weg!' siste ze naar de vrouw, die rook naar zweet en vuil en die aan haar rokken bleef trekken. 'Laat me met rust!' Ze moest zien dat ze zich van haar ontdeed nu ze binnen gehoorsafstand van het huis was.

Plotseling ging de voordeur open en kwam een man naar buiten. Ze herkende zijn brede schouders, donkere haar, zorgeloze houding en nonchalante manier van kleden onmiddellijk. William stapte uit de lichtcirkel alsof hij uit vuur stapte. Hij liep haastig de trap af. Heel even dacht Frances dat hij op háár af snelde en riep ze bijna zijn naam. Maar toen ging het portier van de koets open en stapte een vrouw uit. Haar gezicht werd gedeeltelijk verlicht door de lamp van de koets. Ze was lang en breed gebouwd. Frances zag meteen dat ze niet mooi was – haar lichaam leek wat zwaar en ze had een grote neus en forse handen – maar ze had een sierlijke, zelfverzekerde houding die Frances aan Lucille deed denken. William liep naar de koets, nam haar handen in de zijne en kuste ze teder. Frances had moeite adem te halen. Het was alsof er een strakke band rond haar borst werd gewikkeld. De vrouw fluisterde iets in zijn oor en ze hoorde hem lachen. Een zachte, innige, vergenoegde lach.

De kleine negerin begon als een duivelin te krijsen toen ze zag dat Frances' aandacht geheel in beslag werd genomen door de mensen bij het rijtuig. Frances trok zich geschrokken nog verder terug in de schaduw, maar William had zich al naar hen omgedraaid en tuurde in de duisternis. Hij zou het wit van haar japon kunnen zien, maar niet haar gezicht. De negerin zag hem kijken en begon in de rondte te dansen en in haar handen te klappen. William stak zijn hand in zijn zak en gooide haar een handvol munten toe. Ze vielen geluidloos in het zand. De vrouw liet zich op haar knieën vallen om ze op te rapen.

Toen stapte Eloise – het moest Eloise zijn – weer in de koets. William hees zich er soepel in, trok het portier dicht en klopte op het dak. De koetsier liet zijn zweep boven de paarden knallen en het rijtuig reed weg.

Frances bleef doodstil staan en probeerde haar emoties te beheersen voordat de waarheid als gif in haar hart zou sijpelen. Haar lichaam was zich bewust van het sjirp sjirp sjirp van de krekels in de bosjes naast de weg, en van de bedelaarsvrouw die door de straat danste, blij met het handjevol munten. Als ze heel stil bleef staan, zou ze misschien de pijn niet voelen. Maar toen het orkest een nieuw nummer inzette, scheurde een kreet zich los uit een rauwe plek ergens diep in haar lichaam. Ze liep terug naar het huurrijtuig. Haar mond was zout van tranen. Eén gedachte bleef door haar hoofd malen en ze testte hem keer op keer om te zien of het waar was. Ze had William nooit horen lachen op de manier zoals hij zojuist naar Eloise had gelachen; onbezorgd, spontaan, een lach die getuigde van genegenheid, en het was die lach die haar met de neus op de feiten drukte. Opeens was haar duidelijk, alsof ze uit een droom was ontwaakt, dat ze William helemaal niet kende. De tederheid waarmee hij de handen van de vrouw had vastgehouden, de eerlijke vriendschap die ze had gezien toen hij zich naar haar toe had gebogen om haar zachte woorden te kunnen verstaan. Frances had in één oogopslag gezien dat er tussen hen een verstandhouding bestond die zij en William nooit hadden gehad. Het zou makkelijker zijn geweest als hij zich door uiterlijk schoon tot Eloise voelde aangetrokken, maar dit was iets heel anders. Ze wist niets over Williams leven. Hoe had ze kunnen geloven dat hij ervoor zou kiezen het met haar te delen? Ze beeldde zich in, met een steek van pijn, waar ze in die koets naartoe gingen. Naar net zo'n voornaam huis, naar een feestje misschien, waar William over de hoofden van de andere gasten heen Eloise's blik zou opvangen.

Ze stapte in het rijtuig. De koetsier zette met een kort bevel de paarden aan en toen reden ze weer door de stille straten. Ze hoorde het ritmische geluid van de hoeven op de droge grond. De waarheid was dat William haar muntjes had toegeworpen alsof ze een bedelaarster was, en zijn afwijzing, nee, erger nog, het feit dat hij haar gestalte niet had herkend, terwijl zij onmiddellijk had gezien dat hij het was, vervulde haar met een onpeilbaar leed. Al het verdriet waar ze bij haar vertrek uit Engeland mee had geworsteld, om de dood van haar vader, om de afwijzende houding van haar oom, om het feit dat ze bij niemand hoorde, was op het schip door William gesust. Nu voelde ze de angst opnieuw de kop opsteken. Misschien had haar oom gelijk gehad toen hij had geweigerd haar in huis te nemen. De manier waarop ze zich op het schip had gedragen, bewees dat ze geen enkel respect verdiende. Ze walgde van zichzelf. Zelfs William had haar gewaarschuwd voor verleiders, maar ze had de waarschuwingen genegeerd.

Ze zat in het rijtuig, met haar handen ineengeslagen op haar schoot, moeizaam de droefenis wegslikkend die uit een donkere plek diep in haar lichaam opwelde.

19

DE KAROO. TWEEHONDERDVEERTIGDUIZEND VIERKANTE KIlometer aan dor en droog terrein. Ze deden er in de ossenwagen vier dagen over om het te doorkruisen. Ze hadden een harde wind in de rug, walmend als een hete oven. De huid van Frances' gezicht voelde aan als zacht leer. Ze stikte in het stof en klemde verbeten haar kaken op elkaar, maar aan het einde van de eerste dag in de hobbelende wagen was haar weerstand volledig gebroken. Wezenloos staarde ze door de smalle opening in het tentdoek naar de eindeloze weg die haar bij Kaapstad vandaan voerde. Haar enige troost was dat Edwin niet meer in Kimberley woonde. Ze zou William nooit meer hoeven zien.

De wagen was afgeladen. Aan de bovenstang van de huif hingen spaden, metalen zeven en trossen touw, het tentdoek had aan de binnenkant vakken die gevuld waren met ingeblikte sardines, flessen met water, gekookte hammen en flacons whisky, en onder de banken was gereedschap weggestouwd. Op de vloer stonden een kist met houten schroeven en twee olievaten die waren samengebonden met leren riemen die tegen haar kuiten schuurden. Af en toe botste de wagen tegen een rotsblok of een boomstronk en dan schoven er blikken met krenten of een pot gember tussen de banken vandaan.

Op de tweede ochtend stopten ze om een getaande Hollander te laten instappen. Hij droeg een flaphoed en had een vierkante zwarte baard en vouwde zich met zijn lange armen en benen dubbel op de bank tegenover haar. Hij had een kooi met een haan bij zich, die hij onder de bank schoof. De haan zat in zijn veren te pikken en kraaide af en toe chagrijnig. De wagen hobbelde weer verder over de ruwe weg en Frances keek naar de knieën van de man die in de buurt van zijn oren heen en weer schudden. Toen hij haar toelachte met een mond vol scheve tanden, glimlachte ze terug.

Het vruchtbare land rond Kaapstad was overgegaan in een woestijn. De Hollander, die misschien aanvoelde dat ze ongelukkig was, wees steeds met weidse gebaren naar het zinderende landschap. 'Zebra,' zei hij dan geestdriftig, aan zijn baard trekkend. 'Wildebeest, impala, koedoe.' Ze nam aan dat hij het over vroeger had, want tijdens alle kilometers die ze al hadden afgelegd, had ze geen enkel wild dier gezien, alleen verbleekte botten van vee langs de kant van de weg.

Er waren geen hagen, hekken of muren ter verdeling van het land, geen bewijzen van beschaving die grenzen aangaven, niets dan paralelle, zanderige beddingen van opgedroogde rivieren. De uitgestrektheid van het landschap maakte haar nerveus. Hoe kon je hier weten waar de bewoonde wereld begon en eindigde? Ze passeerden veekralen, struisvogelkampen en een enkele boerderij. Inheemse hutten die eruitzagen als grote bijenkorven stonden her en der verspreid op de vlakte. Soms holde er opeens een groep kinderen achter de wagen aan. Ze waren zo vuil dat je niet kon zien tot welk ras ze behoorden en ze hielden hun armen gestrekt, bedelend om een stuk brood of wat munten. Boeren hadden hier en daar waterreservoirs gegraven, die door de hitte waren geslonken tot troebele, modderige poelen, waarlangs felgroene mimosa groeide.

Je kon nergens ontkomen aan het stof. Het rees in grote, geelbruine wolken op achter de wagen en vormde een waas voor de zon. Het kroop in alle hoeken en gaten van de huifkar, zat onder haar nagels en knarste tussen haar tanden. Haar lippen kregen kloofjes vanwege de droge hitte. Ze leken heel strak te staan en het prikte als ze eraan likte.

Een keer hoorde ze het snelle, denderende geroffel van hoefslagen en opgewonden kreten van hun voerman. 'Hallo! Goede reis!' werd er in het Nederlands geroepen.

Het was een buggy uit Kimberley die tweemaal zo snel reed als zij. De paarden waren bezweet en gespierd. Twee jongemannen, blanken, zwaaiden lachend toen ze hen passeerden. Frances verborg haar gezicht achter haar sjaal. Ze wilde niet gezien worden. Ze had al haar geld uitgegeven aan het pension in Kaapstad en de ossenwagen was het enige middel van vervoer dat ze zich kon veroorloven zonder Edwin te hoeven schrijven dat hij geld moest sturen.

Ze had een brief van William in haar zak en zijn woorden maalden door haar hoofd als de tredmolen van de Breakwater Prison. De brief was bezorgd op de ochtend nadat ze hem met Eloise had gezien. Hij had haar geschreven:

Frances, ik kan mezelf er bijna niet toe brengen dit te schrijven, na alles wat er tussen ons is voorgevallen, maar – liefste – het is niet anders. Wij kunnen helaas geen paar worden. Baier wil niets horen over een huwelijk tussen ons. Hij heeft ongelijk. Volkomen ongelijk. Maar ik heb hem nodig, Frances, wellicht meer dan ik dacht. Ik weet dat je er begrip voor zult hebben als ik zeg dat ik in Afrika bepaalde dingen wil doen – belangrijke dingen – en om daarmee een begin te kunnen maken, heb ik zijn hulp nodig. Als ik voor de Kaapkolonie iets wil betekenen – en ik meen dat ik dat kan – moet ik eerst persoonlijke successen boeken in de zakenwereld en daarvoor is zijn steun onontbeerlijk.
Je hebt geen idee hoeveel deze beslissing van me heeft gevergd. Ik moet meedogenloos zijn tegenover mijzelf en tegenover jou, mijn liefste, en ik hoop van ganser harte dat je me kunt vergeven, want ik zou de gedachte niet kunnen verdragen dat je ooit andere gevoelens dan genegenheid voor mij zou koesteren.

Het was de brief die ze had gevreesd, maar nu hield ze zo mogelijk nog meer van hem dan voorheen. Dat hij haar dermate respecteerde dat hij haar dit eerlijk had geschreven, maakte het nog moeilijker te moeten accepteren dat dit voor hen echt het einde was. Hij ging trouwen met een ander en ze zou nooit meer iets van hem horen. Maar hoe onverdraaglijk het vooruitzicht op een leven zonder hem ook was, de brief nam een deel van haar angsten weg. Wat hij had geschreven, was het bewijs dat er tussen hen echt iets was geweest en ze gebruikte dat om de herinnering aan de innige manier waarop William naar Eloise had gelachen uit haar gedachten te verdrijven. William had zijn best voor haar gedaan bij zijn neef en ze had er begrip voor dat hij haar uiteindelijk toch had moeten opgeven. Hij was ambitieus. Dat had ze geweten en zij wilde niet degene zijn die zijn ambities in de weg zou staan. Aan de andere kant gaf ze, door zichzelf aan Williams kant te scharen, in feite toe dat ze zelf weinig waard was en dat ervoer ze als een subtiele schaamte die haar van al haar geestkracht beroofde. Bij de brief was een dun, gouden kettinkje gevoegd dat ze nu om haar hals droeg, al herinnerde het koele metaal op haar huid haar voortdurend aan wat ze had verloren.

Op de derde dag stuitten ze tegen zonsopgang op een kudde van zeker vijfhonderd koeien. De herders floten en schreeuwden en lieten hun zweep boven de dieren knallen om ze in beweging te houden, maar de koeien waren wandelende skeletten die hun kop lieten hangen en aan de zijkant van de ossenwagen likten in de hoop wat vocht aan het hout te onttrekken. Een jong kalf, botten die een tent van huid ophielden, liep wankelend mee aan de rand van de kudde. Toen het dier uitgeput neerviel, tilde een herder hem op aan zijn staart tot hij weer op zijn poten kon staan en doorliep. De ossenwagen deed er een vol uur over om door de kudde heen te komen. De koeien drongen tegen de ossen aan en boven de kudde hing een wervelende wolk zwarte vliegen die de lichaamswarmte van de mensen in de huifkar aanvoelden en als reusachtige luizen over het tentdoek kropen.

De oude man tegenover haar sloeg er eentje dood met de palm van zijn hand en liet het resultaat aan Frances zien. Ze voelde een stekende pijn in haar kuit en moest met haar rokken wapperen om de vliegen van haar benen af te houden. Algauw begon ze zelf ook vliegen dood te slaan en werden haar handpalmen rood van het bloed.

Tegen het middaguur arriveerden ze in Jacobsdal, een gehucht op de oever van een rivier met verspreid staande huisjes en een kerk waar men alle luiken had gesloten vanwege de gierende wind. Het was een naargeestige plek, niet eens een dorp, alleen maar een straat die zich door het stoffige landschap uitstrekte alsof een vermoeide, oude kolonist met een liniaal een streep op de kaart had getrokken. Langs de weg stonden hier en daar verroeste schuurtjes van golfplaat. Het dorp was uitgestorven. Frances nam aan dat iedereen naar de diamantvelden was vertrokken.

Ze vond een man met een paard en wagen die bereid was haar naar Rietfontein te brengen. Het was een open kar en zelfs met haar omslagdoek rond haar hoofd gewikkeld had ze weinig bescherming tegen het striemende zand. Na een paar kilometer stopte de man om de weg te vragen aan een negerjongen die een grote kudde schapen hoedde. De vachten van de schapen waren stinkend smerig en de dieren hielden stoïcijns hun ogen dicht tegen het stof. Uiteindelijk zette de man haar af bij een klein huisje met een half verzakt rieten dak en wit geschilderde muren waar de verf van afbladderde. Het stond moederziel alleen in het ruige landschap, omgeven door een aantal slordige veekralen waarvan de uit verdroogde acaciastruiken bestaande begrenzingen half waren weggewaaid. De doornige struiken lagen verspreid over het kurkdroge terrein. Frances boog haar hoofd tegen de kracht van de wind en liep naar het trapje van de veranda.

Op haar kloppen kwam geen antwoord. Uiteindelijk deed ze de deur open en ging naar binnen. Ze kwam uit in een smalle gang. Binnen was het volkomen stil. Ze bleef een ogenblik staan, wreef in haar ogen en schudde stroompjes zand uit haar omslagdoek. Het huis zag er armoedig uit. Twee lange balken steunden het dak, op de houten vloer lagen geen vloerkleden en aan de ruw gepleisterde muren hing geen enkel schilderij. Bovendien was er een paar centimeter ruimte tussen de bovenrand van de muren en het schuine dak, waardoor elk geluid in het huis in alle kamers te horen moest zijn. Aan de linkerkant van de gang waren twee deuren. De eerste gaf toegang tot een kamer waar tot haar verbazing een koperen ledikant en een grote klerenkast van zwaar, donker hout stonden.

De kamer ernaast was een studeerkamer die rook naar alcohol en kamfer. Tegen de muren waren planken waarop allerlei potjes en flessen stonden. Ze waren voor het merendeel gevuld met een troebele vloeistof waarin insecten, kikkers en hagedissen dreven en zelfs een slang met een slap openhangende bek. De lichaampjes die tegen het glas gedrukt zaten, waren wit en bloedeloos. Frances zag ook struisvogeleieren, nog helemaal intact, en vlinders met verrassend mooie kleuren die op stukjes karton waren geprikt. Een griezelige spin met dikke poten waaraan slierten goudkleurig haar zaten, zag eruit alsof hij levend was opgeprikt. Er lagen stenen waarin de witte botjes van versteende diertjes zichtbaar waren. Op het bureau lagen tangen, scharen en een verzameling messen. Er stond ook een microscoop en tegen de wand leunden twee of drie vangnetten. Ze had niet geweten dat Edwin belangstelling had voor natuurlijke historie, maar ze wist dan ook heel weinig over hem.

Boven het bureau waren een paar krantenknipsels aan de wand geprikt. Frances bekeek ze. Het waren politieke spotprenten. Edwin was zo'n eenzelvig type, ze had niet gedacht dat hij zich bezighield met politiek. Britse soldaten en diplomaten waren afgebeeld met een opgeblazen gezicht en een dikke buik. Op een van de spotprenten stond een vadsige, zelfvoldane politieagent een sigaar te roken met in zijn hand een knuppel die gemaakt was van een opgerolde krant. Met die knuppel sloeg hij een Boer met een ruige baard en ongekamd haar wiens broek rond zijn enkels hing. Op een andere prent werd een neger met wijd opengesperde ogen afgeranseld door een Engelsman die in zijn ene hand een zweep had en in zijn andere hand de Engelse vlag: *Het geselen van nikkers, beste jongen, is de moeilijke maar noodzakelijke taak van het Empire.* De gezichten grijnslachten naar haar en de openheid van de prenten trof haar.

Tegenover de studeerkamer was een huiskamer met een brede schoorsteen, een nogal primitieve schoorsteenmantel en een kleine eetkamertafel met vier stoelen. Toen ze via de achterdeur naar buiten ging, zag Frances een lemen hut die de keuken bleek te zijn. In een hoek lag een stapel sinaasappels, aan het plafond hingen twee hammen en op de vloer lag een dienstmeisje te slapen. Ze sprong overeind toen Frances binnenkwam en maakte daarmee een klein, wezelachtig diertje aan het schrikken dat onder de gootsteen vandaan kwam en op zijn achterpootjes ging staan. Het keek met zijn kraaloogjes naar Frances en trippelde toen op haar af. Frances gilde, bang dat het beest in haar rokken zou klimmen en haar bijten. Het diertje spurtte de keuken uit, rende door de gang van het huis en verdween in de studeerkamer. Frances ging erachteraan en gooide de deur dicht zodat het beest in de kamer opgesloten zat. Een waterval van Nederlandse woorden stroomde uit de mond van het dienstmeisje. Frances schudde haar hoofd om duidelijk te maken dat ze haar niet verstond. Ze keken elkaar onthutst aan. De huid van het dienstmeisje was blauwzwart, de kleur van houtskool, en aan weerskanten van haar mond zaten diepe groeven. Ze droeg een eenvoudige zwarte jurk en had een rafelige groene sjaal als een tulband om haar hoofd gewonden. Ze liep op blote voeten. Opeens lachte ze naar Frances, waarbij ze een rij gele tanden liet zien. Het was zo'n goedmoedige glimlach dat Frances onwillekeurig teruglachte.

'Dokter Matthews?' vroeg Frances.

Het dienstmeisje wees naar de voordeur, waaruit Frances begreep dat Edwin er niet was. Wat een opluchting. Ze was doodmoe. Ze liet haar koffer in de gang staan en liep naar de huiskamer om een paar minuutjes uit te rusten. Stof wolkte op van de stoel toen ze ging zitten. Vliegen kropen over de muren. Het dienstmeisje kwam binnen met een glas water en een bordje met twee biscuitjes. Ze was zwaargebouwd en niet jong meer en liep traag de kamer door. Frances dronk het water maar liet de koekjes liggen. Haar mond was droog en hoofdpijn zat achter haar ogen als een spiraal die langzaam werd gerekt. Ze zakte wat onderuit en vroeg zich af wanneer Edwin zou komen en wat ze dan tegen elkaar moesten zeggen. Ze had geen ervaring met verloofd zijn.

Wat zeiden twee mensen tegen elkaar op de vooravond van hun huwelijk?

Er was maar één slaapkamer. In haar onschuld had ze gedacht dat ze een eigen kamer zou krijgen waar ze zich elke avond kon terugtrekken, en ze had moeite zich aan deze situatie aan te passen. Ze zou hier geen enkele privacy hebben. Ze zou naast hem moeten slapen, zich moeten aan- en uitkleden waar hij bij was, 's nachts gebruikmaken van de po. En waar moest ze vanavond slapen? Ze waren nog niet getrouwd. Ze staarde naar een colonne mieren die over de vloer marcheerde, tegen een van de tafelpoten opklom en op het bordje met de koekjes afstevende. Ze inspecteerden de koekjes alvorens erover uit te zwermen. Als je dit huis voor lange tijd verliet, zou het door de mieren, het zand en de magere koeien waarschijnlijk volkomen vernietigd worden.

Ze was op van vermoeidheid. Haar schouders deden pijn en haar knieën waren stijf. Ze legde haar hoofd tegen de rugleuning van de stoel. Toen ze haar ogen sloot, was het net alsof ze weer in de ossenwagen zat te schudden. Ze had niet verwacht dat Edwin een succesvolle arts zou worden. Daarvoor was hij een te gereserveerd type. Maar hij moest het in Kimberley bijzonder slecht gedaan hebben als hij hier terecht was gekomen. Het was allemaal nog veel erger dan ze had gevreesd. Een huis als dit zou in Kimberley tenminste nog de charme en romantiek van het pioniersleven hebben gehad, maar hier zaten ze midden op een kale vlakte waar ze als beesten moesten rondkomen van wat het land opbracht. Er was niet eens een badkamer. Waar moest ze zich wassen? Haar lichaam hunkerde naar de luxe van warm water. Zou ze zich ooit schoon kunnen voelen in dit huis? Haar badkamer in Londen, met de vergulde kranen en harde waterstralen, leek een onvoorstelbare luxe. Het was een passende straf, dacht ze ironisch, voor een vrouw die te hoog had willen grijpen. De enige troost was dat haar oom en nichtjes in elk geval nooit te zien zouden krijgen wat voor soort leven ze hier had gekregen.

Ze schrok wakker. Het was schemerdonker in de kamer. Ze staarde versuft naar de tafel, de versleten bekleding op de armleuning van de stoel en de half verdwenen koekjes op het bordje. Haar hoofdpijn was verdwenen, maar het duurde even voordat ze helder kon denken en weer wist waar ze was. De zon had hoog aan de hemel gestaan toen ze was aangekomen, maar was nu bijna onder. Vrij snel, zoals dat in Zuid-Afrika ging, werd de kamer in duisternis gehuld. De hitte waaraan overdag niet te ontsnappen viel, was verdwenen, en Frances voelde de vochtigheid van de nacht neerdalen op het land en op haar huid. Stemmen bereikten haar vanuit de keuken. Ze ging rechtop zitten en luisterde. Nu klonken er voetstappen in de gang en ging de deur piepend open.

Edwin kwam binnen met een lamp. 'Ik heb je maar even laten slapen.'

'Dank je.' Frances stond snel op, vormelijk, zich er scherp van bewust dat ze niet eens het stof van haar handen en gezicht had gewassen.

Hij zette de lamp op de tafel. 'Wat een weer. Je hebt hier zo nu en dan van die stofstormen.' Er viel een ongemakkelijke stilte terwijl hij naar haar bleef kijken. Hij droeg een katoenen broek en een wijd overhemd. Zijn gezicht was vochtig en er hingen waterdruppels aan zijn haar. Hij had zich blijkbaar net gewassen. Het viel haar nu pas op dat hij niet erg lang was, niet veel langer dan zij, en dat hij er pezig uitzag. Dit was zijn huis, niet het huis van haar vader, en ze voelde zich een beetje als een pakketje goederen dat hem vanuit Engeland was toegestuurd en dat hij zich probeerde te herinneren wat hij allemaal had besteld. 'Ze duren nooit lang. Het landschap is juist schitterend, dat zul je morgen wel zien.' Hij hurkte voor de haard en legde aanmaakhoutjes op de houtblokken. 'We hadden je eerder verwacht. Je schip is vorige week aangekomen.'

'Er was een meisje in Kaapstad dat zich niet goed voelde. Ik heb haar een paar dagen verzorgd.' De leugen kwam hakkelend over haar lippen.

'Iedereen kent iedereen in dit land,' zei Edwin, terwijl hij een lucifer afstreek en die bij de houtjes hield. De opmerking klonk als een waarschuwing. Ze vroeg zich af wat hij ermee bedoelde.

Vlammetjes schoten op, het hout knetterde, en Edwin blies erop tot er rook opsteeg in de schoorsteen. 'Er is hier niet veel hout. We moeten het van elders aanvoeren.' Hij kwam overeind en liep naar haar toe. Er zat een zwarte veeg op zijn wang. De stilte in de kamer was verstikkend; ze voelde de druk van de nacht toenemen, de spanning van de naderende intimiteit die hen wachtte. Hij pakte haar hand. Zijn handpalmen waren droog en zijn lange, magere vingers sloten zich om de hare. Bijna eerbiedig drukte hij een kus op de rug van haar hand. Ze rilde.

'Frances,' zei hij, haar recht in de ogen kijkend, 'ik ben blij dat je hier bent.'

Ze glimlachte, trok haar hand terug en meed zijn blik. 'Kan ik me ergens wassen? Ik vrees dat het dienstmeisje en ik elkaar niet konden verstaan.'

'Natuurlijk,' zei hij. Hij wendde zich van haar af en riep in het Nederlands naar het dienstmeisje.

Het dienstmeisje ging Frances voor naar de slaapkamer en vulde de waskom. Toen ze weg was, bleef Frances een paar ogenblikken met haar rug tegen de deur staan, haar handen plat tegen het hout, blij dat ze eventjes alleen was. Ze vocht tegen haar tranen, rechtte toen vastberaden haar schouders en begon de haarspelden uit haar haar te verwijderen. Ze wilde tijd winnen. De waskom was eenvoudig maar schoon. Er stond een kan water naast en er lag een washandje.

Pas toen ze met stijve bewegingen op het vierkante krukje voor de kaptafel was gaan zitten, besefte ze dat de spiegel in de lijst ontbrak. Ze staarde naar een kaal stuk jute en hout. Het was vreemd om niet de bekende trekken van haar gezicht te zien. Ze had geen andere spiegel bij zich, dus tastte ze in de toenemende schemering naar de vertrouwde vormen van huid en botten; haar hoge voorhoofd met daaronder de diepe kassen van haar ogen, nu gevoelig van het zanderige stof. Ze liet haar vingers rond de oogkassen dwalen en afzakken langs haar rechte neus en droge, gezwollen lippen.

Toen maakte ze haar vlecht los en begon het haar met haar vingers te kammen om de klitten eruit te krijgen. Het voelde vies en vettig aan, als schapenwol, vanwege het stof en haar zweet. Nadat ze zich had gewassen en er min of meer van op aan kon dat ze iets schoner was dan voorheen, raapte ze al haar moed bijeen om terug te keren naar Edwin.

Was het William maar die in de huiskamer op haar wachtte! Ze legde haar hand tegen de witte muur. Die voelde koud en een beetje vochtig aan, en de kalk liet een wit laagje achter op haar handpalm.

Aan tafel gedroeg Edwin zich attent. Het dienstmeisje diende schalen met koude maïs en plakjes hardgekookt ei op aan de kleine tafel in de woonkamer. Frances, die geen warme maaltijd meer had gehad sinds ze uit Kaapstad was vertrokken, had moeite haar teleurstelling te verbergen.

'Albert Reitz heeft me kamers in een van de hoofdgebouwen van de boerderij aangeboden, maar ik dacht dat je liever een eigen huis zou willen. Je kunt een tuin aanleggen als je dat leuk vindt.'

'Een tuin?' vroeg ze ongelovig. 'Kan hier dan wel iets groeien?'

'Er is een vijver achter het huis. De grond kan makkelijk geïrrigeerd worden. De Karoo is niet zo van leven verstoken als je op het eerste gezicht zou zeggen. De natuur heeft zich verbazingwekkend goed aangepast aan de omstandigheden. De hagedissen hebben een schermpje voor hun ogen, als een raam, zodat ze tijdens een stofstorm toch kunnen zien.'

Omdat ze niet wist hoe ze op die informatie moest reageren, at ze maar gewoon door. Na een paar minuten vroeg ze: 'Is dat wat je hiernaast doet? Hagedissen ontleden?'

'In mijn studeerkamer? Ja. Ik ben bezig monsters te verzamelen. Hoofdzakelijk insecten.'

'Waarvoor?'

'Waarvoor? Dat weet ik niet. Omdat ik erin geïnteresseerd ben.'

Dat vond ze een erg saai en onbevredigend antwoord, en ze zwegen weer. Hij schonk nog wat water in haar glas. 'Er moet natuurlijk nog veel gedaan worden. De buitenmuren zijn gestopt en geschilderd en we hebben delen van het dak opnieuw bekleed, maar het is nog een beetje sjofel. Ik neem aan dat je gordijnen wilt maken. Ik heb in Port Elizabeth catalogi besteld die je kunt bekijken. Niet dat we daaruit iets kunnen bestellen, maar je kunt er in elk geval ideeën uit opdoen.' Hij probeerde haar op haar gemak te stellen door te praten over dingen waarvan hij veronderstelde dat zij ze belangrijk vond, maar hij ging te snel. Ze zag er al zo tegenop om de nacht in dit huis door te brengen, laat staan hier lang genoeg te blijven om gordijnen te maken. Toen hij vroeg wat voor stof ze had meegebracht, zag ze zich gedwongen haar hoofd te schudden. 'Het leek onzinnig om meters stof mee te slepen. Kunnen we niet iets bestellen?'

'Dat kan op zich wel.' Een wat geladen stilte. 'Het is alleen zo dat op alle ingevoerde goederen een toeslag wordt geheven.' Hij keek haar aan. 'Heb je een naaimachine meegebracht?'

'Daarvoor was geen ruimte in mijn koffer. Ik dacht dat we in Kimberley wel een naaister konden zoeken.'

Ze kreeg medelijden met hem. Hij wilde aardig zijn, maar het was duidelijk dat hij teleurgesteld was in haar. Toch was dat niet haar schuld. Hoe had hij verwacht dat ze zou reageren, hier in de wildernis?

Uiteindelijk, toen hij niets meer zei en het zachte sissen van de kaars en het tikken van hun bestek op de borden de enige geluiden in de kamer waren, vroeg ze: 'Dat Rietfontein.' Ze struikelde over de naam. 'Wat is dat voor iets?'

'Dat is een boerderij, maar ik werk drie kilometer ervandaan. Ik heb een quarantainekamp opgezet om te voorkomen dat de pokkenepidemie naar Kimberley overslaat. Heb je gehoord dat het in Kaapstad heerst?'

Ze knikte.

'Ben je ertegen ingeënt?'

'Dat waren we verplicht toen we aankwamen.'

'Heel goed. Er zijn al meer dan duizend mensen aan bezweken.'

'Waarom is Kimberley zo belangrijk?'

'Vanwege de diamanten. Zuid-Afrika is afhankelijk van de stabiliteit van die industrie en Joseph Baier wil niet hebben dat de ziekte een hinderpaal wordt voor zijn business.'

Frances verstijfde bij het horen van de naam. 'En heeft hij zo veel macht, die meneer Baier?'

Edwin lachte schamper. 'Er is in heel Zuid-Afrika niemand die meer invloed heeft dan hij.'

'Hoelang denkt hij ons in Jacobsdal te houden?' Er lag een onaangename ironie in het feit dat ze hier zaten omdat Williams neef dat wilde.

'Tot Kaapstad door de medische autoriteiten virusvrij is verklaard,' antwoordde hij, en even later vroeg hij: 'Ben je teleurgesteld, Frances?'

Ze zag hoeveel moeite het hem kostte zo'n directe vraag te stellen.

'Ik dacht dat je had gezegd dat je een kans op succes had in Kimberley.'

'Ja, maar Baier betaalt me om hier te blijven. Ik doe belangrijk werk.' Weer een stilte. 'En alles bij elkaar genomen is dit een opmerkelijke landstreek,' zei hij, haar in de ogen kijkend. 'Je moet er even aan wennen, maar hopelijk zul je ervan gaan houden.'

Vol ongeloof keek ze hem aan en lachte. 'Denk jij dat ik hiervan zal kunnen genieten?'

Hij staarde haar aan. Ze keek terug, maar sloeg na een ogenblik haar ogen neer, in verlegenheid gebracht door de openhartigheid in zijn blik. Ze dacht aan de lange dagen die zich voor haar uitstrekten zonder dat ze iets had waarmee ze die kon vullen. Het was geen moment in haar hoofd opgekomen dat hij van plan was hier voor onbeperkte tijd te blijven. Ze begon een beetje in paniek te raken. 'Denk je dat we in de nabije toekomst in betere omstandigheden kunnen leven?'

'Op den duur kunnen we vermoedelijk wel in Kaapstad gaan wonen en daar een praktijk beginnen. Met behulp van jouw connecties kunnen we –'

Ze viel hem in de rede. 'Aan mijn connecties, Edwin, zul je veel minder hebben dan je denkt.

Hij gaf daarop geen antwoord. Even later legde hij zijn mes en vork neer en zei: 'Wat de bruiloft betreft, moet je me vertellen wat je graag wilt. Er is een kleine Nederlandse gereformeerde kerk in Jacobsdal. Misschien heb je die gezien toen je door het dorp reed. We kunnen het huwelijk morgen laten voltrekken. Als jij je daarin kunt vinden.'

'Ja, dat vind ik best,' zei ze, gefrustreerd dat hij zo weinig over zichzelf losliet.

Sarah, het dienstmeisje, kwam binnen om de tafel af te ruimen en hij wachtte tot ze weg was voordat hij zei: 'Mevrouw Reitz heeft voor vanavond een kamer voor je gereedgemaakt in de boerderij, als je liever daar gaat slapen. Maar je kunt ook hier in de slaapkamer slapen, en ik in mijn studeerkamer. Je mag het zelf zeggen.'

'Ik slaap liever hier,' zei ze, in verlegenheid gebracht door de suggestie dat ze hem misschien niet zou kunnen vertrouwen.

Na het eten zei Edwin: 'Ik heb iets voor je gekocht. Het is een huwelijksgeschenk, maar ik kan het je net zo goed nu al laten zien.' Hij liep naar de muur achter de tafel. Daar stond een groot meubelstuk dat afgedekt was met een laken en toen hij dat wegtrok, bleek het een piano te zijn. Hij keek naar haar toen ze haar hand over het hout liet glijden. Het bevond zich – wonder boven wonder – in goede conditie. Ze drukte een toets in. De klank was mooi.

'Ik heb hem uit Port Elizabeth laten komen.'

Ze keek naar hem. Hij keek vergenoegd. Hij had plezier in het cadeau en opeens herinnerde ze zich dat hij vroeger altijd naar haar had zitten kijken wanneer ze speelde, en dat ze hem daar stilletjes om had gehaat. Ze kreeg het onaangename gevoel dat hij, door haar de piano te geven, een jeugdfantasie had waargemaakt – dat het zijn felbegeerde beeld van haar als zijn echtgenote vervolmaakte.

'Hij moet je heel wat gekost hebben.'

'Voor een huwelijksgeschenk mag dat toch wel?'

'Gezien de omstandigheden vind ik het nogal' – ze stokte, op zoek naar het juiste woord – 'buitensporig.'

'Ik wil je graag horen spelen,' zei hij met kalme aandrang. Ze trok het krukje naar achteren, ging zitten en begon een sonate van Chopin te spelen. Te laat herinnerde ze zich dat dit het stuk was dat ze voor William had gespeeld. Haar lichaam herinnerde zich hoe zijn vingers haar nek hadden gestreeld en ze stopte abrupt en sloeg haar handen voor haar gezicht.

'Ik weet dat het niet makkelijk voor je zal zijn, Frances,' zei hij. Aarzelend legde hij een hand op haar schouder. 'Dat verwacht ik ook niet.'

'Maak je geen zorgen,' zei ze. Ze stond op en had opeens medelijden met hem. Hij had zich de moeite getroost dit cadeau voor haar te kopen, maar de piano zag er triest uit in deze kale kamer. Alsof het instrument spotte met zijn ambities.

Later, toen hij haar welterusten wenste, schoot haar iets te binnen. 'Edwin? Ik ben vergeten je te vertellen dat er daarstraks een knaagdier in de keuken zat.'

Hij keek haar vragend aan.

'Het leek op een fret. Het zat er toen ik binnenkwam.'

Zijn mond vertrok tot een glimlach.

Ze zei: 'Ik heb hem in je studeerkamer opgesloten.'

'Ja, dat hoorde ik al van Sarah.' Hij had pretlichtjes in zijn ogen en ze besefte opeens dat ze hem nog nooit geamuseerd had meegemaakt. 'Het is niet zomaar een knaagdier,' zei hij. 'Het is een stokstaartje.'

'Een stokstaartje?'

'Ja. Wij noemen haar Nanny. Ze woont hier.'

'In het huis? Is dat niet onhygiënisch?'

'Ze eet insecten, wat erg nuttig is.'

Frances bukte zich om haar veters los te maken en zette haar schoenen netjes naast elkaar bij de deur. Ze haalde de blauwe zijden japon uit de koffer en schudde het stof eruit dat zich in de plooien had opgehoopt. Ze had hem hier niet nodig, hij zou alleen een herinnering zijn aan William, maar ze hing hem toch in de kast. Ze overwoog de rest van haar spullen uit te pakken, maar zag er bij nader inzien van af. Dat was te definitief. Ze was nog niet getrouwd. Ze hing wel de japon van witte mousseline op waarin ze morgen zou trouwen. Toen ze haar hand onder in de koffer stak, voelde ze de scherpe, houten hoeken van haar schildersezel. Haar tekenmap zat eraan vastgebonden. Ze haalde hem eruit en maakte hem open. Hij bevatte een half blok schetspapier, een half blok aquarelpapier en twee dozijn potloden: acht HH, twaalf H en vier HB. Ze liet haar vingers eroverheen gaan, genietend van de manier waarop ze in de doos om hun as rolden. Nu pakte ze haar verfdoos met de veertien nappen verf. Hun namen wekten nog steeds de romantische beelden op waar ze als kind zo verrukt van was geweest: Chinees wit, Indisch geel, karmijn, Pruisisch blauw, roze meekrap, rauwe sienna, cadmiumgeel. Tegen de verfdoos aan genesteld lag een waterfles met daarnaast twee pennenmessen om de potloden te scherpen. Dit was wat ze had meegebracht in plaats van een naaimachine en toen ze de map weer dichtdeed en in de koffer legde, had ze daar geen spijt van.

Ze kleedde zich uit en stapte in bed. In een opwelling van medelijden besefte ze dat Edwin een enorme verplichting op zich had genomen door haar hiernaartoe te halen. Het was een opvallend sentimentele daad voor iemand die zo rationeel was ingesteld. Ze was absoluut niet geschikt als kolonistenvrouw. Ze kon niet koken, schoonmaken, naaien of tuinieren. Ze kon hem nergens mee helpen. Toen ze klein was had haar vader haar een goudvink beloofd en had ze de mooiste kooi gekozen met een zilveren waterbadje en een spiegeltje zodat de vogel zou denken dat hij niet alleen was. Op dezelfde manier, met zijn gebruikelijke zorgvuldigheid, had Edwin geprobeerd op haar behoeften vooruit te lopen. Hij had dit huis gemeubileerd in afwachting van haar komst, hij had dit zorgvuldig gepoetste, koperen ledikant gekocht en een piano helemaal uit Port Elizabeth laten komen. Op de tafel lag een boek over de planten van Zuid-Afrika, dat hij daar vast had neergelegd opdat zij het zou lezen. Maar ze vond zijn attente gedrag niet prettig. Het verscherpte alleen maar het gevoel dat ze zijn bezit was geworden.

Ze hoorde hoe Edwin zich in de kamer ernaast gereedmaakte om te gaan slapen. Ze hoorde hem de kaars uitblazen. Haar eigen kaars, gemaakt van goedkope talg, droop en sputterde en stonk naar het vet van het dier waarvan hij was vervaardigd. Ze blies hem uit en voelde de duisternis op zich af komen. Ze had nog nooit zo'n diepe duisternis meegemaakt, zeker niet in Londen waar op elke straathoek een lantaarn brandde. Ze knipperde met haar ogen en probeerde vormen te onderscheiden, maar zag helemaal niets; zelfs haar eigen hand was geen lichte vlek. Ze tastte naar de lucifers om de kaars weer aan te steken, maar stopte toen ze besefte dat Edwin het licht zou zien. Hij zou denken dat er iets was.

Ze stelde zich de duisternis buiten voor, de enorme omvang van het landschap dat zich aan alle kanten rond de boerderij uitstrekte. Ze voelde zich alsof ze haar stoffelijkheid verloor, alsof ze niet groter was en minder gewicht had dan een pluisje. Ze was nu zo ver verwijderd van alles wat ze nog maar een paar maanden geleden had gekend, toen haar vader nog leefde en ze zijn bescherming had genoten. Wat zou hij zeggen als hij haar nu kon zien? Hij zou zich ongetwijfeld schamen. Ze was het levend bewijs van zijn gefaalde ambities.

Was het te laat om het huwelijk af te gelasten? Ze kon morgenochtend vertrekken, terugkeren naar Kaapstad. Maar waar moest ze dan van leven? Wat zou ze daar kunnen doen? Zou mevrouw Nettleton haar helpen werk te vinden? Ze was nergens voor opgeleid en zou geen garanties op een vaste aanstelling krijgen. Ze stak haar vinger onder het gouden kettinkje rond haar nek en werd vervuld van een plotselinge, hartverscheurende hunkering naar William. Overweldigd door een rauw verlangen naar zijn aanraking klemde ze haar kiezen op elkaar en ze verborg haar gezicht in het kussen zodat Edwin haar niet zou horen huilen.

20

HET WAS GEBEURD. ER WAS GEEN WEG TERUG. FRANCES hing de witte japon in de kast en haalde de roomwitte struisvogelveer – een cadeautje van Edwin – uit haar opgestoken haar. Edwin had zich in zijn studeerkamer teruggetrokken om haar de tijd te geven zich uit te kleden. Af en toe hoorde ze het tikken van een metalen instrument tegen een glazen pot. Ze trok haar nachtjapon aan, stapte in bed en bleef stil liggen terwijl ze de gouden ring aan haar vinger om en om draaide, er nog niet aan gewend. Ze was er inmiddels achter dat Sarah niet alleen het dienstmeisje was, maar ook de kokkin en de werkster. Ze zou geen ander dienstmeisje krijgen, zoals ze had gedacht, geen meisje dat Engels sprak, 's ochtends haar haar opstak en haar hielp met aankleden. Edwin moest haar oom iets op de mouw gespeld hebben, want die had vast meer voor haar verwacht dan dit.

Meneer en mevrouw Reitz hadden hen na de plechtigheid uitgenodigd voor de lunch en daar was Frances blij om geweest; niet omdat ze zo snel mogelijk vriendschap wilde sluiten met hun huisbazen, maar omdat Edwin dan een paar uur ergens anders aandacht voor zou hebben dan voor haar. William had haar gebrandmerkt: lippen, schouders, borsten, ze voelde het spoor van zijn vingers op haar hele lichaam. Ze was benieuwd wanneer het Edwin zou opvallen dat ze was veranderd.

Ze waren in een rijtuigje vanaf de kerk dwars door het *veldt* naar de boerderij gereden, die dicht bij een groot waterreservoir stond. Witte vogels fladderden als vlaggen boven het water. Het woonhuis van het grote boerenbedrijf was gebouwd volgens de architectuur van de Kaapse Nederlanders met een mooie trapgevel en een brede veranda. Een grote acacia wierp zijn schaduw over een deel van het huis.

'Deze acacia wordt hier *koorsboom* genoemd,' zei Edwin toen hij zag dat ze ernaar keek. 'En de boerderij is er beroemd om.'

'Waarom is de boerderij beroemd vanwege deze boom?'

'Omdat *koorsbomen* normaal gesproken niet groeien op de Karoo. Het is er te droog. Iemand moet hem jaren geleden geplant hebben toen hij had gemerkt dat er voldoende grondwater voor was.'

Ze gaf toe dat het een schitterende boom was. De gladde, donkergele takken spreidden zich uit als platforms en het dichte lover wierp vlekkerige schaduwen op de grond eronder. Een kudde geiten graasde op het korte gras rond de stam, onder de hoede van een slaperig negerjongetje. De laagste takken van de boom raakten de muur van het huis en toen Frances opkeek, zag ze een klein zolderraam waarvan de ruiten bijna verscholen gingen achter een netwerk van doornen.

'Dat zijn goede plekjes om nesten te bouwen,' zei Edwin. Hij wees naar de vogeltjes die tussen het lover naar de koepelvormige nesten vlogen die tussen de takken waren gebouwd. 'Vanwege de doornen kunnen slangen er niet bij.'

Meneer Reitz liet hun de bijgebouwen zien. Hij was een lange, ernstig kijkende man met een gerimpeld gezicht, donkere wallen onder zijn ogen en lang, dun, grijs haar dat hij in een zijscheiding droeg, aan weerskanten plat tegen zijn hoofd gekamd. Zijn broek en jasje waren zwart en hij hield een zwarte hoed in zijn sterke, verweerde hand. Hij stonk naar schapen en sterke tabak. Uit zijn borstzak stak de afgekloven steel van een pijp. Hij spuugde zo vaak een fluim in het stof dat Frances zich afvroeg waar al dat vocht vandaan kwam.

Hij leidde hen langs een reeks groezelige, witgepleisterde bijgebouwen met rieten daken. Frances deed haar best om met haar mooie schoentjes niet in modderpoelen te stappen en te voorkomen dat er vliegen in haar mond kropen. Het erf stonk naar vee en mest. Er was een broedmachine voor struisvogeleieren, een verenschuur, een melkschuur, een smidse en stallen. Koeien snuffelden in lege troggen en luidruchtige struisvogels liepen hooghartig rond op een omheind terrein. Kinderen renden lachend rondjes rond de kokkin, die grote hompen deeg in de broodovens schoof, en twee bastaardhonden joegen achter kakelende kippen aan.

De boer en zijn vrouw hadden een groot gezin – zes zonen: vier nog thuis, twee op de diamantvelden. Hendrik en Hermanus, een tweeling, waren de oudste jongens op de boerderij. Het waren forse, blonde jongens die blaakten van gezondheid. Daarna kwam Piet, een donker, ernstig kind dat op hen neerkeek vanaf de zolder van de melkschuur. Edwin vertelde haar later dat hij, toen hij nog klein was, bij een ongeluk op de boerderij drie vingers was kwijtgeraakt. De jongste was nog maar een baby. Het was onvoorstelbaar dat het zo kaal ogende land zulk uitbundig leven voortbracht, maar deze kinderen waren het bewijs: kerngezond, schoongewassen, met een gulle lach en een sterk lichaam. Beslist niet de bleke, armoedige boeren met een hele rits ongeschoolde kinderen die ze had verwacht naar aanleiding van wat William haar had verteld.

Mevrouw Reitz was een forse vrouw met gevlochten haar en stevige onderarmen, die goed Engels sprak. Ze nam Frances mee naar de tuin en liet haar zien hoe die werd geïrrigeerd met water uit het reservoir. Ze had de perzik-, vijgen- en abrikozenbomen zelf geplant, en kweekte verder zoete erwten, kropsla, radijs, kool en aardappelen. De witte bloemen van de jasmijn verspreidden een bedwelmende geur en bijen vlogen loom van bloem tot bloem. Onder het lopen bukte mevrouw Reitz zich af en toe om onkruid tussen de perken vandaan te trekken en Frances zag dat de zanderige, rode aarde aan al haar nagels gekoekt zat.

'Nou,' zei de boerin, terwijl ze de aarde van een bosje wortelen schudde en zich oprichtte om Frances nog eens goed te bekijken, 'hij zei dat u mooi was en dat bent u ook.'

'Dank u,' zei Frances, die nog niet wist wat ze van deze vrouw met haar gebruinde huid, modderige handen en indringende blauwe ogen moest denken.

'Daar hoeft u me niet voor te bedanken.' Mevrouw Reitz

streek met haar onderarm langs haar voorhoofd om het haar uit haar ogen te vegen. 'Het is duidelijk dat hij erg op u gesteld is, maar ik zal het maar eerlijk zeggen, mevrouw Matthews' – Frances voelde zich verlegen met haar nieuwe naam, waar ze nog zo aan moest wennen – 'sommigen van ons hier vonden dat hij stapelgek was dat hij een vrouw helemaal uit Engeland liet komen, een vrouw die dit land niet gewend is.'

Frances begon zich een beetje duizelig te voelen van de hitte. Hoelang moest ze hier nog ter inspectie staan? Nu vroeg de boerin: 'Hoe zijn uw longen?'

'Mijn longen?' vroeg Frances zwakjes.

'Ik heb vroeger een Engels kindermeisje gehad. Ze was naar de Kaapkolonie gestuurd voor het klimaat. Ik dacht dat u misschien –'

'Er mankeert niets aan mijn longen,' antwoordde Frances, nijdig om de suggestie dat ze met Edwin was getrouwd om aan Engeland te ontsnappen, ook al was dat niet geheel bezijden de waarheid.

Mevrouw Reitz keek naar Frances' mooie, bemodderde schoentjes, de lange mouwen die haar bleke armen bedekten, haar elegante strohoed. 'U kunt uiteraard niet elke dag in zulke kleren rondlopen. Begrijp me goed. We vinden het allemaal leuk om zo nu en dan iets moois aan te trekken' – Frances kreeg het onaangename gevoel dat de vrouw de stof al had betast, de kosten ervan geschat – 'maar u zult hard moeten werken en geen tijd hebben voor verwennerij. U start met weinig en uw man werkt al zo hard. U wilt hem niet tot last zijn.'

Frances beet op haar lip. De vrouw had haar nog maar

net ontmoet en begon nu al tegen haar te preken. Hoe wist ze dat ze zo weinig hadden? En waarom leek ze het nodig te vinden voor Edwin op te komen? 'Ik hoop dat ik niemand tot last zal zijn, mevrouw Reitz.'

'O, vast niet.' Ze legde haar vingertoppen op Frances' hand. 'U moet mijn woorden niet verkeerd opvatten. Als u hulp nodig hebt, moet u het zeggen. U zult best eenzaam zijn, de hele dag helemaal alleen in dat huisje. Kom dan gerust hier. Dan zoeken we wel iets waarmee u zich kunt bezighouden.'

Ondanks de excuses zette Frances haar stekels op. 'Ik ben eraan gewend alleen te zijn.'

'Dat geloof ik graag. Maar dit is een ander soort eenzaamheid dan u gewend bent.'

Ze liepen zwijgend weer door. Na een paar minuten maakte mevrouw Reitz vol trots een brede armzwaai naar haar tuin. 'Hoewel we vorig jaar geen regen hebben gehad, staat alles er heel redelijk bij. De tuin teert vrijwel geheel op grondwater.' Ze wees naar de windmolen waarvan de wieken langzaam draaiden in de strakblauwe lucht. 'Uit het eerste het beste gat dat Alberts vader boorde, borrelde water op. Hij heeft toen het reservoir gegraven en sindsdien hebben we nog nooit zonder water gezeten.'

'En de rivier?'

'In de regentijd treedt ze buiten haar oevers, maar de rest van het jaar staat ze droog.' Ze drukte haar handen tegen elkaar alsof ze bad. 'Deze zomer moet het regenen,' zei ze, 'anders groeit er geen gras op het *veldt* en gaat het vee dood.'

Na de lunch kwam een zwart kindermeisje binnen met het jongste zoontje. Mevrouw Reitz knuffelde het kind langdurig.

'Kinderen. Die zijn het allerbelangrijkste,' zei ze. Ze gaf het jochie aan Frances. Het was een levendige baby met sterke knuistjes en spartelende beentjes die tegen haar dijen trapten. Toen Frances opkeek, zag ze Edwin met een hongerige, alerte blik in zijn ogen naar haar kijken. God, laat me alstublieft niet zwanger worden van Edwin, niet hier, niet meteen.

Voordat ze vertrokken, liet mevrouw Reitz Frances de voorraadkamer zien, een koele, donkere ruimte die rook naar verse verf. De planken stonden vol met potten jam, chutney, perziken in siroop, gedroogde vijgen, abrikozen in brandewijn, wijn en augurken. Mevrouw Reitz stopte Frances twee potten rode moerbeienjam in haar handen. Frances raakte enorm gedeprimeerd van het gulle gebaar. Ze kon er niets tegenoverstellen. Ze had geen flauw benul hoe je een moestuin moest aanleggen, hoe je groenten en fruit moest inmaken, ze wist niet hoe je een huis moest schoonmaken, ze kon niet naaien. God, ze wist niet eens hoe ze haar eigen kleren moest wassen. Het bezorgde haar het onaangename gevoel dat ze hier alleen maar diende als decoratie. Ze voelde vaag aan dat zoiets gevaarlijk kon zijn. Dat deze mensen haar zouden verachten, tenzij ze iets waardevols uit de aarde kon onttrekken.

Terug in hun eigen huis leek het daar veel te stil. Ze aten hun avondmaaltijd vrijwel zwijgend, in een stilte die alleen werd verbroken door het tikken van de messen en vorken, terwijl de lampen donkere, bewegende schaduwen wierpen op de kale, witte muren. Iedere poging tot een gesprek liep stuk op de verwachtingen voor de komende nacht, maar ze waren ook bevangen van een soort weifelende angst. Meneer en mevrouw Reitz hadden met hun eerlijke, eenvoudige levenswijze een uniek licht geworpen op de eenzaamheid van hun eerste dag als man en vrouw en Frances had het gevoel dat iedereen die door het raam naar binnen zou kijken, meteen zou zien dat hun huwelijk een farce was en zich zou afvragen hoe deze twee mensen, die elkaar zo weinig te zeggen hadden, het op deze afgelegen plek moesten bolwerken.

Halverwege de maaltijd meende Frances in het flauwe licht van de kaarsen iets boven de tafel te zien bewegen. Een licht, wentelend ding dat zo snel heen en weer ging dat ze het niet goed kon onderscheiden. Opeens zette Edwin met een harde klap een glas omgekeerd op de tafel. Frances kreeg kippenvel toen ze onder het glas een oranje spin zag, die zich op zijn achterpoten oprichtte en zijn giftanden tegen het glas zette. Ze sprong overeind, greep haar rokken bijeen en zocht de vloer af.

'Is hij giftig?' vroeg ze, toen ze er zeker van was dat er niet nog meer spinnen waren.

'Zijn gif is niet dodelijk. Het is een *rooiman*. Die komen 's nachts tevoorschijn om op insecten te jagen. Daarbij maken ze gebruik van snelheid in plaats van een web.' Edwin tikte met zijn wijsvinger tegen het glas om de spin te laten dansen. Later pas hoorde Frances dat deze soort de bijnaam *haarskeerder* had, omdat ze nachts over je hoofd kropen en dan je haren 'schoren'.

Frances deed de lamp op de kaptafel uit en stapte in bed. Haar lange haar waaierde uit over de witte kussenslopen die ze uit Engeland had meegebracht. Het linnengoed rook naar Londense regen en stijfsel. In de kamer ernaast klonk het zachte schrapen van metaal en toen het klokken van vloeistof die uit een fles werd geschonken. Edwin was zeker bezig de spin te ontleden. Ze beeldde zich in hoe hij met een tangetje de poten van de romp trok. Ze vond het maar een vreemde hobby, dieren ontleden om alle delen ervan te bestuderen en categoriseren.

Het raam stond open. Een jakhals blafte schor in de duisternis. De klok op de schoorsteenmantel tikte gestaag. Na een poosje hoorde ze de poten van de stoel in de kamer ernaast over de vloer krassen, gevolgd door Edwins lichte stappen in de gang. Ze luisterde met gesloten ogen naar de zachte geluiden die hij maakte toen hij zich uitkleedde. De vloer kraakte een beetje. De deken werd teruggeslagen en het matras bewoog onder haar toen hij in bed stapte. Hij blies de kaars uit. Een paar minuten lagen ze zwijgend naast elkaar en Frances begon zich net af te vragen of hij haar misschien niet zou aanraken als ze maar heel stil bleef liggen, toen hij zich naar haar toe draaide. Hij streelde de lokken die op het kussen lagen. Ze deed haar ogen open, maar het was zo donker dat ze hem niet kon zien.

Hij tastte naar haar gezicht, vond eerst haar neus, toen haar lippen, liet zijn handen naar haar hals glijden. Ze staarde in het niets. Toen gleed zijn hand naar een van haar borsten en ze voelde een schok door hem heen gaan toen hij die omvatte. Hij liet zijn duim heen en weer gaan over haar tepel. Hij ging dichter tegen haar aan liggen. Zijn adem voelde vochtig aan op haar wang. De duisternis leek iets in hem te ontladen.

'Frances.' Hij fluisterde haar naam en ze gaf zich over aan het gewicht van zijn lichaam toen hij boven op haar ging liggen. Ze rook zijn naaktheid en voelde zijn dijen over de hare schuiven. 'Frances Matthews.' Er lag een zweem van triomf in zijn stem. 'Je hebt geen idee hoezeer ik hiernaar heb verlangd.' Hij kuste haar wang, haar lippen, haar ogen, maar ze kon het niet opbrengen hem terug te kussen. Hij lag een ogenblik stil, alsof hij zijn zelfbeheersing wilde terugvinden, streelde met één hand de huid bij haar slapen, liet zijn vingers zachtjes over haar gezicht gaan, betastte elk deel ervan in het donker, als een blinde. Zijn strelingen waren zacht, maar zijn vingers beefden. Hij hijgde en ze wist hoeveel moeite het hem kostte zich in te houden.

Toen hij haar nachtpon omhoogtrok, haalde ze bevend adem. Zijn vingers waren koud en hard tussen haar benen en haar adem stokte toen hij zich bij haar naar binnen begon te werken. De pijn was bekend, maar daarom niet minder schokkend.

'Gaat het?' vroeg hij, met zijn gezicht vlak boven het hare, roerloos nu, zijn gewicht op haar rustend.

Ze legde een hand op zijn schouder en trok hem naar zich toe. Er was geen enkel deel van haar lichaam dat hem wilde, maar het kon maar beter zo snel mogelijk voorbij zijn.

Later kroop hij tegen haar aan als een jongen en drukte kleine, dankbare kusjes op haar schouder. Hij mompelde zijn dank in haar hals. Deze kwetsbaarheid was een nieuwe kant van hem. Hij was meestal te beheerst om echte genegenheid te tonen. Ze walgde er een beetje van. Waarom bedankte hij haar? Het was een kleurloze, lege liefdesdaad geweest, maar in zijn fantasie had ze er aan meegewerkt. Ze had geen andere keus gehad. Maar hij was in elk geval bevredigd. Ze wist nu wat hij van haar verwachtte en als hij niet meer van haar verlangde dan dit, was het wel te doen.

Ze wendde zich van hem af en draaide zich op haar zij. Hoe zou het geweest zijn als Williams handen haar hadden gestreeld? Ze stond zichzelf toe zich dat in te beelden en haar dijen begonnen te gloeien en prikkelen van genot.

21

ZE BRACHTEN WEINIG TIJD MET ELKAAR DOOR EN DAT kwam Frances heel goed uit. Edwin werkte zes dagen per week. Hij vertrok 's ochtends in alle vroegte en keerde pas bij zonsondergang terug. Zodra hij weg was, kroop Frances nog wat dieper onder de dekens, blij dat ze weer alleen was. Soms beeldde ze zich in hoe hij in de koele duisternis van de vroege ochtend door de velden liep, onder de met sterren bezaaide hemel. Waar dacht hij dan aan? Of voorkomen kon worden dat de pokkenepidemie oversloeg naar Kimberley? Of zijn vrouw het naar haar zin had? Hij was een man van tegenstellingen: ijverig en nauwgezet in alles wat hij deed, maar toch onbewogen; ambitieus genoeg om een vrouw van stand te willen, terwijl hij genoegen nam met een leven in de rimboe; een keiharde realist, en toch zo grillig dat hij haar naar deze plek had gebracht.

Hij had een abonnement op de *Graaff-Reinet*, een Engelstalige krant. Frances ploos die helemaal uit, op zoek naar nieuws over Williams huwelijk, maar er stond nooit iets over hem in. In plaats daarvan las ze over de arrestatie van Johannes Swanepoel, een vrijgezelle Boer met twaalfduizend hectare land, die de dochter van een naburige boer had ontvoerd. Dat meisje had hij vijf jaar lang gevangengehouden in een kooi van doornstruiken. Toen haar vader haar uiteindelijk had gevonden, was het meisje het spreken verleerd. Het was een griezelig verhaal dat tot haar verbeelding sprak. Swanepoel had het meisje geïsoleerd gehouden omdat hij haar met niemand had willen delen. Edwin was geen misdadiger, maar toch was er iets vreemds aan de manier waarop hij haar tot een huwelijk had overgehaald en naar Rietfontein had gebracht. Waarom woonden ze niet in Kimberley? Of Kaapstad? Of Port Elizabeth? Waarom had hij deze baan aangenomen, zo ver van de bewoonde wereld?

Ze moest elke dag om zeven uur opstaan om plaats te maken voor Sarah die dan kwam om het bed op te maken, de luiken te sluiten tegen de zon en een vochtig laken voor de deur te hangen om de kamer koel en de vliegen buiten te houden. Ze at het ontbijt dat voor haar werd klaargezet en zat de rest van de dag op een stoel op de veranda te wensen dat William over de kale vlakte naar haar toe kwam. Kimberley was maar één dag rijden en elk stofspoor in de verte kon door hem worden veroorzaakt. Hij zou opduiken vanachter de horizon en dwars over het *veldt* rijden, zijn haar als een donkere vlek afstekend tegen de bleke hemel, zijn ogen tot spleetjes geknepen tegen de withete zon. Ze zou het grind onder zijn laarzen horen knerpen als hij afsteeg. Hij zou naast haar knielen, zijn gezicht in haar hals leggen en zeggen dat hij haar meenam naar Kimberley. Elke dag zat ze op hem te wachten, tot haar ogen brandden van het staren, en ze kon zichzelf er niet toe brengen ermee op te houden.

Ze raakte gebiologeerd door het landschap. Het was het begin van de zomer en de zon blies zijn hete adem over de eindeloze vlakte. De hitte was meedogenloos. De grond was overdag zo heet dat je hem niet kon aanraken. Toen ze een keer een brok ijzersteen had opgeraapt, had ze een blaar op haar handpalm gekregen. Men vette zelfs de hoeven van de paarden in en omwikkelde ze met leren lappen om te voorkomen dat ze zouden verbranden.

Urenlang staarde ze naar het stugge gras, dat als verschroeide hei van goud in zilver veranderde al naargelang hoe de wind stond. Edwin had een lange plank onder het dak van het huis bevestigd, waarop zwaluwen hun nesten bouwden. De vogeltjes dartelden heen en weer tussen hun nest en de ronde vijver achter het huis. Naast de vijver was een lapje groen, een paar vierkante meter hardnekkig gras dat kon groeien dankzij het overtollige water, en in het midden daarvan stond een perzikboom. Een paar weken nadat ze was aangekomen, was er een grote hoeveelheid harde, goudgele vruchten aan de boom verschenen. Het geel veranderde gedurende de zomer in roze en toen de perziken zacht genoeg waren om geplukt te worden, beet Frances dwars door de fluwelige schil heen in het warme vruchtvlees, verbaasd dat zo'n schrale bodem zulk een zoetigheid kon voortbrengen.

Op heldere dagen was het vage silhouet van bergen te zien, als een wolkenrij boven de horizon. De regen bleef uit en naarmate de ene na de andere zomerdag verstreek, kreeg het ruige *veldt* het aanzien van een landschap waar alleen nog maar stoffige doornstruiken stonden. Het verbaasde Frances dat grond zo onvruchtbaar kon zijn. Dit was precies het tegenovergestelde van de weelderige, groene weilanden rond Londen, omzoomd door strakke hagen waarin van alles ritselde en zoemde. Hier hoorde je alleen af en toe een hagedis die een geluid maakt alsof hij een boer liet. Haar vader had zich deze streek op zijn landkaarten van Afrika beslist niet zo voorgesteld en zou het stof en de hitte vervloekt hebben. Ze voelde zich erg eenzaam zonder hem en vocht tegen de smeulende wens dat alles anders was gelopen. Ze voelde zich alsof hij haar in de steek had gelaten. Ze was ontworteld en hier neergesmeten, in een wildernis waar ze niet thuishoorde.

Edwin ging elke zondag wandelen. Hij vroeg altijd of ze mee wilde, maar ze sloeg het aanbod elke keer af. Ze vond het waanzin om in de hitte te gaan wandelen, ook al ging Edwin nog zo vroeg op pad, en bovendien zag de Karoo er overal hetzelfde uit. Er waren nauwelijks bomen, je had nergens schaduw en in de wijde omtrek was niets te vinden dat niet was bedekt met een laagje rood stof. Je zou een willekeurige richting kunnen kiezen en er zeker van zijn dat je van de dorst zou omkomen voordat je een medemens tegenkwam. Er waren slangen en spinnen en je werd voortdurend belaagd door vliegen. Ze begreep nog steeds niet waarom weldenkende mensen ervoor kozen hier te gaan wonen. Het was een ruig gebied, waar al het leven aan een zijden draadje hing, een gebied dat geen enkele aspiratie had zich mooi te maken en verstoken was van iedere vorm van romantiek, maar toch, ondanks of dankzij dit alles, putte ze er een mate van troost uit. Ze zag zichzelf weerspiegeld in de onvruchtbare, kale aspecten ervan en had bewondering voor de veerkracht van de natuur, die ze geruststellend vond.

Ze leerde op haar hoede te zijn voor slangen. Er waren cobra's, pofadders, *skaapstekers*, zweepslangen, koraalslangen, hoornadders en boomslangen. Edwin had haar verteld dat reptielen hun lichaamstemperatuur niet konden regelen. Ze hadden schaduw nodig, anders raakte het bloed onder hun huid oververhit. Daarom was het huis met zijn verduisterde, koele kamers een perfect toevluchtsoord voor hen. Op een dag deed ze 's ochtends, toen het nog koel was, de deur van de keuken open en gleed er een cobra over haar voeten heen naar buiten.

Van alle insecten was ze alleen bang voor de spinnen. De *rooimannen* 's nachts en de jachtspinnen overdag. Jachtspinnen verplaatsten zich heel snel over de grond, op zoek naar sprinkhanen, krekels en torren. In het begin dacht Frances dat het bolletjes verdroogd gras waren die over het *veldt* werden geblazen, vanwege de lange haren op de poten van de spin die voor camouflage zorgden, maar toen Edwin ze haar had aangewezen, besefte ze dat ze overal zaten.

Vanwege de spinnen was Frances erg op Nanny gesteld geraakt. In het begin had ze het stokstaartje uit het huis verbannen, maar ze was snel van gedachten veranderd. Ze had niet geweten dat ze het huis met zo veel ongedierte deelde tot ze zag wat Nanny allemaal tussen de planken van de vloer vandaan peuterde: termieten, cicades en graafspinnen met dikke, harige poten; zelfs schorpioenen, die ze met een snelle slag wist uit te schakelen om vervolgens met smaak op hun nog wriemelende poten te gaan knagen.

Het probleem was dat sinds Frances haar in de studeerkamer had opgesloten, het stokstaartje een diepe achterdocht voor haar koesterde. Ze weigerde te geloven dat Frances geen gevaar voor haar betekende. Als Frances binnenkwam, liet Nanny haar prooi in de steek, kwam op haar achterpoten overeind en schuifelde met eigenaardige zijwaartse pasjes en haar rug tegen de muur de kamer door, alsof ze Frances niet wilde beledigen maar opeens dringend weg moest.

Op een ochtend ging Frances bij de deur zitten wachten. Nanny kwam naderbij en keek besluiteloos heen en weer van Frances naar het huis, alsof ze probeerde in te schatten of ze het kon wagen naar binnen te glippen. Hoewel Edwin had gezegd dat ze haar niet mocht voeren, stak Frances haar een koekje toe, en Nanny, die blijkbaar al eerder koekjes had geproefd en het herkende als iets wat lekkerder was dan termieten, schuifelde naar haar toe. Toen ze dicht genoeg bij haar was, kwam ze beleefd op haar achterpoten overeind en stak één poot uit naar het koekje. Zo bleef ze staan, zachtjes wiegend, met haar kraaloogjes op Frances gericht, met smaak aan het koekje knabbelend en kruimels om zich heen verspreidend. Vanaf dat moment waren ze vriendinnen. Het beestje had lange snorharen en zwarte vlekken rond de ogen waardoor het leek alsof ze heel ernstig keek, en als je haar buik streelde liet ze een diep keelgeluid horen dat leek op het spinnen van een poes.

Nanny kwam 's middags bij Frances op de veranda zitten, met haar voorpootjes gekruist op haar borst, en keek dan als een wachtpost uit over het *veldt*. Af en toe viel ze in slaap en dan zakte het geringe gewicht van haar lichaam tegen Frances' been. Ze werd altijd met een schokje wakker en trok dan haar neus op, alsof ze zich schaamde. Als Edwin thuis was, legde ze zorgvuldig allerlei insecten aan zijn voeten opdat hij ze op sterk water kon zetten en dan krabde hij haar dankbaar achter haar oren.

De familie Reitz was eigenaar van het land zover het oog reikte, wat neerkwam op ongeveer veertigduizend hectare. De boerderij bestreek met alle bijgebouwen zo'n groot terrein dat je het bijna een dorp kon noemen. Volgens Edwin werkten er meer dan zestig mensen, blank en zwart, hadden ze tienduizend schapen, eenzelfde aantal geiten en een flinke hoeveelheid struisvogels en koeien. Er was maar één waterreservoir op het terrein en tegen het eind van de middag kon Frances vanaf de veranda de kuddes zien die over het terrein terugsjokten, met grote stofwolken in hun kielzog. Het tafereel bezat een Bijbelse eenvoud en deed haar denken aan de Israëlieten die Egypte verlieten om naar het Beloofde Land te trekken.

Ze zou eigenlijk van alles moeten doen om het huis aantrekkelijker te maken, maar kon zichzelf er niet toe zetten ermee te beginnen. Ze zou haar japonnen moeten vermaken want die waren nu niet erg praktisch. Ze zou gordijnstof moeten bestellen in Port Elizabeth. Edwin had mevrouw Reitz gevraagd of ze haar naaimachine mocht lenen, maar omdat Frances niet wilde bekennen dat ze niet eens wist hoe ze met een naaimachine moest omgaan, stelde ze het steeds uit.

Wanneer Edwin 's avonds thuiskwam, vroeg hij Frances nooit wat ze had gedaan. Hij leverde ook nooit een woord van kritiek over de toestand waarin het huis zich bevond en informeerde niet of ze de catalogi had bekeken die hij uit

Port Elizabeth had laten komen. De piano stond onaangeroerd onder het stoflaken. Edwin verzocht haar niet te spelen en zij bood het niet aan. Ze wilde alleen maar met rust gelaten worden. Ze schreef naar Anne en Mariella en kreeg brieven terug. Ze leken allebei tevreden op hun nieuwe stek. Anne had de verantwoordelijkheid voor een afdeling van het nieuwe ziekenhuis in Kimberley waar de inheemse bevolking werd verpleegd en schreef dat het vermoeiend maar dankbaar werk was; en meneer en mevrouw Fairley waren goed van start gegaan in Stellenbosch. Ze was blij voor haar vriendinnen, maar door hun brieven werd haar eigen ongenoegen nog eens extra benadrukt.

Ze miste Engeland en schreef Lucille om nieuws van de familie. Haar nichtje schreef terug en haar brief riep scherpe beelden op. Het was een van de koudste winters aller tijden geweest: ijskoude wangen, bevroren vingers in dikke handschoenen, Oxford Street bedekt met sneeuw. Ze beschreef de festiviteiten van de huisfeesten op het platteland, het schaatsen in Hyde Park, de jachtpartijen met bal na en de schuttersweekeinden. Ze had een Londens societytijdschrift bij de brief ingesloten en een artikel omlijnd waarin haar aanwezigheid bij een aantal belangrijke evenementen werd genoemd. Het tijdschrift stond vol advertenties voor parfums en japonnen en aankondigingen van opera's, dansavonden en het jaarlijkse debutantenbal. Het kwam Frances nu heel vreemd voor dat dit het leven was dat ze had kunnen hebben. Lucille's wereld was zo ver van die van Rietfontein verwijderd dat het leek alsof de verhalen thuishoorden in een sprookjesboek.

Edwin vroeg haar slechts eenmaal of ze geen zin had om

’s middags te schilderen, gezien het feit dat ze daar zo’n talent voor had. Hij zei dat ze op het *veldt* wel wat planten zou kunnen plukken. Het bracht haar op een idee en ze verzocht hem een exemplaar van *English Botany* van Sowerby te bestellen. Toen het boek er was, zette ze haar schildersezel op de veranda en begon de tere, met de hand gekleurde illustraties te kopiëren. Ze maakte een serie van de bloemen die haar aan thuis herinnerden: rozen, paardenbloemen, krokussen en narcissen.

Ze aten elke avond hetzelfde: mieliebrood, gemaakt van gemalen maïs, eieren en kruiden, bestreken met schapenvet dat als vervanging van boter diende. Frances kon het zo onderhand niet meer door haar keel krijgen en in een poging wat variatie in hun menu te brengen bestelde ze een lamsbout bij mevrouw Reitz. In de huishoudalmanak van haar tante stond een hoofdstuk met recepten. De hele ochtend bladerde Frances erin terwijl ze steeds nerveuzer werd. Het was alsof het in een vreemde taal was geschreven. Wanneer was een jus te dun? Wat was gehakt? En wat bedoelde de auteur met ingevet papier?

Ze ging een kijkje nemen in de keuken en kwam tot de ontdekking dat bijna alle spullen die in het boek werden genoemd als noodzakelijk voor een ‘middenklassegezin’ ontbraken. Waar was de broodrasp? Hoe zag een kurkentrekker eruit? En een vergiet? De recepten stelden haar ook voor problemen, zij het op een andere manier. Er waren ofwel ingrediënten voor nodig die ze niet had, of je moest iets ingewikkelds doen, zoals vlees ontbenen of dichtnaaien.

Ze koos een recept voor braadvlees en deed haar best, maar de lamsbout die op tafel kwam was een verschrompeld, zwartgeblakerd hompje vlees met een vettig laagje bloem erbovenop. Edwin zei niets, maar Frances slaakte een gefrustreerde kreet, beschaamd dat ze had gefaald.

'Waarom heb je me niet om hulp gevraagd?' vroeg hij.

'Omdat ik weleens iets helemaal zelf wil doen!' zei Frances. Ze duwde haar bord van zich af en stond zo wild op dat haar stoel met een klap omviel. Hij zei er nooit meer iets van, maar leende een jachtgeweer van meneer Reitz en kwam voortaan 's avonds thuis met een koppel kwartels, patrijzen of korhoenders, en legde aan Sarah uit hoe je die moest bereiden.

Eenmaal per week kwam Edwin in het donker boven op haar liggen en gaf hij zich over aan de hartstocht die in de rest van zijn leven leek te ontbreken. Ze was blij dat hij het niet vaker van haar verlangde en liet hem haar borsten strelen zonder blijk te geven van genot of weerzin. Als het voorbij was, kuste hij haar dankbaar, bijna verontschuldigend, alsof hij haar had misbruikt. Hij leek tevreden met de plichtmatige aard van de daad. Hij was een methodische, voorzichtige, ingehouden man en ze kreeg het vermoeden dat haar gebrek aan bezieling hem misschien juist goed uitkwam.

In tegenstelling tot Frances, die de uren van elke dag eindeloos voor zich uitgestrekt zag, had Edwin het altijd druk. 's Avonds zat hij ofwel in zijn studeerkamer om monsters te steriliseren of in de huiskamer artikelen van vooraanstaande geologen te lezen, terwijl zij naar een kaarsvlam staarde of lusteloos in een van zijn kranten bladerde. Het was echt iets voor hem, besefte ze, om alles wat zich om hem heen bevond te willen conserveren en in categorieën in te delen.

Het leven, met zijn onbetrouwbare lichamelijke aspecten en wispelturige emoties, was te slordig voor zijn geordende geest. Zijn studeerkamer was een plek waar de onontkoombare transformatie van leven tot historie plaatsvond. Door zichzelf daarin als spil te plaatsen, voelde hij zich machtig.

22

EDWIN KWAM LANGZAAM OVER HET *VELDT* AANGELOPEN. Toen hij haar zag, stak hij wuivend zijn hand op. Opeens hurkte hij tussen de struiken. Hij had zeker een insect of een hagedis gezien. Frances onderdrukte een geeuw, liep naar de keuken en schonk een glas water voor zichzelf in. Ze keek in de spiegelscherf boven het aanrecht en poetste een vuile veeg weg van haar voorhoofd. Ze was hier pas een paar maanden en zag er toch al heel anders uit: jonger en minder elegant. Haar neus en wangen waren bruin van de sproeten. Ze bepoederde haar gezicht niet meer, omdat het aldoor zo vochtig warm was en er toch nooit bezoek kwam voor wie ze zich mooi moest maken. Ze vlocht haar haar nu 's ochtends tot één dikke vlecht die ze in haar nek oprolde en vaststak, zoals ze als kind had gedaan.

Toen ze weer naar buiten ging, zat Edwin op zijn knieën in het gras. Zijn canvas knapzak lag open en potjes stonden gereed. Ze nam een slokje van het lauwe water en voelde het zweet op haar huid opdrogen. Edwin peuterde iets uit de grond en deed het in een glazen potje. Ze wandelde naar hem toe om te zien wat hij had gevangen. In het potje lag een tor op zijn rug te trappelen.

Edwin schudde het potje tot het beestje weer op zijn potjes stond. Ze besefte dat het warme klimaat Edwin goed deed. Zijn gezicht had kleur gekregen, zijn haar was langer en blonder dan voorheen en toen hij naar haar opkeek, zag ze dat zijn grijze ogen helder waren. Het leven in de wildernis had iets in hem losgemaakt. Hij was minder gereserveerd dan in Londen.

'Waarom doe je dit?' vroeg ze.

Hij zakte achterover op zijn hurken, keek omhoog en streek een lok haar van zijn voorhoofd. 'Waar ik ben opgegroeid, was geen natuur. Misschien compenseer ik dat nu.'

'Zou het niet handiger zijn om te gaan jagen?'

'Om de sport?'

Ze dacht aan William. Jagen had tenminste iets nobels. 'Waarom niet?'

'Daar zou ik geen genoegen aan beleven.'

'Omdat het gevaarlijk is?'

'Omdat ik het zonde vind van de dieren.'

Ze wees naar de tor die tegen het glas probeerde te klimmen. 'En dat dan?' vroeg ze.

'Er zijn miljoenen van deze torren. Eentje meer of minder maakt voor de soort niets uit.'

'Het doden van één koedoe wel?'

Hij knoopte zijn knapzak dicht en stond op met het potje losjes in zijn hand. Ze liepen samen naar het huis. 'Ik vind van wel. Er zijn nog maar zo weinig koedoes over in Zuid-Afrika dat het in mijn ogen misdadig is om ze dood te schieten omdat iemand ze als trofee aan zijn muur wil hangen.'

Ze lachte. 'Doe niet zo belachelijk. Er zijn er vast duizenden.'

'Dat zeiden ze ook over de quagga voordat die officieel uitgestorven werd verklaard. Neem Amerika. Vijftig jaar geleden zag het op de prairies zwart van de buffels. Nu moet je naar een dierentuin om er een te kunnen zien.'

Op een avond zei Edwin dat ze toch echt eens mee moest gaan als hij ging wandelen; hij wilde haar iets laten zien, zei hij. Ze was rusteloos en had er genoeg van om de hele dag in haar eentje thuis te zitten, dus stemde ze ermee in. Ze gingen vlak na zonsopgang op pad en beklommen het *kopje* dat achter hun huis oprees. Ze droeg de leren wandelschoenen die ze op zijn advies uit Engeland had meegebracht en een witte, katoenen jurk die Sarah de avond ervoor had omgezoomd opdat hij niet over de grond zou slepen.

Het *kopje* was een lastig te beklimmen heuvel van stenen en losse aarde. Na een halfuur voelde ze dat ze blaren op haar voeten kreeg in de nieuwe schoenen en moest ze blijven staan om op adem te komen. 'Het komt door de hoogte,' zei hij. 'We zitten hier op ruim twaalfhonderd meter.' In de brandende zon zou je bijna vergeten dat je het haardvuur weer moest ontsteken om warm te blijven zodra het donker was geworden. 's Nachts was het zo fris dat wanneer Frances 's avonds met het raam open naar bed ging, ze meestal als een blok in slaap viel.

Toen ze boven op het *kopje* waren aangekomen, zag ze

een grot van hooguit anderhalve meter hoogte. 'Dit is wat ik je wilde laten zien,' zei Edwin. Hij bukte zich naar de opening. 'Het is een grot van de Bosjesmannen.'

'Dat bestaat niet,' zei ze verbaasd. 'Hij is zo laag.'

'Hun vrouwen werden maar een meter twintig lang, en waren vaak nog kleiner.' Zijn stem werd door de wand van de grot weerkaatst toen hij erin kroop. Hij stak een kaars aan. Frances kroop achter hem aan, over de overblijfselen van een kampvuur heen. Hij liet haar de wanden zien waarop de Bosjesmannen primitieve, nu verbleekte schilderingen hadden gemaakt van mannen die met een speer in hun hand rond een kampvuur dansten, vermomd als struisvogels, leeuwen, impala's en olifanten. Ze dacht eraan hoe leeg het landschap nu was en hoe triest het was dat het leven van de Bosjesmannen zo enorm was veranderd. Edwin leek haar gedachten te kunnen lezen. 'Nog niet zo lang geleden zag je hier grote kuddes van al deze dieren: elanden, gemsbokken, blesbokken, struisvogels, wildebeesten, zelfs olifanten.'

'Wat is er met ze gebeurd?'

'Ze zijn door de Boeren en de jagers op groot wild grotendeels uitgeroeid.'

'Omdat ze de koppen als trofee aan de muur wilden hangen?'

'Niet alleen dat. Voor de Boeren ging het om de voedselbron. Ze hadden al het land nodig voor hun vee.'

'Waarom wilden ze juist dit land? Het is praktisch een woestijn.'

'Dat dachten zij in het begin ook, maar dat bleek niet zo te zijn. De struiken die op de Karoo groeien bevatten veel meer voedingsstoffen dan je zou denken.' Hij trok wat bladeren van de struiken die bij de ingang van de grot groeiden en gaf ze aan haar. Ze waren kort, stug en saploos.

'Toen Reitz' grootvader hier voor het eerst kudden liet grazen, was er nog geen reservoir. Toch konden zijn schapen het maanden volhouden zonder te drinken. Ze onttrokken voldoende vocht aan vetplanten en gras. Het was ongerept graasland. Nu is de grond verdroogd. De dieren zouden het geen week volhouden als ze het water uit het reservoir niet hadden.'

Er hing een griezelige sfeer in de grot. Hij zat vol met geesten en radeloze droefenis. De Bosjesmannen hadden de Boeren natuurlijk zien komen en toen ze zagen dat ze alle wilde dieren doodschoten, begrepen ze dat zijzelf net zo meedogenloos uitgeroeid zouden worden als de quagga.

Ze knipperden met hun ogen toen ze weer naar buiten kropen. De hoogvlakte strekte zich uit tot aan de horizon, het zacht golvende terrein slechts hier en daar onderbroken door de zwelling van een *kopje*. Al het vocht was uit de grond weggebrand. Het geschroeide gras had de kleur van perkament. Het was zo'n heldere dag dat je het idee kreeg dat je duizend kilometer ver kon zien.

'Miljoenen jaren geleden was dit hele plateau – vijfhonderd kilometer lang en breed – een groot meer.'

'Hebben hier ook leeuwen geleefd?'

'De laatste leeuw is dertig jaar geleden door de vader van Reitz doodgeschoten. Er zitten nog wel luipaarden en hyena's in de bergen.'

'Hyena's?' vroeg Frances onzeker. 'Is dat wat ik 's nachts weleens hoor?' Ze dacht aan de ijzingwekkende kreten die klonken alsof een stelletje krankzinnigen op de vlakte naar elkaar schreeuwden.

'Ik heb er laatst nog een gezien, dicht bij de rivier.' Hij bukte zich, raapte een grote steen op en draaide hem om. Hij had zijn mouwen opgerold en ze zag de pezen van zijn onderarm bewegen toen hij de steen op zijn hand woog. 'Toen hij me zag, maakte hij zich snel uit de voeten.'

'Zijn ze niet gevaarlijk?' Ze begreep niet waarom hij haar dat niet had verteld.

Er verscheen een glimlach op zijn gezicht. 'Dacht je dat hij me zou hebben opgepeuzeld?'

'Wie weet.' Ze lachte. 'Staan ze er niet om bekend dat ze mensen aanvallen?'

'Misschien. Maar volgens mij doen ze dat alleen als ze opgehitst worden.'

Hij gaf haar de steen en nu zag ze dat er een wit, versteend skelet van een reptiel in ingebed lag. Opeens schoot de gedachte door haar heen dat duurzaamheid een illusie was. Alles op aarde was voortdurend aan verandering onderhevig. Vlees verging tot stof, een skelet veranderde in steen; transformatie was normaal. Zelfs haar nichtjes, die zich in Londen zo zeker van zichzelf voelden, zouden niet aan de kracht ervan kunnen ontsnappen, en opeens vond ze het niet meer zo erg dat ze hier zat, zo ver van huis. Ze gaf de steen terug aan Edwin en hij zei: 'Frances, je mag gerust eens een bezoekje brengen aan het quarantainekamp.' Ze gaf niet meteen antwoord, omdat ze er niet zeker van was wat hij bedoelde, en hij voegde eraan toe: 'Ik dacht dat je het misschien interessant zou vinden om te zien waar ik me mee bezighoud.'

‘Natuurlijk,’ zei ze. Ze besefte dat ze dat zelf had moeten voorstellen, maar het idee was helemaal niet in haar opgekomen. Hij knikte verheugd.

Die avond liet Edwin haar de twee kleine pijlpunten zien die hij in de grot van de Bosjesmannen had gevonden. De pijlpunten hoefden niet groot te zijn, legde hij uit, omdat de Bosjesmannen ervaren toxicologen waren. Ze doopten hun pijlen in gif dat ze aan een cobra hadden onttrokken en gemengd met de pulp van giftige knollen.

23

BOER REITZ HAD EEN VOERMAN GENAAMD JANTJIE DIE Frances in een ezelwagen kwam halen en via Jacobsdal naar het punt bracht waar de Modderrivier uitliep in de Rietrivier, dat tevens het kruispunt was tussen de voornaamste wegen naar de Kaap. Jantjie was een oude man met een gerimpeld gezicht waarvan de huidplooien de donkerste schakering van bruin hadden gekregen. Hij had kort, wollig, wit haar en ogen die een melkachtige blauwwitte kleur hadden vanwege staar, maar zijn lichaam was taai, pezig en bijzonder sterk. Een keer, toen ze bij de boerderij bezig waren de dijk rond het reservoir te verstevigen, had ze hem een stalen balk die minstens zo lang was als hijzelf, naar de rand van het water zien dragen.

De grond rond het quarantainekamp was volkomen kaal geworden door het drukke voetverkeer. Mensen uit alle lagen van de bevolking liepen door elkaar heen op het zanderige, met steentjes bezaaide en van groen verstoken terrein. Er hing een indringende stank van rotte eieren. Naast een oude acacia en een uit klei opgetrokken schuurtje stonden twee grote tenten waartussen gewapende mannen in uniform patrouilleerden. Voor een van de tenten stond een lange rij mensen, die met hoeden en hoofddoeken hun gezicht beschermden tegen de zon. Ze keken net zo gedwee als de schapen van meneer Reitz wanneer die op hun beurt wachtten om uit het reservoir te drinken. Langs de rand van de weg stond een bonte verzameling karren en wagens en een prachtig geschilderde koets waarvan de verf blonk in de zon. Ossen waren uitgespannen en paarden graasden op het stoffige *veldt* rond het kamp. Hun vacht was gehard tot droge, kalkachtige ribbels van zweet en ze schudden voortdurend hun hoofd om de vliegen van zich af te houden.

Het was een gigantische onderneming om al het wegverkeer tussen de Kaap en het binnenland tegen te houden en Frances vermoedde dat Edwin genoot van de verantwoordelijkheid die zijn positie met zich meebracht. Ze vroeg een man in een kakiuniform waar ze hem kon vinden en werd naar een van de grote tenten verwezen. Toen ze die naderde, kwam Edwin juist met haastige passen naar buiten. Hij werd gevolgd door een oudere, corpulente man die tegen hem tekeerging. Een dame holde achter hen aan terwijl ze haar hoed vasthield en steeds over de zoom van haar jurk dreigde te struikelen. Ze zag er in haar mooie, gele, zijden japon uit als een zeldzame vlinder die boven het *veldt* dartelde.

'Verdomme nog aan toe. Kijk me aan als ik tegen u praat.' De man laaide van woede en had zijn handen tot vuisten gebald alsof hij stond te popelen om ze te gebruiken. De mensen in de rij keken op.

Edwin bleef staan en draaide zich om naar de man. Ze waren slechts een paar meter van Frances verwijderd.

‘Met uw welnemen, My Lord.’ Hij sprak volkomen beheerst. ‘Ik heb begrip voor uw gevoeligheid in deze zaak, maar ik kan u niet tegemoetkomen. U en uw echtgenote moeten ingeënt worden en daarmee uit.’

De stem van de man kreeg een schrille klank en zijn speeksel sproeide over Edwin heen. ‘Ik zeg het nog één keer: wij laten ons niet inenten. Span de paarden in!’ riep hij naar zijn koetsier. ‘We vertrekken.’

‘My Lord, waar bent u bang voor?’ vroeg Edwin. ‘Misschien kan ik u geruststellen.’

‘Waagt u het niet mij een lafaard te noemen!’

Toen Edwin hem kalm aankeek, leek de man zich gedwongen te voelen zijn houding te rechtvaardigen. ‘Ik heb uit goede bron vernomen dat het vaccin bepaalde ziektes bevat.’

‘Bedoelt u syfilis?’ Edwin lachte hartelijk. De echtgenote sloeg haar hand voor haar mond en haar man liep paars aan. Frances had dat gerucht ook gehoord. ‘My Lord, als u ergens mee besmet raakt, komt dat niet door mijn vaccin, dat verzeker ik u.’

‘Maar vaccinatie is onnatuurlijk!’ riep de man. ‘Het druist volkomen tegen de natuur in. Het is een gruwel voor het lichaam.’

‘Dat is het dragen van kleren ook, maar toch kiest geen van ons ervoor naakt rond te lopen.’

De man pakte zijn vrouw bij de hand. ‘Kom, Elizabeth!’

Hij liep met driftige stappen langs Edwin heen naar zijn rijtuig.

'My Lord,' riep Edwin hem na. 'De keus is aan u. Als u en uw vrouw zich niet laten inenten, blijft u hier zes weken in quarantaine.'

De man draaide zich om, beende terug naar Edwin en haalde naar hem uit met zijn vuist. Edwin week snel opzij, maar de knokkels van de man raakten evengoed. Toen hij nogmaals uithaalde, greep Edwin zijn pols en hield die omklemd. Frances was verbaasd over het gemak waarmee hij de man van zich af hield.

'Cullen! Tom!' riep hij. Twee mannen kwamen aangesneld. 'Breng Lord Rothermere naar de vaccinatietent.'

'Wie geeft u het recht hiertoe, omhooggevallen blaaskaak?' riep de man over zijn schouder naar Edwin, terwijl hij probeerde zich uit de greep te worstelen van de mannen die hem wegleidden. 'Hoe wagen jullie het mij mee te slepen! Ik zal jullie allemaal aanklagen!'

Edwin keek hem na, ogenschijnlijk onaangedaan, al wroette hij met de punt van zijn schoen in het zand. Toen draaide hij zich om en keek Frances met een strak, vermoeid glimlachje aan. Hij had dus al die tijd geweten dat ze er was. Ze begreep nu pas wat een ondankbaar werk hij hier verrichtte en kreeg medelijden met hem. Hoewel hij wel aan het hoofd stond van een ploeg gewapende mannen, was hij een sociale paria. Iedereen die op weg was naar Kimberley had een hekel aan hem. Het was eenzaam werk op een afgelegen plek en ze vermoedde dat de meeste artsen ervoor bedankt hadden. Weer vroeg ze zich af waarom hij erin had toegestemd hierheen te komen.

'Lord Rothermere is een machtige man,' zei ze later tegen hem, toen hij haar het kamp liet zien. Zijn wang begon blauw te worden. 'Hij kan je aanklagen.'

'Daar heeft hij niets aan. Er zijn al vijftien aanklachten tegen me ingediend, met allerlei beschuldigingen, inclusief mishandeling en geweldpleging, maar die zijn op wonderbaarlijke wijze allemaal geseponeerd.'

'Dat begrijp ik niet.'

'Het woord van meneer Baier staat gelijk aan het woord van God. En hij heeft het bestuur van de mijnen van Kimberley achter zich.'

'Maar dit' – ze maakte een gebaar naar de tenten, de mannen, de agenten – 'kost een kapitaal. Zelfs in Kaapstad worden mensen niet zo rigoureus in quarantaine geplaatst. Heeft Baier zo veel geld?' Toen Edwin geen antwoord gaf, vroeg ze: 'Waarom spant hij zich hier zo voor in?'

'Zeven jaar geleden is er een pokkenepidemie uitgebroken in de kopermijnen in Angola. De zwarten waren zo bang voor de ziekte dat ze de mijn halsoverkop hebben verlaten, tot en met de laatste man. Joseph Baier is bang dat hetzelfde zal gebeuren in Kimberley. Om zijn eigen woorden te gebruiken: hij vreest dat de zwarten, als ze iets over pokken horen, en masse zullen vluchten. En hij heeft vermoedelijk gelijk. De mijnen zouden failliet kunnen gaan. Daarom zorg ik ervoor dat niemand vanuit de Kaapprovincie toegang krijgt tot Griqualand West tenzij hij het officiële bewijs van inenting kan overleggen.'

Het leek een onhaalbaar project. 'Maar er zijn toch nog meer toegangswegen? Proberen de mensen dit kruispunt niet te omzeilen?'

‘Politiepatrouilles zijn actief op alle berijdbare wegen in het grensgebied tussen de Oranjevrijstaat en de Kalahari. De agenten hebben opdracht al het verkeer om te leiden naar deze grensovergang. Ik heb een ploeg van dertig agenten tot mijn beschikking. Samen kunnen we per dag een groot aantal mannen, vrouwen en kinderen ontvangen, onderzoeken, inenten en in quarantaine plaatsen. En we hebben meer dan vijfhonderd bedden beschikbaar voor wie hier moet overnachten.’

‘Zijn hier ook mensen gestorven?’

Hij schudde zijn hoofd. ‘Tot nu toe hebben we pas drie echte gevallen van de ziekte meegemaakt.’

Ze naderden een hut waar de geur van rotte eieren sterker was. Het was een misselijkmakende stank. ‘Ontsmetting,’ zei Edwin verontschuldigend. ‘Beddengoed, kleding, alles en iedereen die hier onderzocht wordt, moet eraan geloven – drie minuten in een gesloten hok met smeulend zwavel. Het is een onaangename methode, maar het lijkt de besmetting in te dammen.’

‘En is het vaccin betrouwbaar?’ vroeg ze.

‘Ja en nee. Het kan bederven vanwege de hitte, maar we doen ons best om de doeltreffendheid te behouden. Vaccinatie is onze enige hoop om de ziekte uit te roeien en ik vind het verbazingwekkend dat er nog altijd zo veel mensen zijn als Lord Rothermere die er niet in geloven. Het is een gruwelijke ziekte, maar de mensen denken dat ze erboven staan.’

Opeens hoorden ze een krijsend geluid en toen ze omkeken, zagen ze een zebramerrie haar kop losrukken uit de greep van twee mannen. Het dier probeerde te steigeren, maar de mannen hadden touwen rond haar nek gegooid en trokken haar omlaag. De zebra ontblootte haar grote, gele tanden door haar lippen dreigend op te trekken. Een andere man kwam vanachter naar haar toe hollen en gooide water tegen haar achterpoten, maar ze bleef koppig staan. Frances zag plotseling achter haar iets bewegen, een waas van bruin en wit, een onooglijk schepseltje met een lange nek en dunne poten.

De mannen wilden de moeder van het veulen scheiden en ze maakte een balkend geluid dat je door merg en been ging. Uiteindelijk liep een van de mannen op haar af en gooide een deken over haar kop. Op slag bleef ze doodstil staan, trillend en gedesoriënteerd, en toen de mannen haar wegleidden, liep ze gedwee mee. Het veulen liep op wankele pootjes die steeds onder hem vandaan gleden achter haar aan, waardoor hij eruitzag als een babygiraffe, tot een man zijn staart greep en hem tegenhield. Even later klonk er een schot. De merrie zakte door haar achterpoten, de deken gleed van haar kop en de mannen lieten haar los. Ze wist nog heel even op haar voorpoten overeind te blijven, zittend als een hond, met haar bek open, hijgend van de moeite die het haar kostte om niet te vallen, maar toen stortte ze neer in het zand.

'Waarom hebben ze haar doodgeschoten?' vroeg Frances. Van pure zenuwen was het klamme zweet haar uitgebroken. Het veulen duwde met zijn neus tegen zijn moeder.

'Ze had een ongeneeslijk abces aan een van haar poten. Haar eigenaars hebben haar de dood in gejaagd om haar maar in Kimberley te krijgen.'

'Hoe moet het nu met het veulen?'

‘Het veulen had nog wel iets waard kunnen zijn, als ze beter voor de moeder hadden gezorgd. Zebra’s zijn voor de Engelsen in Kimberley een bezienswaardigheid.’

‘En wat gaat er nu mee gebeuren?’

‘Ze kunnen hem niet houden.’

‘Je laat hem toch niet creperen?’

Het veulen klauwde zwakjes met zijn voorpoot aan het lichaam van zijn moeder, hief toen zijn kopje op en hinnikte zielig.

‘Je kunt hem niet doodmaken.’

‘Zelfs als we een fokmerrie zouden vinden, is hem geen lang leven beschoren. Hij is zwaar ondervoed.’

Frances liep al naar het veulen. Het diertje was zo druk bezig om zijn dode moeder te besnuffelen dat hij geen erg in haar had. De moeder lag roerloos op de stoffige grond. Het bloed dat onder haar vandaan stroomde, werd opgezogen door het zand. Haar buik begon al op te zetten vanwege de hitte. Toen Frances het veulen aaide, duwde het dier zijn bebloede snuit in haar hand, op zoek naar melk. Hij was hooguit een maand oud.

‘We zullen hem moeten verkopen zodra hij volwassen is,’ zei Edwin, die naast haar was komen staan en de lange oren van het diertje streelde.

‘Dat is goed,’ zei ze. ‘Maar mogen we hem voorlopig houden?’

Hij knikte en ze glimlachte naar hem.

Ze kregen van de familie Reitz een fokmerrie te leen voor de zebra en Frances vond het prachtig om vanaf de veranda te kijken hoe hij bij haar dronk. Sarah had afkeurend haar hoofd geschud toen ze met de zebra thuis waren gekomen. '*Mangwa.* Die laten zich niet temmen,' had ze in het Nederlands tegen Edwin gezegd. Zo had het veulen de naam Mangwa gekregen. Dagen regen zich aaneen tot weken en de zebra won langzaam aan gewicht. Hij kwam steeds steviger op zijn lange poten te staan, tot zijn schoft ter hoogte van Frances' taille reikte. Hij was schichtig en moeilijk in toom te houden, maar uiteindelijk raakte hij gewend aan het hoofdstel en na een paar weken bleek Sarah ongelijk te hebben: hij was zo mak dat ze hem aan een leidsel konden meevoeren en hij liet zich gedwee aan een omheining vastbinden.

Frances verloor alle benul van tijd. Eens in de twee tot drie weken kwam Jantjie met de post. Ze ontving nog een brief van haar nicht Lucille. Het was een vrolijk, luchthartig schrijven waar ze kriegel van werd. Vader had nieuwe paarden voor hen gekocht; ze gingen in de lente naar de Alpen; kon ze zich William Westbrook nog herinneren die ze op de boot had ontmoet? Ze had kennisgemaakt met een goede vriend van hem, die veertigduizend pond per jaar waard was. Hij had haar ten huwelijk gevraagd en ze had ja gezegd. Hij had investeringen in Zuid-Afrika, dus kwamen ze misschien nog weleens op bezoek.

Het idee dat Lucille bevriend zou worden met William en zijn vrouw was zo afschuwelijk dat ze er niet eens aan wilde denken. Ze liet de brief op haar schoot zakken en staarde lusteloos over het *veldt*. Edwin had er een gewoonte van gemaakt om soms wat later thuis te komen. Dan wandelde hij door het *veldt* in het halfduister van de vroege avond, wanneer het licht zich tegen de hemelkoepel plette en de hitte met zich meenam, en naderde hij het huis alsof hij de koele lucht achter zich aan sleepte. Ze zag hem nu aankomen en voelde woede in zich opwellen. Wat voor soort leven bood hij haar hier? Hoe kon ze de brief van haar nicht ooit beantwoorden? Wat zou ze moeten schrijven? Dat ze op het *veldt* leefde als een zwarte? Dat ze zich maar eens per week waste en haar haar niet meer borstelde omdat het te plakkerig was van het zweet en het stof? Dat er soms 's avonds zo veel *rooimannen* in het kaarslicht zwermden dat je je eten in de steek moest laten? Dat ze de verveling, de vliegen, de slangen en de hitte haatte? Dat ze altijd, diep in haar achterhoofd, verlangde naar een andere man?

Edwin arriveerde toen de kikkers in de vijver begonnen te kwaken. Donkere gedaanten – vleermuizen of zwaluwen – zeilden door de lucht. Het was bijna donker, maar ze zag zijn silhouet bewegen in het laatste licht en hoorde het knerpende geluid van zijn voetstappen op de grond. Hij liep regelrecht naar achteren om zich te wassen en toen hij even later terugkwam, hingen er druppels aan zijn gezicht. Er lag kracht – een soort lichamelijke ongedwongenheid – in de manier waarop hij zijn haar achteroverstreek en het trapje op liep.

'Valt je niets op?' vroeg ze bits, omdat ze het niet kon uitstaan dat hij zo tevreden was en zij dat nooit kon zijn.

Hij keek haar alleen maar aan en ze besefte dat ook dát iets was wat haar frustreerde: die vragende stiltes, die haar dwongen uitleg te geven.

'Dat de lampen niet branden. De olie is op.'

'Hebben we ook geen kaarsen?'

'Daar gaat het niet om. Sarah dient ervoor te zorgen dat er olie in huis is.'

Omdat hij er weer het zwijgen toedeed, ging ze noodgedwongen door. 'Ik snap niet waarom ze daar niet op kan letten.'

'Ik zal morgen op de terugweg een vaatje halen.'

'Ja, maar het blijft vervelend.' Sarah verscheen in de deuropening met een kaars. Edwin pakte hem aan en bedankte haar.

'Waarom geef je haar nooit een standje?'

Edwins gezicht had in het licht van de kaars een rossige kleur. 'Waarvoor zou ik haar standjes moeten geven?'

'Dat ze van alles vergeet.'

'Er is ook erg veel dat ze moet onthouden.' Hij zette de kaars op het tafeltje naast haar.

'Daarvoor hebben we haar anders in dienst.' Frances was zo gefrustreerd dat ze van haar oorspronkelijke onderwerp afdwaalde. 'Ze spreekt amper een woord Engels, ze weigert mijn japonnen te stijven, het is altijd stoffig in huis en gisteren heeft ze een pastei van mevrouw Reitz laten verbranden.'

'Dat zal ze niet met opzet hebben gedaan.'

Ze kreeg het gevoel dat ze zich op gevaarlijk terrein begaf, maar wist niet hoe ze moest stoppen. 'Jij bent veel te soepel. Je voelt met haar mee, omdat je weet hoe het is om te zijn zoals zij.'

'Wat bedoel je daarmee?'

Frances haalde haar schouders op. Ze wilde hem opjuinen, maar wist niet hoever ze kon gaan. 'Probeer in elk geval te erkennen wat ze is.'

Edwin keek haar nieuwsgierig aan. Niet boos. Ze vroeg zich af of hij wel boos kon worden. 'Wat is ze dan?'

'Ze is soms lui, en slordig.' Frances was er niet zeker van

of dat inderdaad zo was. Ze wist niet precies wat Sarah allemaal deed, maar had vaag de indruk dat ze niet hard genoeg werkte. Ze trof haar 's middags vaak slapend aan en had haar een keer betrapt toen ze uit de suikerpot snoepte.

'Lui?' Nu vertrok zijn mond laatdunkend. Ze schrok ervan. Ze wist wat hij ging zeggen en wou dat ze hem kon tegenhouden. 'Frances, wat geeft jou het recht andere mensen lui te noemen?' Hij leunde tegen een paal van de veranda. Zijn lichaam was zwarter dan de nachtelijke hemel en ze wist dat hij haar aankeek, ook al kon ze zijn gezicht niet onderscheiden.

'Weet jij wat Sarah allemaal doet? Ik wel, want ik heb haar het werk geleerd. Ze staat op voordat het licht is om het fornuis in de keuken aan te steken, rolt haar beddengoed op en zet thee voor me. Ze kleedt zich aan terwijl de ketel op staat. Ze veegt de vloer, dekt de tafel, maakt pap en koffie en daarna jouw eieren.' Hij sprak traag en legde nadruk op elk woord, waardoor ze stuk voor stuk klonken als een verwijt. 'Ze poetst onze schoenen, maakt jouw ontbijt, doet de afwas, reinigt de messen, leegt de po in de emmer en brengt die naar buiten, terwijl jij eet. Daarna maakt ze het bed op, ordent de kamers, schrobt de vloeren, verwijdert de as uit de haard en gaat dan te voet naar de boerderij om brood, melk en andere benodigdheden te halen, waarmee ze op het heetst van de dag terugkeert, wederom te voet. Ze bereidt de lunch, maakt de lampen schoon, stelt de lonten bij, bereidt het avondeten, doet de afwas en zet thee. Verder moet ze kleren verstellen en eens per week de was doen, waarvoor ze water moet koken, lakens wringen en wat al dies meer zij. En jij wilt dat ik haar standjes geef? Waarvoor precies?'

De vraag hing tussen hen in. Toen zei ze: 'Je wist wat ik was toen je me vroeg hierheen te komen.'

'Ja, dat wist ik.' Zijn woorden klonken zo geladen en zo bitter dat ze zich afvroeg wat hij bedoelde.

'Jij hebt makkelijk praten,' zei ze. 'Jij hebt het quarantainekamp, je fossielen en je insecten, maar wat heb ik? Wat moet ik de hele dag doen?'

Ze stonden tegenover elkaar op de veranda en hadden geen woorden meer. De nacht drong zich indringend zwart aan hen op en de stilte werd alleen verbroken door het zachte gekwaak van een kikker, dat klonk alsof iemand met een kleine hamer op een steen sloeg. De houten paal kraakte toen Edwin zich ertegen afzette en zich van haar afwendde naar het *veldt*, waarboven nog een glimmer van licht hing. Na een paar minuten leek hij zijn zelfbeheersing te hebben hervonden. Hij draaide zich naar haar om en zei eenvoudig: 'Frances, je japonnen worden niet gesteven omdat we ons dat niet kunnen veroorloven. Stijfsel wordt geïmporteerd. Het is duur. Bovendien kost het veel tijd om het gereed te maken voor gebruik. Het is zonde van het water en van het brandhout. Het is doodgewoon niet praktisch. We bezitten niet veel en moeten met dat weinige zuinig omspringen. In het bijzonder met olie, brandstof en suiker.' Hij schudde zijn hoofd. 'Het spijt me dat je niet gelukkiger bent.' En toen ging hij naar binnen.

Op een zeldzaam bewolkte middag zat Frances op de veranda een tere afbeelding van een witte geranium uit Sowerby's *English Botany* na te schilderen. Ze kreunde gefrustreerd. Haar werk leek nergens op. Er zat geen leven in, geen diepte.

Afbeeldingen uit een boek natekenen was iets heel anders dan tastbare voorwerpen schilderen. Het was net zoiets als proberen jezelf te kietelen; zelfs als je het op de juiste plekjes deed, kon je jezelf nooit aan het lachen maken. Bovendien kon ze zich vandaag niet concentreren. Haar gedachten keerden steeds terug naar de woordenwisseling met Edwin. Ze hadden de afgelopen week bijna geen woord tegen elkaar gezegd. Edwin kwam 's avonds beleefd maar teruggetrokken thuis en ging dan meteen naar zijn studeerkamer, en Frances, die zich een beetje schaamde dat ze zich zo verwend had gedragen, wist niet hoe ze het goed moest maken en óf ze dat wel wilde. Ze deed de Sowerby dicht, pakte haar penselen bij elkaar en ging naar binnen.

Toen ze door de gang liep, hoorde ze op het dak iets ritselen. De balken kraakten. In de huiskamer hoorde ze het ook, luider, en toen herinnerde ze zich dat Edwin had gezegd dat Sarah de schoorsteen zou vegen. Even bleef het stil, toen klonk er een snerpende kreet, gevolgd door een geluid alsof er iets door de schoorsteen naar beneden stortte. Een grote roetwolk walmde uit de open haard. Frances bleef geschrokken staan. Was Sarah in de schoorsteen gevallen? Daar paste ze toch niet in? Weer klonk er zo'n ijselijke kreet, gevolgd door angstig gekrabbel. Gruis kletterde op de vloer. Er zat wel degelijk iets in de schoorsteen. De geluiden werden steeds heftiger en er leek iets langzaam door de schoorsteen naar beneden te komen. In de haard en op de vloer had zich al een heel bergje gruis gevormd en grote roetwolken kwamen de kamer in.

'Sarah?' riep Frances, dodelijk ongerust om het dienstmeisje.

Als in antwoord op haar vraag bolde er nog een roetwolk uit de haard en uit die wolk schoot een zwarte bal de kamer in. Hij vloog als een kanonskogel door de lucht en raakte Frances precies op haar borst. Hij was vrij groot en zacht en hij bewoog. Ze slaakte een gil, liet haar penselen vallen en probeerde het enge ding van zich af te duwen, maar het leefde en liet niet los en wikkelde zich zelfs om haar hoofd waardoor ze terechtkwam in zo'n zwarte wolk dat ze geen hand voor ogen zag. Vleugels sloegen in haar gezicht. Het was een vogel, besefte ze, en hij zat verstrikt in haar japon. Ze bleef met het krijsende beest vechten tot hij erin slaagde zijn klauwen los te trekken en weg te fladderen. Ze wreef in haar ogen en keek om zich heen. Op een van de stoelen zat een kip verontwaardigd te kakelen en haar veren te schudden om zich van het roet te ontdoen.

Frances keek naar haar japon. Ze was stinkend smerig; alles was zwart – haar handen, haar nagels, haar schoenen, haar japon. Ze zag eruit alsof ze in een kolenmijn had gezeten. Toen ze zich omdraaide, daalden roetdeeltjes uit haar kleding op de vloer. Edwin stond in de deuropening. Ze voelde zich bijzonder onbehaaglijk toen ze zag hoe hij naar haar keek. 'Een kip,' zei ze schor, half beschuldigend. Ze veegde met haar mouw het stof van haar mond en besefte te laat dat de mouw net zo smerig was als haar gezicht. 'Wat deed die kip in de schoorsteen?' vroeg ze kribbig.

Hij probeerde antwoord te geven en wees naar het dak, maar zijn gezicht vertrok en zijn schouders begonnen te schudden van het lachen dat hij met alle geweld probeerde in te houden. Hij sloeg zijn handen voor zijn gezicht om zich te beheersen en haalde diep adem om iets te zeggen, maar zodra hij zijn handen van zijn gezicht wegnam, begon hij te schateren van het lachen. Hij moest het hele voorval gezien hebben. Ze voelde tranen in haar ogen branden. Ze wilde gaan huilen en met haar voet stampen en zeggen dat hij moest ophouden, maar als ze dat zou doen, als ze lucht zou geven aan haar woede, zou ze zich alleen maar nog belachelijker maken.

'Niet lachen,' zei ze en ze schudde haar hoofd, maar vanwege het stof in haar keel kwamen de woorden eruit als een raar gepiep en dat klonk zo idioot dat ze van de weeromstuit zelf ook begon te lachen. Ze lachte tot haar longen pijn deden en ze geen adem meer kon krijgen, en toen ze slapjes neerzakte op de vloer, wolkte roet uit de plooien van haar jurk.

'Ze gebruiken kippen om de schoorsteen te vegen,' zei Edwin toen hij weer kon praten. Hij wreef de tranen uit zijn ogen. 'Ze wist niet dat jij hier zou zijn.'

Er klonk een kreet op het dak. Sarah riep iets door de schoorsteen. Frances en Edwin keken elkaar aan en begonnen weer te schateren. Ze hadden gewoon de slappe lach. Uiteindelijk slaagde Edwin erin zich te beheersen. 'Ja,' riep hij naar Sarah. Toen greep hij de kip en droeg het kakelende dier naar buiten.

Op een avond kwam Edwin thuis met een muilezelzadel. Hij zei dat ze wel konden proberen Mangwa te zadelen. Frances vond het een leuk idee. De zebra was het daar niet mee eens. Hij hief zijn oranje snuit op, legde zijn oren in zijn nek en begon fel met zijn achterpoten te trappen. Edwin gooide een touw om zijn poten om hem te kluisteren en nadat Mangwa het zadel drie dagen had gedragen, raakte hij gewend aan het gewicht op zijn rug. Ze namen hem mee als ze zondags gingen wandelen. Frances deed dan behalve hun lunch – in papier gewikkeld brood, een stuk geitenkaas, een paar perziken en een fles water – ook haar schilderspullen in haar tas.

Edwin droeg over zijn ene schouder zijn jachtgeweer en over zijn andere schouder zijn knapzak die barstensvol gereedschap zat: met kurk beklede doosjes, metalen klemmen, rolletjes gaas en opvouwbare vangnetten in verschillende maten. Hij nam ook steevast een zakmicroscoop, een mapje met taps toelopende flacons en een fles alcohol mee. Tijdens de wandeling bleef hij nu en dan staan om in spleten tussen rotsblokken te turen of met zijn voet een steen om te keren om te zien wat eronder zat.

Het deed Frances goed om de lusteloosheid van zich af te zetten. Ze liepen naar de rivier of beklommen het *kopje* en terwijl Edwin naar insecten of fossielen zocht, schilderde Frances details van het landschap: de doornen van een schijfcactus, een brok ijzersteen met harde, glanzende vlakken, de bladeren van een struik waarvan de eigenaardige vorm haar aansprak. Tijdens het schilderen vond ze iets terug van de tevredenheid die ze niet meer had gekend sinds ze heel klein was, voordat juffrouw Cranbourne in haar leven was gekomen, toen ze de wereld nog had mogen interpreteren zonder inmenging van anderen.

Ze vond het prettig om haar spieren te gebruiken. Haar benen werden sterker, ze dacht minder vaak aan William en merkte dat ze meer energie had. Algauw had ze er niet genoeg aan om alleen op zondag eropuit te gaan en stond ze

’s ochtends tegelijk met Edwin op, haar benen over de rand van het bed zwaaiend als het nog donker was. Ze ontbeten dan snel bij kaarslicht en wanneer hij naar het quarantainekamp vertrok, trok zij het *veldt* in. Het werd haar favoriete deel van de dag. Ze genoot van de koelte van de morgenstond, wanneer de hemelkoepel nog koud en leeg was terwijl over de aarde een oranje gloed lag alsof de wereld in brand stond.

Ze ontdekte dat het *veldt* ging leven als je het van dichtbij bekeek. Een zwarte, met mos bedekte steen had een groene glans en stak een flikkerende tong uit. Twee struikjes, niet te onderscheiden van de omliggende vegetatie, begonnen te trillen en snelden opeens over de vlakte. Het waren struisvogelkuikens. Een bergje bruin met gele aarde begon te bewegen, stak een rimpelige nek uit en kroop met de bekende schildpadpassen naar de vijver. De stilte vulde zich met de zachte geluiden van insecten, vleugels en de wind die zich een weg zocht tussen de graspollen. Een keer zag ze een schorpioen uit een spleet in een rotsblok tevoorschijn komen. Ze bleef er gefascineerd naar kijken en zag tien miniatuurschorpioentjes, transparante evenbeelden van de moeder, als in een militaire colonne van haar rug klimmen. Als Edwin erbij was geweest, had hij ze in een potje gevangen en op sterk water gezet waar ze levenloos zouden hebben gedreven om zonder risico’s bestudeerd te kunnen worden.

Op een zondag kwamen ze op de terugweg van de rivier langs een vernielde termietenheuvel. Brokken aarde lagen her en der verspreid. Edwin raapte iets op wat eruitzag als een steen en liet hem aan haar zien. Het was een prachtig geconserveerde brulkikker, gemummificeerd in een klont aarde.

Thuis vulde Edwin een grote glazen pot met water en legde de kikker erin. Frances bekeek hem belangstellend maar sceptisch. De aarde verkruimelde en de kikker zakte naar de bodem. Een paar seconden later zag ze een rimpeling op het water. Een poot werd uitgeslagen en een oog ging open. Het was een wonder. Ze lachte verrukt.

'Hij kan daar jaren gelegen hebben,' zei Edwin. 'In winterslaap. Wachtend op regen.'

'Maak hem niet dood,' zei ze. Ze legde haar hand op zijn arm. Ze zou het vreselijk triest vinden als Edwin dit dier, nadat het zo lang in het zand had liggen wachten, op sterk water zou zetten.

Edwin keek haar vragend aan.

'Ik wil hem schilderen,' zei ze. 'En daarna kunnen we hem zijn vrijheid teruggeven.'

De volgende dag schilderde Frances de brulkikker. Hij zat op de bodem van de glazen kom en keek haar vanonder zijn dikke oogleden aan. Mangwa stond in de schaduw te dommelen. Het enige wat de stilte verbrak, was het suizende geluid waarmee de zebra zijn staart over zijn rug zwiepte.

Het was nog niet zo makkelijk om de kikker op papier te krijgen. Ze had nog nooit een dier geschilderd, alleen planten, en omdat hij steeds bewoog, moest ze de anatomie van zijn spieren goed bekijken en in haar geheugen prenten voordat ze kon beginnen haar indrukken op papier te zetten. Zijn lichaam bestond van neus tot staart uit één stuk, op de gemarmerde ogen na. Zijn huid was knoestig en ruw, als een met schelpen begroeide steen. Ze voedde hem met de vliegen die Sarah voor haar had gevangen en in een potje had gedaan. Zodra er een vlieg op de oppervlakte van het water terechtkwam, strekte de kikker zijn achterpoten met een soepele zwemslag en liet hij zijn lange tong uitschieten om hem van het water te likken. Toen ze tevreden was over haar tekening, keerde ze de kom om in de vijver en keek de kikker na toen hij in het donkere water wegzwom.

Frances was er niet zeker van of Edwin haar schets mooi zou vinden. Ze was bang dat de tekening geen genade zou vinden in de ogen van een natuurkenner.

Hij bekeek haar schets in het licht. 'Het is erg geslaagd,' zei hij en hij glimlachte naar haar. Ze was in haar nopjes. Edwin was nooit gul met lof. 'Maar,' zei hij en hij wees naar de tekening, 'je zou de poten iets duidelijker moeten afbeelden. Ik kan op deze tekening niet zien hoeveel tenen hij heeft. En heb je zijn tong gezien?' Ze knikte. 'Die zou je ernaast moeten tekenen, als afzonderlijk detail.'

Daarna gaf Edwin haar steeds levende monsters om te tekenen – torren, hagedissen en vliegende insecten – die ze daarna de vrijheid mocht schenken.

De ooien werden begin april geschoren, voordat ze zouden lammeren, en op zondag werd ook Edwins hulp ingeroepen. Frances liep tegen het eind van de middag naar de boerderij. Ze hoorde de schapen al van verre, een kakofonie van geblaat dat opsteeg in de windstille, warme lucht. Het gras op het *veldt* was nu zo verdroogd dat de sprietjes tot stof verpulverden wanneer ze erop trapte en de grond begon barsten te vertonen. De zomer was bijna ten einde, maar er was nog steeds geen regen in zicht.

De mannen werkten in de volle zon. Twee van hen leidden de schapen naar de kralen, waar ze werden doorgesluisd naar andere mannen die op hen wachtten met schapenscharen die lange bladen hadden met de doffe, grijze kleur van zink. Frances leunde op de omheining van de dichtstbijzijnde kraal om te kijken. De mannen waren van top tot teen bedekt met stof en hun haar plakte aan hun hoofd van het zweet. Het duurde eventjes voordat ze Edwin herkende. Hij stond met een ooi tussen zijn knieën geklemd, hield met één hand twee van haar poten vast en knipte met de andere de wol van haar gezwollen buik terwijl hij zachtjes tegen haar praatte. Het dier lag er als verdoofd bij, met haar ogen half gesloten, oppervlakkig hijgend. Toen hij haar overeind liet komen, hobbelde ze met haar witte, geschoren, naakte lijf snel weg om zich weer bij de kudde te voegen. De mannen bij het hek sluisden weer een schaap naar Edwin en toen begon het hele proces van voren af aan. Edwin bezat een kalm zelfvertrouwen, besefte ze, niet alleen bij het scheren van de schapen, maar bij alle aspecten van het leven. Hij leek nooit aan zichzelf te twijfelen. Het was alsof hij niets en niemand nodig had om te kunnen functioneren. Frances knipperde tegen het stof en richtte zich op. Hij was altijd kalm en tevreden, en dat was op zich aantrekkelijk, maar ook een beetje angstaanjagend.

Buiten de kraal lag een grote stapel vachten, zwart van de vliegen, stinkend naar schapenvet. Een groep vrouwen met hoofddoeken was bezig de wol in grote canvaszakken te stoppen. Mevrouw Reitz werkte ook mee. Frances liep naar de groep. 'Kan ik soms helpen?'

'Je krijgt er niks anders voor dan brood en kaas,' zei een van de vrouwen, maar toen Frances bleef staan, wees ze met haar hoofd naar de stapel zakken. Frances werkte twee uur achter elkaar, met haar handen diep in de wol, haar nagels bedekt met smeer. De vachten waren ruig en zaten vol klitten en ze hield er rode striemen in haar handpalmen aan over.

Toen het werk gedaan was, zakte de zon al naar de horizon en had de grond binnen de kraal een patroon van lange schaduwen. De mannen wasten zich in een trog, strekten hun rug en streken hun natte haar van hun voorhoofd. Edwin ving Frances' blik op en glimlachte, en ze dacht: we zijn bijna vrienden. Toen waren de vrouwen aan de beurt om zich te wassen. Een voor een doopten ze hun gezicht in de trog en schrobden hun handen, nek en wangen. Het water voelde als balsem op haar verhitte gezicht en ze liet de koude straaltjes onbezorgd in haar japon druipen. Mevrouw Reitz gaf manden met brood en kaas door en Frances genoot van de rijke, zoute smaak.

Ze liepen samen terug, met z'n tweeën, langs de nu verlaten kralen, de schuren en het woonhuis, onder een grijze hemel die geen licht meer bevatte. Een sluier van koude lucht kroop over de grond. Edwins vuile overhemd zat vol winkelhaken en zijn broek glom van het schapenvet. Hij had iets ongedwongens over zich. Hun lome tempo en de manier waarop hij af en toe zijn schouders liet rollen, waren een bewijs hoe moe hij was, net als zijzelf.

Het was nu bijna donker. De nachtelijke hemel bevatte nog maar een echo van het verdwenen daglicht. 'Ik wist niet dat je schapen kon scheren,' zei ze zachtjes.

'Hoe had je dat kunnen weten?' Er klonk een piepend geluid toen hij de kurk uit een kleine fles trok en die aan haar gaf.

'Hoe kom je aan die fles?' Ze hadden in alle maanden dat Frances hier nu was zelden alcohol gedronken.

'Van meneer Reitz gekregen.'

Ze nam een slokje. Het was perzikbrandewijn, zoet en sterk na de kaas, en ze voelde onder haar kaken iets samentrekken. Hij bleef staan en keek omhoog. Ze stonden onder de wijde takken van de *koorsboom*. Het was daar donkerder dan op het *veldt* en vogels dartelden als vleermuizen tussen de takken. De fles was kleverig en toen ze hem aan Edwin teruggaf zag ze een bruine smeer op het glas. Ze pakte zijn hand en draaide hem om. In zijn handpalm zat een snee. De randen van de wond waren opgedroogd onder het aangekoekte stof, maar het midden glinsterde nog.

'Doet het pijn?' Haar stem klonk bijna te luid in de schemering.

'Het is geen diepe wond,' antwoordde hij, en alhoewel ze naar zijn handpalm keek, voelde ze het gewicht van zijn hand in de hare, zijn blik die op haar gericht was, de gespannen nabijheid van zijn lichaam. 'De schaar wordt bot tijdens het scheren.'

Hij trok zijn hand terug, zette de fles brandewijn aan zijn mond, en Frances beeldde zich in hoe de donkere, zoete drank over zijn tong gleed.

Later, toen ze in haar nachtjapon in de slaapkamer haar gezicht met olie insmeerde, voelde ze een bobbeltje onder haar oorlelletje. Ze kon het met haar vinger heen en weer duwen. Ze pakte een omslagdoek van het bed en liep naar Edwins studeerkamer. Hij zat daar met een glas in zijn verbonden hand. De bijna lege fles brandewijn stond op zijn bureau.

Zijn ogen waren half gesloten van vermoeidheid en van de drank.

'Er zit iets in mijn hals,' zei ze in de deuropening.

Hij trok een stoel voor haar bij. Ze liet haar omslagdoek zakken, schoof haar haar naar één kant en hield haar hoofd schuin zodat hij ernaar kon kijken.

'Het is een teek,' zei hij. Hij richtte zich op en glimlachte naar haar. 'Van de schapen.'

'Kun je hem weghalen?' vroeg ze.

'Kun je stil blijven zitten?'

Ze knikte. Hij streek een lucifer af, liet hem eventjes branden en blies hem uit. Toen schoof hij zijn stoel dicht bij die van haar en stak zijn vrije hand in haar haar opdat ze niet zou bewegen. Met zijn andere hand gebruikte hij het hete uiteinde van de lucifer om de teek te verbranden. Ze schrok toen ze de hitte van de lucifer op haar huid voelde, maar hij hield haar stevig in bedwang. Ze rook de warmte die van zijn lichaam straalde, het opgedroogde zweet, de brandewijnlucht die hij uitademde. Zijn opgerolde mouw streek langs haar mond. Opeens wilde ze dat hij haar zou kussen, dat hij zich over haar heen zou buigen en zijn mond op de hare drukken, maar hij trok zijn hand al uit haar haar. Hij legde de lucifer neer en pakte een pincet. Ze voelde iets aan haar huid trekken. Even later liet hij de teek in een potje vallen; hij leek op een gezwollen bruin zakje met oranje pootjes.

Edwin bleef haar met zijn kalme grijze ogen aankijken. Hij had bijna de hele fles brandewijn leeggedronken, maar vertoonde geen spoor van dronkenschap. Hij was net zo beheerst en evenwichtig als altijd. Het enige verschil met anders was de vermoeidheid, de overgave, die tot uitdrukking kwam in een lome nonchalance. De lamp sputterde, siste en vlamde weer op. Ze voelde haar hoofdhuid prikken op de plek waar hij zijn hand in haar haar had gestoken en wou dat hij het nogmaals zou doen, op precies dezelfde plek.

'Het was aardig van je om mevrouw Reitz te helpen,' zei hij.

'Ik weet niet zeker of ze het heeft gemerkt. Soms heb ik het gevoel dat ze niet eens naar me wil kijken.'

Edwin lachte zachtjes. 'Ze heeft anders tegen mij gezegd dat ze vindt dat je aardig vooruitgaat.'

'O ja?' Frances glimlachte. Ze kon zich heel goed voorstellen hoe de vrouw haar oordeel velde. Er viel een korte stilte. Ze moest nu eigenlijk opstaan en naar bed gaan, maar iets in Edwins zwijgen gaf haar het gevoel dat ze hem nog iets moest bieden. Alsof hij erop wachtte.

'Denk je weleens aan Engeland?' vroeg ze.

'Niet zo vaak als zou moeten.' Hij wreef over zijn gezicht. 'Ik denk aan mijn ouders. Ik maak me zorgen dat ze niet voldoende geld hebben om van te leven en dat ik hun te weinig stuur. Maar ik mis het leven daar niet.'

'Hebben je broers werk?'

'Ja. In fabrieken.' Hij leunde achterover op zijn stoel. 'Wat geen prettig leven is.'

'Ze hebben in Engeland een erg koude winter gehad.'

'Ja.'

Bevroren rivieren, bleke gezichten, samengeknepen tegen de vrieskou, grijze steden stampvol mensen – het was allemaal erg ver verwijderd van de warme, stille intimiteit van de kamer waarin ze zaten en het eindeloze *veldt* daarbuiten.

Ze verbrak de stilte, gedreven door een behoefte haar hart te luchten. 'Ik heb vannacht gedroomd dat ik in Londen was, in het huis van mijn oom.' De droom zat haar dwars, al wist ze niet precies waarom. 'Ik had een plant bij me, een stek van een boom die ik uit Rietfontein had meegebracht. Ik wilde hem aan mijn nichtjes laten zien, maar toen ik hem uit mijn jaszak haalde, zag ik dat hij dood was. Hij was verschrompeld tot een zielige knobbel vol doornen.'

'Was je daar verdrietig om?'

'Heel verdrietig. Ik heb gehuild als een klein kind.'

Hij keek haar aan. Zijn ogen waren heel helder. 'Omdat je hun dat plantje had willen laten zien, of omdat het dood was gegaan?'

'Dat is nu juist het punt.' Hij had precies de vinger gelegd op wat haar dwarszat. 'Het ging er niet alleen om dat ik hun het stekje had willen laten zien. Ik was verdrietig omdat het niet meer leefde en omdat ik vond dat het om de een of andere reden mijn schuld was.'

Hij zei niets en ze voelde een diepe droefenis in zich opkomen. Ze beet op haar lip om haar tranen in bedwang te houden, stond op en liep de kamer uit.

24

FRANCES ZAT OP DE VERANDA TE KIJKEN NAAR DE TWEE mannen die door het *veldt* kwamen aanlopen. Ze waren nog ver weg, silhouetten in de gloed van de ondergaande zon. Mangwa knabbelde aan de balustrade van de veranda en trok af en toe vol walging zijn bovenlip op. Ze zou hem dat knabbelen eigenlijk moeten verbieden – er lag een hele berg houtsnippers op de grond – maar zag er het nut niet van in. Dit huis zou uiteindelijk toch instorten, met of zonder hulp van de zebra.

Ze had weinig fut vanwege de hitte maar stond op toen de mannen dichterbij kwamen. Ze duwde de kop van de zebra weg en bleef eventjes vol genegenheid naar hem kijken. Hij werd met de dag mooier. Zijn bruine vacht maakte plaats voor het glanzende, gestreepte vel van de volwassen zebra en zijn lichaam had de compacte kracht van een wild dier. Hij duwde zijn snuit tegen haar aan en nam haar jurk tussen zijn lippen, wat zo kietelde dat ze hardop begon te lachen. Toen ze de knapzak over de schouder van een van de mannen zag, besefte ze dat het haar echtgenoot was, samen met iemand die ze nog nooit had gezien. Frances had altijd gedacht dat ze meteen zou weten wie Joseph Baier was als ze hem ooit zou ontmoeten, dat de invloed die hij op haar leven had hem voor haar meteen herkenbaar zou maken, maar tot Edwin hem aan haar voorstelde, had ze geen flauw idee wie de bezoeker was.

Baier was een kleine, dikke man, die verhit hijgde. Zijn ogen lagen verzonken in plooien roze vlees maar gingen heen en weer met een snelheid die onrustbarend tegenstrijdig was met zijn logge, weke lichaam. Hij moest in de vijftig zijn, maar leek een stuk jonger vanwege zijn omvang en omdat de rimpels in zijn gezicht werden gladgetrokken door zijn babyachtige molligheid.

'Zo, mevrouw Matthews,' zei hij, terwijl zijn blik naar het gebarsten pleisterwerk en de ruwe vloer ging. Hij had een nasale stem. 'Een hele verandering voor u.' Hij pauzeerde een fractie van een seconde voor het woord 'verandering', waarmee hij er een onmiskenbaar laatdunkende nadruk op legde, en hij glimlachte erbij als iemand die een mes in een varken had gestoken en dat nu heen en weer bewoog opdat het beest flink zou gaan gillen.

'Vergeleken met Londen? Dat klopt. Ik ben nog steeds niet aan de warmte gewend.'

'Geen vergulde kranen meer en geen kanten gordijnen.' Hij bewoog voortdurend, stak zijn handen in zijn zakken, haalde ze er weer uit, schikte zijn stropdas en bekeek het huisje als een huisbaas die zijn eigendommen komt inspecteren. Hij maakte een rusteloze, onstandvastige indruk. 'U bent dus een nichtje van Sir John Hamilton?' vroeg hij.

Frances wist wel iets over Joseph Baier, uit de verhalen van William. Hij was een Jood uit het East End die als een van de eersten de diamantmijnen had ontdekt en er rijk van was geworden. Ze kon zich goed voorstellen hoe hij bij de mijn liep te pronken met William: de beschaafde, geschoolde neef die hij onder de duim kon houden dankzij zijn fortuin.

'Hij kwam onaangekondigd opdagen in het quarantainekamp,' zei Edwin zachtjes toen Baier zich bij de trog stond te wassen. 'Hij zal bij ons moeten overnachten.'

'Wat zijn je plannen voor dat tere vrouwtje van je, Edwin?' vroeg Baier toen ze aan tafel zaten. 'Moet zij hier als een vogeltje in een kooi zitten terwijl jij bezig bent levens te redden?' Frances begreep dat de macht die Baier in de Kaapkolonie had, hem het recht gaf te zeggen wat hij wilde. Ze vroeg zich af of hij zinspeelde op haar affaire met William. Hij zag eruit als het soort man dat van zulke dingen genoot.

'Ze kan zich zonder mijn hulp heel goed redden.'

'Ik vind dat vrouwen niet veel verschillen van jouw geliefde zwartjes. Ze houden niet van werken, maar vinden wel dat ze overal recht op hebben.' Baier lachte en prikte in het maïsbrood op zijn bord. 'En ze zijn lang niet altijd te vertrouwen.'

Frances staarde naar hem en voelde haar hartslag versnellen.

'Weet u, mevrouw Matthews, dat men uw echtgenoot in Kimberley een willekeurige hoeveelheid diamanten kan voorhouden zonder dat het hem iets doet? Ik blijk de verkeerde valuta gebruikt te hebben.'

Er viel een stilte. Edwins gezicht stond strak. Er was iets gaande tussen de twee mannen, maar Frances had geen flauw idee wat het was.

'Het is geen kwestie van valuta. Ik weiger dingen te doen waarvoor ik me zou schamen.'

'Dat weet ik nog zo net niet. Ik denk dat je tot heel wat in staat bent om het je vrouw naar de zin te maken.' Daarop volgde nog zo'n geladen stilte. 'En ik maar denken dat je een man van eer was!' Baier duwde achteloos zijn bord van zich af. Het stootte tegen de kandelaar. Kaarsvet droop op de tafel. Hij haalde een tandenstoker uit zijn zak en begon er al pratend mee tussen zijn tanden te peuteren. Frances zag dat de punt ervan nat was en dat er bloed aan zat. 'De man met de onwrikbare principes blijkt uiteindelijk toch maar een gewoon mens te zijn. Wie had ooit kunnen denken dat je een zwak had voor de mooie dingen van het leven?' Hij glimlachte naar Frances. 'Weet u, mevrouw Matthews, iedereen vond dat hij overdreven serieus was. Je kon hem nooit aan het lachen krijgen. Hij stond voortdurend op de barricaden.' Hij zweeg peinzend, terwijl hij tussen zijn tanden bleef wroeten.

'Ben je er nog steeds op gebrand nikkers te redden?' vroeg hij aan Edwin.

'Zo veel mogelijk.'

'Hij was erg ontdaan in Kimberley,' zei Baier tegen Frances. 'Hij was nogal gecharmeerd van een kaffervrouwtje, ziet u. Best een lekker zwartje om te zien, maar ze was niet helemaal eerlijk. We hebben haar weg moeten halen. Daar werd hij erg boos om. En er zijn mensen in Kimberley die dergelijk gedrag niet dulden.'

Frances begreep niet waarom Edwin er het zwijgen toe deed. Hij zou zich moeten verdedigen. Baier was een ongelikte beer, maar Edwin was een lafaard als hij niet voor zichzelf opkwam.

'En ik dacht nog wel dat je verstandig was geworden na het fiasco van die artikelen.'

Frances mengde zich in het gesprek. 'Welke artikelen?'

'Ach… heb je ze niet aan je vrouwtje laten zien? Ik dacht juist dat je erg trots was op je journalistieke prestaties.'

'Ik heb een reeks artikelen geschreven waarin ik opkom voor de rechten van de zwarte arbeiders in de mijnen van Kimberley,' zei Edwin op een kille toon, met zijn blik gericht op de tafel.

Waar had hij het over? Daar had hij haar helemaal niets over verteld.

'Ik geloof dat ik je een gunst heb bewezen, Matthews, door je hier te plaatsen. Vind je ook niet?' Edwin gaf geen antwoord. Zijn kaken stonden strak van de moeite die hij moest doen om zijn zelfbeheersing te bewaren. 'Je zit dan wel in de rimboe, maar je kunt hier tenminste geen problemen veroorzaken.'

Frances had Edwin nooit aangezien voor een man die problemen kon of wilde veroorzaken. Sarah diende rijstebrij op. Baier nam er met tegenzin een hapje van. Toen wendde hij zich tot Frances. 'Ik meen dat u op het schip mijn neef Westbrook hebt ontmoet.'

'Ja,' antwoordde Frances op een vlakke toon. Ze vroeg zich af hoeveel hij wist en voelde een blos opstijgen naar haar wangen.

'William is erg populair bij de meisjes van de kolonie.'

Baier zei het tegen Edwin, maar keek meteen weer naar Frances en knipoogde nadrukkelijk, terwijl hij aan zijn onderlip likte. Het viel Edwin niet op, maar Frances voelde het bloed in haar aderen stollen.

Snel ging ze op iets anders over. 'Hij zei dat hij een nieuw soort stoommachines wil importeren voor de mijnen. Dat zal uw zaken vast ten goede komen.'

Na het eten gingen ze rond het haardvuur zitten. Baier stak een sigaar op en strekte zijn benen. 'Wat is dat?' vroeg hij. Hij duwde met zijn voet tegen het fossiel dat op de haardsteen lag.

'Een deel van een kaak van een reptiel.'

Frances had hem vaak bekeken, gefascineerd door de afmetingen van de glanzende tanden waarvan de gepolijste punten uit de steen staken. Ze had zelfs geprobeerd hem te schilderen.

'O ja?' zei Baier. 'En waarom bewaar je die?'

'Omdat ik het bijzonder vind dat hij zo oud is,' zei Edwin.

'Kom, kom, dat is vast niet de enige reden. Jullie naturalisten hebben bij elk fossiel een verhaal.'

'De tanden wijzen erop dat het reptiel de eigenschappen van een zoogdier had.'

'En dat wil zeggen?' vroeg Baier met een zweem van ongeduld.

'Dat zoogdieren afstammen van reptielen. Volgens mij is dit de ontbrekende link.'

'Is dat alles?' Baier lachte ongelovig. 'Dat jij je over zulke droge materie kunt opwinden. Ik hoop dat al dat gezeur over fossielen u interesseert, mevrouw Matthews, anders krijgt u een erg saai huwelijk.' Hij lachte terwijl zij bleven zwijgen, nam een trek aan zijn sigaar en zei toen grinnikend: 'Straks ga je me nog vertellen dat we geen krokodillen meer mogen schieten.'

De volgende ochtend vertrok Edwin in alle vroegte. Baier had op een veldbed voor de haard geslapen en Frances had geen gelegenheid gehad om met Edwin te praten over wat er tijdens het avondeten was gezegd. De luiken van de huiskamer waren nog dicht, wat vreemd was. Edwin zette ze altijd open voordat hij vertrok. Het was donker in de kamer en het rook er naar verschaalde sigarenrook en het eten van gisteren.

'Goedemorgen, mevrouw Matthews.'

Ze schrok zich lam. Baier zat in een van de leunstoelen bij de haard. Ze zag zijn kale kruintje boven de rugleuning uitsteken. 'Ik wist niet dat u er nog was.'

'Hebt u op de *Cambrian* genoten van het gezelschap van mijn neef?' vroeg hij zonder zich in de stoel om te draaien. Ze gaf geen antwoord. Hij zei: 'Ik had gehoopt dat u me ergens mee kon helpen.'

'Waarmee dan?' Ze wilde niet eens samen met hem in één kamer zijn, laat staan gedwongen worden hem te helpen.

'Ik heb een lange tocht voor de boeg en mijn voeten doen nu al pijn. Mag ik u verzoeken ze een beetje te masseren? Om de bloedsomloop te stimuleren?'

Ze verstijfde. Hij wist het van William en ging haar daarmee chanteren. Het was volkomen stil in de kamer, afgezien van Sarah die buiten de veranda aanveegde. Frances hoorde hoe ze de bezem met ritmische bewegingen over de planken liet gaan. De stilte was erger dan praten. Nu leek het net alsof ze samen betrokken waren bij clandestiene praktijken.

'Bent u er nog?' vroeg hij.

Met houterige passen liep ze naar de stoel, waar ze voor hem neerknielde. Hij had zijn schoenen aan en ze had moeite de veters los te krijgen om ze uit te kunnen trekken. Ze keek niet naar hem op, maar hoorde hem ademen. Ze nam een van zijn voeten in haar handen. De sok was warm en een beetje vochtig.

'Doe die sok ook maar uit,' zei hij met een lachje. Ze verstijfde weer en aarzelde. Ze was het liefst opgestaan en weggelopen, maar Edwin zou het haar misschien niet vergeven als hij te weten kwam wat er tussen haar en William was voorgevallen, vooral omdat het om de neef van Baier ging. En wat moest ze dan? Ze stroopte de sok van zijn voet. Zijn adem versnelde toen ze met haar vingers het zachte, roze vlees begon te kneden. Hij bewoog zijn tenen terwijl ze masseerde en er ging een schokje door hem heen toen haar mouw langs zijn voetzool streek. Pas toen ze pijn in haar vingers had gekregen, liet hij haar gaan. Ze stond op, liep naar de keuken, deed de deur dicht en gaf over in de gootsteen.

'Zijn wij hier vanwege Baier?' vroeg ze later, toen Edwin weer thuis was.

Hij ging zitten om zijn schoenen uit te trekken, hetgeen door de nog niet geheelde wond aan zijn linkerhand een beetje onhandig ging. 'Hij heeft me een baan aangeboden en ik heb die aangenomen.'

'Hij liet het klinken alsof hij je ertoe heeft gedwongen.'

'Hij heeft enige druk uitgeoefend.'

'Waarom?'

'Hij wilde me uit Kimberley weg hebben.'

'Vanwege die vrouw?'

'Ik probeerde haar te helpen.'

'Hoe? Wat insinueerde Baier?'

'Lieve hemel, Frances, ik had heus geen verhouding met haar. Dit was zes maanden geleden. Wij hadden ons net verloofd. Ik was terug in Kimberley in de hoop mijn voormalige praktijk weer te kunnen openen. Ik had me voorgenomen niet bij politieke zaken betrokken te raken, maar...' Hij maakte de zin niet af en staarde een ogenblik naar de vloer. 'Men had haar bij me gebracht omdat ze hulp nodig had en ik was niet in staat haar af te wijzen. Ik heb haar onderdak geboden in mijn huis.'

'Ik mag hem net zo min als jij, maar ik wil weten wat hier precies achter zit.'

Edwin liep naar de huiskamer, schonk een glas water in en ging met vermoeide bewegingen in een fauteuil bij de haard zitten. Frances nam afwachtend tegenover hem plaats.

'Het is geen bijzonder verhaal, hooguit vanwege de details. Er was een vrouw, een dienstmeisje. Zoals er zo veel zijn in Kimberley. Ze was een Sotho. Toen haar stam tijdens de oorlog met de Boeren werd uitgeroeid, heeft ze haar kinderen achtergelaten en heeft ze samen met haar broer honderden kilometers gelopen om in Kimberley werk te zoeken. Het was winter en het water bevroor in de kookpotten die ze bij zich hadden. Ze hadden één deken die ze 's nachts samen deelden, dicht tegen elkaar aan naast het kampvuur.'

Edwin streek met zijn hand over zijn gezicht alsof het vertellen van het verhaal hem uitputte. 'Arthur Gibbons nam haar in dienst. Hij was een goudzoeker uit Londen, een kennis van Baier, en hij had de reputatie door pech achtervolgd te worden. Hij had al een oog verloren toen bij een dynamietontploffing een scherf in zijn gezicht was gevlogen.' Edwin lachte wrang. 'Vorig jaar had hij een concessie gekocht in New Rush. Toen hij de mijnschacht ging bekijken, zag hij dat de wanden waren ingestort en dat de mijn vol puin lag. Hij gaf de concessie terug om redenen dat er in die mijn niet gewerkt kon worden en kocht er eentje voor een schacht ernaast. Een week later werd de eerste claim gekocht door iemand die een ploegje negers met pikhouwelen en spaden aan het werk zette om het puin te verwijderen. Binnen een dag waren ze daarmee klaar en konden ze in de grond eronder gaan graven. Na nog geen uur begonnen ze opgewonden te schreeuwen. Gibbons ging gauw kijken en zag dat een van de mannen een diamant zo groot als een flessenkurk omhoogstak.

'Het dienstmeisje – Gibbons noemde haar Ruth – maakte zijn hut schoon, waste zijn kleren en leerde kip te roosteren, en dat alles voor zo weinig geld dat een dienstmeisje in Engeland er niet eens voor uit haar bed zou komen. En hij gebruikte haar ook nog voor andere dingen.

'Afgelopen winter kreeg Gibbons babesiosis. Hij moest maandenlang het bed houden. Hij was nooit een populair type geweest en zou in zijn eentje waarschijnlijk aan de ziekte dood zijn gegaan, maar Ruth liet hem niet in de steek. Ze kocht medicijnen voor hem, dwong hem schoon water te drinken, verschoonde zijn bed en leegde zijn po. Toen er mannen naar het huis kwamen om te vragen waarom hij niets kocht en dreigden hun diamanten aan een ander te verkopen, besloot Ruth zijn business draaiende te houden door hun diamanten op krediet te kopen. Ze had het een en ander over de kostbare stenen geleerd. Ze kocht ze goedkoop en kon goed onderhandelen. Het was een investering en ze hoopte dat Gibbons haar uiteindelijk zou belonen.

'In oktober werd hij beter en toen heeft ze hem alle diamanten gegeven. De volgende ochtend was hij verdwenen. Hij had de diamanten meegenomen. Ruth bleef achter met een schuld van duizenden ponden. Nu zit ze in Breakwater Prison.'

'Wanneer wordt ze vrijgelaten?' vroeg Frances.

'Nooit. Ze heeft levenslang gekregen.'

'En jij hebt geprobeerd aandacht op de zaak te vestigen?'

'Ik heb de gouverneur een brief geschreven. Dat heeft niets uitgehaald. Ik had nog wel meer kunnen doen, maar...' Hij haalde zijn schouders op zonder de zin af te maken.

'Maar wat?' vroeg ze, al voelde ze wel aan wat hij ging zeggen.

'Jij kon elk moment arriveren. We moesten ons ergens vestigen. Toen Baier me verzocht Kimberley te verlaten, verkeerde ik niet in een positie het te weigeren.'

Lange tijd bleef het stil. Toen vroeg Frances: 'En de artikelen?'

'Die zijn niets bijzonders.'

'Mag ik ze lezen?'

'Ik heb slechts van één ervan een kopie. Het zal je misschien niet interesseren.'

'Zijn ze gepubliceerd?'

'De eerste twee wel, de rest niet.' Hij lachte schamper. '*The Times* in Londen had ze geaccepteerd, maar meneer Baier bleek machtiger te zijn dan ik had gedacht.'

DE DIAMANTMIJNEN 10 februari 1880

De negerarbeider in de diamantmijnen

Door dr. E. Matthews

Onze hooggeachte en alom bewonderde auteur, Anthony Trollope, heeft hier onlangs een bezoek gebracht en schreef, nadat hij een blik had geworpen in de mijn in Kimberley: 'Toen ik drie- of vierduizend [zwarte] arbeiders aan het werk zag, werd ik bevangen door het gevoel dat ik naar drie- of vierduizend toekomstige christenen keek.' Dit is, neem ik aan, de mening die onze landgenoten thuis zijn toegedaan wanneer ze als eksters naar de flonkerende opbrengst van de arbeid in Kimberley kijken. De Afrikanen werken en in ruil daarvoor geven we hun voedsel, kleding en beschaving. Ik hoop een verhelderend licht te kunnen werpen op het leven van de neger, maar alvorens te beginnen wil ik meneer Trollope om vergeving verzoeken. Wanneer ik op de afbrokkelende rand van die mijn sta en in de duizelingwekkende diepte kijk, waar Afrikanen als vliegen langs de huizenhoge wanden kruipen, roept dat bij mij alleen beelden op aan de krochten van de hel.

Ik ben medicus, geen politicus of zakenman, waardoor ik het voordeel heb dat ik onpartijdig kan zijn. Alle mensen lijden op dezelfde manier aan ziekten, ongeacht hun ras, al

kun je er in Kimberley iets onder verwedden dat een Afrikaan als eerste doodgaat. Een neger heeft slechts een kans van één op de tien om in leven te blijven.
Dat is niet verrassend, zult u zeggen. Per slot van rekening is werken in de mijnen een gevaarlijke zaak. Denkt u eens aan een kuil die door een kind op het strand wordt gegraven. Op een bepaalde diepte beginnen de wanden in te zakken en komt er water onder in het gat te staan. Dat is in de mijnen precies zo. Als u op de rand van de Big Hole gaat staan en in de duizelingwekkende diepte kijkt, een diepte van ruim honderd meter, en als u het geduld kunt opbrengen om daar een groot deel van de dag onder de brandende zon te blijven staan, zult u als beloning met uw eigen ogen kunnen zien hoe een half dozijn Afrikanen wordt meegesleurd door een bulderende lawine. Ik stond toevallig naast een Engelse jongedame toen een wand het begaf en vier Afrikanen plus een ezelwagen door het puin werden meegesleurd.
'O, die arme ezels! Die gaan ze toch wel uitgraven?' vroeg de jongedame, die haar hand bezorgd tegen haar hals legde en liet zien dat ze, net als de meesten van haar soort, zich absoluut niet om de zwarten bekommerde.

Als de pompen stoppen, wat van tijd tot tijd gebeurt, worden arbeiders naar de modderige waterpoelen op de bodem van de mijn gezogen, waar ze verdrinken. De wanden van de mijnen worden bijzonder slecht onderhouden en er vallen vaak arbeiders naar beneden omdat de sporten van de ladders zijn doorgeroest. Ik heb enige tijd doorgebracht in het ziekenhuis (een groot woord voor een canvastent met een paar bedden), waar hoofdzakelijk mannen lagen – blanke en zwarte – die hun benen waren kwijtgeraakt bij de dynamietexplosies. Nu zijn de mijnwerkers begonnen onder de grond te graven. De hitte en het lawaai in de mijngangen, de angst voor de explosieven en de rook van de machines zijn omstandigheden waar buitenstaanders zich geen enkele voorstelling van kunnen maken. Een paar weken geleden is er brand uitgebroken en zijn er honderd mannen omgekomen.

Het is duidelijk dat Trollope het mis had. Het zijn niet de mijnen die van onze inheemse medemensen christenen maken. Maar misschien, zult u vragen, wordt er dan aan die beschaving gewerkt als de inheemse arbeider zijn ploegendienst erop heeft zitten?
Een goede vraag. Wat doet een neger als hij niet aan het werk is?
Als hij na zijn werkdag uit de mijn komt, moet hij zich allereerst naakt uitkleden. Men houdt hem een stang voor, waar hij overheen moet springen. Dan worden zijn haar, neus, mond, oren en rectum nauwkeurig onderzocht. Zijn Europese meesters zoeken naar diamanten die hij verstopt kan hebben in sneden, wonden, zwellingen en lichaamsopeningen. Als ze iemand verdenken, wordt deze man naakt in een kamer geketend en krijgt hij laxeermiddelen toegediend. Voorwaar een beschaafde ervaring.

Vroeger hadden negers concessies in de mijnen, net zoals de Europeanen. Wetgeving heeft ervoor gezorgd dat dit niet langer mogelijk is. Zwart zijn is nu synoniem aan arbeider zijn, en een arbeider is – het zal niemand verwonderen – een potentiële diamantdief.

Het is nu de gewoonte, op aanstichting van Joseph Baier, om zwarten afzonderlijk te huisvesten, in kampen, en ze te dwingen daar te blijven zolang ze in Kimberley werken. Als een neger geen papieren kan overleggen die aantonen dat hij bij iemand in dienst staat, wordt hij beschouwd als een zwerver. Een zwerver kan veroordeeld worden tot zes maanden dwangarbeid, wat de concessiehouders natuurlijk heel goed uitkomt.
Het is gunstig voor de Europeanen als de zwarten leren om alcohol lekker te vinden, want een zwarte die van brandewijn houdt, zal zijn zuurverdiende geld aan drank opmaken. En dan zal hij langer blijven. Er is in Kimberley geen blanke man te vinden die na een diner of een kaartavond op weg naar zijn huis niet een paar zwarten ergens in het gras heeft zien liggen, stinkend naar alcohol, doodgevroren in hun slaap.

Maar de kampen hebben voordelen, heeft men Joseph Baier horen zeggen. Ik vraag aan meneer Baier: Welke voordelen hebben ze voor de zwarten? Ik ben in de kampen geweest en heb mannen onder smerige dekens zien liggen, creperend door ziekten als scheurbuik, mannen met een longontsteking die lagen te klappertanden van de kou omdat in de kampen geen brandhout beschikbaar is. Het kost meer geld om een zieke arbeider te genezen dan zijn contract te verscheuren en iemand anders in dienst te nemen. Als u bewijzen wilt, ga dan een kijkje nemen aan de rand van de stad, waar de bermen vol liggen met dode negers, gedumpt door mannen die te gierig zijn om de kosten van de begrafenis op zich te nemen. Is dit het christelijke slot van meneer Trollope's parabel?

Degenen die het overleven – en ik ontken niet dat het er velen zijn – hebben de eer vuurwapens te mogen meenemen naar hun stam.
Zuid-Afrika is van oudsher een agrarisch land. Een rotsachtig, onvruchtbaar land dat – tot er diamanten werden ontdekt – bijzonder arm was. Is het niet een opmerkelijk toeval dat mannen als Joseph Baier juist zijn gekomen om de Afrikaan beschaving bij te brengen nu daar geld mee te verdienen valt? En nu horen we hem bepleiten dat het geselen van zwarten opnieuw moet worden ingesteld, terwijl de rest van de beschaafde wereld juist wat dieper begint na te denken over het welzijn van de werkende klasse.

Er zit een kankergezwel in het hart van de relatie van de Europeanen met Afrika en eigenbelang ligt daaraan ten grondslag. De monopolies van degenen die de gezaghebbenden in de mijnen zijn, liggen in handen van Europeanen – niet-ingezetenen die geen gevestigde belangen hebben in de toekomst van Zuid-Afrika noch in de ontwikkeling van het volk. Waarom zouden zij zich inzetten voor de economische ontwikkeling van het land, als ze zich alleen maar interesseren voor het onttrekken van 's lands rijkdommen? Wat heeft Joseph Baier aan een geschoolde, beschaafde zwarte? Het enige wat hij nodig heeft, zijn onmondige werkkrachten.
Baier heeft de afgelopen tien jaar besteed aan de opbouw van een arbeidersklasse die volledig afhankelijk is van zijn goedgeefsheid. Hij wordt regelmatig geprezen om zijn financiële steun voor de aanleg van een spoorlijn tussen de Kaap en Kimberley, maar weet iemand wat de ware reden is voor deze onderneming? Meneer Baier wil de spoorlijn

> omdat hij daarmee de inheemse stammen kan uitschakelen die de bevolking van Kimberley voorzien van brandhout en graan. Goederen zullen rechtstreeks uit Europa worden geïmporteerd en de zwarten zullen binnen enkele maanden failliet gaan. En dan heb ik het nog niet gehad over de financiële steun aan de kafferoorlogen, het bevorderen van hutbelasting, en de rechtszaken die zwarten dwingen hun grond te verkopen om zich een advocaat te kunnen veroorloven.
> Er zijn nauwelijks voorbeelden te vinden van nog gruwelijker zaken die onder de vlag van het christendom geschieden dan het uitbuiten van de zwarte arbeiders in Kimberley. Slechts een paar dagen geleden heeft Joseph Baier in deze krant geschreven: 'Een van de eerste lessen die men [de zwarten] dient te leren, is dat ze de wet van meum et tuum* moeten eerbiedigen. Naar mijn mening hebben de diamantmijnen er veel toe bijgedragen om dat te bereiken.' Het ziet ernaar uit dat we het eindelijk met elkaar eens zijn. De wet van meum et tuum is uitstekend in beeld gebracht voor de zwarten die in de mijnen van Kimberley werken.

Frances was geschokt door de felle toon van het artikel. Dergelijke woede en hartstocht had ze nog nooit in haar echtgenoot bespeurd. Ze had hem verkeerd begrepen. Er smeulde vuur onder zijn langdurig zwijgen en langzame denkprocessen op zoek naar de waarheid. Ze ging in gedachten de data na. Het artikel was ruim een jaar geleden gepubliceerd, vlak voordat hij naar Londen

---

*Meum et tuum: 'het mijn en dijn' (vert.).

was gereisd. Baier moest druk op hem hebben uitgeoefend om Kimberley te verlaten en toen hij bij terugkeer had geprobeerd zijn praktijk nieuw leven in te blazen, was hij gedwarsboomd door het incident met Ruth.

Toen hij die avond thuiskwam, zat ze op de veranda op hem te wachten.

'Edwin, als dit je zo aan het hart gaat, waarom heb je dan toegegeven aan zijn intimidatie? Waarom ben je vertrokken? Waarom ben je niet gebleven?' Hij gaf geen antwoord. 'Had je niet iemand anders bereid kunnen vinden de artikelen te publiceren?'

Hij liep langs haar heen naar binnen.

Ze volgde hem. 'Door hierheen te komen ben je in zijn ogen een lafaard.'

'En dat ben ik in jouw ogen ook?' Hij draaide zich naar haar om en keek haar aan. En ze kon het niet ontkennen. Het getuigde niet van erg veel ruggengraat als je je door een ander liet koeioneren.

Hij zag het en zei: 'Frances, heb je enig idee wat hij me kan aandoen? Wat hij ons kan aandoen?' Hij maakte een vertwijfeld gebaar. 'Het kan mij niet schelen, al moet ik me op straat laten bekogelen met rotte eieren en al was ik bij geen enkele fatsoenlijke familie in de Kaapkolonie meer welkom. Maar hoe moet het dan met jou?'

'Kunnen we niet naar Kaapstad gaan?'

'Je begrijpt het nog steeds niet. Op de Kaap gebeurt niets zonder zijn goedvinden. De hele economie van Zuid-Afrika is afhankelijk van Kimberley. Er zijn vrijwel geen andere bronnen van inkomsten en er is niemand in de kolonie die iets anders wil dan Baier. Dankzij hem wordt iedereen rijk. Wil je echt een buitenstaander zijn? Wil je gedwongen worden terug te keren naar Engeland? Heb je erover nagedacht wat voor soort leven we daar zouden hebben?'

Hij draaide zich om en liep naar zijn studeerkamer. De deur viel achter hem dicht. Ze staarde hem gefrustreerd na. Hij had in feite gezegd dat ze een blok aan zijn been was. Als zij niet op weg naar Zuid-Afrika was geweest, zou hij in Kimberley zijn gebleven om harder te vechten voor dat dienstmeisje. Maar dit was haar schuld niet. Hij had zelf op hun huwelijk aangedrongen.

Ze liep terug naar de veranda. In de verte sjokte een kudde schapen al grazend over het *veldt*. Boven hen hing een fijn stofwaas in de lucht. Hij had gelijk. Ze wilde niet terug naar Engeland. Ze hadden geen beginkapitaal, geen huis om in te wonen. Hij zou hooguit een praktijk kunnen beginnen in Manchester, waar de kans dat ze ooit welgesteld zouden worden, bijzonder klein was. Er zou hun een saai en armoedig leven wachten. In Zuid-Afrika lagen de kansen veel beter. De maatschappij was minder rigide en er waren niet zo veel artsen. Hier had hij meer kans op succes.

Die nacht lag ze in bed te luisteren naar Edwins rustige ademhaling. Ze kon de slaap niet vatten. Ze waren gevangenen. Dat had Edwin haar nu wel duidelijk gemaakt. Ze begreep niet waarom ze dat niet eerder door had gehad. Nu was alles duidelijk: de reden waarom Edwin had besloten Kimberley te verlaten, zijn ogenschijnlijke gebrek aan ambitie, zijn reactie op Baier aan tafel. Hij woonde niet in Rietfontein omdat hij dat wilde en dat hij haar op het *veldt* liet wonen, was geen overlevingsexperiment. Het was een hele schok dat hij dit allemaal voor haar verborgen had gehouden. Ze had gedacht dat ze hem kende, maar nu was gebleken dat hij helemaal niet was zoals ze had gedacht.

Baier had zich vast over hun armoede zitten verkneukelen tijdens hun karige maaltijd. En niet alleen over hun armoede. Hij had hun huwelijk ontleed als een chirurg op zoek naar een kankergezwel, en precies geweten hoe groot de schaamte was die aan hen knaagde. Ze voelde zich een beetje schuldig. Edwin had zijn idealen opgegeven om met haar te trouwen en zij had hem bedrogen voordat de plechtigheid zelfs maar was voltrokken. Hun huwelijk was een farce, zelfs Baier wist dat, en Edwin had erbij gezeten als een bedrogen schlemiel, maar God wist dat ze meer respect voor haar man had dan voor Baier. Ze voelde een verzengende haat voor deze man die Edwin in haar bijzijn had bespot. En nog erger was die knipoog, waarmee hij had gesuggereerd dat zij met hem meedeed. Ze rilde van zelfverachting. Als ze zich niet aan een ander had verslingerd, zou Baier geen macht over haar hebben. Nu had hij hen beiden in de tang. Zij wilde koste wat kost voorkomen dat Edwin achter haar affaire met William kwam, en Edwin zou blijven proberen haar te beschermen en daardoor als een bedelende hond de etensrestjes weggrissen die Baier hem voorhield.

Goeie god, had Baier gelijk? Met een abrupte beweging gooide ze de dekens van zich af om de gedachten te weren die haar dreigden te verpletteren. Ze kon niet en wilde niet ophouden aan William te denken en elke keer dat ze het deed, bedroog ze Edwin opnieuw. Maar toch, dacht ze later, toen ze geestelijk uitgeput was en het eerste licht door de kiertjes van de luiken kwam, als ze zich uit Baiers greep konden bevrijden, zou alles misschien anders worden.

25

OP EEN KOELE HERFSTAVOND WAREN ZE VOOR EEN ETENTJE uitgenodigd op de boerderij. Meneer Reitz zat aan het hoofd van de tafel. Hij sneed een lamsbout aan terwijl een dienstmeisje bedrijvig heen en weer liep om gerechten op tafel te zetten: beboterde wortelen, boontjes, een salade van kropsla en radijs en hoog opgetaste kaasplanken. Aanwezig waren meneer en mevrouw Reitz, hun Nederlandse opzichter en een naburig echtpaar. Er brandde een vuurtje in de open haard en de vlammen wierpen bewegende schaduwen op de witte muren. De kamer was gevuld met de geur van smeltend lamsvet en Frances at met smaak. Het was lang geleden dat ze zo'n feestmaal had meegemaakt.

De voertaal was Nederlands en Frances zou het helemaal niet erg hebben gevonden om alleen maar te eten en de stemmen langs zich heen te laten gaan, maar mevrouw Reitz zat tegenover haar en gaf haar steeds uitleg. Frances luisterde met aandachtig respect voor de vrouw van wie ze wist dat ze geen blad voor de mond nam.

'Ze hebben het over schapen,' zei mevrouw Reitz. 'De inheemse stammen hebben er honderden verloren vanwege de aanhoudende droogte. Zij kunnen het peil van hun kuddes niet verhogen, de kwaliteit en kwantiteit van het vlees dat ze leveren niet verbeteren, omdat het voor hun schapen al zo'n strijd is om alleen maar in leven te blijven. De ontberingen op het *veldt* zijn te extreem. Je kunt alleen...' Ze stokte, onzeker over de bewoordingen. 'Hoe zeg je dat ook alweer, dokter Matthews?'

Edwin keek met een onbewogen blik naar Frances. Hij had zich sinds hun ruzie afstandelijk gedragen. 'Variatie kan alleen plaatsvinden via veredeling. Dat wil zeggen, als de schapen onder constante levensomstandigheden verkeren, als ze voldoende gras, water, enzovoort hebben, kunnen er lammeren geboren worden die bijvoorbeeld meer vlees hebben, maar minder in staat zijn een droogte te overleven. In een gedomesticeerde omgeving, los van evolutionaire druk, zal deze variatie overleven en als fokdier kunnen worden gebruikt om de kwaliteit van de kudde te verbeteren.'

Hij had haar ooit iets soortgelijks verteld over de rozen van haar vader – dat de felle kleuren en grote bloemen in het wild nooit hadden kunnen bestaan. Dat ze het resultaat waren van veredeling. 'Maar aan die schapen hebben de inheemse stammen niets als er weer een droogte komt.'

'Inderdaad,' zei Edwin. 'Het heeft weinig zin inheemse stammen te helpen hun kuddes te veredelen zolang ze overgeleverd zijn aan de grillen van het klimaat.'

Mevrouw Reitz wendde zich weer tot Frances en vroeg

haar in het Engels: 'Hebt u deze zomer veel plezier gehad van de perzikboom?'

'Ja, dank u. De perziken smaakten erg lekker.'

'Alberts grootvader heeft die boom vijftig jaar geleden geplant, toen hij hier net was aangekomen. Het huis waarin u woont, heeft híj gebouwd. We gingen er elke zomer met de kinderen naartoe om de vruchten te plukken.'

'Waarom bent u deze zomer dan niet gekomen? De boom was afgeladen met fruit. Er hing zo veel aan dat we het niet allemaal zelf op konden en een deel hebben moeten overlaten aan de wespen.'

Mevrouw Reitz keek haar afkeurend aan. 'U hebt het fruit toch niet laten verrotten? U hebt er toch wel jam van gemaakt?'

Frances keek haar beschaamd aan.

'Waarom niet?' vroeg mevrouw Reitz.

'Daar heb ik helemaal niet aan gedacht. Ik heb nog nooit jam gemaakt.'

Daarop volgde een verwijtende stilte. Mevrouw Reitz begon op zachte toon tegen de buurman te praten. Frances keek naar Edwin, maar die zat te eten, misschien met een opzettelijk gebrek aan interesse voor het gesprek. Ze wist niet wat hij dacht en vroeg zich af of hij zich voor haar schaamde. De vrouw die hij had gekregen was niet de vrouw op wie hij had gehoopt.

De opzichter zei iets tegen Edwin en hij wierp een snelle blik op haar alvorens antwoord te geven. Ze vond dat hij keek alsof hij ergens op betrapt was. Toen hij de opzichter antwoord gaf, begon iedereen opgewonden te praten. Mevrouw Reitz zei tegen haar: 'Wat zult u daar blij om zijn.'

‘Wat bedoelt u?’

‘Dat de kolonie officieel pokkenvrij is verklaard.’

Frances keek met open mond naar Edwin. Waarom had hij haar dat niet verteld? Misschien konden ze nu uit Rietfontein vertrekken. ‘Wat gaat er met het quarantainekamp gebeuren?’ vroeg mevrouw Reitz.

‘Joseph Baier heeft besloten het op te heffen.’

‘Wat een heerlijk nieuws,’ zei mevrouw Reitz en Frances besefte nu dat de boerin, ondanks het feit dat ze zo verschillend waren, haar begreep en wist dat ze hier nooit gelukkig zou worden. ‘Waar gaat u nu naartoe?’

‘Daar hebben we het nog niet over gehad. Waarschijnlijk naar Kaapstad.’ Kaapstad. Ze ervoer een enorme opluchting. Nu zou er dan toch een einde komen aan Baiers ijzeren greep. In Kaapstad kon Edwin een praktijk opzetten en zouden ze niets meer te maken hebben met politiek en pokken.

Jantjie bracht hen met de ezelwagen naar huis. Het was erg stil buiten, op het knerpen van de wielen en Jantjies zachte aansporingen na. Het eindeloze *veldt* lag er roerloos bij, met de enorme hemelkoepel als een amfitheater erboven, flonkerend alsof God een gloeiend kooltje naar beneden had geworpen, dat tot duizenden vonken uiteen was gespat die zich tot aan de rand van het hemelgewelf hadden verspreid. De halvemaan hing als een klepel boven hun hoofden. Edwin zat als een donkere gedaante naast haar en zijn gezicht was een bleke vlek.

Na een poosje vroeg ze: ‘Waarom heb je het me niet verteld?’

‘Ik heb Baiers brief vandaag pas ontvangen.’

'En nu kunnen we zomaar naar Kaapstad verhuizen? Je hoeft niets anders voor hem te doen?'

'Niets.'

'Dat is dus goed nieuws.'

'Ja, al moet je niet denken dat we het in Kaapstad makkelijk zullen krijgen. Zeker niet in het begin. Ik heb nu geen inkomen en het zal een paar maanden duren voordat ik een behoorlijke praktijk heb.'

'Heb je wel wat geld opzij kunnen zetten? Van je werk in het quarantainekamp?'

'Ik was een goedkope arbeidskracht voor Baier. Hij zag de voldoening van mijn werk hier als een soort beloning.'

Het maakte niet uit. Hij zou snel een praktijk opzetten en tot dan zouden ze zich wel redden.

Jantjie zette hen bij het huisje af en reed de donkere nacht weer in. Edwin bleef op de veranda staan om haar voor te laten gaan, maar ze bleef staan, zo dicht bij hem dat ze zijn zachte ademhaling kon horen. Impulsief, zonder erbij na te denken, legde ze haar hand op de mouw van zijn jas. Haar vingers gleden over de ruige wol.

'Edwin, kunnen we opnieuw beginnen?'

Hij stond zo volkomen roerloos dat ze er niet zeker van was dat hij haar had gehoord. Toen zei hij: 'Misschien. Als we eerlijk tegenover elkaar zijn.' Het was een antwoord, maar het bevatte, als een vraag, het gewicht van een implicatie. Wilde hij dat ze een bekentenis zou doen? Ze voelde zichzelf in de verleiding komen hem over William te vertellen, maar durfde het niet aan. Ze gingen nu toch naar Kaapstad. Ze konden een streep onder het verleden zetten. Het was niet nodig dingen op te rakelen. Eerlijkheid kon schadelijk zijn.

Edwin zou het haar misschien nooit vergeven, en hij kende haar te goed. Hij zou onmiddellijk door hebben dat ze nog steeds verliefd was op William. Ze staarden elkaar aan. Toen huiverde ze, zei iets over de kou en ging naar binnen.

Twee weken later lag Frances op haar rug op de oever van de rivier, met haar rokken als een tentje over haar knieën, haar hoofd rustend op haar gebogen arm. Het was een stuk koeler nu het winter was en vandaag was het niet warmer dan een wolkeloze lentedag in Engeland. De gevlekte schaduwen van de mimosastruiken bewogen in de zachte bries en door de takken heen zag ze de donkere gedaante van een cirkelende roofvogel.

De laatste bijen zoemden tussen de zoete kruidenplanten. Alhoewel de regen was uitgebleven en de rivier opgedroogd, was het hier nog steeds groener dan op de rest van het *veldt*. Binnenkort zou ze Rietfontein, het stof en het zand achter zich laten, maar ze zou de vrijheid missen die ze hier genoot. Een rij mieren liep tussen de droge pollen door. Ze draaide zich op haar zij om naar ze te kijken. Edwin had haar ooit verteld dat hij op één dag twintig verschillende rassen had geteld. Daar moest hij van hebben genoten. Ze glimlachte. Over uiterlijk vier weken vertrokken ze. Edwin had voor Sarah een baantje gevonden op een naburige boerderij en Frances had vanochtend een brief aan haar oom geschreven om te vragen of hij in Kaapstad mensen kende die Edwin zouden kunnen helpen met het opzetten van zijn praktijk. Het zou een nieuw begin voor hen zijn. In Kaapstad had je winkels, markten en Engelse vrouwen met wie ze bevriend zou kunnen worden. Je kon er echte chocola kopen, geïmporteerd uit Engeland. Misschien kregen ze een huis met stromend water.

Ze ging zitten, trok haar schoenen uit en liep over de rivierbedding. Het dikke zand was warm en droog en kriebelde tussen haar tenen. Ze stak haar voeten erin, genietend van het warme gewicht op haar huid. Op de oever aan de overkant lag een strak geweven nest met daarin twee helften van een eierschaal. Ze nam ze op haar handpalm, opgewonden over deze vederlichte vondst. Edwin wist vast wel wat voor ei het was. Ze zou het aan hem geven. Een gebaar waarmee de onmin tussen hen misschien gedeeltelijk zou worden weggenomen.

Innig tevreden liep ze terug naar huis, met stoffige benen, soepele, sterke armen, en haar dat zachtjes knetterde van de warmte. Er stond een paard voor de deur en toen ze naar binnen ging zag ze een man samen met haar echtgenoot aan de eetkamertafel zitten. Hij stond op toen ze binnenkwam, lichtte zijn hoed op en zei: 'Ik moet maar eens gaan.'

Het was een Engelsman en ze nodigde hem uit te blijven eten, maar Edwin zei: 'Hij moet terug.'

'Edwin,' zei ze toen de man weg was, 'wat ik wilde zeggen...' Ze stopte. 'Kaapstad. Ik ben zo blij.' Ze glimlachte naar hem. 'Dank je. Voor alles wat je hebt gedaan.'

Met een strak en gesloten gezicht keek hij haar aan. 'Ga even zitten, Frances.' Hij gebaarde naar een van de stoelen.

'Wat is er?' vroeg ze toen ze was gaan zitten.

'We gaan niet naar Kaapstad. Althans, nog niet.'

Hij zweeg, maar ze wachtte op uitleg.

'Er zijn geruchten over pokken in Kimberley.'

'Hoe kan dat nu? De Kaap is vrij van pokken verklaard.'

'Isaac is een gezondheidsinspecteur. Hij heeft gevallen van pokken gezien. Hij zegt dat zwarten de ziekte vanuit Mozambique over de oostkust hebben verspreid.'

'Wat heeft dat met ons te maken? Jij bent maanden geleden uit Kimberley vertrokken. Er zijn andere artsen.'

'Maar die hebben niet zo veel ervaring als ik.'

'Niet overdrijven, Edwin. Er zijn in Kimberley vast wel artsen die de diagnose van pokken kunnen stellen.'

'Dat is het probleem. Die ontkennen dat het om pokken gaat.'

'Dan gaat het daar waarschijnlijk ook niet om.'

'Misschien. Maar ik wil het met mijn eigen ogen zien. Bovendien dacht ik dat je het wel leuk zou vinden. Heb je niet altijd eens naar Kimberley gewild?'

Ze drukte haar duimnagel in het zachte hout van het tafelblad. Er bleef een halvemaanvormige afdruk in achter. William woonde in Kimberley. Als ze ernaartoe gingen, kwam ze hem vast tegen. De bekende, doffe pijn vlamde op. Hij was inmiddels waarschijnlijk getrouwd. Zou hij evengoed blij zijn haar te zien?

'Ik had gehoopt dat we meteen naar Kaapstad konden gaan. Ik heb mijn oom al geschreven. We moeten een woning zoeken en jij moet je praktijk opzetten. Waarom dit uitstel?'

'Dat gaan we ook allemaal doen, maar ik moet eerst naar Kimberley.'

Ze begreep dat het geen zin had tegen te stribbelen. 'Wanneer wil je vertrekken?'

'Zo spoedig mogelijk. Zondag, als we dat redden.' Vandaag was het donderdag. Ze hadden dus drie dagen. Ze voelde opwinding gemengd met angst in zich woelen, als een slang. Ze wilde William zien, al wist ze dat ze daardoor alleen maar nog ongelukkiger zou worden.

Pas toen ze zich 's avonds uitkleedde, vond ze in haar zak de halve eierschalen die ze voor Edwin had meegebracht. Die hoefde ze hem nu niet meer te geven. Ze kneep ze fijn en gooide de stukjes uit het raam.

26

'NEW RUSH.' ZE SCHROK WAKKER VAN DE ROEP VAN DE VOERman en was meteen terug in de werkelijkheid: het schudden van de huifkar en de kreten van de jongen die met behulp van zijn sjambok de ossen aanspoorde. Ze was in slaap gevallen met haar hoofd op Edwins schouder en ging nu haastig rechtop zitten. Het canvas aan de achterzijde van de huifkar was niet dichtgeknoopt en een brede straal zonlicht viel naar binnen toen Edwin een flap optilde en uit de wagen sprong. Na een paar minuten volgde Frances zijn voorbeeld. Ze reisden al sinds zonsopgang en haar benen waren stijf en gezwollen. Het was prettig om een poosje te lopen. De ossen schudden voortdurend hun kop om de vliegen van zich af te houden, en Mangwa, die achter de wagen was gebonden, zag bruin van het stof dat door de wielen werd opgeworpen. Frances tikte de jongen op zijn schouder. Hij wees naar een vlek in de verte.

Een van de ossen stopte abrupt, waardoor de wagen krakend tot stilstand kwam. De jongen begon met de sjambok op het dier te slaan. Het kwastje van antilopevel vloog bij elke zweepslag als een horzel door de lucht.

'Rooinek!' riep hij elke keer dat hij de flanken van het dier een mep gaf. Uiteindelijk kwam de os weer in beweging. Edwin lachte.

'Wat is er?' vroeg Frances.

'Rooinek. Dat betekent "Engelsman". Hij noemt het dier lui.'

Ze hadden allebei een grote sjaal rond hun hoofd gewikkeld, als nomaden, om zich te beschermen tegen het stof en de zon. Het terrein aan weerskanten van de weg was bezaaid met karkassen en afgedankte vervoermiddelen. Het duurde uren voordat ze tekenen van leven zagen en toen bleek dat het alleen maar Boeren waren die in het zand naar diamanten zochten. Ze leefden op het *veldt* in hutten van klei die ooit door de inheemse bevolking waren gemaakt en ze keken niet eens op toen de wagen langsreed, ook al bevonden ze zich zo dicht bij de weg dat de sjambok hun rug had kunnen raken. Een poosje sleepte Frances een voet als een ploeg door het zand. Het was een vreemde gedachte dat je hier schatrijk kon worden door alleen maar een steen om te keren. De grond hier werd diamantzand genoemd. Even later kwamen ze langs een vuilnisbelt. Zwarte kindertjes scharrelden erin rond om glazen flessen en rollen papier te verzamelen.

Toen de avond viel, klommen ze weer in de huifkar. Edwin gaf haar zijn fles water, waar ze dankbaar uit dronk. Tot nu toe had ze gedacht dat hij juist van het geïsoleerde leven op de boerderij hield, maar nu tilde hij om de paar minuten een flap van de huif op om te zien waar ze waren en kreeg ze de indruk dat hij nauwelijks kon wachten tot ze hun bestemming hadden bereikt. Ze besefte opeens dat ze hem nu niet meer voor zichzelf zou hebben, wat een vreemde gedachte was, omdat ze niet bijzonder aan zijn gezelschap was gehecht.

De jongen kwam naast de wagen lopen om de lantaarns aan te steken. Frances hoorde ergens ver weg een geluid dat haar deed denken aan het gezoem van een wespennest. Edwin rolde het tentdoek aan de voorzijde op zodat ze naar buiten konden kijken. Het geluid zwol met de minuut en plotsklaps zagen ze lampen branden en een paar minuten later zaten ze midden in een grote mensenmassa. De stad had hen opgeslokt. Mijnwerkers sjouwden over de weg met pikhouwelen en spaden over hun schouder en ezels aan leidsels. Frances had de afgelopen maanden alles bij elkaar minder mensen gezien dan ze nu zag. Naakte zwarte mannen en ruige, gespierde Europeanen verschenen in beeld als ze hun lantaarn ophieven om te zien wie er in de huifkar zat. Ze reden tegen de stroom in. De mijnwerkers, die hun dienst erop hadden zitten, liepen de stad uit naar de hutten en tenten die ze langs de weg hadden zien staan. Ze liepen dicht langs de wagen en riepen naar elkaar. De ossen begonnen onrustig te loeien en de jongen greep ze bij hun kop om ze tot kalmte te manen. Na een poosje verbreedde de weg zich en kwamen ze terecht in een kleurige zee van licht. In door paraffinelampen verlichte winkels en cafés werd druk zaken gedaan. Op straat wierp het houtvuur in fornuizen een flikkerend licht op mensen die elkaar luidkeels toeriepen. De lucht was gevuld met rookwolken en de geur van bradend vlees. De huifkar sloeg een hoek om en nog een en toen reden ze een plein op.

'Market Square,' zei Edwin. Hij sprong uit de wagen en zette hun bagage op de stoep. Hij zag er opgewonden uit, vol nieuwe energie bij het zien van al die mensen, maar voor Frances was het allemaal iets te veel. Het was zo lang geleden dat ze in een stad was geweest. Hij gaf haar Mangwa's leidsel en liet haar achter voor de ingang van een hotel, een van de enige twee stenen gebouwen aan het plein. 'Ik kom zo terug. Let op de spullen.'

Het hotel was een aangename verrassing. Het zag er netjes en vriendelijk uit en ze zag door een opening tussen de gordijnen dat het vertrek aan de voorzijde goed verlicht was en een wat sjofele maar uitnodigende sfeer uitstraalde. Ze stond voor een raam dat van de eetzaal bleek te zijn. Er waren twee tafels gedekt, en iemand had kraakheldere, witte servetten in de wijnglazen gestoken. Omdat Edwin momenteel geen salaris ontving, had ze verwacht met een armoedig pension aan de rand van de stad genoegen te moeten nemen. Misschien zou het allemaal uiteindelijk meevallen.

Ze streelde Mangwa's snuit terwijl ze wachtte. Meneer en mevrouw Reitz hadden aangeboden hem voor hen te verkopen, maar Edwin had besloten hem mee te nemen. 'In Kimberley kunnen we meer geld voor hem krijgen,' had hij gezegd en daar was ze het mee eens geweest, al hoopte ze dat ze hem van gedachten kon laten veranderen.

Er stonden wel veertig ossen op het plein en negers waren bezig grote zakken, kratten en balen stro uit karren te laden. Het zou vermoedelijk slechts een kwestie van tijd zijn voordat ze William zou zien. Ze bedacht dat hij misschien wel had gestaan waar zij nu stond. Misschien had hij vandaag op dit plein gelopen of zou hij hier vanavond nog komen. Misschien had hij in dit hotel gelogeerd, misschien in de kamer waar zij vannacht zou slapen. Twee jongetjes holden tussen de wagens door en gaven briefjes aan alle mensen die bereid waren ze aan te pakken. Ze stak haar hand uit naar een van de roze velletjes. De buitenlamp van het hotel was sterk genoeg om te kunnen lezen wat erop stond: *De ziekte op Falstead's Farm is niet de pokken. Het is een blarenziekte die verwant is aan pemfigus. Ondertekend* – Er stonden namen van meerdere artsen onder. Ze was opgelucht, maar ook een beetje teleurgesteld. Dit was een officiële mededeling met voldoende handtekeningen om onomstotelijk te bewijzen dat het niet om pokken ging. Dat wilde zeggen dat zij hier dus maar een paar dagen zouden blijven. Wat op zich gunstig was. Hoe eerder ze van Baier af waren, hoe beter. En toch verlangde ze ernaar William te zien, ook al zou ze er niets mee opschieten. En daarvoor waren een paar dagen misschien niet voldoende.

Een stukje verderop stonden twee zwarte jongens naar haar te kijken. Toen ze zagen dat ze het in de gaten had, kwamen ze op haar af. Een van hen droeg een oude, wollen trui en liep op blote voeten. Hij zei iets tegen haar in het Nederlands. Ze schudde haar hoofd om hem duidelijk te maken dat ze het niet verstond. Hij stak nieuwsgierig zijn hand uit naar Mangwa en aaide de schoft van het dier. Zijn metgezel, een lange jongen met een geknoopte lendedoek die zijn billen bloot liet, staarde naar haar alsof ze een vreemd wezen achter glas was. Ze deed een stapje achteruit, maar toen deed de naakte jongen een stap naar voren. Hij stak zijn hand uit, pakte een lok van haar haar en liet die tussen zijn vingers glijden. Toen ze geschrokken achteruitdeinsde, begon hij keihard te lachen, waarbij hij lange, witte tanden ontblootte, die haar deden denken aan de toetsen van een piano. De jongen met de trui zei weer iets tegen haar. Het klonk als een vraag. Ze gaf geen antwoord. Hij hurkte bij hun bagage en begon haar koffer op zijn schouders te hijsen. Ze zei dat hij er af moest blijven. Ze hoorde zelf hoe schril haar stem klonk. Toen ze het handvat wilde grijpen, draaide hij zich moeiteloos met de koffer om en bleef grinnikend naar haar staan kijken.

'Zet die koffer neer!' riep ze. De jongens bulderden van het lachen, alsof ze meedeed aan een pantomime. Ze voelde een belachelijke aandrang te gaan huilen.

Opeens was Edwin er weer. 'Alles in orde?' vroeg hij en hij zei in het Nederlands iets tegen een van de jongens.

'Zij zullen de bagage voor ons dragen,' zei hij tegen haar. Hij knikte tegen de jongen die de koffer droeg en gaf het leidsel van de zebra aan de andere.

'Is er in het hotel geen kamer vrij?' vroeg ze teleurgesteld toen ze het plein verlieten.

'Dat denk ik wel, maar we gaan niet naar het hotel.'

'Waarom niet?'

Hij keek haar met een wrange blik aan. 'Moet je dat echt nog vragen? De eigenaresse, mevrouw Edwinson, verhuurt aan de rand van de stad ook tenten.'

Ze sloegen een van de zijstraten in en liepen langs grote en kleine, uit golfplaat opgetrokken gebouwtjes, die wit, groen, rood en geel waren geschilderd. De kooplui adverteerden hun goederen op grote gevelplaten die Frances in het licht van Edwins lamp nog net kon lezen. Het waren voornamelijk diamanthandelaren en concessiekantoortjes. Verderop zag ze een drogist, een veilinggebouw en een pandjeszaak, en ze kwamen langs een kapper en een winkel met een vitrine vol opgestapelde flessen spuitwater. Aan de linkerkant zag ze een rij stenen gebouwen in de steigers staan. Edwin zei dat die gebouwd werden in opdracht van de nieuwe bank.

Ze sloegen bij een architectenfirma de hoek om en kwamen terecht in een wirwar van krotten die in elkaar waren geflanst met canvas en golfplaat. Van straten was hier geen sprake. Het terrein zag eruit alsof al die onderkomens in het wilde weg waren neergezet, zonder dat iemand pogingen had gedaan enige orde te scheppen. Een stadje van kaartenhuizen. Het was er overvol en de krotten stonden veel te dicht op elkaar. Ertussenin brandden kampvuren en de lampen in de tenten wierpen vervormde schaduwen op het canvas.

'Waarom zijn hier geen huizen?' vroeg Frances, die op een drafje moest lopen om Edwin bij te houden.

'Aan de andere kant van de stad worden huizen gebouwd, maar dat kost veel geld. In Kimberley is het moeilijker om aan bakstenen te komen dan aan diamanten en al het timmerhout moet worden geïmporteerd.'

Ze liepen langs een grote tent die als pension diende. Ernaast was een bar die volgens het bord dat erbij stond The Diggers' Rest heette. Voor de ingang stond een handjevol tafels op de zanderige grond en binnen zaten mannen te kaarten en te drinken. Iemand tingelde op een piano. Licht stroomde naar buiten en twee mannen in hemdsmouwen en een overall met messen in hun riem dronken om beurten uit een fles. Frances rook de zoetige geur van verschaalde alcohol.

Een stukje verderop dunde het krottenkamp iets uit en daar stopten de twee jongens bij een tent die op een klein terreintje stond dat was omsloten met een omheining van doornstruiken. Frances bekeek het mistroostig. Het was een smerige, armoedige bedoening. Er was een waslijn gespannen van de punt van de tent naar de tak van een dode boom en er stonden een paar tonnen met water. Hun bagage werd naar binnen gebracht, de jongens kregen hun loon en er werden nog meer lampen aangestoken. Voor in de tent stond een wankele vouwtafel met drie stoelen en in het midden was een gordijn om het bed aan het zicht te onttrekken. Er lagen planken op de vloer, zodat ze in elk geval niet in het zand hoefden te zitten. Frances kon midden in de tent rechtop staan, maar niet aan de zijkanten, waar het tentdoek schuin afliep naar de grond.

De nachten waren koud nu de winter in aantocht was. Ze haalde een omslagdoek uit haar tas en vond het jammer dat ze geen wollen ondergoed had meegebracht uit Londen. Edwin hield een lucifer bij een hoopje aanmaakhout. Ze gaf hem het roze briefje. Hij keek haar verwonderd aan en hield het bij het licht om te lezen wat erop stond. Toen zei hij: 'Hoe kom je hieraan?'

'Ze werden op straat uitgedeeld. Dit is toch goed nieuws? Voor de stad? Voor ons?'

Edwin schudde halsstarrig zijn hoofd. 'Ik weet het niet. Ik moet het eerst zelf zien.'

'Ja, natuurlijk, want alleen *jij* weet of het om de pokken gaat of niet,' zei ze verongelijkt.

Ze keek achter het gordijn. Het matras was een met stro gevuld overtrek en er lag een oude deken op die niet tot de randen reikte. Ze haalde hun lakens en dekens uit de koffer en maakte het bed op.

Edwin roosterde wat van de maïskolven die Sarah voor hen had ingepakt en ze aten er sardientjes uit blik bij. Het was nu zo koud dat je je adem kon zien. In de koude nachtlucht hoorden ze de geluiden van andere mensen. Het gerinkel van kookpotten, ruziënde stemmen en in de verte het getingel van de piano in The Digger's Rest.

Ze waren net klaar met eten toen Frances een man zag die stilletjes hun terreintje op kwam. Hij bleef naar hen staan kijken, een beetje wiegend, als een bamboestengel in een lichte bries. Edwin stak zijn hand op toen hij hem herkende. De man kwam naderbij en Frances zag aan zijn lange gestalte en verfomfaaide pak dat het een Engelsman was. De gestreepte stof van het colbertje was verschoten, de beklede knopen waren rafelig, en het jasje hing losjes om zijn smalle schouders. Hij had een lang, gebruind gezicht, een ruige baard en dun, wit haar dat hij had laten uitgroeien om het over zijn kale kruin te kunnen kammen, maar dat van zijn hoofd werd geblazen als sliertjes witte watten.

De man keek met een nerveuze, aarzelende blik om zich heen en hield zijn hoed in zijn hand geklemd. Bang dat de zwaartekracht hem de baas zou worden nodigde Frances hem uit te gaan zitten, waarop hij plaatsnam op de extra stoel.

'Heb je iets te drinken voor me, Matthews?' vroeg hij aan Edwin, die al een glaasje voor hem inschonk.

'Hij is niet altijd even scheutig,' zei de man lijzig tegen Frances. Toen vroeg hij op luide toon aan Edwin: 'Is dit je vrouw?' Hij keek weer naar Frances en vroeg zogenaamd ongelovig: 'Bent u echt met hem getrouwd?'

Edwin reikte hem het glas aan. Nadat hij een grote slok had genomen, leek hij wat bij te komen. 'Ik heb vandaag met Baier geluncht.'

'En ik maar denken dat je alleen voor de whisky was gekomen.'

'Dat ook,' zei de man minzaam.

'Heb je die mannen op Falstead's Farm gezien?' vroeg Edwin.

'Baier had dus gelijk. Hij had gehoord dat je naar de stad zou komen. Hij zei dat je je druk zou maken om die pokken. Ik was dat niet met hem eens.' Hij nam nog een grote slok en wapperde met zijn hand. 'Ik dacht dat je al die jeugdige ambities er na een paar maanden op het *veldt* wel uitgezweet had.'

'Ik heb gehoord dat het om vier Mozambikanen ging die langs de oostkust reisden. Dat het vermoeden bestond dat ze met pokken besmet waren en dat ze daarom op Falstead's Farm in quarantaine waren gedaan, waar ze na korte tijd zijn overleden.'

'Niet pokken. Pemfigus.'

'Pemfigus? Nooit van gehoord.'

'Dan raad ik je aan op te zoeken wat het is.'

Hij nam nog een slokje whisky en zoog lucht tussen zijn tanden door. 'Wij artsen moeten een gezamenlijk front vormen, Matthews. Met afgedwaalde schapen is niemand gediend.'

‘Bent u arts?’ vroeg Frances.

‘Min of meer,’ antwoordde Edwin in zijn plaats.

‘Ik was vergeten hoe graag jij mensen tegen je in het harnas jaagt.’ De man hief zijn whisky op naar het licht. ‘Maar hij heeft gelijk. Men heeft me in Engeland mijn vergunning afgenomen. Maar hier is dat niet zo erg. In Kimberley zijn ze niet zo kieskeurig als het om beroepsmensen gaat.’

‘Heb je die mannen onderzocht?’ vroeg Edwin. De man ontkende het niet. ‘En weet je zeker dat het niet om de pokken gaat?’

‘Aangezien ik nooit een geval van pokken heb gezien, kan ik daar geen beroepsmatig oordeel over vellen.’

‘Niettemin heb je die verklaring ondertekend.’

‘We hebben die allemaal ondertekend.’ Hij dronk het glas leeg. ‘Er is geen arts in Kimberley die het heeft geweigerd.’

‘Maar je gelooft het niet?’ drong Edwin aan.

De man hoestte rochelend en stond op om buiten een fluim uit te spugen. Toen hij terugkwam, zei hij: ‘Ben je al in Ebden Street geweest? Op de nieuwe aandelenmarkt?’ Hij pakte de fles van de kist en schonk zijn glas goed vol. ‘Ga maar eens een kijkje nemen. Kimberley is veranderd sinds je bent vertrokken. De afgelopen twee maanden zijn er meer dan dertig naamloze vennootschappen opgericht en er komen er dagelijks nog meer bij. Er is geen man in Kimberley die geen aandelen heeft. Ze gaan als warme broodjes over de toonbank.’ Hij wuifde met zijn glas. ‘Advocaten, bedienden, tandartsen, kappers, magistraten, hoefsmeden, wapensmokkelaars – iedereen doet eraan mee. Iedereen is een diamantzoeker!’ zei hij met zwier. Hij haalde iets uit zijn zak en liet het aan Edwin zien. ‘Kijk eens. Honderd aandelen die ik een week geleden voor één pond per stuk heb gekocht. Als ik ze morgen van de hand zou willen doen, zou ik er dertig procent meer voor krijgen dan ik ervoor heb betaald.' Hij gebaarde weer met zijn glas. 'Er is de afgelopen maanden in Kimberley meer geld verhandeld dan de afgelopen tien jaar.'

'En wat wil je daarmee zeggen?'

'Dat je zou moeten investeren.'

'Dank je, maar daar doe ik niet aan mee.'

'Je hoeft geen geld te hebben, sufferd. Dat kun je lenen bij de Standard Bank. Maar daar gaat het niet om.' Hij wreef over zijn gezicht alsof hij onder de invloed van de alcohol uit probeerde te komen. 'Er hangt veel af van de aandelenmarkt. Te veel misschien.'

De vloerplanken kraakten toen de man zijn glas neerzette, opstond en naar de opening van de tent liep. 'Denk erover na, Matthews. We lurken hier allemaal aan dezelfde uier.'

Toen lichtte hij zijn hoed op voor Frances en liep in het donker overdreven voorzichtig hun terreintje af, terwijl hij een deuntje neuriede.

'Wie was dat?' vroeg Frances toen hij weg was.

'Dokter Robinson, hij is een vriend van Baier.'

Ze zwegen een poosje. Toen zei Frances: 'Het kan niet om de pokken gaan, Edwin. Een van de artsen zou het gezegd hebben.'

'Niet als ze door Baier onder druk zijn gezet.'

'En die handtekeningen dan? Zijn ze allemaal bereid te liegen omdat hij dat zegt?'

'Je weet hoezeer hij erop gebrand was Kimberley pokkenvrij te houden.' Hij stond op. 'Maar het heeft weinig zin om hier verder over te speculeren. Morgen weet ik meer.'

Toen Frances wakker werd, dacht ze dat het midden in de nacht was. Ondanks de dekens die ze op dringend advies van Edwin hadden meegenomen, was ze tot op het bot verkleumd en lag ze te bibberen. Edwin had een lamp aangestoken en was bezig zich aan te kleden. Hij trok net zijn overhemd aan. Ergens vlakbij huilde een baby en ze hoorde het geluid van een man die rochelend hoestte. De tent was gevuld met rook die haar ogen deed branden. Ze kwam voorzichtig op één elleboog overeind opdat er zo weinig mogelijk kou onder de dekens zou komen.

'Hoe laat is het?'

'Vijf uur.' Hij streek zijn haar glad en trok een jas aan.

'Er zitten etenswaren in de kist en drinkwater in de kan. En geld.' Hij wees met zijn kin naar de plank boven het bed. 'Voor als je iets nodig mocht hebben. Alles is in Kimberley tweemaal zo duur als elders. In het bijzonder brandstof. Wees er dus zuinig mee.'

Een paar minuten later vertrok hij. Hij nam de lamp met zich mee. Het water in haar glas was half bevroren. Ze ging op haar rug liggen en zag de gaten in het tentdoek bleek worden in het eerste licht van de kille morgenstond.

Ze viel weer in slaap tot ze wakker werd van een zwerm vliegen. Ze vlogen tegen het tentdoek en kropen over haar huid. Ze werd zich bewust van een smerige, muffe geur waarvan ze niet kon zeggen wat het was, maar die uit de poriën van het tentdoek leek te komen. Ze wreef de slaap uit haar ogen, draaide haar haar tot een knot en begon de koffer uit te pakken. Bovenop lag haar zwarte, wollen hemd; te warm voor overdag. Ze haalde haar handschoenen eruit en bekeek ze. Ze hadden gaten waar de vingers behoorden te zitten. Ze legde ze opzij. Voorlopig zou ze het zonder handschoenen moeten doen. Onderin lagen haar twee katoenen jurken. Ze hadden de afgelopen zes maanden redelijk goed overleefd, al had Sarah ze allebei bruin moeten verven om de blijvende vlekken van het woestijnstof te verbloemen. Ze koos de schoonste van de twee, maar toen ze hem aantrok, merkte ze tot haar schrik dat het katoen van de mouwen en de hals bijna was doorgesleten. Ze zou tegen Edwin zeggen dat ze dringend een paar nieuwe jurken moest laten maken.

Het enige wat ze nodig had om zich weer een beetje mens te voelen, was een kop thee. Bij de ingang van de tent stond de met lood beslagen kist waarin hun etensvoorraad zat. De zon scheen er precies op en de metalen hoeken voelden al warm aan. In de kist zaten een blik theebladeren, een pot koffie, suiker, wat blikjes vlees, een zak met biltong en wat melkpoeder.

Thee, dacht ze weer. Er was een zwartgeblakerde ketel, maar het kampvuur was uitgegaan. Nadat ze een paar minuten lang had geprobeerd het opnieuw aan te steken, waren alle lucifers op. Ze slaakte een gefrustreerde kreet. Haar lichaam smachtte naar een kop hete thee. Haar vermoeide ogen waren droog en haar hoofd bonkte. Ze keek naar de blikjes met vlees, maar had geen idee hoe je die moest openmaken. In de kist lag een stuk brood van gisteren, dat als hout versplinterde toen ze het in tweeën brak. Ze maakte het vochtig met wat water en melkpoeder en at het op.

De waterkarren die de grond vochtig moesten houden, kwamen blijkbaar niet tot hier. Toen ze de tent verliet, zag ze een waas van rood stof in de hete lucht hangen. Haar tong voelde aan als leer, haar keel was kurkdroog en haar wimpers zaten nu al vol stof. Mangwa, die aan een paaltje stond vastgebonden, was gedrenkt en at een bergje hooi in de schaduw van een stuk zeildoek. Achter hun terreintje lag een berg afval zo hoog dat een deel over de omheining was gevallen. Ze zag vodden, verroeste blikjes, gebroken wijnkratten, papieren overhemdkragen en een oude schoen. Vliegen plakten aan de hals van brandewijnflessen waarvan de etiketten door de zon waren verschoten en afgebladderd. Een hond van een onbestemd ras met een schurftige vacht lag op een stuk papier. Het was een teefje met rode, gezwollen blaren op haar huid en een smalle borstkas die alarmerend snel op en neer ging. Ergens in de verte werd gebouwd. Ze hoorde getimmer en metaal dat op metaal sloeg.

Twee tenten waren zichtbaar, op nog geen zeven meter afstand. Bij de ene zag ze een mager, naakt, zwart kindje dat met een stokje in de grond peuterde en een zwarte vrouw met een baby. Het tentdoek zakte door onder het gewicht van het zanderige stof. Een ezel met gekluisterde voorpoten en schoften zo scherp als bergpieken snuffelde hoopvol aan de grond. De vrouw zat bij een rokerig kookvuur dat ze af en toe oprakelde met een lange, metalen pen. Elke keer dat ze het deed, walmden rookwolken Frances' tent binnen. Haar ogen traanden ervan.

Op het terrein van de andere tent zag ze een man in een overall die op de efficiënte manier van een vrijgezel een mok omwaste en toen volschonk met koffie. Ze rook de verrukkelijke, warme, bittere geur en ze moest zich dwingen niet naar hem te staren. Ze liep naar Mangwa en streelde zijn oren, eerst het ene en toen het andere. Hij schudde geïrriteerd zijn kop, want hij vond het niet prettig als hij tijdens het eten gestoord werd. Het jongetje bij de naburige tent stond jammerend op en ging op een potje zitten.

Ze liet haar hand op de flank van de zebra liggen en joeg een vlieg weg. Een andere vlieg landde op haar arm en eentje kroop over haar neus. Het jongetje stond op en ging nogmaals op het potje zitten, nog steeds zachtjes jammerend. Toen zijn moeder tegen hem uitviel, pakte hij de pot met beide handen en liep hun terreintje af naar een klein, metalen hok niet ver van de plek waar Frances stond. Hij trok de deur open. Er klonk een zoemend geluid. Een grote, zwarte zwerm vliegen vloog uit het hok de zon in. De stank raakte haar als een vuistslag. Kokhalzend boog ze zich voorover. Daar kwam die stank dus vandaan.

Ze vond een metalen beker in de tent en doopte die in de ton water die buiten stond. Het water was warm en slijmerig en smaakte muf, maar ze doopte de beker er nog een keer in en dronk om de stank en het vuil van het kamp weg te spoelen. Het afval van twintigduizend mensen lag hier te rotten, onder de hete zon. Ze had gedacht dat Kimberley een romantische charme zou hebben. Ze had het dagboek gelezen van een meisje dat op de goudvelden van Californië had gewoond, maar daar waren de kampen schoon en geordend geweest en hadden de goudzoekers een gemeenschappelijk doel gehad. In Kimberley leken de mensen zich amper in leven te kunnen houden.

Later zag ze zich gedwongen het buitentoilet te gebruiken. Ze trok de metalen deur open en stapte in een wolk van vliegen. Er waren zwarte vliegen, groene vliegen, blauwe vliegen. Ze kropen over haar gezicht en zoemden in haar oren. Er was een gat in de bodem, maar dat was door kranten en poep al helemaal opgevuld en de smeerboel golfde over de omliggende grond. Vliegen kropen verlekkerd door de kranten. Ze strompelde meteen weer naar buiten, kokhalzend van de afgrijselijke stank. Het was zo smerig dat je er niet langer dan een seconde kon blijven, dus keerde ze terug naar de tent, deed haar behoefte op de po en leegde die in het hok, net zoals het negerjongetje had gedaan. Maar toen moest ze de pot nog omwassen. Ze had zeep, maar die smolt niet in koud water. Ze gebruikte een van de vodden om de pot schoon te vegen en toen kreeg ze de stank niet van haar handen. Ze vroeg zich af hoe ze zich hier ooit zou kunnen wassen en of ze zich ooit weer schoon zou voelen.

Later kwam de man van de tent tegenover haar een kijkje nemen, met zijn beddengoed opgerold onder zijn arm. Hij bleef bij de ingang van haar terreintje staan en tikte aan zijn hoed. Hij droeg corduroy kleding, zijn handen en gezicht waren donkerbruin en verweerd, als het leer van een zadel, en hij had een lange, dikke baard. Hij zag er vermoeid maar taai uit, en had een heleboel sneetjes en littekentjes op zijn gezicht.

'Net aangekomen?'

Ze knikte.

'Ik heb iets voor u,' zei hij met de brouwende tongval van Cornwall.

'Wat dan?' vroeg ze, blij iemand te spreken die Engels was.

'Kom het maar halen.'

Ze liep naar hem toe. Hij gaf haar een blikje gecondenseerde melk.

'Waarom?' vroeg ze. Ze wist niet goed of ze het wel mocht aanpakken.

'Omdat u eruitziet alsof u het kunt gebruiken.' Een vriendelijke glimlach spreidde zich uit over zijn gezicht.

'Wat doet een man uit Cornwall hier?'

'De magnaten hebben een kapitaal uitgegeven om nieuwe machines hiernaartoe te brengen, maar toen ze die eenmaal hadden, kwamen ze tot de ontdekking dat niemand wist hoe je ermee moet omgaan. Toen hebben ze wat mensen als ik laten komen om te helpen.'

'Bent u ingenieur?'

'Niet precies, maar ik ben eraan gewend om onder de grond te werken.' Hij knipoogde naar haar en liep zachtjes fluitend weg.

Later zocht ze een steen waarmee ze op het blikje sloeg tot er een gaatje in het deksel kwam. Ze zette het aan haar mond en zoog de zoete vloeistof eruit. De overvloed aan suiker smaakte vaag naar het metaal van het blik. Af en toe stopte ze om aan de randen te likken of om de plakkerige melk met haar tong van de oppervlakte te verwijderen. Pas toen ze het blikje naast zich neerzette, zag ze dat William Westbrook naar haar stond te kijken. Hij stond aan de andere kant van de omheining Mangwa's kop te strelen, gekleed in een leren rijbroek en rijlaarzen. Ze meende het zachte kraken van het leer te horen toen hij het terreintje op kwam. Haar hart ging tekeer en haar bloed bonkte in haar hoofd. Ze trok haar jurk recht en streek haar haar achter haar oren. Hoelang had hij daar gestaan?

De bovenste twee of drie knoopjes van zijn witte, flanellen overhemd stonden open, waardoor een driehoek van zijn met dik, zwart haar bedekte borst te zien was. Hij liep naar haar toe. Ze verstijfde. Ze had hem in haar verbeelding ontelbare malen gezien, maar het was iets heel anders om hem opeens voor haar te zien staan, in levenden lijve, zo volkomen onverwacht. Ze stond op, veegde haar handen af aan de zijkanten van haar rok en hield ze toen achter haar rug, zich scherp bewust van het vuil onder haar nagels en de bruine, versleten jurk die er nog armoediger uitzag vergeleken bij zijn hagelwitte, gesteven overhemd.

'Je kijkt helemaal niet alsof je blij bent me te zien,' zei hij met een glimlach.

Ze had een droge mond gekregen en likte aan haar lippen. Waarom had ze vanochtend niet op zijn minst haar haar gevlochten? De knot was half losgeraakt. Ze tilde de massa rode krullen van haar schouders. 'Ik ben alleen maar verbaasd. We zijn hier nog maar net aangekomen.' Ze keek naar het troosteloze terreintje met de stank van de beerput en zag zichzelf opeens als een ekster die boven op een vuilnisbelt zat. Ze wilde dat hij wegging, maar hij liet zich niet afschrikken. Hij liep al over het terrein met de nonchalante sierlijkheid die ze zich zo goed herinnerde, waarbij zijn laarzen kleine stofwolkjes deden opwaaien. Hij zag er kerngezond uit. Zijn huid had door de zon de kleur van een walnoot gekregen en wanneer hij naar haar glimlachte, glansden zijn witte tanden in zijn baard. Hij zag er ouder, donkerder en massiever uit dan ze zich herinnerde, niet precies zoals ze had gedacht dat hij zou zijn. Deze verschillen, samen met de herinnering aan zijn handen die haar lichaam hadden gestreeld en het naar zijn begeerte hadden gekneed, brachten haar zo uit haar evenwicht dat ze geen woord kon uitbrengen.

'Zou je me niet eens vragen of ik binnen wil komen?'

Ze kreeg een kleur. Alsof hij haar gedachten kon lezen, zei hij: 'Je moest eens weten hoe sommigen van de mijnwerkers leven. Daarbij vergeleken is deze tent een paleisje.'

Ze glimlachte dankbaar. 'Hoe heb je me gevonden?'

'Edwin Matthews is bezig nogal een reputatie op te bouwen. Je bent niet moeilijk te vinden.' Toen ze niet reageerde, zei hij: 'Frances, als je niet weet wat je tegen me moet zeggen, kun je me altijd een kopje koffie aanbieden.'

Ze bloosde nog heviger en voelde zich alsof hij haar, door hier te verschijnen, had ontmaskerd. Ze wendde zich van hem af, ging op haar knieën zitten en deed de kist open om de koffie te pakken, maar in plaats daarvan sloeg ze haar handen voor haar ogen. De vloerplanken achter haar kraakten en toen voelde ze het gewicht van zijn hand in haar nek – duim op wervelkolom, palm op schouder – en maakte ze een geluid dat het midden hield tussen een lach en een snik. 'Het is belachelijk,' zei ze, 'maar ik heb geen flauw idee hoe je koffie moet zetten.' Ze stond op en draaide zich naar hem om met de pot koffie in haar handen. 'Ik ben niks waard. Ik weet niet eens hoe ik een kampvuur moet maken.'

'Heeft hij je dat dan niet geleerd?' vroeg William. Hij trok zijn wenkbrauwen afkeurend op.

Ze haalde haar schouders op. 'We zijn hier gisteren pas aangekomen. Het is waarschijnlijk helemaal niet in hem opgekomen dat ik zulke dingen niet kan.'

Hij keek alsof hij zich minachtend over Edwin zou uitlaten, maar hij bedacht zich. Hij pakte een apparaatje dat bij de as van hun kampvuur stond, gemaakt van twee blikjes die op elkaar waren geplakt. Het was haar tot dan toe helemaal niet opgevallen.

'Je hoeft geen kampvuur te maken om koffie te zetten. Daar is deze koker voor.'

Hij vulde hem met water uit de ton. Toen ging hij op zijn hurken zitten, haalde een mes uit zijn zak en sneed krullen van een stukje aanmaakhout.

'Kom hier, dan zal ik het je laten zien.' Hij wachtte tot ze naast hem was komen zitten en propte de houtkrullen toen in de koker, samen met een handvol kokosvezels. Hij gaf haar een paar lucifers. Ze streek er een af, hield hem bij de vezels en zag ze vlam vatten, al was het vuur bijna onzichtbaar in het felle daglicht. Hij blies zachtjes op de vlam, die daardoor feller ging branden. De houtkrullen begonnen te knisperen. Zijn vingers raakten haar wang toen hij haar haar achter haar oor streek. Het was een vriendelijk gebaar, bedoeld om haar gezicht te kunnen zien, maar ze deinsde opzij alsof ze haar wang had gebrand. Hij raakte het kettinkje aan.

'Heb je dit al die tijd gedragen?'

'Ja,' zei ze. Ze schoof verlegen bij hem vandaan. Door het kettinkje te dragen zei ze in feite dat ze nog steeds van hem hield. Ze ging op een stoel zitten en keek toe terwijl hij de koffie zette. Hij schonk de hete, bittere vloeistof in een bekertje en gaf dat aan haar. 'Dit smaakt vast beter dan de vorige keer dat ik koffie voor je heb gezet.'

Ze herinnerde zich de storm en hoe ze zich aan elkaar hadden vastgeklampt tegen de kracht van de wind. 'Frances, geloof me, ik ben niet hierheen gekomen om je van je echtgenoot af te troggelen.' Ze was vergeten hoeveel zelfvertrouwen hij had. Hoe hij altijd haar gedachten onder woorden wist te brengen, kon zeggen wat ze zelf nooit over haar lippen zou durven laten komen. Hij kweekte een sfeer van intimiteit, gooide alle formaliteiten opzij, praatte met haar zoals hij had gedaan toen ze halfnaakt naast hem had gelegen. Hij kende haar in lichamelijke zin en ze voelde dezelfde kwetsbaarheid als toen, alleen was het nu nog erger vanwege de afstand die hij tussen hen creëerde. Er lag een afwijzing in het woord echtgenoot. Het was zo definitief.

'Waarom dan?'

'Omdat ik dacht dat je misschien wel een vriend kon gebruiken.' *Een vriend.* Natuurlijk. Wat had ze dan verwacht? Toch was haar trots gekrenkt. Hij was hier niet omdat hij haar wilde zien, maar omdat hij medelijden met haar had.

'Ik denk niet dat jouw vrouw het verschil zal zien.' Ze deed haar best een luchtige toon aan te slaan.

'Weet je het niet?' Hij lachte kort. 'Ik ben niet getrouwd, Frances. Eloise's vader heeft het huwelijk afgezegd. Hij was erachter gekomen wat een schuinsmarcheerder ik was en heeft gezegd dat hij niets meer met me te maken wilde hebben. Baier was woedend, maar die kon er uiteraard niets tegen doen.'

Haar mond viel open. Als hij niet met Eloise getrouwd was, had alles heel anders kunnen lopen. 'Waarom heb je me dan niet geschreven?'

'Wat had ik moeten zeggen? Jij was inmiddels al getrouwd. Nu hoorde ik dat Matthews met je naar Kimberley zou gaan en wilde ik je zien. Ik wilde me ervan verzekeren dat alles in orde was met je.'

'Ja hoor, alles is in orde,' zei ze stijfjes.

'Dat zal misschien niet zo blijven als je echtgenoot aan iedereen gaat vertellen dat we midden in een pokkenepidemie zitten.'

'Is dat zo?'

William lachte schamper.

'Waarom zou hij dat dan zeggen?'

Hij trok opeens een ernstig gezicht. 'Frances, hoe goed ken jij je man? Hij heeft een onverzadigbare dorst naar schandalen.' Hij stond op, gluurde achter het gordijn naar hun slaapkamer, keek naar de weinige boeken die Edwin op een smalle plank naast de kist had gelegd. Ze zag het allemaal door zijn ogen: de armoedige tent, de dunne, zwarte rookpluim, de stank van de beerput. Opeens zei hij gefrustreerd: 'Hoe haalt hij het in zijn hoofd om je hiernaartoe te brengen? Hij is gek als hij van jou verlangt zo te leven. Waarom gaat hij niet met je naar Kaapstad?' Zijn woorden deden pijn. Ze maakten haar duidelijk dat hij niet wilde dat ze in Kimberley zou blijven. Waarom zou hij ook? Ze had zich nog nooit van haar leven minder aantrekkelijk gevoeld.

'William, jij bent niet voor mij verantwoordelijk.'

'Nee, maar ik geef om je.' Daarop volgde een korte stilte. Toen zei hij: 'Je moet proberen hem over te halen Kimberley te verlaten.'

'Zodat jij van me af bent?'

'Nee, Frances, omdat ik me zorgen over je maak. Kimberley is een onaangename, woekerende stad vol mensen die snel rijk willen worden. Hoe eerder je hier weg bent hoe beter.' Hij kwam bij haar staan en zei met een zweem van wroeging: 'Het was niet mijn bedoeling je van streek te maken. Ik ga nu, maar je moet me iets beloven – als je hulp nodig hebt, het maakt niet uit waarmee, dan moet je bij me komen.'

Hij streelde zachtjes haar wang en liep weg, maar ze riep hem terug. Hij draaide zich om. De puntjes van zijn zwarte haar glansden in de namiddagzon. 'Dank je,' zei ze. Hij glimlachte, liep een paar passen achterwaarts terwijl hij naar haar bleef kijken, draaide zich toen om en verliet het terreintje.

27

ZE ZAT IN ZAK EN AS. ZE HAD VERWACHT WILLIAM TE ZIEN, had erop gehoopt, maar ze had gedacht dat het op een openbare plek zou gebeuren waar de impact zou worden verzacht door de aanwezigheid van vreemden. Ze had op een korte ontmoeting gerekend en een gesprek dat een formeel karakter zou hebben, maar hij was haar komen opzoeken toen ze alleen was en had met één blik alle weerstand gebroken die ze had opgebouwd gedurende de zes lange maanden dat ze hem niet had gezien.

Ze ging op het bed liggen, sloot haar ogen en kon alleen maar aan hém denken. Hij had zo innig met haar gepraat en haar toch niets anders geboden dan vriendschappelijke bezorgdheid.

En hij was helemaal niet met Eloise Woodhouse getrouwd. Dat was nog het moeilijkst te verteren. Het was makkelijker om aan hem te denken als iemand die net als zijzelf vastzat aan een liefdeloos huwelijk dan als een vrije man die zijn leven kon inrichten zonder haar.

Het was alsof ze op de *Cambrian* een contract met hem had afgesloten. Door hem toe te staan haar van haar kleding te ontdoen en haar lichaam met het zijne te bestempelen, had ze de rechten afgestaan die ze op zichzelf had gehad als onafhankelijk persoon. Haar trouw gold hem en hem alleen. Ook al was dat in geen enkel opzicht redelijk. In hun tent had hij de indruk gewekt slechts oppervlakkig om haar te geven. Er was niet over liefde gerept, en toch had zijn aanwezigheid, de tedere manier waarop hij haar wang had aangeraakt, haar herinnerd aan dat denkbeeldige contract.

Toen Edwin 's avonds thuiskwam, bleek hij ervan overtuigd te zijn dat er wel degelijk pokken heerste. Hij zei dat hij twee gevallen van de ziekte had gezien en dat het aantal de komende dagen onherroepelijk zou stijgen.

'Ik begrijp iets niet,' zei Frances een paar avonden later. 'Geven die artsen niets om hun reputatie?'

Ze zaten bij de ingang van de tent tegenover elkaar aan de vouwtafel die elke keer dat Edwin een boterham afsneed zo wiebelde dat ze bang was dat hij zou omvallen. In The Diggers' Rest werd gevochten. Ze hoorden mensen schreeuwen en glas breken. De baby in de naburige tent huilde. In het donker zag ze Mangwa's strepen bewegen toen hij onrustig heen en weer liep. Het was pas acht uur, maar haar vingertoppen waren nu al half verdoofd van de kou.

'Het is pokken. Het kan niets anders zijn,' zei Edwin, terwijl hij het deksel van een pot augurken draaide.

'Maar je zei zelf dat je nog nooit een geval van pemfigus hebt gezien.'

'Ik heb het opgezocht. Pemfigus is een uitermate zeldzame en niet besmettelijke ziekte. Het bestaat niet dat er hier in Kimberley opeens zo veel gevallen van zouden zijn.' Hij sneed wat kaas af, legde de plakjes op twee borden en gaf er een aan haar.

'Maar zijn de symptomen eender?' vroeg ze. Ze pakte het bord aan en nam een augurk.

'Op het oog wel. In beide gevallen worden er blaasjes gevormd, in het bijzonder in de mond. Maar als je weet hoe die van pokken eruitzien, kun je je daarin niet vergissen. Bovendien is pemfigus een ziekte die zich soms pas na jaren ontwikkelt en gaat men er zelden aan dood.'

'Hoe verklaren ze die sterfgevallen dan?' vroeg ze terwijl ze begon te eten. De pittige smaak van de augurk was een prettige compensatie voor de harde, smakeloze kaas.

'Die verklaren ze niet. Op de overlijdensakte staat een andere doodsoorzaak.'

'Maar toch, wie nog nooit met eigen ogen een geval van pokken heeft gezien...'

Edwin gaf daar geen antwoord op. Even later vroeg Frances: 'Waarom doet Baier eigenlijk zo veel moeite om het geheim te houden? Zou het niet beter zijn te proberen de ziekte te bestrijden?'

'En het risico nemen dat het werk in de mijn stil komt te liggen?'

'Waarom niet? Heeft hij niet al geld genoeg? Ik dacht dat hij eigenaar was van de meeste mijnen.'

'Dat is juist het probleem. Een jaar geleden is de gele grond, het zand waarin ze aan het graven waren, opgeraakt. Toen stuitten ze op blauwe grond, die vrijwel ondoordringbaar bleek te zijn. Geologen zeiden dat ze de diamantmijnen van Kimberley wel konden vergeten. De markt zakte in en mensen verkochten in paniek hun concessies aan iedereen die zo dwaas was ze te kopen. Baier heeft toen een enorm risico genomen. Hij is begonnen concessies op te kopen. Vervolgens heeft hij aangetoond dat als je blauwe grond in de zon laat drogen en af en toe met wat water besproeit, net als een tuin, de bovenste laag uiteindelijk begint te verbrokkelen. Hij heeft een ploeg arbeiders opdracht gegeven met houten hamers op de grond te slaan. De aarde viel uiteen als poeder en de blauwe grond bleek nog rijker aan diamanten te zijn dan het zand.'

'En sindsdien is hij de rijkste man van Kimberley.'

'Ja, maar hij heeft alles op krediet gekocht. Hij moet snelle resultaten boeken, maar het kost jaren om blauwe grond te verpulveren. Tenzij je machines hebt waarmee je erin kunt graven. Dus heeft hij een kapitaal geïnvesteerd in geïmporteerde machines: mechanische wasinstallaties, boren, kabelwagentjes. Hij is zelfs schachten aan het bouwen, zodat ze kunnen beginnen onder de grond te graven. Hij is als de dood dat alle zwarten de mijnen zullen verlaten en dat de buitenlandse investeerders zich zullen terugtrekken als er een officiële mededeling zou komen dat hier pokken heerst. Om nog maar te zwijgen over alle naamloze vennootschappen die hij heeft laten oprichten en waarin iedereen aandelen heeft. Het zou zijn ondergang zijn.'

Frances dacht na over de consequenties hiervan. Toen zei ze: 'Je kunt het niet tegen Baier opnemen. Hij heeft te veel macht.'

Edwin veegde met de laatste korst brood zijn bord schoon.

'Heb je de vorige keer dat we hierover spraken niet precies het tegenovergestelde gezegd?'

'Edwin, doe dit alsjeblieft niet voor mij. Je hoeft mij niets te bewijzen.'

Hij duwde zijn bord van zich af en keek haar aan. 'Frances, het zal je misschien verbazen, maar niet alle beslissingen die ik neem, hebben met jou te maken.'

Daarop volgde een langdurige stilte. Toen zei ze, op een zachte, kalme toon: 'Edwin, laten we hier alsjeblieft weggaan. Het is nog niet te laat. We kunnen vanavond nog vertrekken. Kimberley is niet jouw verantwoordelijkheid. Denk aan wat Baier ons kan aandoen. Je zult nooit een eigen praktijk krijgen en normaal je brood kunnen verdienen. Dat heb je zelf gezegd. Hij zal je kapotmaken.'

'Ik kan niet net doen alsof hij niet bestaat.'

Hij liep naar de ton die buiten stond en begon de vaat te wassen. Toen hij terugkwam, stond ze op en ze beet hem fluisterend toe, opdat niemand anders het zou horen: 'Waarom wil je jezelf niet eens een kans geven?' Ze hief haar handen op. 'Wat voor leven hebben we hier? Ik heb luizen in mijn kleren en er zitten ratten onder de vloer.' Ze pakte zijn hand en legde hem op haar hoofd. 'Voel je dat? Mijn haar is zo droog en kroezig als dat van de zwarten en als ik binnenkort geen nieuwe jurk krijg, zullen de mensen me aanzien voor een bedelaarster.' Hij trok zijn hand weg. 'Ik heb honger, Edwin. Ik snak naar een behoorlijke maaltijd, een warme maaltijd. Ik kan me niet eens herinneren hoe boter smaakt.' Ze ging zitten en liet haar hoofd tussen haar handen zakken. 'Ik kan de rest van mijn leven niet in dergelijke omstandigheden doorbrengen.'

'Frances, ik kan mezelf niet veranderen omdat jij dat wilt. En jij bent zelf degene die me dat heeft laten inzien.'

Ze kon net zo goed ophouden met smeken. Ze zouden nooit iets hebben – geen geld, geen middelen van bestaan, geen vrienden. Edwin zou in de Kaapkolonie geen rooie cent kunnen verdienen zolang Baier hem in zijn macht had. Ze liet hem in zijn eentje achter bij het kampvuur voor de tent en ging naar bed. Ze zette haar kaars neer, deed haar koffer open en tilde er een langwerpige doos uit, zo lang als haar onderarm, gevoerd met vloeipapier en geurend naar tuberozen. Het papier knisperde zachtjes toen ze het papier openvouwde en haar hand op het fluweelzachte kasjmier legde. Het was een plaid, zo zacht als konijnenbont, geweven in een groen visgraatpatroon. In de zachte wol was een doos Engelse tuberooszeep gewikkeld. William had zich herinnerd dat ze dat parfum op de *Cambrian* had gedragen. Het flesje parfum was al weken leeg en nu maakte de rijke, bedwelmende geur van de zeep herinneringen los aan Londen, aan haar vader en aan William.

Het geschenk was die ochtend bezorgd. Ze was van plan geweest het terug te sturen maar had na haar ruzie met Edwin besloten het te houden. Edwin had toch nergens erg in. Ze trok de plaid bij zich in bed en wikkelde hem om haar voeten om ze warm te houden. Ze bedacht opeens dat William de plaid in zijn handen moest hebben gehouden. Misschien had hij zich het contact ingebeeld tussen de zachte wol en haar blote huid. De gedachte alleen al gaf haar het gevoel dat hij haar kon zien en dat ze samen verwikkeld waren in iets wat verboden was.

Enige tijd later schrok ze wakker. Buiten de tent klonken

dringende stemmen. Mangwa hinnikte ongerust en het gordijn werd verlicht toen erachter een lamp werd ontstoken. Even later kwam Edwin haar roepen. Ze sloeg een dikke sjaal om haar schouders en liep naar de voorzijde van de tent. Op de vloer lag een zwarte man. Edwin zat naast hem geknield en praatte tegen hem. Een andere zwarte stookte het vuur op onder een ketel water. Hij sprak heel rad en met een zwaar accent tegen Edwin.

'Breng mijn tas en wat lappen stof,' zei Edwin toen hij haar zag. 'En een teil voor het water.'

'Wat voor lappen stof?' vroeg ze onzeker.

'Overhemden, kussenslopen, dingen die we aan repen kunnen scheuren.'

Ze bracht hem zijn dokterstas en een stapeltje linnengoed. De man op de vloer kreunde zachtjes. Er was blijkbaar een ongeluk gebeurd in een van de mijnen. Zijn zwarte huid zag er glanzend rood uit in het licht van de lamp. Zijn haar was nat van het bloed en zijn gezicht was gehavend door iets wat zo'n kracht had gehad dat de lippen van zijn gezicht waren gerukt en zijn neus was veranderd in een stukje wit bot. Ze durfde zich haast niet voor te stellen hoe zoiets had kunnen gebeuren. Ze slikte en bleef als gebiologeerd naar de gewonde man staan kijken.

'Kookt het water al?' vroeg Edwin.

De man droeg geen broek. Eén been lag in een scheve hoek ten opzichte van zijn knie en het bot van zijn scheenbeen stak dwars door zijn donkere huid. Edwin trok het met één ruk op zijn plek. Het maakte een krakend geluid.

'Frances?'

Ze wendde met moeite haar ogen af van het slachtoffer en

zag dat de andere man verdwenen was. Uit de ketel kwam stoom. Ze brandde haar handen aan het tinnen handvat toen ze het water in de teil goot. Edwin gaf haar een schaar en zei dat ze de trui van de man moest verwijderen. Ze knipte hem in het midden door en stroopte hem voorzichtig van zijn lichaam. De wol was nat en zwaar, kleverig van het bloed, als de vacht van een dier. Onder de trui hadden zijn gespierde armen en brede borst de glans van natte verf. Zijn maag ging op en neer als een ballon die steeds werd opgepompt. Schuimend bloed verscheen tussen zijn lippen. Hij moest verschrikkelijk veel pijn lijden. Edwin greep haar hand en drukte die op een wond aan de bovenarm van de man waar een gestage fontein van bloed uit spoot. Het bloed bleef tussen haar vingers door stromen, alsof ze een sinaasappel uitkneep. Het was rood. Helderrood. Ze had niet geweten dat zwarten net zulk bloed hebben als blanken. Edwin scheurde een laken aan repen en bond een tourniquet rond de arm, vlak onder de schouder. Toen pakte hij haar andere hand, drukte die tegen de handpalm van de man en zei dat ze zijn arm omhoog moest houden. Ze greep de hand vast, maar die was nat en glibberig en gleed steeds uit haar greep tot ze haar vingers tussen de zijne vlocht. Om zijn pols zat een leren band, die in het vlees was gedrongen, helemaal tot op het bot.

Na een poosje begon te man te gorgelen alsof hij verdronk. Zijn borst ging zwaar op en neer en er kwam roze schuim uit zijn neusgaten.

'Hij krijgt geen lucht,' zei Edwin. Hij zakte gehurkt op zijn hakken. 'Zijn longen zitten vol bloed.'

'Kun je niets voor hem doen?' vroeg ze. Hij schudde zijn

hoofd. Opeens trok de borst van de man samen en tilde hij zijn schouders van de vloer, hevig worstelend. Een siddering trok door zijn hele bovenlichaam. Frances probeerde hem te ondersteunen door zijn gewicht op haar schoot te nemen en voelde zijn rug trillen op haar knieën. Ze wilde dat het ophield en riep tegen Edwin dat hij iets moest doen, maar hij wendde zijn blik af. Het griezelige trillen en beven ging door tot alle spanning opeens uit het lichaam van de man verdween en zijn hoofd naar achteren zakte. Zwaar en stil bleef het op haar schoot liggen.

'Hij is dood,' zei Edwin, met zijn vingers op de pols van de man. Frances keek op hem neer. Haar hart ging als een razende tekeer en de plotselinge stilte bulderde in haar oren. Toen stond ze van puur afgrijzen om het roerloze gewicht dat op haar dijen drukte zo abrupt op dat het hoofd van de dode man met een bonk op de grond viel. Edwin haalde de pallet die gebruikt werd om brandhout te vervoeren en legde met behulp van Frances het lijk daarop. Omdat de man te lang was, moesten ze hem op zijn zij leggen met zijn benen opgetrokken, alsof hij sliep. Frances raapte de trui op. Op de voorzijde was een lapje witte stof genaaid waarop met inkt een nummer stond. Ze legde het op zijn lichaam. Misschien kon iemand hem daaraan identificeren.

Ze wilde het lijk buiten leggen, maar Edwin zei dat de jakhalzen het dan zouden verslinden. Ze haalden een emmer water en begonnen de vloer te schrobben. Het bloed was kleverig en gedeeltelijk in het hout gedrongen. In het vage licht van de dageraad zag Frances de natte planken, het tentdoek en haar eigen bleke huid alsof de wereld door een rood waas was overtrokken. Hun adem wolkte als stoom in de koude lucht. Bloed was in de mouwen van haar nachtjapon gedrongen waardoor het dunne katoen aan haar armen plakte. Ze stond te rillen van de kou. Edwin zat buiten op zijn hurken zijn handen te wassen in een emmer water. Hij keek op en zag haar naar hem kijken. Ze voelde zich als Lady Macbeth in haar nachtgewaad, wankelend op de rand van de waanzin.

'Gaat het?' vroeg hij.

'Waarom hebben ze die man niet naar het ziekenhuis gebracht?'

Edwin lachte vermoeid. 'Omdat iemand daarvoor had moeten betalen.'

'Zou zijn baas niet gedwongen moeten worden te betalen? Hij was voor hem aan het werk toen het gebeurde.'

'Men heft tegenwoordig een ziektebelasting' – hij droogde zijn handen af aan zijn broek en kwam weer binnen – 'een vordering voor alle zwarte arbeiders, maar de concessiehouders hebben veel trucjes om daar onderuit te komen.' Hij hield de emmer voor haar vast zodat ze haar handen kon wassen. Het water had een bruinig roze kleur. 'En het maakt ook niet veel uit. Ook in het ziekenhuis hadden ze hem niet kunnen redden.'

Toen ze zich had gewassen en een schone nachtpon had aangetrokken, bekeek ze zichzelf. Bloed koekte nog onder haar nagels en in de plooien van haar armen en toen ze weer in bed lag, voelde ze het als sliertjes loslaten als ze haar handen wreef. Ze sliepen met het lijk op nog geen twee meter afstand van hun bed. De man had hun hulp nodig gehad, maar ze hadden hem niet kunnen redden. Hij had afgrijselijke pijn geleden en zij hadden zwijgend toegekeken toen hij was gestorven. Ze werd verteerd door schuldgevoelens. De dood was zo intiem. Ze had zijn hand vastgehouden, zijn lichaam op haar schoot genomen en nu hing zijn geest als een vloek om haar heen. Ze probeerde de hele zaak van zich af te zetten door zichzelf eraan te herinneren dat de mijnen nu eenmaal gevaarlijk waren en dat hij alleen maar een zwarte was die had gehoopt aan de blanken wat geld te verdienen. Ze wilde het verdriet niet voelen noch proberen zijn dood te beredeneren. Zijn bloed had haar echter gebrandmerkt en ze was er niet zeker van dat ze nog dezelfde persoon was als een paar uur geleden.

Toen ze wakker werd, was het lijk verdwenen en Edwin ook. Ze kleedde zich aan en stak haar voeten in haar schoenen, die zo versleten waren dat de zolen als droog papier begonnen los te raken van de leren stiksels. Waar de man had gelegen, was de vloer donker en vochtig en ze merkte dat hij kleverig was toen ze eroverheen liep. Geweld en ziekte waren gemene zaak in Kimberley: de zwarte mijnwerker die hier was doodgegaan; het jongetje bij de naburige tent dat langzaam doodging van de honger; Edwin, met zijn praatjes over pokken in de kampen. Terwijl ze thee zette in de koker, zoals William haar had geleerd, probeerde ze het idee dat dit een sinistere, verdorven stad was, van zich af te schudden.

Een jongen kwam naar de tent om een briefje af te geven. Het was van Anne. Ze had gehoord dat dokter Matthews in de stad was en vroeg of Frances haar in het ziekenhuis kwam opzoeken. Het was zo lang geleden dat Frances een brief had ontvangen, van een vriendin nog wel, dat ze hem glimlachend las en haar sombere bui voelde verdwijnen.

Ze zou Anne opzoeken, maar wilde eerst haar kleren wassen. Ze kookte water, liet wat zeep smelten in een teil, waste haar tweede jurk, haar ondergoed en petticoat, spoelde alles zorgvuldig uit, wrong de kledingstukken uit en hing ze aan de waslijn. Daarna waste ze haar nachtjapon. Ze schrobde hem tot de bruine vlekken min of meer verdwenen waren. Toen ze Edwins overhemd en broek zag, die vol opgedroogd bloed zaten, waste ze die ook. Daarna voelde ze zich iets beter in staat de wereld het hoofd te bieden.

Buiten was het warm en stoffig. Frances zocht zich een weg rond bergen afval en langs tenten waarnaast karkassen lagen te stinken in de zon. Uiteindelijk bereikte ze de hoofdweg. Twee mannen, een Europeaan en een Afrikaan, liepen in dezelfde richting als zij. De zon brandde op haar hoofd en de hitte hing als een zinderend waas boven de rode grond. Mannen reden op ezelwagens en ossenkarren over de hobbelige weg. De voertuigen wierpen stofwolken op die als bruine sneeuw op haar neerdaalden en haar aan het niezen maakten. Bomen waren er niet, alleen droge, dorre struiken. Frances had er niet aan gedacht een parasol mee te nemen en zag dat haar handen algauw begonnen te verbranden in de wrede zon. Ze droogde haar gezicht met haar laatste maagdelijk witte zakdoek en keek mismoedig naar de vuile vegen die erop achterbleven. Je had in Kimberley een onuitputtelijke hoeveelheid linnengoed nodig.

Toen ze een klein, uit golfplaten opgetrokken gebouw zag waarop het woord POLITIE was geschilderd, liep ze ernaartoe om de weg te vragen. Net toen ze naar binnen ging, hoorde ze iemand een ijselijke kreet slaken, een mengeling van razernij en pijn. Frances schrok er zo van dat het zweet haar uitbrak. Het duurde een paar seconden voordat haar ogen aan het schemerdonker gewend waren. Toen zag ze twee agenten met iemand worstelen, een kronkelende gedaante die zich met veel energie verweerde. Voeten trapten tegen de muur en een emmer rolde kletterend over de vloer. Ze zag wapperend wit katoen en voelde druppeltjes speeksel op haar wang terechtkomen. De worstelende gedaante bleek een vrouw te zijn. Geen zwarte, maar een blanke.

De agenten hielden haar nu op de vloer in bedwang. Haar witte rokken bolden om haar heen.

'Ze heeft pit, zeg!'

'Ja, pas maar op!'

'Wat een kat. Zo dadelijk krabt ze ons de ogen uit.'

Een van de agenten, een kleine, gedrongen man, ging boven op de vrouw zitten en liet zijn handen om haar ribben glijden. Ze bleef verwoed kronkelen. Hij lachte er smakelijk om.

'Aha! Vind je dit lekker?'

Ze draaide met een ruk haar hoofd om en zag Frances in de deuropening staan. 'Help me,' hijgde ze.

En toen, in een flits, gooide ze de man van zich af. De agenten graaiden naar haar rokken, maar haar lenigheid won het van hen beiden. Ze rende weg, botste tegen Frances' schouder en holde de deur uit. De agenten sprintten achter haar aan. Een van de twee graaide naar haar en kreeg een handvol haar te pakken, zodat ze in de lucht om haar as draaide. De andere stompte haar genadeloos in haar maag. Happend naar adem klapte ze dubbel. De agenten duwden haar hardhandig weer tegen de grond. Toen grepen ze haar onder haar oksels, waarbij ze haar huid gemeen verdraaiden, en sleepten haar weer mee naar binnen. Frances sprong opzij, vluchtte naar buiten en bleef, knipperend tegen het felle zonlicht, op de stoep staan. Twee andere agenten stonden daar een sigaret te roken. Ze vroeg hen wie de vrouw was.

'Een Engelse. Ze is betrapt met vijfhonderd pond aan diamanten in het handvat van haar parasol.'

'Maar dat niet alleen,' zei de andere man. Hij gooide zijn peuk neer en wreef hem in de grond met de neus van zijn schoen. 'Ze is met een neger naar bed gegaan om ze te pakken te krijgen.'

'Wat gaat er nu met haar gebeuren?'

'Ze zullen proberen haar tot de strop te laten veroordelen, maar dat zal ze waarschijnlijk niet lukken. Ze zal wel in Breakwater terechtkomen.'

Frances had zich meer van het ziekenhuis voorgesteld, maar zoals alles in Kimberley was het een laag gebouw gemaakt van golfplaten. Het hoofdgebouw was gereed, maar de rest was nog in aanbouw. Zwarte arbeiders zaten met ontbloot bovenlichaam als eksters op de houten steigers.

Anne kwam naar buiten. Ze zag er efficiënt uit in haar witte uniform. Ze maakte een volwassener indruk dan op het schip en was niet zo mager meer. Haar tengere gestalte en bleke wangen hadden plaatsgemaakt voor een vrouw met wat meer rondingen en meer zelfvertrouwen, maar met nog wel hetzelfde sluike, donkere haar en ernstige ogen.

'Is dit echt het enige ziekenhuis in Kimberley?' vroeg Frances toen ze op een bankje in de schaduw van een mesquiteboom waren gaan zitten.

'Ja.' Anne glimlachte. 'En het is niet eens een stenen gebouw. Toch is dit al een stuk beter dan wat ze eerst hadden, want dat was een oude legertent, waar 's nachts jakhalzen naar binnen kropen die patiënten aan stukken scheurden. De tent is tijdens een stofstorm zelfs een keer omgewaaid en toen lagen de patiënten in de loeiende wind hulpeloos in hun bedden.'

Frances zou dat niet geloofd hebben als het om een andere stad ging, maar in Kimberley was alles mogelijk.

'Jij bent vast erg trots op je man,' zei Anne.

'Hoe bedoel je?' vroeg Frances verward.

'Hij heeft zo veel voor Kimberley gedaan. Alle verpleegsters zijn hem erg dankbaar dat hij er bij de magnaten op heeft aangedrongen de ziektebelasting in te voeren.'

Frances gaf geen antwoord. Wat had ze moeten zeggen? Edwin had de ziektebelasting wel genoemd, maar niet gezegd dat hij daar iets mee te maken had gehad. Niet dat die belasting erg effectief was, als ze mocht afgaan op wat ze gisteravond had meegemaakt.

Anne lachte om haar zwijgen. 'Op de *Cambrian* was je precies zo. Je hebt ons niet eens verteld met wat voor soort man je ging trouwen. Je was er zelfs zo gesloten over dat we allemaal dachten dat je was uitgehuwelijkt aan een narrige oude dokter die zijn eigen veters niet eens kon strikken.' Anne kneep haar zachtjes in haar hand. 'Ik had geen idee dat hij zo'n geweldige man was.'

Ik ook niet, dacht Frances wrang. Anne's empathie was misplaatst, maar het was in elk geval empathie en het was lang geleden dat ze een gesprek had gevoerd met iemand die om haar gaf. 'Anne,' zei ze, 'het is niet altijd makkelijk om met Edwin getrouwd te zijn.' Ze zweeg om na te denken hoe ze onder woorden kon brengen wat ze wilde zeggen.

'Natuurlijk niet,' zei Anne meteen. 'Ik kan me voorstellen dat je je vaak zorgen maakt dat je niet goed genoeg voor hem bent, maar dat moet je echt niet denken. Ik weet zeker dat hij meer aan jouw steun heeft dan je vermoedt.'

'Misschien.' Anne had haar helemaal verkeerd begrepen. Ze was idealistisch en Frances besefte dat het geen zin had haar te vertellen hoezeer Edwin geobsedeerd was door de pokken en dat ze bang was dat ze daardoor in gevaar konden komen. 'En jij?' vroeg ze. 'Hoe gaat het met jou?'

Anne glimlachte. 'We maken lange dagen. Ik begin 's ochtends om zeven uur en ben vaak 's avonds na achten nog in het ziekenhuis.'

'Krijg je nooit een avond vrij?'

'Niet vaak, maar dat vinden we niet zo erg, omdat we ons allemaal zo gelukkig prijzen dat we onder zuster Clara mogen werken.'

'Is dat de hoofdverpleegster?'

'Ja. Weet je niet meer dat ik je op de *Cambrian* over haar heb verteld?'

Ja, nu herinnerde Frances zich dat. Anne had gezegd dat ze bijna een heilige was.

'Zegt dokter Matthews nooit iets over haar?' vroeg Anne.

'Zou hij dat moeten doen?'

Haar vriendin bloosde en wendde haar ogen af. 'Nee, natuurlijk niet. Ik bedoel alleen maar dat wij zo'n bewondering voor haar hebben. Ze is een van de invloedrijkste vrouwen in Zuid-Afrika. Dankzij haar hebben we nu zo'n goed ziekenhuis. En jouw echtgenoot is degene die haar heeft aangemoedigd zich hier te vestigen toen ze voor het eerst naar Kimberley kwam. Ze hebben samen een aantal projecten op touw gezet.'

'Wat voor projecten?'

'Het emmersysteem, bijvoorbeeld,' zei Anne. Frances had geen idee waar ze het over had. 'Dat is een systeem om afval te verwijderen. Tot twee jaar geleden werd het afval van de stad gewoon maar gedumpt waar het de mensen toevallig uitkwam. Dokter Matthews heeft daar toen een rapport over geschreven, met de steun van zuster Clara, en dat heeft veel invloed gehad. Nu is er het begin van een behoorlijk sanitair systeem, waarbij het grootste deel van het afval regelmatig wordt verwijderd en op grote afstand van de stad begraven. Het is nog niet perfect, maar het gaat de goede kant op. Er zijn al veel minder sterfgevallen in de kampen.' Anne keek verlegen. 'Men vertelt jou natuurlijk niets over deze dingen, omdat hij je man is. Zuster Clara zegt dat er al een heleboel artsen in Kimberley zijn geweest sinds hier tien jaar geleden diamanten zijn gevonden, maar dat die allemaal onder druk stonden van de concessiehouders. Ze zegt dat je man anders is. Dat Kimberley iemand als hij nodig heeft.' Anne zweeg abrupt en bloosde licht. 'Maar wat zit ik nu toch aan een stuk door te babbelen.'

Edwin had haar nooit verteld en zij had hem ook nooit gevraagd wat hij had gedaan toen hij hier woonde. Ze had gedacht dat hij een gewone praktijk had gehad, maar nu kreeg ze de indruk dat hij zich meer met politiek had beziggehouden dan met artsenij. Anne gedroeg zich alsof ze een beetje verliefd op hem was en Frances moest inwendig lachen toen ze zich Edwin voorstelde als een romantische held die vocht voor de morele gezondheid van Kimberley.

Toen Anne weer aan het werk moest gaan, vroeg Frances of ze haar zou willen voorstellen aan zuster Clara. Anne keek verheugd. 'Ze heeft op iedereen die haar ontmoet een enorm effect en zal het fijn vinden dat je wilt komen kennismaken.'

Ze gingen naar binnen en liepen door een lange gang met witte wanden en een schuin dak. Anne klopte op een deur, deed die open en liet Frances binnen in een kleine kamer met een raam, een bureau en overvolle boekenplanken die een hele wand besloegen. Een vrouw met een slanke hals en honingkleurig gevlochten haar zat over het bureau gebogen te schrijven. Ze keek op toen Frances binnenkwam en legde haar pen neer. Frances keek verbaasd. Ze had een veel oudere persoon verwacht, niet deze vrouw van hooguit dertig, die ook nog eens bijzonder mooi was. Ze had hoge jukbeenderen en opvallend lichtblauwe ogen, die Frances met een intelligente blik opnamen.

Anne stelde hen aan elkaar voor en vertrok. Zuster Clara bood Frances de stoel tegenover haar bureau. Frances ging zitten, maar voelde zich slecht op haar gemak, als een kind dat op het matje was geroepen omdat ze iets ondeugends had gedaan. Het verschil in leeftijd was niet groot genoeg om zulke gevoelens op te roepen, maar de vrouw had een air van aangeboren gezag. Ze zei op een zachte, warme toon: 'Uw echtgenoot is een enorme inspiratiebron voor me geweest, mevrouw Matthews. Het is een zegen dat hij terug is in Kimberley.'

'Dat is voor u misschien een zegen, maar niet voor mij.' Frances besloot het maar eerlijk te zeggen. 'Als er gevallen van pokken zijn in Kimberley, is mijn echtgenoot vastbesloten dat te bewijzen. Hij zegt dat er onder de zwarten sterfgevallen zijn. Ik zou graag willen weten of u mensen met pokken gezien hebt.'

'Nee, niet persoonlijk.'

'Maar gelooft u dat pokken de ziekte is die slachtoffers maakt onder de zwarte arbeiders?'

'Uw echtgenoot is daarvan overtuigd.'

Frances knikte. 'Weet u dat hij denkt dat Baier het ontkent uit eigenbelang?'

De vrouw bleef onbewogen kijken. 'Ik ben bang dat het zelfmoord zal zijn als hij in Kimberley blijft. Als hij Baier als vijand krijgt, is het met zijn carrière gedaan.'

'Mevrouw Matthews, ik weet zeker dat ik u niet hoef te vertellen dat uw man politiek zeer geëngageerd is.'

'Ja,' zei Frances, alhoewel ze dat tot op dat moment niet echt had geweten, 'maar kan hij niet politiek geëngageerd zijn zonder zichzelf in gevaar te brengen?'

'Bedoelt u zonder ú in gevaar te brengen?'

Frances, die al die tijd haar blik op haar handen gericht had gehouden, keek nu op naar de hoofdverpleegster. 'Ik wilde u alleen maar vragen of u hem op andere gedachten zou kunnen brengen. Het is gekkenwerk. Hij is vastbesloten dit te doen en ik zie niet in waarom.'

'Maar u weet toch waarom hij dit doet?'

Frances was bang dat ze zou gaan huilen. Niemand leek begrip te hebben voor haar situatie. Ze kreeg van iedereen andere dingen te horen dan wat ze wist.

'Het is niet altijd makkelijk om in de schaduw van andermans moed te leven,' zei zuster Clara.

‘Ik geloof niet dat het mij aan moed ontbreekt.’ Frances stond op, gepikeerd dat de vrouw zo snel een oordeel over haar klaar had. Ze liet haar blik door de keurige, schone kamer gaan. Waar het haar aan ontbrak, was geld om van te leven. Wist zuster Clara dat Edwin geen loon kreeg voor zijn pogingen de arbeiders in de kampen te helpen? Dat ze geen geld hadden waar ze in geval van nood op konden terugvallen? Dat het emmersysteem niet werd toegepast in de kampen aan de rand van de stad waar zij in een armoedige tent leefden?

‘Dank u, zuster Clara,’ zei ze. Ze glimlachte vluchtig en verliet de kamer.

Toen Frances het ziekenhuis verliet, stond de zon op zijn hoogste punt. Edwin had haar verzocht wat inkopen te doen voor het avondeten, en dus ging ze op weg naar Market Square. Ze had een onaangenaam, strak gevoel in haar buik en onder het lopen brak het koude zweet haar uit. Alhoewel het felle licht pijn deed aan haar ogen, voelde ze de hitte niet en was haar mond droog en plakkerig. Ze haalde de rug van haar hand langs haar voorhoofd en bleef een ogenblik aan de rand van de weg staan wachten tot het nare gevoel zou overgaan. Opeens zag ze een stukje verderop de twee mannen van daarstraks. Ze waren zeker naar het ziekenhuis gegaan en tegelijk met haar teruggekomen. De Europeaan liet zijn blik over haar heen glijden en keek toen de andere kant op.

Het leek wel alsof heel Kimberley op de markt was. Het plein was een oorverdovende lappendeken van kleuren en mensen die luid praatten, zich bij de stalletjes verdrongen, met elkaar onderhandelden en kennissen om de nek vielen.

Op de trappen van het hotel werd tweedehands mijnapparatuur geveild. De slagen van de hamer stegen als een drum boven het lawaai uit. Aan de rand van het plein was men bezig karren met brandhout en groene kool uit te laden. Er stonden kratten met stalen keukengerei dat glinsterde in de zon. Frances zocht zich een weg tussen de marktkramen, door een dichte menigte van Europeanen, Afrikanen, Maleiers en Indiërs. Ze rook half verrotte groenten, kruiden en gedroogde vis. Vrouwen met gerimpelde zwarte gezichten en vreemde piercings rolden balen stof uit waarvan de kleuren dreigden te verschieten in de felle zon. Maleiers zaten gehurkt op de grond, tengere mannen die in het niet vielen bij de grote balen kaneel en kruidnagelen waar ze tegenaan leunden. Ze rookten pijpen waar dikke, zoetgeurende rook uit opsteeg.

Edwin had gezegd dat ze meel, vlees en suiker moest kopen, maar ze was nog nooit van haar leven op een markt geweest. In Londen had de kokkin er altijd een loopjongen op uitgestuurd om de boodschappen te halen die niet werden thuisbezorgd. Ze vond het opeens erg belangrijk dat Edwin in de veronderstelling leefde dat ze in staat was ingrediënten voor hun avondeten te kopen en was daarom vastbesloten niet met lege handen thuis te komen. Twee halfnaakte zwarten wrongen zich langs haar heen, stinkend naar dierenhuiden en zweet. Ze voelde iemand aan haar rok trekken. Een zwart jongetje zonder benen sleepte zich achter haar aan. Ze probeerde bij hem vandaan te komen door zich om te draaien en omdat hij zo dicht bij haar zat, trapte ze per ongeluk op zijn vingers. Hij gilde. Frances zei dat het haar speet en drong dieper de menigte in, hem achterlatend.

Ze bleef staan bij de kraam van een slager. Geslachte dieren hingen aan metalen haken onder de luifel en de schragentafel lag vol met vlees: bloederige rode hompen met glad wit spierweefsel. Het vlees droogde snel uit in de hitte; de bovenlaag van alle hompen was al gehard tot donkerrood leer waarin je hier en daar de gladde vorm van een bot of pees kon ontwaren. Een grote zwerm vliegen steeg als een wolk op als de slager met een stok op het vlees sloeg. De karkassen aan de roestige haken draaiden langzaam om hun as en het bloed dat eruit droop vormde snel stollende plasjes in het zand. Er hing een metaalachtige, weeïge geur, die Frances herinnerde aan de mijnwerker die in hun tent op de vloer had gelegen met het gebroken been waar het bot uit stak. Ze proefde gal in haar keel, maar vermande zich en sprak de verkoper aan.

Het was een Boer met een dikke baard en dun, vet haar. Hij leek geen Engels te spreken, maar toen ze om rundvlees vroeg, wees hij naar een van de hompen. Ze knikte. Weer werd er aan haar rokken getrokken. Het was de beenloze bedeljongen. Hij hees zich in een zittende positie en stak zijn hand omhoog. De vingers waar ze op getrapt had, waren tot bloedens toe geschaafd. De slager zei iets tegen haar en stak vijf vingers op. 'Vijf,' zei hij in het Engels. Ze wist niet precies wat hij daarmee bedoelde en haalde het bundeltje bankbiljetten uit haar tas. Ze deed er zo lang over om de briefjes te bekijken dat hij zijn arm uitstak, het bundeltje uit haar hand griste en er drie of vier briefjes uit haalde. De jongen rukte aan haar hand en jammerde in het Bantoe. Schuldbewust gaf ze hem een bankbiljet. Hij griste het uit haar hand, maar bleef er toen verongelijkt mee zwaaien, alsof het niet genoeg was. Opeens kwam hij op zijn beenstompen overeind, greep haar polsen en schuifelde om haar heen, waardoor ze geen kant uit kon.

Ze werd helemaal duizelig. Het vlees werd in een stuk papier verpakt en omdat ze geen tas had, moest ze het pakketje in haar hand houden. Ze meende vanuit haar ooghoek de twee mannen van daarstraks weer te zien, maar toen ze omkeek, waren ze er niet meer. Ze voelde weer zo'n nare kramp in haar buik. Ze boog zich voorover en voelde hoe braaksel haar mond vulde. De Boer schreeuwde en gebaarde dat ze door moest lopen. Een groep Maleiers zat op een rijtje toe te kijken zonder haar te helpen. Ze veegde haar mond af met haar mouw en begon terug te lopen langs de kramen. Ze wilde naar huis, desnoods zonder bloem en suiker, maar de kramen stonden onordelijk opgesteld en het waren er zo veel dat ze hopeloos verdwaalde toen ze het plein af probeerde te komen.

Uiteindelijk kwam ze uit bij een stille straat. Ze had geen idee waar ze was, maar liep de straat in, in de hoop dat hij uitkwam op een weg die ze herkende. Ze hoorde voetstappen achter zich, maar pas toen ze een hoek omsloeg begreep ze dat ze gevolgd werd. Ze voelde de haartjes in haar nek recht overeind komen. Ze keek om. Het waren de twee mannen. De Europeaan droeg een vuile overall en had een pet op die hij diep over zijn voorhoofd had getrokken. Toen hij haar zag kijken, lachte hij. Nu werd ze echt bang. Ze liep sneller, maar ze hielden haar makkelijk bij. Ze was volledig verdwaald en had geen idee welke kant ze op moest. En weer kreeg ze hevige krampen in haar buik.

Twee blanke vrouwen kwamen aan de overkant de hoek om. Frances slaakte een zucht van verlichting. Zij zouden haar wel helpen. Een van hen duwde een grote kinderwagen en de andere, een lange, elegante vrouw, lachte om iets wat ze vertelde. Ze droegen allebei een witte japon met witte handschoenen en hadden een strooien hoed op. Ze zagen er onberispelijk en elegant uit, als gepolijste stenen in een berg puin. Een zwarte bediende liep achter hen en beschermde hen met een parasol tegen de zon.

Frances riep hen aan. Ze draaiden hun hoofd en bekeken haar achterdochtig. Frances verstijfde. De lange vrouw was Eloise Woodhouse. Ze herkende haar brede gezicht en forse gelaatstrekken. In het daglicht bleek ze mooier te zijn dan Frances had gedacht. Ze had een prachtige gladde huid en haar mond was zacht en breed. Eloise legde beschermend haar hand op de arm van haar vriendin en liep samen met haar door. Frances aarzelde nog even, omdat ze zich eigenlijk niet in haar huidige staat wilde tonen aan de vrouw met wie William had zullen trouwen, maar haar angst won het van haar gêne.

'Pardon!' riep ze terwijl ze zich naar de overkant haastte. Ze wilde hier niet in haar eentje achterblijven. De mannen konden haar nu elk moment bereiken. Ze tikte Eloise op haar schouder. De vrouw draaide zich om en keek vol afgrijzen naar haar japon en toen naar Frances' handschoenloze hand. Haar door het vlees besmeurde vinger had een roze vlek op de witte stof gemaakt.

'Neemt u me niet kwalijk,' zei ze en ze deed geschrokken een stap achteruit, al vergat ze de mannen niet. 'Ik heb hulp nodig –'

Eloise viel haar in de rede door iets tegen de bediende te zeggen, die tussen hen in ging staan en Frances de weg versperde. Frances bleef haar aanstaren, zo geschokt dat ze geen woord kon uitbrengen. Eloise zag haar aan voor een bedelaarster.

De vrouwen liepen weg. 'Ik ben een Engelse,' riep ze hen na. Ze dacht dat ze het alleen maar hoefde uit te leggen. 'Mijn naam is Frances Matthews. Ik ben een nichtje van Sir John Hamilton.' Maar ze draaiden zich niet om en even later waren ze om de hoek verdwenen.

Ze liet hen gaan. Ze was nu kotsmisselijk. Haar maag roerde zich en haar mond vulde zich met speeksel. IJskoud zweet droop over haar rug en de achterkant van haar benen. Ze boog zich voorover en begon heftig te braken.

'Gaat het een beetje, mevrouw?' Een van de mannen stond naast haar. Hij legde zijn hand op haar schouder en streelde die terwijl ze kotste. Ze probeerde de hand van zich af te schudden, maar hij liet hem liggen en langzaam afglijden naar haar billen. Ze hijgde. 'Of wilt u liever dat mijn vriend u bijstaat?'

Ze richtte zich op en zag de neger naar haar kijken. Behalve hen was er helemaal niemand op straat. Angst daalde als nevel op haar neer.

'Laat u me alstublieft met rust,' zei ze, achteruitdeinzend.

'Helaas zal dat niet gaan,' zei de man glimlachend. Hij had een gemeen, achterbaks gezicht.

'Wat wilt u?' Ze haalde met stijve vingers haar portemonnee uit haar zak en stak hem die toe, maar in plaats van de portemonnee greep hij haar hand. De portemonnee viel op straat. Hij trok aan haar vingers tot haar handpalm bloot lag. Ze was gefixeerd door zijn optreden, als een vlieg in een web. Als ze zich bewoog, zou ze alleen maar strakker in het web komen te zitten, en daarom bleef ze roerloos staan terwijl ze kippenvel op haar armen kreeg. Hij bewoog haar vingers een voor een.

'Een mevrouwtje ging naar de markt,

'Dat mevrouwtje had niet moeten gaan,

'Dat mevrouwtje kocht wat vlees,

'Maar dat mevrouwtje krijgt daar niets van,

'En dat mevrouwtje gaat nu naar huis...' Hij liet haar pink wiebelen en grijnsde naar haar. 'En zegt tegen haar meneertje dat hij zijn neus niet in andermans zaken moet steken.'

'Hoe bedoelt u?' vroeg ze op een fluistertoon.

Hij lachte, liet haar hand los en stapte naar achteren. 'Kimberley is geen plek voor negervrienden, mevrouw Matthews. Dat had uw man zo onderhand moeten weten.'

Hij bukte zich en plukte het geld uit haar portemonnee. Toen draaiden ze zich om en lieten haar staan. Toen ze weg waren, kreeg ze zo'n hevige kramp in haar buik dat ze geen andere keuze had dan haar rokken op te tillen en in de goot te hurken. Ze voelde zich te beroerd om zich er nog iets van aan te trekken wie het zag. Kreunend van schaamte en ellende liet ze haar darmen leeglopen, als de dakloze bedelaarster voor wie Eloise Woodhouse haar had aangezien. Toen ze klaar was, liep ze de straat uit, stinkend en bang, met nog maar één wens: de weg terugvinden naar Edwin. Het was bijna donker tegen de tijd dat ze de tent bereikte. Edwin zag haar aankomen. Zijn gezicht stond strak.

'Het water,' zei hij, naar het vat wijzend. 'Wat heb je met al ons water gedaan?'

'De was,' zei ze zwakjes. Ze herinnerde zich vaag dat ze hele teilen met zeepwater op hun terrein had omgekeerd.

'De was?' riep hij uit. 'Heb je ons hele weekrantsoen voor de was gebruikt? Heb je enig idee hoeveel dat water kost?' Ze was er niet aan gewend hem boos te zien. In Rietfontein had hij zelfs nooit zijn stem verheven.

Frances voelde zich erg licht in haar hoofd. Ze stond bij de ingang van de tent op haar benen te zwaaien. 'Ik heb rundvlees gekocht,' zei ze vaag. Ze stak hem het bloederige pakketje toe dat ze op de een of andere wijze al die tijd bij zich had weten te houden. Ze lachte op een eigenaardige manier. Toen hij het vlees niet van haar aanpakte, legde ze het op de tafel. Het gewicht ervan had haar gang vertraagd. Ze had de vage gedachte gekoesterd, gedurende die lange, verschrikkelijke weg naar huis, dat Edwin haar zou troosten als ze terug was. Zijn woede was niet wat ze had verwacht.

'Wat heb je nog meer gekocht?' vroeg hij.

'Het geld was op,' zei ze. Ze liep op wankele benen naar de achterzijde van de tent. Ze kreeg alweer kramp in haar buik.

'Frances, kom terug.'

Ze duwde het gordijn opzij, maar om de een of andere reden kon ze er niet doorheen komen. Braaksel stuwde omhoog vanuit haar maag. De gordijnstof voelde te zwaar aan in haar handen en haar huid prikte alsof haar jurk vol spelden zat. Ze probeerde iets te zeggen, maar de zijkant van de tent viel bij haar vandaan. De wereld zakte weg en het gordijn gleed tussen haar vingers door toen ze viel.

Edwin tilde haar op en legde haar op het bed, maar ze was niet in staat te spreken. Hij werkte snel, trok haar kleren uit en koelde haar lichaam met een vochtige doek. 'Het spijt me,' zei ze de hele tijd. 'Het spijt me.'

De wereld verdween. In plaats daarvan was er een spelonkachtige schacht waarin afwisselend vuur en ijs zat. Haar lichaam werd geteisterd door koorts. Ze verloor alle besef van tijd. Ze dacht dat er een heel leger insecten onder het tentdoek door kroop, de vloer trilde ervan, en toen zwermden ze uit over het matras en begonnen aan haar lichaam te knagen. Ze droomde dat de wereld een levend, ademend wezen was – ze voelde de golvende beweging van elke diepe ademhaling – dat wentelde in zijn eigen vuil en via zijn huid bloed en gif afscheidde. De geur van bloed zat aan haar vingers – het bloed van de dode mijnwerker – en ze was ervan overtuigd dat de lakens, nat van haar zweet, ermee doordrenkt waren. Edwins behoedzame verzorging was een marteling, want die maakte haar steeds te koud of te warm. Hij dwong haar een slokje water te nemen, waar haar maag tegen in opstand kwam, zodat ze het onmiddellijk weer uitspuugde in de kom die hij vasthield. Af en toe nam hij de dekens weg en wikkelde haar gloeiende lichaam in natte doeken en dan klappertandde ze van de kou. Toen verdween hij voor een schijnbaar eindeloos lange tijd en riep ze, huilde ze, dat hij terug moest komen. Ze dacht dat ze Mariella zag, die haar gezicht streelde en veel te uitbundig glimlachte.

'Boudica,' zei ze, zich over haar heen buigend.

'Wat?' jammerde Frances. 'Wat zeg je? Ik begrijp je niet.'

'Boudica is weg,' zei ze, duidelijk articulerend, en Frances zag zichzelf voor Williams spiegel staan op de *Cambrian,* met haar rode krullen dansend op haar schouders en ogen die haar flonkerend aankeken, wild en onzeker.

Toen Edwin terugkwam keek Frances naar hem, ervan overtuigd dat in de stand van zijn hoofd en de bewegingen van zijn handen een wiskundig vraagstuk verborgen lag dat ze moest oplossen, wat haar niet lukte.

Eén keer hoorde ze een kakofonie van stemmen en merkte ze dat ze buiten was. De krekels sjirpten zo luid dat ze haar handen tegen haar oren drukte. Het landschap was wit, alle kleur was eruit gezogen, en de zon brandde in haar ogen. In het hete licht zag ze de zebra staan met zijn neus dicht bij de grond. Zijn lichaam beefde en een rode snee liep van oor tot oor over zijn hals. Bloed sijpelde over zijn borst en lekte in het zand.

Op een ochtend deed ze haar ogen open en voelde ze zich helder en kalm. Ze had een bittere smaak in haar mond. Edwin zat een geweer schoon te maken. Ze had dat geweer nog niet eerder gezien. Hij zat stil en geconcentreerd te werken, liet met zijn magere vingers een staaf heen en weer gaan in de loop. Ze keek toe, haar lichaam en geest verstoken van emotie.

'Wat is er met Mangwa gebeurd?' vroeg ze, er nu niet zeker van wat ze precies had gezien.

Hij trok de staaf uit de loop, verwijderde het propje watten dat aan het einde ervan zat en zette het geweer en de staaf rechtop tegen het tentdoek.

'Hoe voel je je?' vroeg hij. Hij pakte haar hand en legde zijn vingers op haar pols.

'Beter.' En even later: 'Hoelang ben ik ziek geweest?'

'Vier dagen. Heb je water uit de ton gedronken?'

Ze knikte en herinnerde zich nu dat hij had gezegd dat ze het water uit de kan moest drinken die hij had klaargezet. 'Wat is er met Mangwa?' herhaalde ze.

Hij legde haar hand weer op het bed. 'We praten straks wel. Je moet rusten.'

Ze praatten er de volgende dag pas over. Ze viel in een diepe, droomloze slaap en werd pas weer wakker toen zacht licht langs de zijkanten van het gordijn scheen. Edwin zat bij het kampvuur uien te bakken. Ze liet zich neerzakken op een stoel naast hem en had zo'n honger dat het water haar in de mond liep. De zon was net ondergegaan en in het nevelige, roze avondlicht dansten stofdeeltjes.

Mangwa stond rustig hooi te eten. Een streep opgedroogd bloed liep, als zwarte inkt, over de ronding van zijn hals. 'Wat is er met hem gebeurd?'

'Iemand heeft hem met een mes bewerkt. De snee is niet diep.'

'Wie doet er nou zoiets?' Haar geest werkte traag. Ze had moeite het te begrijpen.

Edwin voegde een lepel reuzel aan de uien toe en toen een lapje vlees, dat siste in het hete vet. 'Een paar dagen geleden heb ik een ingezonden brief aan de *Diamond News* gestuurd waarin ik uitleg dat ik gevallen van pokken heb aangetroffen in vier van de zwarte kampen.'

'Wat heeft dat met Mangwa te maken?'

'Iemand heeft er aanstoot aan genomen en besloten me op deze manier te waarschuwen.'

Ze bleef een poosje zwijgend zitten kijken naar de wevervogels die hun slordige, brede nest aan het bouwen waren in de dode takken van de kleine boom in hun tuin.

'Baier?'

'Misschien.'

Ze vertelde hem over de mannen op straat.

'Het spijt me, Frances,' zei hij zachtjes. Hij keek haar aan. 'Van nu af aan kun je er beter niet in je eentje op uitgaan.'

'Is er niet iemand die je kunt aanschrijven? Iemand die meer invloed heeft dan jij?'

Hij schudde zijn hoofd. 'Ik heb het geprobeerd, maar de meeste mensen willen niet luisteren. Ze hebben er niets aan als Kimberley ten onder gaat. En degenen die dat wél willen, durven het toch niet op te nemen tegen Baier.'

'Wat ga je nu dan doen?'

'Zo veel mogelijk mensen inenten.'

'En Baier?'

Edwin keerde het lapje vlees om. Het siste en spatte. Hij wreef met zijn wang over zijn schouder. Zijn huid was donker van de zon en van vuil. 'De regering van de Kaapkolonie heeft een gezondheidscommissie in het leven geroepen, maar daarin zitten allemaal meelopers. Ze hebben me de toegang tot de kampen en het ziekenhuis ontzegd. Volgende week houd ik een toespraak in het gemeentehuis.'

Ze wilde vragen of dat niet gevaarlijk was, maar was er te moe voor. Ze sloot haar ogen. Edwin goot wijn over het vlees in de pan. Het borrelde en spatte en verspreidde een heerlijke geur. Ze stond op en liep naar Mangwa.

Hij had alle hooi op en stond te dommelen, maar toen ze bij hem ging staan, snuffelde hij aan haar en hinnikte zachtjes. Frances streek voorzichtig over de streep opgedroogd bloed. De zebra rilde. Er was de afgelopen dagen veel te veel geweld gepleegd. Ze vroeg zich af of ze ergens anders naartoe zou kunnen gaan, maar wist dat het hopeloos was. De enige die haar kon redden, was Edwin.

28

'JE MOET IETS DOEN OM JE GEDACHTEN TE VERZETTEN. WAT dacht je van een uitje?'

Mariella stond bij de tent. Ze droeg een leuk wit jasje en een matrozenpetje en zag eruit als het toonbeeld van reinheid en gezondheid. Ze was twee weken geleden in Kimberley aangekomen en toen ze van Anne had gehoord dat Frances daar ook was, had ze haar opgezocht, maar toen lag Frances nog te ijlen van de koorts. Nu was ze teruggekomen om te zien hoe het met haar ging.

'Wat voor uitje?'

'Een *voyage*,' zei ze.

Ze spreidde haar armen en rekte de klinkers om het Frans te laten klinken. 'Ik ga je uit deze afgrijselijke tent halen.' Mariella, met haar dansende krullen en haar zwellende, zwangere buik, keek misprijzend om zich heen naar de kale grond rond de tent. 'Waarom heb je erin toegestemd naar Kimberley te komen?' vroeg ze. 'Dat was een bijzonder slecht idee.'

'Ja, en niet mijn idee,' zei Frances. Ze had haar schoenen zitten poetsen en peuterde nu met een vijl het vuil onder haar nagels vandaan.

'Dat kan best zijn,' zei Mariella verwijtend, 'maar je bent een mooie vrouw, Frances. Je hebt vast wel invloed op hem. Waarom buit je dat niet uit?'

Toen Frances daarop geen antwoord gaf, ging Mariella geestdriftig door: 'Er is in de stad een nieuw badhuis. Ik heb er in *Diamond News* een advertentie van gezien. Handdoeken zo wit als verse sneeuw, stond erin. Als we daar nu eens samen naartoe gaan.'

Frances droogde haar handen en keek in de scherf van de spiegel die boven de waskom hing. Haar huid was rood en ruw vanwege de warme dagen en koude nachten. Haar lippen zaten vol kloofjes en haar nagels waren bros. Ze had zich niet behoorlijk kunnen wassen sinds ze vier weken geleden in Kimberley was aangekomen en alles aan haar stonk naar ziekte; naar braaksel en zweet. Smeer en vuil had zich opgehoopt in de donkere rimpeltjes van haar ellebogen en de plooien van haar kruis, en haar haar was een glansloze massa kroezige krullen geworden.

'Misschien een andere keer,' zei ze somber.

'Doe niet zo mal. Ik trakteer,' zei Mariella. Ze reikte Frances haar hoed aan. 'Zullen we?'

Het badhuis was aan de betere kant van de stad. Onderweg zagen ze al enige uit rode baksteen opgetrokken huizen tussen de krotten van golfplaat. Mariella zei dat ze niet ver van de Kimberley Club waren, waar de rijke inwoners van de stad hun tijd doorbrachten met roken, biljarten en hun kapitaal vergokken. Toen drie onberispelijk geklede vrouwen hen passeerden, fluisterde Mariella: 'De croquet- en badmintondames. Rijke stinkerds. Ze komen helemaal hiernaartoe om de mijn te zien en merken te laat dat hier verder niets te beleven valt. Het enige lichtpuntje in hun bestaan is dat ze bediend worden door mensen die net zo arm zijn als de armen thuis, maar een zwarte huid hebben in plaats van een blanke.'

Het badhuis was ook van golfplaat en de handdoeken waren niet precies hagelwit, maar wel schoon. Mariella betaalde voor twee sets en een bediende bracht hen naar houten hokjes, elk met een metalen badkuip vol water. Frances kleedde zich uit en stapte in het bad. Het water was heerlijk warm, warm genoeg om zeep te laten schuimen en al het vuil van haar huid te weken. Ze was afgevallen. Haar buik was hol en de beenderen van haar heupen staken uit. Ze leunde achterover, sloot haar ogen en voelde het bloed in haar slapen kloppen terwijl de vermoeidheid langzaam uit haar pijnlijke ledematen wegtrok. Het washandje werd zwart toen ze haar gezicht waste. Ze zeepte haar lichaam net zo vaak in tot het helemaal schoon was. Tot slot waste ze haar haar en kamde ze er wat olie doorheen.

'Je hebt een goede man getroffen, Mariella,' zei Frances toen ze zich weer hadden aangekleed. Ze waren de enige vrouwen in het vertrek. Ze bond haar natte haar bij elkaar en stak het op.

'Maar kijk eens wat hij me heeft aangedaan.' Mariella wees lachend naar haar buik. Ze zag eruit alsof ze volkomen gelukkig was. George Fairley had een halfjaar als opzichter op een boerderij in de vruchtbare valleien van Stellenbosch gewerkt en ze hadden genoeg kunnen sparen om naar Kimberley te komen. Hij hoopte hier een baan te vinden bij een van de mijnbouwmaatschappijen en Mariella had Frances verteld dat hij al aardig wat geld had geïnvesteerd in diamanten.

Frances keek haar in de spiegel aan. 'Mariella, ik wil niet mijn hele leven arm zijn.'

'En waarom zou je? Zodra Edwin over dit fanatisme heen is, gaan jullie terug naar Kaapstad zodat hij een praktijk kan beginnen. Je leven zal nog zo saai worden dat je zult terugverlangen naar dit moment.'

'Denk je? Soms lijkt hij zo vastgeroest in zijn ideeën.'

'Is het waar wat hij zegt over de pokken?'

Frances haalde haar schouders op. 'Ik weet niet wat ik moet geloven.'

'Je moet geduldig zijn, Frances. Misschien moet je leren hem te vertrouwen. Misschien weet hij echt wel wat hij doet, beter dan jij denkt.'

'Ja, misschien,' zei ze, maar ze dacht bij zichzelf dat Mariella Edwin niet kende. Frances wist niet of ze hem kon vertrouwen. Zijn beweegredenen waren duister en hij leek zich er niet om te bekommeren dat hij haar diende te beschermen.

Na het bad wandelden ze naar de Big Hole. Het was de grootste diamantmijn ter wereld en Mariella kon haar oren niet geloven toen Frances zei dat ze er nog niet was geweest. 'Wat heb je dan al die tijd gedaan? Het is het enige wat het bezichtigen waard is.'

Ze volgden een weg tussen lage, kleine gebouwen door.

Frances keek af en toe over haar schouder om te zien of ze niet geschaduwd werden. Ze had Mariella niets verteld over de mannen die haar hadden lastiggevallen. Ze wilde niet dat ze zich zorgen zou maken. Ze hoorden het geraas van de stoommachines al van ver en zagen bergen puin zo hoog dat de gebouwen erbij in het niet vielen.

'Is het wel verstandig dat jij zo in de zon loopt?' vroeg Frances. Mariella's gezicht was rood aangelopen en ze hijgde een beetje. Frances werd vervuld van genegenheid voor haar. Mariella maakte het leven altijd eenvoudiger, als een ervaren breister die een verwarde bol wol ontrafelt. Als zij bij je was, leken je problemen minder nijpend. Ze was eenzaam geweest, besefte ze nu, en het was fijn om gezelschap te hebben.

'Ja, hoor. Ik loop alleen een beetje achter mijn adem aan. Maar ik kan toch niet de hele dag gaan zitten niksen? En die kamers zijn zo warm.' Frances vermoedde dat Mariella dit alleen maar zei uit loyaliteit. Ze wist dat George kamers huurde in het hotel aan Market Square waar zijzelf hun eerste nacht in Kimberley had willen doorbrengen, en dat die vast erg gerieflijk waren.

De gebouwtjes kwamen steeds dichter op elkaar te staan, het lawaai zwol aan en de grond trilde vanwege de vibraties van de gigantische machines. En toen waren er zomaar opeens geen gebouwen meer en lag er een open terrein voor hen. Het was net alsof ze in een dicht bos bij een open plek waren gekomen, alleen was het hier een diepe afgrond. De Big Hole was nog veel groter dan Frances zich had voorgesteld: een gigantisch gat van wel achthonderd meter doorsnee, diep uitgegraven in de aardkorst. De aanblik was zo overdonderend dat Frances stomverbaasd bleef staan. Ze had niet gedacht dat de mijn zo groot zou zijn. Mariella verkneukelde zich om haar reactie, pakte haar hand en liep samen met haar nog wat dichter naar de rand.

'Hebben de mijnwerkers dit echt helemaal zelf uitgegraven?' vroeg Frances. Het was duizelingwekkend om zo dicht bij de rand te staan. De afstand tot de bodem van de mijn leek even groot als die tot de wolken boven hun hoofd; een hele wereld, meer dan honderd meter diep, loodrecht uitgegraven naar het hart van de aarde. De mijn was zo groot en zo diep dat de arbeiders die op de bodem krioelden eruitzagen als mieren die uit een ingestorte mierenhoop kwamen. Ze herinnerde zich Edwins beschrijving van de krochten van de hel.

'Ze hebben er ongeveer tien jaar over gedaan. Het probleem is dat er meer dan vijfhonderd concessies zijn en dat er bij elk daarvan in een ander tempo wordt gegraven. Daarom zijn sommige delen veel dieper dan andere.' Frances zag nu inderdaad dat de bodem niet vlak was. De wand bestond uit honderden stroken, allemaal aparte concessies, waarvan elk tot een andere hoogte reikte. Tussen die stroken waren steigers gebouwd, die met behulp van touwen en ladders met elkaar waren verbonden. Het zag eruit als een archeologische opgraving waar men de restanten van een oude stad probeerde te vinden.

Boven de mijn was een netwerk van staaldraden gespannen, als een spinnenweb. Het bestond uit duizenden draden, zodat je door een gaas van blinkend metaal heen in de diepte keek. Het was een kabelbaan, besefte Frances, waarvan elke draad was verbonden met een hijswerktuig: door paarden in werking gestelde windassen of met de hand bediende lieren die griezelig dicht bij de rand van de afgrond aan de steigers waren gebonden. Een onafzienbare hoeveelheid metalen emmers, kratten en zakken vol aarde werd daarmee naar boven gehesen. Het lawaai was oorverdovend: het piepen van de lieren, de kreten van de mannen, het gebalk van de ezels, de duizenden slagen van de pikhouwelen waarmee men in de diepte de bodem probeerde stuk te slaan.

Ze keek naar een kabelwagentje dat aan de overkant zijn lading naar boven bracht. Ergens in de diepte klonk een gedempte ontploffing, waarna een dikke stofwolk opsteeg. De lucht rook naar gloeiend metaal. Toen het stof was opgetrokken, begon ze een patroon te ontdekken in de chaos. In de doolhof van geulen op de bodem van de mijn droegen halfnaakte, zwarte arbeiders houten pallets met aarde naar kabelwagentjes die vervolgens naar boven werden gehesen. De mannen zaten zo diep dat ze hun gezichten niet kon onderscheiden. Ze zag alleen de glans van hun bewegende lichamen. Zodra een kabelwagentje zijn lading naar boven had gebracht, werd die met een ezelwagen afgevoerd, wat nog niet zo makkelijk was, omdat de wielen wegzakten in het mulle zand. Mannen met kruiwagens vol puin laveerden tussen hen door.

Vlak bij Frances en Mariella stond een hoge, houten toren die rond een metalen hijswerktuig was gebouwd. Het gevaarte werd op zijn plek gehouden met een grote stapel zandzakken. Zwarte arbeiders kropen over de stellage en gaven tekens aan de mannen beneden, terwijl anderen, zwetend van inspanning, aan de grote hendel van de lier draaiden. Een houten krat gevuld met puin kwam met kleine schokjes naar boven via een van de staaldraden. De arbeiders droegen voddige hemden en broeken waarvan ze de pijpen hadden opgerold en hadden magere gezichten met holle wangen.

Frances zag William bij de lier staan praten met een groepje arbeiders. Haar hartslag versnelde. Ze was blij dat ze in bad was geweest en er toonbaar uitzag, zeker vergeleken met de vorige keer dat hij haar had gezien. Hij stond met zijn rug naar hen toe. De rug van zijn vest was helemaal doorgezweet, waardoor het beige linnen een donkere kleur had gekregen. Hij had een jachtgeweer over zijn schouder en naast hem stond een jongen die het leidsel van zijn paard vasthield, een met zweet bedekte vos die ondanks de hitte stond te rillen. Aan de knop van het zadel hing een koppel patrijzen.

William stond met zijn handen op zijn rug en tikte met een rijzweep tegen het leer van zijn glanzende laarzen. Hij sprak en de mannen luisterden met norse gezichten. Ieder van hen droeg op zijn kleding een lapje stof met een nummer. Ze kon niet verstaan wat hij zei vanwege het lawaai van de machines. Hij maakte een gefrustreerd gebaar en draaide zich iets naar haar toe. Zijn gezicht stond boos en opeens bracht hij de zweep naar voren en gaf twee striemende slagen op de kuiten van een van de mannen. Het groepje viel meteen uiteen. William schopte nijdig tegen de grond, keek toen op en zag haar naar hem staan kijken. Hij glimlachte en liep tussen de arbeiders door naar hen toe.

Frances stelde Mariella aan hem voor. 'Mevrouw George Fairley.'

'Aangenaam. Ik meen me u te herinneren van de *Cam-*

brian.' William pakte Mariella's gehandschoende hand en bracht die naar zijn mond. Bent u onder de indruk van wat we hier al bereikt hebben?'

'Wat hebt u precies bereikt?' Mariella schudde flirtend haar krullen, maar hij gaf geen antwoord. In plaats daarvan bracht hij de rug van Frances' blote hand naar zijn lippen. Toen zijn baard haar huid raakte, paste hij met zijn vingers lichte druk toe op de hare. Hoewel ze zich wat onbehaaglijk voelde over wat ze zojuist had gezien, was ze dankbaar voor deze bevestiging van hun intieme band. De bitterheid die ze had gevoeld, was verdwenen. Ze had zich voorgenomen zijn vriendschap te accepteren en verder niets van hem te verwachten.

Hij wendde zich tot Mariella. 'Alleen maar dat dit de meest geslaagde diamantmijn ter wereld is.'

Mariella lachte. 'Wat ik u wilde vragen,' zei ze op een vertrouwelijke toon tegen hem. 'We hebben aandelen gekocht in The Londen and South African. Klopt het dat dit een van Joseph Baiers maatschappijen is? Is het een goede belegging?'

'Op deze markt is alles een goede belegging. Wanneer hebt u ze gekocht?'

'Vorige week.'

William lachte. 'Ga naar Ebden Street, dan zult u het zelf zien. Als uw aandelen vandaag niet tweemaal zoveel waard zijn als wat u ervoor betaald hebt, neem ik ze zelf van u over. En u, mevrouw Matthews?' vroeg hij aan Frances. 'Hebt u al in onze aandelenmarkt belegd?'

'Ik vrees dat mijn echtgenoot daar niets in ziet.'

'Maar dringt u niet aan? Heeft niet elke vrouw er recht

op haar man te vertellen hoe hij zich kan verrijken?' Hij zei het luchtig. Het was een inhoudloos gesprek, maar opeens wendde hij zijn ogen af en trok hij zijn voet door het stof. Het was een kinderlijk gebaar. 'Wat heeft het voor zin in deze ellendige stad te blijven wonen tenzij je er financieel beter van wordt?'

'Waarom dragen de mannen die witte lapjes op hun kleding?' vroeg Frances met een blik op de arbeiders die aan de hendel van de lier draaiden.

'Omdat we ze niet uit elkaar kunnen houden. Met die lapjes weten we tenminste wie wie is.'

'Maar moet u ze slaan?' vroeg ze, vol ongenoegen over wat ze had gezien.

Hij hief zijn rijzweep op en glimlachte geamuseerd. 'Met dit ding, bedoelt u? Dat noem ik eerder een aai dan een klap. Ik gebruik hem niet anders dan een jockey die het beste uit zijn ros wil halen, niet omdat hij het dier schade wil toebrengen, maar omdat hij weet dat het meer kan presteren.'

Ze keek hem ontsteld aan.

'Neem me niet kwalijk. Dat was een beetje hooghartig van me,' zei hij. 'Kimberley heeft op iedereen invloed. Als je hier een tijdje bent, ga je vanzelf inzien dat het belachelijk zou zijn om Engelse beleefdheid en voorkomendheid toe te passen op de kaffers. Dat moet u niet verkeerd opvatten. Ik ben beslist geen voorstander van geweld, maar dit zijn dommekrachten. Als je laat zien dat jij sterker bent dan zij, hebben ze respect voor je. Ze zijn eraan gewend onder het juk te leven van een stamhoofd die wreedheden toepast om ze in het gareel te houden. Neem de zwartjes waar ik daarnet mee stond te praten. Ze hadden allemaal een contract dat hun een goed loon voor hun werk beloofde. Nu is er opeens een Duitser op het toneel verschenen die geen flauw idee heeft hoe het in Kimberley toegaat en hun het dubbele van het gangbare loon biedt. Wat doen ze? Ze gooien hun gereedschap neer en vertrekken. Ze willen altijd meer, meer dan ze hebben, meer dan we kunnen betalen. Als je daaraan toegeeft, gaan we straks allemaal failliet en daar hebben ze alleen zichzelf mee.'

Zo had hij de kapelaan op de boot ook toegesproken. Hij had een verwaande, egoïstische opinie over de zwarten en dat zat Frances helemaal niet lekker.

'En hoe zit het met de kampen voor de zwarten?' vroeg ze. 'Mijn man zegt dat het in feite gevangenissen zijn. Dat ze gedwongen worden daar te wonen, dat ze geen scholing krijgen en geen gelegenheid om hogerop te komen.'

'En wat vindt u zelf, mevrouw Matthews?'

Ze joeg een vlieg weg die op haar wang neerstreek. 'Ik vind dat hij gelijk heeft. Het lijkt allemaal nogal oneerlijk. Per slot van rekening is het hun land.' Ze maakte een gebaar naar de mijn. 'En dit, deze treurige mijn, al die zwarten die in vodden rondlopen en worden voortgedreven alsof het beesten zijn, dit zijn niet de beschaafde werkomstandigheden waar je in Engeland over te horen krijgt.'

William keek haar aan met een uitdrukking die het midden hield tussen verbazing en irritatie. 'Geen van hen wordt gedwongen voor ons te werken. Afgezien van de veroordeelde misdadigers.'

Ze bracht haar hand naar de rand van haar hoed en kneep haar ogen tot spleetjes tegen de zon om naar hem op te kijken. 'Ja, maar als de wet hun verbiedt zelf concessies te kopen, wat voor keus hebben ze dan?'

'De wet verbiedt hun niet concessies te kopen, mevrouw Matthews,' zei hij. Hij sprak traag en belerend. 'Ze hebben alleen de goedkeuring nodig van hun medeconcessiehouders.'

'O.' Dat had ze niet geweten. Dit was niet zoals Edwin het had afgeschilderd in zijn artikel. 'Dus er zijn ook zwarte concessiehouders?'

'Eerlijk gezegd niet veel. De zwarten die hun concessies hebben behouden, gebruiken die om te handelen in diamanten die zijn gestolen van Europeanen. Ze geven onze arbeiders geld om de diamanten die ze vinden achterover te drukken en doen dan alsof ze op hun eigen terrein zijn gevonden, zodat ze voor eerlijke exploitanten kunnen doorgaan. Omdat uw man nooit een concessie heeft gehad, kunnen we niet van hem verwachten dat hij het allemaal begrijpt. Naar schatting is van alle diamanten die Kimberley verlaten meer dan vijftig procent gestolen. Maar in wezen maakt het weinig uit wat uw man gelooft en wat ik geloof. De toekomst is onafwendbaar. De mijnen zijn niet meer wat ze zijn geweest. Er is steeds meer geld voor nodig om diamanten uit te graven, dus zullen de kleine concessiehouders, of ze nu blank of zwart zijn, het niet lang meer kunnen volhouden. Ze kunnen zich de nieuwe methoden die wij gebruiken doodeenvoudig niet veroorloven. Bovendien heeft de industrie behoefte aan regulatie – de kracht van een paar mensen om de markt op peil te houden.'

'Echt iets voor u om dit te zeggen.'

'Ja,' zei hij. Opeens glimlachte hij naar haar, met één

mondhoek opgetrokken en zijn ogen op de hare gericht. 'Net zo goed als het echt iets voor uw man is om er een andere mening op na te houden.' Frances slikte en liet zich door zijn blik hypnotiseren. Heel even was ze weer in zijn hut op de *Cambrian*, samen met hem, met de hele nacht nog voor zich.

'En mijn aandelen?' vroeg Mariella. Ze stootte Frances aan. 'Je vergeet het fortuin dat ik aan het opbouwen ben. Als er geen mensen als Baier waren, zou er ook geen aandelenmarkt zijn.'

'Precies. Niet iedereen kan het zich veroorloven er zulke morele principes op na te houden als uw echtgenoot, mevrouw Matthews. Maar,' zei hij, zijn hoofd schuddend, 'ik wil met u helemaal niet over politiek of de mijn praten. Dat is veel te saai. Ik weet iets waar ik u allebei blij mee zal maken.'

Hij nam hen mee naar een mager, blank jongetje dat ijs stond te draaien en kocht twee dubbele chocolade-ijsjes. Het ijs was koud en romig. 'Laten we trouwens niet vergeten dat Baier het ook niet makkelijk heeft gehad. Hij is net zo begonnen als deze jongen. Hij verkocht ijs aan de mijnwerkers. Wie had kunnen weten dat hij het ooit zo ver zou brengen?' Ze likten aan de ijsjes en hij liep met hen mee terug de stad in, naar een houten gebouw met een groot bord boven de ingang waarop BAIER DIAMANTSORTERING stond. Voor de deur stond een bewaker, die naar William knikte toen hij hem herkende, en hen binnenliet.

In het gebouw stonden twee lange tafels. Aan de ene zaten zeven zwarte mannen, die allemaal een keurig overhemd droegen. Ze hadden elk een soort troffel om bergjes grind te doorzoeken. Aan de andere tafel zaten vijf blanke mannen op een rij, gekleed in identieke overhemden met vest. Zij doorzochten bergjes kleine stenen. Een van hen slaakte een kreet. Hij liet een diamant uit het bergje rollen. William bukte zich over de tafel en pikte het steentje op met een pincet.

'Hij is natuurlijk nog ruw,' zei hij. Hij hield de diamant omhoog zodat het licht van buiten erop viel. De steen had de heldergroene kleur van een meer. 'Nadat de diamanten gesorteerd zijn, worden ze door gewapende bewakers naar de taxateurs gebracht. Daar worden ze gekookt in salpeter- en zwavelzuur om alle verontreiniging te verwijderen. Daarna worden ze geclassificeerd volgens afmeting, kleur en zuiverheid.'

'Welke kleur is het meeste waard?' vroeg Mariella, die haar ogen niet van de diamant kon afhouden.

'Puur wit en diep oranje. Maar je hebt ze in allerlei kleuren: bruin, groen, roze, geel.'

'Hoe groot is de grootste diamant die hier ooit is gevonden?' vroeg Mariella.

'Dat was een ruwe diamant van 428 karaat.'

'Hoe groot was die?' vroeg Frances.

'Vijf centimeter in diameter.'

'Zijn ze erin geslaagd hem te verkopen?'

'Natuurlijk! De maharadja van Patiala zag hem in Parijs en kon de verleiding niet weerstaan.'

Hij wees naar de mannen aan de sorteertafel. 'U ziet dat de zwarten hier nette kleren dragen. Ze spreken Engels en krijgen een goed salaris. We hebben hier een soort meritocratie. Wie goed is in zijn werk, helpt ons in de sorteerkamer. Hier zijn ze niet gebonden aan stamregels, die vaak bijzonder wreed zijn. Ze verdienen een salaris en vergeleken bij hun stamgenoten die nog in de rimboe of in de bergen wonen, zijn ze rijk. Wij voorzien de oorspronkelijke bewoners van Zuid-Afrika dus wel degelijk van geld. We hebben nog een lange weg te gaan, maar je kunt echt niet zeggen dat deze mannen er niet beter aan toe zijn dan voorheen.'

'En toch,' zei Frances, 'hebben ze geen belang bij het succes van dit land. De rijkdom blijft in handen van de blanken.'

'Maar vergeet niet dat de blanken ook alle risico's nemen. Baier heeft alles wat hij bezit in deze mijnen geïnvesteerd en als die mochten falen, zal hij niet beter af zijn dan de zwarten.'

Ze wilde hem geloven. Als Edwin gelijk had, was er in Kimberley veel te veel ongerechtigheid, waardoor iedereen in feite een schurk was: William, de Fairleys – iedereen die de industrie steunde.

Mariella liep langzaam tussen de tafels door om een nader kijkje te nemen. William draaide zich om naar Frances en legde zijn hand luchtig op haar onderarm.

'Je ziet bleek.' Zijn vingers rustten op de binnenkant van haar elleboog.

'Ik ben ziek geweest.' Ze sprak traag en ademloos omdat ze met haar hele wezen alleen nog maar het contact tussen zijn hand en haar arm voelde. De rest van de wereld bestond niet meer. 'Maar ik ben nu weer beter.'

'Heeft hij je verzorgd?' Zijn ogen stonden vriendelijk, maar leken te veel te zien. Ze had geen enkele weerstand wanneer ze zich in zijn nabijheid bevond.

'Ja.'

'En als hij dat niet meer mocht doen, zul je dan mijn hulp inroepen?'

'Ja. En, William...' Ze sprak zijn naam heel precies uit, genietend van de manier waarop hij over haar tong rolde. 'Dank je wel. Voor de plaid en de zeep.'

'Was je er blij mee?'

'Heel blij.'

Hij glimlachte en trok zijn hand terug. Frances zag dat Mariella weer terugkwam.

'Waarom ben je er zo tegen gekant om aandelen te kopen?' vroeg ze die avond aan Edwin. Hij zat aan de tafel in zijn dagboek te schrijven.

'We hebben geen geld,' zei hij, alsof dat aan haar aandacht ontsnapt kon zijn.

'We kunnen geld lenen. Dat doet iedereen.' Talloze mensen werden rijk aan de aandelenmarkt, alleen zij en Edwin hadden geen rooie cent.

Hij begon weer te schrijven.

'Het hoeft geen investering op lange termijn te zijn.'

'Ik geloof niet in dingen op de pof kopen,' zei hij zonder op te kijken.

'Waarom moet jij altijd beter zijn dan alle andere mensen?' vroeg ze wanhopig. 'Misschien hebben de andere mensen gelijk. Misschien is er in dit geval niets mis met geld verdienen.'

Hij legde zijn pen neer en keek haar aan. 'En zou jij weten waarin je zou moeten investeren?'

'Mariella heeft me de laatste *Diamond News* gegeven.

'Kijk.' Ze gaf hem de krant. Er stond een artikel in over de oprichting van een nieuwe mijnbouwmaatschappij, waarvan de aandelen morgen in Ebden Street geëmitteerd zouden worden. De journalist had een man van het telegraafkantoor geïnterviewd die had gezegd dat de familie Rothschild in Londen een telegram had gestuurd met het verzoek tweehonderd aandelen te kopen. Het was een van Baiers maatschappijen en William had bevestigd dat het bona fide was.

'Jij wilt dus geld lenen om aandelen van de Du Toits Diamond Company te kopen.'

'Waarom niet?'

'Weet je wie het meerderheidsbelang in *Diamond News* heeft?'

Ze keek hem gefrustreerd aan. Echt iets voor Edwin om weer zo belerend te doen. 'Maakt dat iets uit?'

'Jazeker, want het is Joseph Baier.'

'Doe niet zo raar,' zei ze verwijtend. 'Als dat zo was, zou iedereen het weten.'

'Niet per se. Hij is een stille vennoot. Hij wil dat de krant de indruk geeft onafhankelijk te zijn. Als iedereen het wist, zou het zijn plannen in duigen gooien.'

'En al is het zo, wat dan nog?' Hij keek haar meewarig aan. 'Edwin, de wereld bestaat niet uit alleen maar samenzweringen. Of ga je me nu ook nog vertellen dat het telegram van de familie Rothschild verzonnen is?'

'Dat zou heel goed kunnen.'

'Daar gaan we weer. Edwin Matthews tegen de rest van de wereld,' zei ze, haar toevlucht nemend tot sarcasme.

'Frances, dit gaat niet alleen om principes. Ik geloof niet dat de aandelenmarkt veerkrachtig genoeg is om het hoofd boven water te houden in geval van een epidemie.' Zijn grijze ogen keken in de hare. 'Denk even aan je vaders investering in Northern Pacific. Hij had een impulsief besluit genomen en raakte al zijn bezittingen kwijt.'

'Waag het niet mijn vader erbij te slepen,' beet ze hem toe. Ze stond op. 'Je kende hem amper.'

Edwin zuchtte alsof hij doodmoe van haar werd. 'Moet alles altijd op een strijd uitlopen? Ik zei het alleen maar ter illustratie. Niet om je van streek te maken. Ik zei het omdat het zo is.'

29

HET THEATRE ROYAL ZAT STAMPVOL. ZE HOORDE HET GEpeupel al toen ze halverwege de straat was. Edwin had gezegd dat ze thuis moest blijven en had een plaatselijke *askari* gehuurd om de tent te bewaken, maar ze wilde horen wat hij te zeggen had. Ze wilde weten hoe erg de situatie was en of er mensen waren die aan zijn kant stonden. Het was donker tegen de tijd dat ze arriveerde. Achter alle ramen van het gebouw brandde licht. Ze hoorde hoe haar man probeerde boven het gejoel uit te komen. Ze glipte naar binnen en bleef achter in de zaal staan. Het was er warm en muf vanwege de adem van al die mensen die onrustig bewogen. Ze zag Edwin op het podium staan en had opeens met hem te doen. Er was moed voor nodig om deze meute het hoofd te bieden.

'Mensen sterven bij bosjes. Ik heb al minstens honderd slachtoffers gezien.'

‘Blanke of zwarte?’ riep een man.

‘Zwarte.’

Een lachsalvo.

‘Maar er zijn ook al Europeanen besmet geraakt. Om de epidemie in de hand te houden moeten we maatregelen nemen: quarantaine, isolatie en vaccinatie.’

Een treiterende stem viel hem in de rede. ‘Zeg eens, dokter Matthews.’ De man legde sarcastisch de nadruk op het woord ‘dokter’. ‘Volgens alle respectabele artsen in Kimberley gaat het om pemfigus. Waarom blijft u zeggen dat er pokken heerst?’

Een paar mensen vielen hem luidkeels bij.

‘Ik heb ervaring met pokken.’ Edwin deed zijn best er bovenuit te komen. ‘Er zijn duidelijke gevallen –’

‘Hebt u ooit een duidelijk geval van pemfigus gezien, dokter Matthews?’

‘Nee. Maar medische tijdschriften –’ Hij werd overstemd door bulderend gelach.

‘Heren!’ riep een man die op het podium stapte. ‘Weet u dat deze man lijken uit ons kerkhof opgraaft en ontleedt ten behoeve van zijn eigen doeleinden?’ De zaal verstomde in bijgelovig afgrijzen.

‘Is dat waar, dokter Matthews?’ riep iemand.

‘Dat is één keer gebeurd, toen ik vond dat er bewijsmateriaal vereist was.’

De man op het podium vroeg luid: ‘En hebt u op dat lijk bewijzen aangetroffen van pokken? Het ging om een Engels meisje, als ik me niet vergis?’

‘In haar geval was er geen sprake van pokken.’

‘Ik weet wat voor soort man u bent,’ beet de man Edwin

toe. 'U haat onze gemeenschap en bent tot alles bereid om die te vernietigen.' Frances zag dat hij een opgerolde krant bij zich had waar hij nu mee zwaaide. Hij richtte zich tot het publiek. 'Winkeliers, herbergiers, hoteleigenaars, kooplieden, diamanthandelaren, concessiehouders, u bent vanavond bijeengekomen om na te gaan of onze gemeenschap bedreigd wordt. Het antwoord is *ja*. Maar ze wordt niet bedreigd door pokken. Ze wordt bedreigd door deze man.' Hij wees naar Edwin. 'Hij wil u laten geloven dat we midden in een pokkenepidemie zitten, omdat hij weet dat de industrie waar we allemaal van afhankelijk zijn daardoor zal worden vernietigd. Buitenlandse investeerders zullen zich terugtrekken uit de mijnbouwmaatschappijen, concessiehouders zullen failliet gaan, uw aandelen zullen geen waarde meer hebben en u zult uw broodwinning verliezen. Waarom doet hij dit? Laat me u een paar regels citeren uit een artikel dat dokter Matthews voor een Londense krant heeft geschreven toen hij hier twee jaar geleden woonde.'

De man ontvouwde de krant en las voor:

'Kimberley is een smerige, verdorven stad waar corruptie schering en inslag is. De diamantmijnen wekken niets dan walging in me op. Alle andere soorten mijnen op de wereld produceren goederen die intrinsieke waarde hebben voor de mensheid, of het nu om kolen, tin, koper of lood gaat. Maar wie miljoenen besteedt teneinde kleine kristallen uit de aarde te hakken opdat een handjevol mannen er rijk van kan worden – kleine kristallen die alleen maar dienen om de vrouwelijke ijdelheid te strelen – geeft blijk van een lust voor ornamentatie die niet ver af staat van barbarisme.'

Tumult brak los in de zaal. Edwin stak zijn hand op om

het publiek tot bedaren te brengen en probeerde zijn stem boven het geschreeuw te verheffen. Er vloog iets door de lucht dat hem precies op zijn borst raakte. Hij veegde de rommel van zijn jas, maar werd door een tweede projectiel in zijn gezicht geraakt. Eieren. De smurrie droop over zijn wang in zijn mond. Er ging een gejuich op. Toen werd er een boek gegooid. Het miste hem op een haar, maar een tweede boek raakte hem op zijn voorhoofd. Hij deinsde wankelend achteruit. Nu vlogen er allerhande projectielen door de zaal. Het publiek drong naar voren en klom op het podium. Frances probeerde Edwin in het oog te houden, maar er waren te veel mensen die haar het zicht op hem benamen.

Ze dacht angstig: ze gaan hem vermoorden. Zelf probeerde ze zich een weg naar buiten te banen, maar ze verloor haar evenwicht in het naar voren dringende publiek en viel tegen een man aan die een stoffen pet droeg. Hij keek naar haar en riep: 'Dit is zijn vrouw!' Het was de man uit Cornwall die in de tent tegenover hen woonde. Naast hem stond iemand die ze niet kende maar die haar nu in het gezicht spuugde. Speeksel droop over haar wang. Ze rukte zich van hen los en dook onder de armen van andere mensen door tot ze de deur bereikte en naar buiten kon vluchten.

Ze bleef rennen tot ze er zeker van was dat ze niet gevolgd werd. Toen bleef ze pas staan om met haar mouw het speeksel van haar gezicht te vegen. Haar hand trilde. Moest ze op Edwin wachten? Nee, ze kon beter naar de tent gaan voordat al die mensen het theater verlieten. Toen bedacht ze dat die mannen, als Edwin erin slaagde te ontsnappen, hem misschien naar de tent zouden volgen, of dat ze er alvast naartoe zouden gaan om daar op hem te wachten. Wat nu? Waar moest ze heen? Ze dacht aan William. Hij wist in wat voor positie Edwin verkeerde. Hij had invloed en hij had gezegd dat ze altijd op zijn hulp kon rekenen. En die hulp had ze nu hard nodig.

Ze wist niet waar hij woonde, maar het briefje dat bij de cadeautjes had gezeten, was geschreven op briefpapier van de Kimberley Club. Je had kans dat hij daar was. Ze wist dat de club aan de andere kant van de stad was, in de buurt van het badhuis waar ze met Mariella was geweest.

Ze haastte zich langs de grote, bakstenen huizen met de omheinde tuinen. Eén keer bleef ze staan om de weg te vragen aan een elegante heer die haar argwanend bekeek toen ze hem aanhield. Ze moest het hem twee keer vragen voordat hij bereid was haar de weg te wijzen. Even later zag ze siertorentjes tussen de toppen van blauwe gombomen. Er was geen straatverlichting, maar bij elk huis hing een gaslamp boven de voordeur die een weinig licht wierp op tuinen met eucalyptussen en dennenbomen. Ze hoorde het geluid van stromend water en kwakende kikkers, met op de achtergrond het onafgebroken gesjirp van de krekels. De wijk was een volslagen andere wereld dan het tentenkamp aan de andere zijde van de stad. Toen ze bij de Kimberley Club aankwam, bleek het een statig gebouw van twee verdiepingen te zijn met een breed toegangshek. Voor de hoofdingang stonden twee rijtuigen. Bedienden in uniform waren bezig het koperen beslag te poetsen. Frances volgde een pad dwars door een glad, lichtgroen gazon dat per dag vast meer water nodig had dan waar Edwin en zij het een hele week mee moesten doen. Alles wat ze zag maakte haar duidelijk dat dit een wereld was waar zij niet meer toe behoorde, maar ze wist dat ze er veiligheid en beschutting zou vinden als men haar zou toestaan het gebouw te betreden. Ze liep het trapje op naar de brede veranda. Daar stonden drie dames die haar nieuwsgierig bekeken. Ze droegen smetteloze witte japonnen, versierd met kant en lint.

'Kan ik u ergens mee van dienst zijn?' vroeg de portier.

Frances trok haar zwarte, wollen keurslijf recht. 'Ik zou meneer Westbrook graag even willen spreken.'

'Die is hier niet, mevrouw.'

'Weet u dat zeker?'

'Heel zeker.' Hij was beleefd maar streng en verwachtte duidelijk dat ze weer zou vertrekken.

Frances gaf het niet zo snel op. 'Het is dringend,' zei ze. 'Weet u misschien waar ik hem kan vinden?'

'Nee, mevrouw, ik heb geen idee.'

'Pardon.'

Frances keek om. Een van de vrouwen kwam naar haar toe. Ze had een aangelijnde spaniël bij zich. 'Zei u dat u op zoek bent naar meneer Westbrook?' Frances knikte. 'Hebt u het al bij mevrouw Whitley geprobeerd?'

Een van de andere dames lachte. Het klonk als het tinkelen van een klokje. Dit waren de croquet- en badmintondames over wie Mariella het had gehad. Hun bezadigde kalmte deed surreëel aan. Ze zagen er te volmaakt uit, als uit Engeland geïmporteerde opwindpoppen die nog niet uit de verpakking waren gehaald. In Londen had Frances tot hun kringen kunnen behoren, maar hier was ze een soort rariteit met wie de dames eigenlijk liever niet wilden praten.

'En waar kan ik mevrouw Whitley vinden?' vroeg Frances. De vrouw met de spaniël liep met haar mee tot aan de straat om haar de weg te wijzen. Toen ze haar arm ophief, ving Frances de geur van bergamotparfum op. Haar witte handschoenen glansden in het donker.

'U kunt het niet missen,' zei de vrouw. 'Het is een vrijstaand, wit geschilderd houten huis. U zult ook de muziek wel horen. Ze houdt erg van pianomuziek.

'Veel succes,' riep ze Frances na, en weer hoorde die de parelende lach die haar plagend volgde toen ze wegliep.

Ze probeerde de paniek van zich af te houden. William zou wel weten wat ze moest doen. Hij was erg standvastig in tijd van nood. Hij had haar op de *Cambrian* gered tijdens de storm en zou vast wel ideeën hebben over hoe ze deze situatie moest aanpakken. Ze naderde de rand van de stad. Er waren steeds minder huizen en er brandde ook vrijwel nergens licht. Af en toe keek ze om, maar ze werd niet gevolgd. Normaal gesproken zou ze zich hebben omgedraaid en zijn teruggekeerd naar de tent, maar ze was ten einde raad. Ze móést hem spreken.

In de verte klonk muziek: een vrolijk deuntje dat uitbundig werd vertolkt op een piano. Mannen zongen mee. Het houten huis stond midden in een kale tuin. Aan de straat stond een paard, ingespannen aan een rijtuig, te slapen.

Frances zag voor de deur van het huis een vrouw in een rode zigeunerjurk met een witte petticoat en een diep decolleté. Ze rookte een sigaret en bekeek Frances met de minachting van een onvervalste Carmen.

'Is dit het huis van mevrouw Whitley?' vroeg Frances terwijl ze het trapje besteeg.

De vrouw bleek veel ouder te zijn dan ze aanvankelijk had gedacht. Haar witte gezicht was een bepoederde massa rimpels en haar mond, die van verre op een perfecte, ronde pruim had geleken, was een roodgeschilderde jaap in haar gezicht.

Ze negeerde Frances, stak haar hoofd om de hoek van de deur en riep: 'Er is hier een meisje dat wil weten of dit het huis van mevrouw Whitley is.'

'Zeg maar dat het ervan afhangt hoe gewillig ze is,' riep een man.

De vrouw trok haar hoofd terug en keek naar Frances. 'Ben je dat?' Ze trok haar geschilderde wenkbrauwen op.

'Wat?'

'Gewillig?'

Frances gaf geen antwoord. 'Ze weet het niet zeker,' riep de vrouw naar binnen.

'Bent u mevrouw Whitley?' vroeg Frances, die het helemaal niet leuk vond dat ze in de maling werd genomen.

'De enige echte,' zei de vrouw met een uitgestreken gezicht. De muziek stopte en een man riep: 'Stuur haar eens naar binnen! We willen haar zien.'

Met de neus van haar hooggehakte schoen duwde de vrouw de deur open. Frances ging naar binnen. Het interieur zag eruit als een bar in plaats van een huiskamer en Frances wist meteen dat ze niet had moeten komen. Er hingen verschoten fluwelen gordijnen voor de ramen en in het midden van de kamer zat een groep mannen aan een ronde tafel te drinken en te kaarten. De man die het dichtst bij haar zat, was klein en mager en had een meisje op schoot. Haar rokken waren zo ver opgetrokken dat haar blanke dij te zien was en de man streelde die ongegeneerd. Geen wonder dat de dames op de club zo hadden moeten lachen.

'Allemachtig,' zei de man toen hij omkeek. Hij begon breed te grijnzen. Ze zag tot haar afgrijzen dat het Daniel Leger was, Williams vriend van de *Cambrian*. 'Als het juffrouw Irvine niet is. Het is lang geleden dat mevrouw Whitley hier zo'n lekker ding heeft binnengehaald.' Hij schoof het meisje niet van zijn schoot. Ze legde haar gezicht in zijn hals. Hij was de laatste persoon die Frances wilde zien. Hij wist van haar verhouding met William en zou conclusies trekken. Ze keek om naar de deur en vroeg zich af of ze niet beter meteen weer kon vertrekken. Alle ogen waren op haar gericht.

Uiteindelijk knikte ze naar hem. 'Meneer Leger.' Toen zei ze stijfjes. 'Ik ben op zoek naar meneer Westbrook.'

Een van de mannen sloeg met zijn vuist op de tafel. 'Krijg nou wat. Het is een dame!'

'Alstublieft. Het is dringend.'

'Dat is wat hij hier aan het doen is ook,' grapte een van de mannen half binnensmonds.

'Kan ik iets voor je doen?' vroeg mevrouw Whitley die nu binnenkwam. De deur viel achter haar dicht en meteen begon de pianist weer te spelen. De mannen keerden terug naar hun kaartspel. Frances draaide zich om naar de deur.

'Je bent op zoek naar meneer Westbrook?' vroeg de vrouw.

'Nee. Ik bedoel ja, dat was ik, maar nu niet meer.' Ze voelde dat ze een kleur kreeg.

De vrouw bekeek haar onderzoekend. 'Waar heb je meneer Westbrook voor nodig?'

'Dat is iets persoonlijks.'

'Dat is het bij Westbrook altijd,' zei meneer Leger. Hij was weer aan het kaarten, maar keek steeds naar Frances. Met één hand trok hij aan de jurk van het meisje tot hij zijn hand in haar boezem kon steken.

Frances wendde snel haar blik af. 'Ik wil niet dat u hem stoort.'

'Ogenblikje,' zei mevrouw Whitley. Ze legde haar hand op haar elleboog. Frances aarzelde. Een meisje kwam uit een kamer rechts van hen. Ze was lang, had schuinstaande, bruine ogen en een huid die de kleur had van chocolademousse. Ze droeg een peignoir, liep op blote voeten en haar losse haar hing tot over haar schouders. Ze zag er verfomfaaid, slaperig en erg jong uit.

Mevrouw Whitley zei iets tegen haar, waarop ze weer in de kamer verdween. Even later kwam William naar buiten. Hij had een sigaar in zijn mondhoek en trok het meisje aan haar hand met zich mee. Frances staarde naar hem en voelde een blos opkomen.

'Frances,' zei hij verbaasd. Hij gaf zijn sigaar aan het meisje, dat ermee in de kamer verdween, en liep naar Frances, maar die draaide zich om, vluchtte naar buiten en liep snel weg. Een paar seconden later hoorde ze de muziek aanzwellen toen de deur openging en weer dichtviel.

'Wat is er?' vroeg William toen hij haar had ingehaald. Hij knoopte met één hand zijn overhemd dicht. Ze bleef driftig lopen, zo vernederd dat ze geen woord kon uitbrengen. Het rijtuig kwam achter hen aan. Het had blijkbaar op hem staan wachten.

'Is er iets mis?' Hij legde zijn hand op haar arm en dwong haar te blijven staan. 'Frances, zeg alsjeblieft wat er is.'

Ze keek hem doodongelukkig aan, want ze besefte nu dat ze hem niet alleen om hulp had willen vragen, maar ook had gehoopt troost bij hem te vinden. Nu voelde ze zich als een dwaas. William wist helemaal niet hoe ernstig de situatie voor Edwin was. Hij leefde in een andere wereld en zij was gek als ze dacht dat hij het zou begrijpen.

Ze wendde zich van hem af, maar hij greep haar pols.

'Laat los,' siste ze.

'Eerst moet je me vertellen waarom je hierheen bent gekomen.'

Ze keek hem aan. 'Ik dacht dat je me zou kunnen helpen, maar ik heb me vergist.'

Hij negeerde de bittere toon. 'Waarmee heb je hulp nodig?'

'Nergens mee.'

'Frances,' zei hij zachtjes en ze voelde haar weerstand verslappen. Ze wilde hem horen zeggen dat hij nog steeds om haar gaf. De rest was niet belangrijk, zelfs niet dat ze zich aan hem had opgedrongen en dat zijn bezorgdheid geveinsd was, noch dat ze hem in een bordeel had aangetroffen. Ze voelde zich veilig wanneer ze bij hem was. Edwin eiste altijd veel te veel van haar, terwijl William haar juist wilde beschermen. Hij pakte haar bij de hand en ze liet toe dat hij haar in het rijtuig zette. 'Laten we naar mijn huis gaan. Daar is het rustig en dan kun je me alles vertellen.'

Hij woonde in een zijstraat van Market Square. Het was een klein, eenvoudig huis, maar het was proper en warm. Het was niet gemaakt van golfplaat, zoals de meeste huizen hier, maar van hout. De muren en zelfs de plafonds bestonden uit brede planken. 'Ik wilde niet in zo'n stenen bakbeest buiten het centrum wonen,' zei hij toen hij de deur achter hen dichtdeed. 'Ik wil met mijn neus overal bovenop zitten.'

De woonkamer had grote ramen aan weerskanten van de

open haard. De gordijnen waren dicht en er stonden twee comfortabele fauteuils voor de haard. Hij liet haar in een daarvan plaatsnemen, drapeerde een plaid over haar benen en riep de huisjongen, die brood, kaas en warme lamspastei bracht. Ze had opeens erge honger en voelde haar bezorgdheid afnemen toen ze zich koesterde in de knusse warmte van de kamer. Nippend aan een glas whisky keek hij naar haar terwijl ze at.

'Zo,' zei hij toen de jongen haar bord had meegenomen, 'mag ik nu weten waarom jij in je eentje in het donker door Kimberley zwerft?'

'Ik maak me zorgen over mijn man.'

'Heeft hij die bijeenkomst gehouden in het Theatre Royale?'

Ze knikte. 'Het was een ramp.'

'Hij heeft jou toch niet meegenomen?'

'Nee, ik ben op eigen houtje gegaan. Ik wilde weten wat er gebeurde.'

'Dom van je. Je mag blij zijn dat je er zonder kleerscheuren vandaan bent gekomen.'

'Ik dacht dat ze hem gingen vermoorden.'

'Ik denk niet dat ze hem zullen vermoorden, maar hij heeft nu waarschijnlijk de laatste kans op een fatsoenlijk leven voor jullie tweeën verpest. Heb je geprobeerd hem over te halen het niet te doen?'

'Ja, maar hij luistert niet naar mij.'

'Hij is niet goed bij zijn hoofd. Ik vind het bijzonder egoïstisch van hem dat hij voor jullie beiden het leven verpest. Als je mijn vrouw was, zou ik je geen enkel risico laten lopen.' Er viel een stilte. Een van de houtblokken in de haard zakte in. Vonken stegen op door de schoorsteen. William schopte een heet kooltje terug in het vuur.

'Ik vroeg me af of je misschien met Baier zou kunnen gaan praten. Of je tegen hem zou kunnen zeggen dat hij op zijn minst naar Edwin zou kunnen luisteren. Je bent zijn neef. Misschien kun je hem overhalen.'

William wreef over zijn gezicht en zuchtte. 'Weet jij dat er in heel Kimberley geen enkele arts is, op jouw echtgenoot na, die een geval van pokken heeft gezien? En geloof me dat ze gezocht hebben. Weet je wat we op het spel zetten als iemand mocht gaan denken dat we Matthews' beweringen serieus nemen? De hele industrie kan in elkaar zakken. Dat zou niet alleen voor Baier het einde zijn, maar voor een heleboel mensen, doodgewone, hardwerkende mensen – concessiehouders, winkeliers, arbeiders. Iedereen die zijn brood verdient aan de mijnen. Als de aandelenmarkt instort, is het hier met ons allemaal gedaan.'

'Ik ken Edwin. Hij is niet tot bedrog in staat.'

'Je kent hem misschien minder goed dan je denkt. Weet je dat hij ervan wordt beschuldigd geld te verdienen aan deze hele affaire? Hij schrijft zijn artikelen en houdt zijn toespraken en er zijn altijd mannen en vrouwen die hem geloven. Mensen die zo bang worden van zijn verhalen dat ze naar hem toe gaan om zich te laten inenten, waar hij dan naar verluidt exorbitant hoge bedragen voor rekent.' Hij zweeg even. 'Je weet dat hij de mijn haat. Ik snap dan ook niet waarom hij hier per se wil blijven.'

Ze schudde haar hoofd. 'Hij wordt niet gemotiveerd door geld. Je hebt zelf gezien in welke omstandigheden wij leven. Hij heeft geen cent te verteren.'

William keek haar alleen maar aan. Was ze naïef? 'Hij zit in een moeilijk parket, Frances. Niemand kan van de wind leven.'

Ze liet haar hoofd tegen de zachte hoofdsteun van de fauteuil rusten en sloot heel even haar ogen, genietend van de stilte en de warmte. Ze wist dat Edwin niet zo was als de meeste mensen. Hij was zo verbeten dat hij hen beiden de afgrond in zou sleuren, als hij dat niet al had gedaan.

'Maar het gaat niet alleen om geld.' William wreef over zijn baard. 'Jouw echtgenoot is een trots mens. Hij was erg beledigd toen hij door Baier uit Kimberley werd verdreven. Het is mogelijk dat hij niet helder denkt.'

'Denk jij dat hij dit doet om wraak te nemen op Baier?'

'Misschien. Maar er kunnen nog andere redenen zijn.'

Ze keek naar hem en zag dat hij flauwtjes glimlachte.

'Hoe bedoel je?'

'Hij moet het weten van ons.'

'Nee,' zei ze. Met trage bewegingen schudde ze haar hoofd.

'Frances, op de Kaap weet iedereen alles over iedereen.'

Zou Edwin al die tijd van haar affaire met William geweten hebben en niets hebben gezegd? Frances werd misselijk van de gedachte. Wat moest hij dan wel van haar denken?

William ging door: 'Als hij beweert dat Baier een epidemie probeert te verdoezelen, zou dat een schandaal veroorzaken. Iedereen in Engeland zou erover te horen krijgen. Baiers politieke toekomst zou erdoor vernietigd worden, om nog maar te zwijgen over de staat van zijn financiën. En dan zou ikzelf natuurlijk ook in een bijzonder slechte positie raken.'

'En als ze er dan achter komen dat het niet om pokken gaat?'

'Ik denk dat je man hoopt dat hij kan volstaan met geruchten. Als buitenlandse investeerders het woord pokken horen, trekken ze zich onmiddellijk terug, en de duizenden mensen die in de aandelenmarkt hebben geïnvesteerd, zullen hun voorbeeld volgen. Baier zal failliet gaan. En laten we de arbeidsmarkt niet vergeten. De zwarten zijn als de dood voor de pokken. Men hoeft het woord maar te noemen of ze nemen de benen. Denk je even in wat voor gevolgen dat zal hebben voor het vertrouwen dat men nu in de markt heeft.'

Frances vond Williams argument erg sterk. Het was niet onmogelijk dat Edwin fanatiek genoeg was om te proberen Baiers ondergang in de hand te werken. En als hij inderdaad op de hoogte was van haar affaire met William, zou dat een verklaring kunnen zijn voor zijn bijna suïcidale besluit om in Kimberley te blijven. 'Stel dat je gelijk hebt,' zei ze, naar de vlammen starend. 'Wat voor soort mens is hij dan?'

'Niet per se een slecht mens,' antwoordde William. 'Hooguit een verblind mens.'

Het klonk logisch. Edwin haatte Baier en hij haatte de mijn. Dit was een effectieve methode om beide te saboteren. Ze stond op. William kon haar niet helpen en ze kon maar beter naar huis gaan. Hij bleef zitten. Ze pakte haar omslagdoek van de rugleuning van de stoel. 'Dank je, William, voor alles wat je hebt gedaan.'

Plotseling leunde hij naar voren en pakte haar hand. 'Ik wil niet dat je teruggaat.' Zijn huid was warm en een beetje ruw. Toen hij met zijn duim over de binnenkant van haar pols wreef, wilde ze niets liever dan zich tegen hem aan vlijen.

'Ik moet wel.' Ze dacht aan de koude, kale tent, aan de

stank van de beerput, aan Edwins woede en hardnekkigheid, en aan afscheid nemen van William, wat nog het allerergste was. Als ze hier nu wegging, zou ze nooit meer terug kunnen komen.

Hij liet haar hand door de zijne glijden tot hij alleen haar vingertoppen vasthield. 'En als je nu eens hier bij mij zou blijven?'

Ze lachte bitter.

'Ik kan de gedachte niet verdragen dat je naar hem teruggaat. Matthews gaat helemaal op in zijn ambities. Hij zal er niet zijn om voor je te zorgen. Bovendien is dit gedeeltelijk mijn schuld.'

'Niet waar. Ik wist wat ik deed.'

'Weet je dat zeker?' Hij glimlachte vaag en ze voelde het bloed naar haar wangen stijgen.

'Ik wil het goedmaken, als jij me dat toestaat.'

'Je kunt me nu op geen enkele manier meer helpen.'

'Misschien wel. Frances...' Hij trok haar op zijn schoot, dicht tegen zich aan, met haar benen tussen de zijne. Ze liet hem begaan. Hij sloeg zijn armen om haar heen en pakte haar polsen. Ze legde haar hoofd op zijn schouder en besloot eventjes gewoon te genieten van hoe het voelde om door hem te worden vastgehouden. 'Ik moet je iets vertellen,' vervolgde hij op een zachte, intieme toon. 'Ik vertrek binnenkort. Naar Johannesburg.'

Ze ging rechtop zitten en keek hem aan. 'Waarom?'

'Omdat daar goud is ontdekt. De grootste goudaders van Afrika. Er zit daar meer goud dan ze op alle goudvelden van Californië bij elkaar gevonden hebben en er is bijna niemand die zich ermee bezighoudt.'

'Dat is fijn voor je,' zei ze. Ze probeerde op te staan, maar hij sloeg zijn armen strakker om haar heen en trok haar tegen zich aan. 'Je begrijpt het niet. Ik wil dat je met me meegaat.'

Ze staarde hem aan en voelde haar hartslag versnellen. 'Naar Johannesburg?'

'Daar kent niemand je. We kunnen helemaal opnieuw beginnen.'

'En Baier?'

Hij haalde zijn schouders op. 'We hebben woorden gehad. Hij behandelt me als zijn loopjongen, laat mij altijd het vuile werk opknappen. Ik krijg alleen maar een toelage en hij houdt nauwkeurig in de gaten hoeveel ik uitgeef. Hij denkt dat ik geen maat kan houden met mijn onkosten. Alsof dat iets uitmaakt. Het werk dat ik in de mijnen doe, is veel meer waard dan wat hij me ervoor betaalt.' Hij sprak met beheerste woede. 'Het was trouwens zijn idee dat ik naar het noorden zou gaan. Hij wil een betrouwbare persoon om daar concessies te kopen. Maar ik ga niet alleen voor hem werken. Ik heb zelf geld, waar hij niets vanaf weet.'

'Maar hij zal het nooit goed vinden dat je mij meeneemt.'

'Ja, maar zie je, Frances, daar ben ik overheen. Het kan me niet meer schelen wat hij denkt. Bovendien wil Baier me hier weg hebben. Hij denkt dat ik een flinke dosis werk nodig heb om mijn levenslust binnen de perken te houden. Hij heeft genoeg van mijn rusteloze levenswandel en wil me gesetteld zien.'

Ze wist dat ze het gesprek moest beëindigen – het was alleen maar een droom – maar ze vroeg toch door. 'En Edwin?'

'Matthews is te trots om stennis te maken. Ik weet zeker dat hij je zal laten gaan. Wat moet hij met een echtgenote, als hij tegen zo veel windmolens moet vechten?'

'En wat moet jij met een echtgenote?'

'Ik ben dol op je, Frances. Ik kan niet leven zonder jou.' Hij tilde haar hand op en bedekte de binnenkant van haar pols met kusjes. Ze lachte om het hartstochtelijke gebaar en trok haar hand los. 'Dit is een droom, William. Een malle droom. Het kan gewoon niet.'

'Waarom niet?' vroeg hij. Hij trok haar weer tegen zich aan en kuste haar voorhoofd, haar neus en heel vluchtig haar lippen. 'Ik ben goed in dromen waarmaken. Alles is gereed. Je hoeft alleen maar ja te zeggen.'

Ze wilde niet nadenken over wat hij van haar vroeg. Ze wilde alleen maar dat hij haar nogmaals zou kussen, maar was bang dat hij dat inderdaad zou doen en dat ze dan niet in staat zou zijn op te staan en weg te gaan. Ze maakte zich van hem los en probeerde helder na te denken over wat hij had voorgesteld. Ze wilde zichzelf zo graag toestaan hem te geloven, maar nu het uur der waarheid was aangebroken, was ze er niet zeker van dat ze hem kon vertrouwen. Hoe goed kende ze hem immers?

'En dat meisje van daarstraks?'

Hij lachte. 'Ik ben nog niet getrouwd, Frances, en ik ben maar een man. Je zult me die scharreltjes moeten vergeven.'

'Ik ben bang dat je je bij mij zult gaan vervelen.'

'Dan zul je extra je best moeten doen om ervoor te zorgen dat dat niet gebeurt.' Ze keek hem streng aan. Hij lachte en zei: 'Hoe kan ik me bij jou ooit vervelen?'

'Hoe weet ik of ik je kan vertrouwen?'

Hij hield haar hand vast en keek haar recht in de ogen, opeens serieus. 'Dat weet je niet, Frances. Dat kan niemand van tevoren weten. Om iemand te vertrouwen moet je in hem geloven. Ik beloof je in elk geval dat ik goed voor je zal zorgen.' Hij streelde haar hand. 'Je zult in al mijn successen delen. Ik zal ervoor zorgen dat je je eigen bedienden hebt, paarden, een mooi huis. Het zal je aan niets ontbreken.'

'Weet je nog dat we op de *Cambrian* op een middag blindemannetje hebben gespeeld?' vroeg ze abrupt. Dat was de laatste keer dat ze echt gelukkig was geweest. 'Waarom kan het leven niet altijd zo zijn?'

'Dat kan best, lieveling. Je moet gewoon de moed kunnen opbrengen om het leven een kans te geven.' Hij probeerde haar te kussen, maar ze wendde haar hoofd af. In gedachten zag ze opeens weer hoe Edwin in het Theatre Royal door de woedende menigte was aangevallen. Stel dat hij gewond was? En als hij niet gewond was, maakte hij zich vast zorgen om haar. Ze wilde zich er eerst van verzekeren dat hij in orde was en ze wilde ook uitzoeken of alles wat William had gezegd, waar was.

'Je houdt toch wel van me?' vroeg William. Het klonk gemelijk.

Ze keek hem aan. Zijn zwarte haar viel over zijn voorhoofd en zijn groene ogen flonkerden met een brutaal zelfvertrouwen. Het was moeilijk hem te weerstaan. Hij had zo'n macht over haar. Ze wilde hem vertrouwen, maar had tijd nodig om na te denken.

'William, laat me alsjeblieft gaan,' zei ze. Ze wrong zich uit zijn greep en stond op. Hij kwam overeind, legde zijn hand onder haar kin en hief haar gezicht op. Tranen rolden over haar wangen. 'Ja, ik hou van je,' zei ze alsof ze ertoe werd gedwongen.

Hij kuste haar voorhoofd en riep de huisjongen, die haar in het rijtuig naar huis zou brengen.

Haar vrees dat er mannen met geweren en hooivorken rond de tent zouden staan, bleek ongegrond te zijn. Ze liep het doodstille terreintje op en zag opgelucht dat Edwin in de tent een brief zat te schrijven. Hij had een ander overhemd aangetrokken en keek op toen ze binnenkwam. Zijn wang was geschaafd en één oog zat dicht. Donkere plekken ontsierden zijn wang, als vingerafdrukken. De *askari* zat buiten met zijn geweer op zijn schoot. Edwin vroeg niet waar ze was geweest. Ze ging zitten en staarde naar haar handen terwijl hij schreef. Haar hart klopte snel. Er gingen te veel alternatieve waarheden door haar hoofd. Ze moest erachter zien te komen welke daarvan absoluut zeker waren.

'Je bent gewond,' zei ze op een gegeven moment.

'Niet ernstig,' zei hij, vluchtig opkijkend van zijn schrijven. Weer bleef er een stilte hangen.

Na een poosje zei ze: 'Edwin, geloof jij echt dat er in Kimberley pokken heerst?'

Hij legde zijn pen neer, vouwde de brief op en deed hem in een envelop. Nu kon hij haar zijn aandacht schenken. Hij legde zijn handen op zijn schoot. De blik in zijn ogen was kil. 'Het valt me tegen dat je dat nog moet vragen.'

'Men beweert dat jij geld verdient aan het vaccineren.'

'Geloof jij dat?'

'Ik zou het niet weten,' zei ze onbehaaglijk. 'Jij vertelt mij nooit iets.'

Hij keek haar aan, afwachtend. Ze bleef op haar hoede, maar zei uiteindelijk: 'Of het waar is of niet, ik vind dat het niet juist is om te blijven proberen bewijzen te vinden.'

'Waarom?'

'Omdat Baier je zal laten vermoorden als je er niet mee ophoudt. Omdat de pokken een ramp zal zijn voor Kimberley. En omdat ik dit niet erg veel langer zal kunnen verdragen.'

'De pokken zal voor Kimberley een ramp zijn ongeacht wat ik doe.'

'Waarom ben je zo halsstarrig? Waarom luister je niet naar me?'

'Waarom denk je?' vroeg hij, haar indringend aankijkend.

'Omdat je kwaad op me bent,' zei ze stamelend, 'en omdat de ondergang van Baier voor jou de makkelijkste manier is om wraak te nemen.'

Ze had het gezegd en nu lagen de woorden tussen hen in, afwachtend wat hij ermee zou doen. De woorden waarmee alles zou veranderen.

'Ik was inderdaad kwaad op je, Frances. Ik was kwaad dat je je had laten verleiden door een man die iedere vrouw die ook maar een greintje verstand heeft, onmiddellijk zou hebben doorzien. Ik was kwaad dat je het me niet eerlijk had verteld voordat ons huwelijk werd voltrokken. Ik was kwaad dat je zelfs van hem bleef houden toen hij had bewezen wat een leugenaar hij is. Ik was kwaad dat je zo naïef was dat je niet doorhad dat iedereen op de Kaap ervan zou weten. Maar verbeeld je vooral niet dat jij de reden bent waarom ik naar Kimberley ben gegaan.' Hij haalde zijn hand over zijn ogen. 'Jezus, Frances, we zitten midden in een epidemie. Ik heb vanochtend alleen al tien lijken gezien. Hoe kun jij zo verwaand zijn te denken dat ik me hiermee bezighoud vanwege jou? De mate waarin jij met jezelf bent ingenomen, is verbijsterend, zelfs al weet ik wat de onderliggende redenen zijn.'

Ze staarde hem sprakeloos aan terwijl hij zijn woorden over haar uitstortte. Edwin had iets angstaanjagends wanneer hij vond dat hij het zich kon veroorloven de waarheid op tafel te leggen. En hij leek veel meer waarheden te bezitten dan de meeste mensen. Hij stond op en keek naar buiten, met zijn rug naar haar toe. 'Ik heb tegen mezelf gezegd dat ik geduldig moest zijn. Dat je op den duur volwassen zou worden en de verantwoordelijkheid voor je leven zou aanvaarden. Dat je mij niet meer zou beschouwen als degene die verantwoordelijk is voor jouw geluk. Dat je Westbrook zou vergeten en de waarde zou gaan inzien van het leven dat wij leidden. Het was een sober leven, maar ik vond dat het een bepaalde charme had. Maar je was halsstarrig en slaagde er niet in je aan te passen. Niettemin meende ik sprankjes hoop te ontdekken. Je begon te schilderen, te wandelen, je lachte wat vaker. Ik begon hoop te koesteren dat je een streep onder je oude leven kon zetten en een nieuw begin zou maken als we eenmaal in Kaapstad zouden zijn.'

Ze wilde zeggen: Ja, dat is ook zo, ik was daar klaar voor, maar toen moesten we opeens naar Kimberley. Maar ze kon geen woord uitbrengen.

'Toen ik over de pokken in Kimberley hoorde, heeft mevrouw Reitz aangeboden je bij zich in huis te nemen, maar ik wilde dat je met me zou meegaan. Is ze in staat, vroeg ik me af, haar hartstocht voor Baiers neef nieuw leven in te blazen? Dat wilde ik weten. Ik wilde weten of ik je kon vertrouwen.' Hij zweeg even en zei toen op bittere toon: 'En nu weet ik het.'

'Nu weet je wat?'

'Ik ben niet achterlijk, Frances. Ik weet waar je vanavond was.'

'Ik ben naar hem toe gegaan omdat ik dacht dat hij ons zou kunnen helpen.'

'Hoe zou William Westbrook ons in hemelsnaam kunnen helpen?'

'Ik dacht dat hij Baier misschien zou kunnen overhalen naar je te luisteren.'

'God, wat ben je toch naïef.' Edwin lachte schamper. 'En? Was hij bereid het aan Baier te vragen?' Toen ze geen antwoord gaf, zei hij: 'Je hebt hem om hulp gevraagd en bent vertrokken?'

Ze bloosde schuldbewust toen ze terugdacht aan haar gesprek met William, aan hoe ze bij hem op schoot had gezeten, aan zijn kussen en zijn liefdesverklaring. Toen vermande ze zich. Zij was niet de enige die iets te verwijten viel. 'Toen je mijn oom om mijn hand vroeg, wist je dat ik niet in je geïnteresseerd was. Je wist dat ik gedwongen zou zijn ja te zeggen. Toch heb je je aanzoek gedaan. Je hebt me tot een huwelijk verleid en je mag mij er de schuld niet van geven als het niet is geworden waar je op had gehoopt. Ik had geen keus.'

'Ik ook niet.'

Ze keek hem scherp aan. 'Hoe bedoel je?'

'Frances.' Hij zei haar naam bijna teder. 'Je bent een intelligent meisje, maar de wereld zit ingewikkelder in elkaar dan jij ooit hebt willen geloven. Ik kan je er niet tegen beschermen, zoals je vader altijd deed.' Hij keek haar aan, alsof hij verwachtte dat ze wist wat hij ging zeggen. 'Is het nooit bij je opgekomen dat je oom *mij* had geschreven?'

'Wat? Waarom?' Ze zag een vage waarheid opdoemen maar kon nog niet goed onderscheiden wat het was. 'Hij beriep zich op alles wat jouw vader voor mij had gedaan.' Ze zag de waarheid nog steeds niet scherp, al begon de onthutsende omtrek ervan zich steeds duidelijker af te tekenen. 'Hij wilde dat ik hem van jou zou verlossen.'

Ze keek hem verward aan. Het beeld dat ze van zichzelf en hem had gehad, was aan het veranderen, alsof ze naar hem keek door de steeds wisselende patronen van een kaleidoscoop.

'Maar je wílde met me trouwen. Je hield van me,' zei ze, alsof dat een onweerlegbaar feit was. Ze dacht terug aan hun gesprekken in Londen. 'Je houdt nu misschien niet van me, maar toen wel. Je hebt me al ten huwelijk gevraagd voordat mijn vader was gestorven.'

'Dat klopt,' zei hij, alsof dat niets uitmaakte. Ze herinnerde zich dat ze hem en haar vader in de woonkamer had aangetroffen, nadat hij onwel was geworden. Wat had haar vader tegen hem gezegd? Was hij toen al op de hoogte geweest van de crisissituatie bij Northern Pacific?

'Je vader heeft me verzocht ervoor te zorgen dat jij een goed onderkomen kreeg. Ik denk dat hij vond dat het beter zou zijn als je met mij zou trouwen dan dat je bij een van je tantes in huis ging.' Hij wreef over zijn gezicht. 'Het was uiteraard niet erg praktisch om je hierheen te halen en ik wist dat je het moeilijk zou hebben, maar ik heb mijn best gedaan niet al te veel van je te verlangen.'

Haar wereld spatte uit elkaar. Niets van wat ze had gekend had nog enige betekenis. Edwin was niet wie ze had gedacht dat hij was. Ze had hem verzonnen en hij had de rol gespeeld die ze hem had opgedrongen. Waarom? Omdat hij had gewild dat ze uit zichzelf zou gaan inzien hoe het zat. Omdat hij had gedacht dat ze de waarheid zou ontdekken als haar voldoende tijd werd gegund.

'Frances.' Edwin praatte tegen haar. Ze zag elk onderdeel van zijn gezicht haarscherp, alsof ze voor het eerst naar hem keek. De hoge jukbeenderen, het blonde haar dat was weggekamd bij de blauwe plek die vanaf zijn slaap over zijn wang liep, en zijn heldere, grijze ogen, die naar haar keken alsof hij haar beter kende dan zij zichzelf. Ze staarde naar hem zonder in zich te kunnen opnemen wat hij zei. Ze dacht alleen maar: ik heb je nooit gekend. Je bent voor mij een vreemde.

'Ik heb iemand gevonden die bereid is een epidemiekliniek te financieren. Ik ga daar van nu af aan slapen. Ze hebben me dag en nacht nodig – in elk geval tot ik steun krijg van de overheid.' Hij pakte de envelop en gaf hem aan haar. 'Neem deze brief mee naar Rietfontein. Mevrouw Reitz zal je tegen betaling een kamer geven.' Het ging allemaal te snel. Het was alsof er een onzichtbare streep was getrokken waarachter haar huwelijk niet meer bestond en dat ze die had overschreden zonder dat ze daar erg in had gehad. Ze wilde een kans om deze nieuwe waarheden te verwerken, maar hij praatte alweer verder. 'Je zult het prettig vinden te horen dat ik je voorlopig niet wil zien. Ik blijf nog minstens een halfjaar in Kimberley. Wanneer de epidemie voorbij is, kom ik naar Rietfontein en dan zullen we de toekomst bespreken.'

Hij had alles al helemaal uitgewerkt. Hij bande haar uit zijn leven. Toen hij zijn dagboek in zijn knapzak deed, besefte ze dat hij zijn spullen al had ingepakt. Het was haar niet eerder opgevallen dat zijn boeken niet meer op de plank lagen en dat zijn twee reistassen bij de ingang van de tent stonden.

'Ik ga niet naar Rietfontein,' zei ze. Ze ging voor hem staan en probeerde grip op de situatie te krijgen. 'William heeft gevraagd of ik met hem meega naar Johannesburg.'

Edwin vertrok geen spier. Ze had verwacht op zijn minst een zweem van spijt op zijn gezicht te zien, maar hij bleef onbewogen kijken. Wat ze zag was hooguit een lichte teleurstelling. Toen zuchtte hij. 'Het is niet langer mijn plicht jou tegen anderen of jezelf te beschermen. Ik neem aan dat je weet wat voor soort man hij is?' Ze had hem tot woede willen drijven, maar hij sprak tegen haar alsof het gesprek hem verveelde en hij alleen nog maar een beetje medelijden met haar had.

'Ik hou van hem,' zei ze met kracht, alsof ze twijfel geen kans wilde geven.

'Dan ben je een dwaas,' zei hij, eerder vermoeid dan boos.

'Jij hebt me altijd als een kind behandeld!' riep ze.

'Frances, je hebt jezelf altijd als een kind behandeld.'

'Je bent jaloers,' zei ze, boos nu. 'Hij heeft misschien niet zo'n hoge moraal als jij, maar hij is veel menselijker.'

'De man die in onze tent is gestorven, was een van hun arbeiders,' zei Edwin.

'Nou en? Het was een ongeluk,' zei ze, ziedend van woede.

Edwin maakte een beweging alsof hij het gesprek van zich

af wilde schudden, hing zijn knapzak over zijn schouder en tilde zijn tassen op.

'Waar ga je heen?' vroeg ze.

'Naar de kliniek. Ik ben al laat omdat ik heb gewacht tot je thuis zou komen. Ik heb Tom verzocht vannacht de tent te bewaken.' Hij wees met zijn hoofd naar de *askari*. 'Ik vertrouw hem. Morgen moet je je spullen inpakken en vertrekken.' Hij legde een paar bankbiljetten op de tafel. 'Als je besluit naar Rietfontein te gaan, zal ik je geld sturen voor zover ik het kan missen.' Hij liep weg zonder om te kijken.

Toen hij weg was, ging ze verbluft zitten. Haar toekomst was uitgestippeld zonder dat zij erin was gekend. Ze was zo getergd dat ze niet eens hoefde te proberen te gaan slapen. Ze haalde Mangwa dichter bij de ingang van de tent en bond hem vast aan een lang touw. Het was geruststellend om zijn donkere gedaante te zien. Alsof ze gezelschap had. De zebra bleef eerst een poosje staan, met één achterpoot geknikt in een rustpositie, maar halverwege de nacht draaide hij zich om en ging hij met zijn nek gestrekt op de grond aan haar voeten liggen. De *askari* ging af en toe verzitten en spuwde dan in het stof. Frances zat in twee dekens gewikkeld op de stoel tot de kille morgenstond aanbrak. Mangwa kwam instinctief overeind zodra het licht werd en schudde zich. Ze gaf hem wat haver en vertrok.

Ze had besloten Mariella om advies te vragen. Ze had behoefte aan haar zegen voordat ze naar William ging. Voor de deur van de kamer van de Fairleys stonden twee mannen. Ze keken om toen ze hen naderde. Een van hen was George Fairley. Hij keek erg bezorgd. De andere man, die gekleed was in een smoezelig flanellen pak, lichtte zijn hoed op en glimlachte met een scheef opgetrokken mondhoek. Het was dokter Robinson. Ze rook zijn naar whisky stinkende adem van een meter afstand.

'Ik maak me zorgen, dokter,' zei George, nadat hij Frances had begroet. 'Ze ziet er slecht uit.'

'Ik geef u de verzekering, meneer Fairley, dat u zich nergens zorgen over hoeft te maken. Pemfigus ziet er vaak veel erger uit dan het is. Ze komt er heus wel bovenop. We moeten natuurlijk om de baby denken, maar ik heb goede hoop dat ze de zwangerschap zal voltooien.'

'Bestaat er besmettingsgevaar?' vroeg Frances hem.

'Nee. U kunt rustig naar binnen gaan.' De dokter glimlachte hen beiden welwillend toe. 'Meneer Fairley, we hadden de vorige keer afgesproken dat u me niet onmiddellijk hoefde te betalen, maar wellicht kunt u nu mijn rekening voldoen?'

George nam de dokter even apart. Frances hoorde hem zeggen: 'Zou u misschien tot vrijdag kunnen wachten? Dan heb ik het geld.'

'U hebt het in aandelen geïnvesteerd?' vroeg de arts.

'Ja,' bekende George. 'Ik kan u de reçu's laten zien.' Ze hoorde papier ritselen.

'Een reçu is helaas niet hetzelfde als geld.'

'Ik kan op het moment niets verkopen,' zei George, met vernietigend zelfverwijt. 'De markt staat er iets minder goed voor dan voorheen.'

'Ik zal het vandaag nog door de vingers zien, maar ik vrees dat verdere consultaties niet mogelijk zijn tenzij u me betaalt. Ik weet zeker dat u daar begrip voor hebt.'

'Vind je het goed dat ik naar haar toe ga?' vroeg Frances toen de dokter weg was.

George deed de deur open.

Mariella lag op haar zij met het laken opgetrokken rond haar hoogzwangere buik. Haar gezicht en handen waren bedekt met rode vlekjes. Op haar wangen waren sommige daarvan opgezwollen tot witte zakjes, als de lichaampjes van teken. Ze deed haar ogen open toen ze hen hoorde binnenkomen en glimlachte. Frances zag dat haar lippen bedekt waren met zweren.

'Ik voel me al beter.' Ze bewoog haar mond heel voorzichtig. 'De koorts is eindelijk gezakt.'

'Hoelang ben je ziek geweest?' vroeg Frances. Ze streek het haar uit Mariella's ogen. Het plakte in donkere, vochtige strengen tegen haar gezicht. Ze had het tot nu toe alleen maar opgestoken gezien, met speelse krulletjes langs haar gezicht en het was een vreemde gewaarwording om het slap en futloos op het kussen te zien liggen. Het gaf haar het aanzien van een groot kind.

'Een paar dagen. De dokter zegt dat ik weer helemaal beter zal worden.'

'Natuurlijk,' zei Frances, maar ze maakte zich zorgen. De uitslag zag er minder ernstig uit dan op de foto's die ze had gezien van pokkenpatiënten, maar ze vertrouwde dokter Robinson niet.

'Heb je eraan gedacht dat het de pokken zou kunnen zijn?' vroeg ze aan George toen ze weer buiten stonden.

Hij schudde zijn hoofd. 'Hoe kan ze nu de pokken krijgen?' Ze herinnerde zich het vaccinatiekantoor in Kaapstad. Kon je de pokken krijgen als je ertegen was ingeënt? Edwin had gezegd dat vaccins konden bederven vanwege te hoge temperaturen.

'In het begin dacht ik dat het dat was,' zei hij, 'maar dokter Robinson heeft die mogelijkheid van de hand gewezen. Hij heeft ons helemaal gerustgesteld. Hij zei dat de symptomen op elkaar lijken, maar dat dit vanzelf over zal gaan. En hij lijkt gelijk te krijgen. De koorts is gezakt en ze voelt zich al iets beter.'

'Ik vind dat er nog een andere arts naar moet kijken. Laat mijn man even komen. Hij zal je zekerheid geven.' Ze greep zijn hand. 'Beloof je me dat je hem zult laten komen?'

Hij knikte, trok zijn hand los en glimlachte om haar gerust te stellen. 'Natuurlijk.'

Daarna ging ze naar William. Het liep tegen het eind van de ochtend toen ze bij hem aanklopte. De huisjongen liet haar binnen. Ze ging in de fauteuil zitten wachten en probeerde niet te repeteren wat ze zou zeggen, want elke keer dat ze zich inbeeldde dat ze hem vroeg of ze mocht blijven, begon haar hart hevig te bonken. Zou hij nog steeds blij zijn haar te zien als hem duidelijk werd dat ze nergens anders naartoe kon? Hij had zijn voorstel impulsief gedaan. Misschien was hij van gedachten veranderd. Nu en dan hoorde ze buiten stemmen, maar het waren altijd andere mensen die langsliepen. Ze wachtte de hele dag. Ze zag het zonlicht over de vloer kruipen tot de zon achter het huis verdween en het buiten donker werd. De huisjongen leek haar te zijn vergeten. Hij kwam niet om de gordijnen dicht te doen of de kachel aan te steken. Het was erg stil. De avond kroop voort. Om negen uur viel ze om van de honger en had ze bijna de hoop opgegeven dat hij thuis zou komen. Misschien was hij al naar Johannesburg vertrokken.

Toen hoorde ze buiten weer stemmen en herkende ze Williams bulderende lach. De deur werd opengegooid en sloeg tegen de muur. Leger kwam binnen, gevolgd door William. Ze zagen haar niet meteen in de donkere kamer. Toen kreeg Leger haar als eerste in de gaten en zei hij zachtjes: 'Kijk nou eens wat er bij je is komen binnenvallen.'

Ze stond met stijve bewegingen op. William draaide zich om en hield haar blik vast. Ze wou dat Leger er niet was, dat hij weg zou gaan, zodat ze met hun tweeën zouden zijn en dat William zou zeggen dat hij blij was dat ze was gekomen.

Maar Leger plofte neer in de fauteuil tegenover haar, grijnsde haar toe en begon zijn pijp te stoppen.

William pakte zonder iets te zeggen haar hand en liep met haar naar een deur die toegang gaf tot een tweede kamer. Hij stak een kaars aan. Er stond een eenvoudig tweepersoonsbed waarop hij haar liet plaatsnemen.

Hij keek op haar neer. 'Blijf je?' vroeg hij.

'Als jij het goed vindt,' fluisterde ze.

Hij grinnikte wellustig. 'Ik vind het prima.' Toen zei hij: 'Leger en ik hebben wat zaken te bespreken. Jij kunt het beste hier wachten.'

Ze wachtte een poosje, stijf rechtop op het bed gezeten, luisterend naar het gemompel van hun stemmen. Toen duidelijk werd dat hij voorlopig nog niet zou komen, trok ze haar schoenen uit en ging ze met haar hoofd op het zachte, donzen kussen liggen. Ze blies de kaars uit. Maanlicht scheen door het kleine raam naar binnen. Was Leger er nou maar niet bij geweest toen William was thuisgekomen. Ze kon de manier waarop hij naar haar keek, alsof hij wist wat ze was, niet uitstaan. Hij gaf haar het gevoel goedkoop en onwaardig te zijn. Op het voeteneinde van het bed lag een wollen deken, die ze nu over haar benen uitspreidde. Een poosje later werd ze wakker, duf van de slaap en nog steeds alleen. Ze hoorde voetstappen op de houten vloer van de woonkamer en de zachte stem van een zwarte. Toen hij weg was, hoorde ze Leger lachen en kort daarna vertrok hij ook.

De slaapkamerdeur ging open en William kwam binnen, zonder lamp. Ze zag zijn donkere silhouet. Hij ging op het bed zitten. Ze ging zelf ook zitten en wreef de slaap uit haar ogen.

Hij keek naar haar en streek met zijn vingertoppen het haar van haar voorhoofd. Haar hart klopte in haar keel. Toen hij niets zei, vroeg ze: 'Ben je blij?'

'Blij?' Hij bleef haar aankijken en leunde naar haar toe om haar te kussen. De geur van het houtvuur zat gevangen in de plooien van zijn overhemd. Zijn tong danste langs haar bovenlip. Toen trok hij zich terug. 'Had je geen nachtkleding moeten aantrekken?'

'Ik wist niet zeker of ik zou blijven. Al mijn spullen liggen nog in de tent.'

Hij bleef naar haar kijken. Ze kon zijn ogen nog net zien in het donker. 'Dat is geen reden om je niet te ontkleden.' Hij tilde met één vinger haar kin op en begon de knoopjes van het keurslijfje los te knopen, een voor een, van de hoge kraag tot aan haar taille. Ze probeerde hem te kussen toen hij ermee klaar was, maar hij schudde zijn hoofd, maakte de knoopjes van haar manchetten los, trok haar armen door de mouwen en liet het lijfje op het bed vallen. Zijn vingers gleden langs haar sleutelbeenderen naar de haakjes boven aan haar korset. Hij haakte ze een voor een los en nam het korset weg. Met elke laag kleding die hij verwijderde, verwijderde hij de restanten van haar oude leven. Hij liet haar gaan staan en ze hief als een kind haar armen op zodat hij haar hemd over haar hoofd kon trekken. Ze huiverde toen het katoen over haar borsten gleed. Ze was blij dat er niet veel licht was. Nu kon hij tenminste de grauwe stof niet zien, noch – als hij daar zo dadelijk aan toe kwam – de gaten in haar flanellen onderrok. Hij maakte haar rokken los en liet haar eruit stappen. Tot slot trok hij haar directoire naar beneden en stond ze naakt voor hem. Hij kuste haar teder, tastend, en trok haar neer op het bed.

Ze lagen samen tussen de verkreukelde lakens. William stak een kaars aan en toverde een diamant tevoorschijn. Hij hield hem op in het licht. De edelsteen had de afmeting van een grote parel, met oneffen randen. Hij opende haar hand en legde hem erin. 'Voor jou,' zei hij, naar haar glimlachend. 'Het is geen ring, maar de gevoelens die erbij horen zijn dezelfde.'

Ze wilde hem niet aanpakken, niet nu ze naakt naast hem lag. Het was alsof hij haar betaalde voor wat ze zojuist hadden gedaan. En toen besefte ze dat het altijd zo zou blijven: dat ze altijd het gevoel zou houden dat ze hem iets verschuldigd was, dat ze altijd aan hem zou twijfelen en voor alles van hem afhankelijk zou zijn. Ze gaf hem terug. Hij lachte en ging weer liggen, op één elleboog zijn hoofd ondersteunend.

Ze schudde haar hoofd. 'Ik wil hem niet.'

'Wat wil je dan, Frances?'

Ze dacht even na. 'Mag ik het helemaal zelf zeggen?' vroeg ze.

'Uiteraard.'

Ze glimlachte. 'Dan wil ik graag iets eten.'

Hij bulderde van het lachen. 'Heb je vanavond niet gegeten?'

'Niet eens tussen de middag.'

'Hoelang heb je op me gewacht?'

'De hele dag.'

Hij liep naakt naar de deur, deed die open en riep iets naar de huisjongen.

'Hoe is het met Matthews gegaan?' vroeg hij, weer binnenkomend.

Ze haalde haar schouders op. Ze wilde geen uitleg geven over de kliniek. 'Hij heeft me laten gaan.'

De jongen klopte aan. William stond op en pakte een dienblad met een soepterrine en een brood van hem aan. Hij ging op de grond zitten en trok haar naast zich neer, gewikkeld in wat lakens. Tegen het bed geleund at ze gulzig. Het was kerriesoep, dik, heet en kruidig, en de boter droop van het brood over haar vingers. Ze was uitgehongerd en at geconcentreerd, zich ervan bewust dat hij naar haar keek. Hij nam het dienblad weg voordat ze klaar was.

'De rest krijg je straks,' zei hij. Hij duwde zijn gezicht in haar hals, onder haar haar, en kreunde. 'Ik kan niet naar je kijken zonder je te willen aanraken.' Ze rook de zoete geur van zijn zweet en proefde de zoute, hete smaak van de pepertjes in haar mond. De lakens waren eigenaardig koel, terwijl zijn handen juist zo warm waren op haar huid. Zijn vingers begonnen haar weer te betasten, alle zachte, verborgen plekjes van haar lichaam, en trokken aan het laken tot het over haar bovenlichaam naar beneden zakte. Ze lachte en wilde zich omdraaien om bij hem weg te komen, maar hij hield haar vast en kuste haar zachte buik. Zijn lippen gleden neerwaarts over haar dijen, zijn baard streek over haar gladde huid tot zijn tong, als de snede van een mes, een plotseling genot in haar liet ontbranden.

De volgende ochtend werd zij als eerste wakker. Ze trok haar arm onder zijn borst vandaan want ze wilde zich aankleden voordat hij wakker werd, maar hij greep haar hand voordat ze uit bed kon stappen en trok haar weer naast zich neer. 'Wacht,' zei hij en een minuut later ging de deur open. Ze trok het laken over haar hoofd, maar haar rode krullen piepten eronderuit. De jongen bracht thee, warme toast en muffins. Toen hij weg was, trok William het laken naar beneden. Hij lachte naar haar. Zonlicht stroomde tussen de gordijnen door naar binnen. Ze glimlachte verlegen naar hem.

'Hoe heet hij? De jongen?' vroeg ze.

'Halvegare.'

Ze lachte onzeker. 'Dat meen je niet.'

'Jawel.' Hij lachte om haar verwijtende blik. 'Wat geeft dat nou? We kunnen in Kimberley wel wat meer humor gebruiken. En hij weet toch niet wat het betekent.'

'Maar evengoed –' Ze fronste afkeurend.

'Frances, luister naar me. Ik ben geen man van kritiek. Ik bekritiseer niemand en verwacht van anderen dat zij mij niet zullen bekritiseren. En nu,' vervolgde hij, terwijl hij haar een duwtje gaf, 'snak ik naar een kop thee.' Ze probeerde een laken om zich heen te slaan, maar hij trok aan een punt, waardoor ze naakt kwam te staan. Hij glimlachte en bleef naar haar kijken toen ze de kamer doorliep. Ze voelde haar borsten heen en weer gaan en haar lange haar op haar rug dansen. Ze bloosde toen ze het kopje thee op zijn nachtkastje zette. Hij hield uitnodigend het laken omhoog. Ze kroop weer tegen zijn warme lichaam aan.

'Vind jij dít eigenlijk netjes?' vroeg hij terwijl hij haar linkerhand omhoogstak. Ze droeg haar trouwring nog. Hij bracht de vinger naar zijn mond, likte hem rond de ring en trok die toen over haar knokkel. Hij liet hem in het theekopje vallen. Ze lachte.

'Zijn er problemen met de aandelenmarkt?' vroeg ze even later, toen het gesprek tussen George Fairley en dokter Robinson haar te binnen schoot.

'Wij hoeven ons nergens zorgen over te maken,' murmelde hij met zijn lippen op haar schouder. 'Ik heb al mijn aandelen verkocht.'

'Is de markt niet meer zo stabiel als voorheen?'

'De koersen zijn iets gedaald.'

'Vanwege de angst voor een pokkenepidemie?' vroeg ze.

Hij lachte. 'Nee, niet vanwege de pokken. Matthews heeft zijn ideeën over een epidemie nog steeds niet kunnen slijten. De markt is gewoon een beetje nerveus.'

Ze bleven zwijgend liggen, met zijn adem warm op haar schouder, tot ze vroeg: 'Wanneer kunnen we vertrekken?'

'Over een dag of tien. En tot dan kun jij maar beter binnen blijven.' Zijn vingers wandelden over haar onderarm naar de zachte rondingen van haar taille. 'Vind je het erg om tien dagen mijn gevangene te zijn?'

'Hoe weet ik of je naar behoren voor me zult zorgen?' vroeg ze met ingehouden adem.

'Ik weet niet of ik dat wel zal doen.' Zijn hand streelde haar billen, wat een huivering over haar rug deed lopen. 'Ik ben van plan je op allerlei manieren voor mijn eigen genot te gebruiken.'

William liet een briefje van vijf pond voor haar achter en kuste haar. 'Neem die diamant, Frances,' zei hij voordat hij vertrok. Hij legde hem op de lage tafel in de woonkamer. 'Ik hou ervan als mensen voor zichzelf weten te zorgen.'

'William?' riep ze hem na toen hij al bijna de deur uit was. 'De zebra die we uit Rietfontein hebben meegebracht staat nog bij de tent. Als ik hem daar achterlaat, zal Edwin hem verkopen. Denk je dat we hem kunnen houden?'

Hij glimlachte naar haar. 'Natuurlijk. Ik zal tegen de jongen zeggen dat hij hem moet gaan halen.'

Toen hij weg was, schreef ze een brief aan George en deed het briefje van vijf erbij. Ze kon het geld zelf niet uitgeven in Kimberley en Mariella had het harder nodig dan zij. Toen deed ze haar trouwring in een envelop en begon aan een bijgaande brief. Ze wilde aan Edwin uitleggen hoe ze zich had gevoeld sinds ze naar Zuid-Afrika was gekomen, maar na een paar zinnen besefte ze dat het niet juist was dat ze behoefte had aan zijn begrip en verscheurde ze de brief. Het was te laat om nog iets goed te maken. Ze plakte de envelop dicht zonder bijgaand schrijven en gaf beide enveloppen aan de jongen. 's Middags kwam hij terug met Mangwa en de koffer met haar bezittingen. De zebra werd in de tuin vastgebonden. Ze ging in de achterdeur naar hem staan kijken. Hij was zo uitgedroogd dat zijn flanken hol waren en zijn lichaam trilde toen hij gulzig uit de trog dronk.

Ze voelde zich beter nu ze haar kleren, schilderspullen en de foto van haar ouders had. Nu voelde ze zich iets minder geïsoleerd in haar nieuwe onderkomen. Er zat een brief van Anne bij haar bagage. Die was blijkbaar die ochtend afgeleverd. *Was zij ook zo opgewonden over de ontwikkelingen? Dat een Engelsman bereid was een speciale kliniek te financieren was erg goed nieuws. Zuster Clara heeft toegezegd een groepje verpleegsters te sturen om de kliniek op poten te zetten en gaat zelf ook mee.* Frances legde de brief neer. Ze wilde er niet aan denken dat Edwin ging samenwerken met zuster Clara. Zijn wereld was de hare niet meer.

30

DE DAGEN DUURDEN LANG TOEN ZE IN HAAR EENTJE THUIS zat. Ze werd rusteloos en onzeker. Ze begon te nagelbijten, wat ze nooit eerder had gedaan. Toen William de afgekloven nagels zag, klakte hij misprijzend met zijn tong en zei dat ze een stoute meid was. 'We zullen je handschoenen moeten laten dragen tot je je leven hebt gebeterd,' zei hij en de volgende dag kwam hij met een paar handschoenen thuis die hij haar aantrok. Hij zei dat ze ze pas mocht uittrekken als hij haar daarvoor toestemming gaf. Toen hij de avond daarop thuiskwam en haar op schoot nam, trok hij haar de handschoenen uit en begon hij haar vingertoppen één voor één te kussen.

Hij kocht japonnen, een rijkostuum, hoeden en petticoats voor haar. Ze voelde zich als een pop die hij mocht aankleden. Als ze op hem zat te wachten, was ze nerveus en bezorgd, en als hij er eenmaal was, was ze lichamelijk aan hem verslingerd. Ze was aan hem onderworpen. Hij hield van die slaafse verliefdheid; ze zag dat hij ervan genoot, maar ze vond het zelf beangstigend. Soms, wanneer ze alleen thuis was, besefte ze dat hij haar geen ruimte gaf om adem te halen, dat er niets van haar was overgebleven, afgezien van wat hij van haar had gemaakt.

Ze bleef zichzelf voorhouden dat dit in Johannesburg zou veranderen. Daar zouden ze aan elkaar gelijk zijn, man en vrouw. Ze meende tenminste dat hij haar dit had beloofd, maar kon zich niet herinneren wat hij precies had gezegd. 's Ochtends zette ze haar schildersezel klaar om aan een schilderij te beginnen, maar aan het eind van de dag had ze meestal niet meer dan een paar lijnen geschetst. De rust die ze in Rietfontein had gekend ontbrak. Alhoewel ze erom lachte als ze met hem samen was, voelde ze een diepe angst dat hij haar op een dag zou verstoten en dat ze dan nergens naartoe zou kunnen. Ze was volkomen van hem afhankelijk. Dit is wat maîtresses doen, dacht ze toen ze de ruwe diamant uit haar zak haalde. Ze bewaren de cadeautjes die ze ontvangen zorgvuldig, opdat ze iets hebben om van te leven wanneer er een einde aan de affaire komt. Hij had gezegd dat de diamant de plaats innam van een ring, maar het was eigenlijk precies het tegenovergestelde. Een ring was een openbare verklaring. De diamant die hij haar had gegeven, was slechts de bevestiging van een persoonlijk contract.

Er was nog iets waar ze niet op had gerekend: Leger. Hij hing om William heen als een duistere schaduw en veranderde alles wat mooi en eerlijk was aan hun relatie in iets achterbaks en beschamends. Wanneer hij naar haar keek, trok hij zijn mondhoeken op tot een spottende, wetende grijns. Hij deed alles om William bij haar vandaan te houden, kwam 's avonds bij hen thuis en zat dan tot diep in de nacht met hem whisky te drinken. Ze troostte zich met de gedachte dat ze binnenkort van hem af zouden zijn. Hij ging niet met hen mee naar Johannesburg.

Wanneer ze alleen was, dacht ze aan Edwin, en dat gebeurde vaker dan zou moeten. Men had hem verzocht met haar te trouwen en hij had erin toegestemd. Maar had hij ooit van haar gehouden? Hij had zich in Londen tot haar aangetrokken gevoeld, daar was ze zeker van, maar was dat hetzelfde? Ze bleef in haar achterhoofd steeds het beeld zien van zuster Clara, achter haar bureau, met haar dikke, honingblonde vlecht over haar schouder, zachtaardig, ijverig, knap. Anne had geschreven dat ze Edwin hielp met het opzetten van de nieuwe kliniek en die gedachte bleef voortdurend in Frances' achterhoofd spelen. Alhoewel het haar koud zou moeten laten, stoorde het haar dat ze zo nauw samenwerkten.

Ze las de brief keer op keer en vroeg zich af of Edwin gelijk had wat de pokken betrof, en of hij op den duur zou afzien van pogingen het te bewijzen. Hij moest inmiddels gehoord hebben dat ze niet naar Rietfontein was gegaan. Het stak haar dat hij zo'n lage dunk van haar had en dat was op zich verwarrend, want zijn opinie zou haar niets moeten kunnen schelen.

Ze dacht ook vaak aan haar vader. Ze was ervan overtuigd geweest dat hij zich beschaamd zou hebben gevoeld over haar huwelijk met Edwin en hun armoedige leven in Zuid-Afrika, maar nu was gebleken dat hij Edwin juist geschikt had gevonden en had gewild dat hij met haar zou trouwen. Het viel niet mee om aan dit nieuwe inzicht te wennen.

’s Avonds ging ze meteen na het avondeten naar bed, terwijl William en Leger nog lang bleven zitten drinken. Na een paar uur klonk er vaak een klopje op de deur en hoorde ze de zachte stem van een zwarte. Er was een safe in de slaapkamer en William kwam een of twee keer binnen om daar geld uit te halen. Toen ze hem vroeg waar het voor was, schudde hij zijn hoofd en zei: ‘Wie niets weet, kan niets verklappen.’

Op een avond maakte William een erg opgewonden indruk toen hij thuiskwam. Er straalde een rusteloze energie van hem af en toen hij haar kuste, stonk zijn adem naar bier en sigarenrook. Leger stond bij de deur.

‘Ik dineer vanavond niet thuis,’ zei William, terwijl hij snel wat van het brood en de kaas at die de jongen hem bracht.

‘Waar ga je heen?’ vroeg ze in de slaapkamer toen hij aan de knoppen van de safe draaide. Ze had naar zijn thuiskomst uitgekeken en had geen zin om de hele lange avond in haar eentje te moeten doorbrengen.

Hij gaf geen antwoord, maar drukte een kus op haar voorhoofd. ‘Blijf niet op. Het zal laat worden.’

Haar blik flitste naar Leger, die met een flauwe glimlach door de open deur naar hen keek. Ze wilde van William horen dat hij niet naar de jonge negermeisjes bij mevrouw Whitley zou gaan, maar was te trots om het te vragen.

Ze sliep toen hij terugkwam. Hij ging op de rand van het bed zitten om zijn schoenen uit te trekken. ‘Hoe laat is het?’ vroeg ze.

‘Kom even bij me zitten,’ zei hij, de schoenen uitschoppend. Hij pakte haar hand. Ze liet zich meetronen naar de woonkamer, waar hij voor zichzelf een glas whisky inschonk. De huisjongen stak de haard aan.

'Waarom ben je in zo'n goed humeur?' vroeg ze toen hij haar op zijn schoot trok en zijn armen om haar heen sloeg. Hij kuste haar hals. 'Omdat de mooiste vrouw van Kimberley op mijn schoot zit en voor mij haar warme bed verlaat als ik dat vraag.' Ze lachte. Hij haalde een pakketje bankbiljetten uit zijn zak. 'En omdat ik de beste kaartspeler in Kimberley ben. Ik heb de hele avond geen enkele hand verloren.'

'Heb je de hele avond gekaart?' vroeg ze.

'Ja.'

'Ik dacht dat Baier had gezegd dat je dat niet mocht doen.'

'Hoor ik een afkeurend toontje?' Hij pakte haar beide polsen in één hand en begon haar te kietelen tot ze gilde van het lachen en riep dat hij moest ophouden.

Er werd geklopt. William liet haar los en wenkte de huisjongen, die uit het raam stond te kijken. Frances keek hem vragend aan.

'Blijf hier,' zei hij. Hij nam een slokje whisky, gaf haar het glas en stond op. 'Je mag zo onderhand wel weten waar ik de kost mee verdien.'

De jongen deed open. Er kwam een zwarte binnen. Hij zag eruit als een typische dorpse kaffer, half naakt, op blote voeten, zonder broek. Hij zei iets in rad Bantoe, deed een stap naar voren zodat hij in het licht kwam te staan en spuugde een diamant in zijn hand. William pakte de diamant, veegde hem af aan zijn broek en hield hem op naar het licht. Toen liep hij ermee naar zijn bureau en legde hem op de weegschaal. Ze begonnen te onderhandelen over de prijs, waarbij de huisjongen dienstdeed als tolk. William hield net zo lang vol tot de zwarte met een nors gezicht instemde met wat hij bood. Hij kreeg zijn geld en vertrok.

'Gestolen diamanten?' vroeg ze op een ingehouden toon toen ze weer alleen waren. Hij had haar ergens deelgenoot van gemaakt, haar een nieuwe kant van zijn persoonlijkheid laten zien die haar niet beviel.

'Heb je daar een probleem mee?' vroeg hij.

'Is dat niet gevaarlijk?' Handel in gestolen diamanten was de meest besproken misdaad in de kolonie. De straf ervoor stond gelijk aan die voor moord.

Hij haalde zijn schouders op. 'Ik probeer de risico's zo veel mogelijk te beperken.'

'Maar je zet zwarten tot diefstal aan.'

'De zwarten zijn geboren opportunisten. Die stelen evengoed. Ik heb geld nodig en dit is de snelste manier om eraan te komen.'

'Maar je hébt geld. Baier heeft je geld gegeven, wit geld. Waarom neem je zulke risico's?'

Hij snoof minachtend. 'Of dat allemaal wit geld is, staat nog te bezien. Er is in Kimberley geen enkele diamanthandelaar die nooit iets heeft verdiend aan gestolen goederen en Baier is vermoedelijk de grootste dief van allemaal. Bovendien heb ik niet zoveel geld meer. Baier houdt me erg kort. Hij vindt dat ik de zeden van een heilige moet hebben terwijl hij de duivel zelf is.'

'Dat kan ik Baier niet kwalijk nemen,' zei ze. Ze stond op en liep op hem af. 'Jij bent erger dan een doodgewone dief.'

De klap in haar gezicht was zo onverwacht en zo hard dat haar hoofd meedraaide en haar wang gloeide alsof ze hem gebrand had. Met tranen in haar ogen en open mond staarde ze hem aan.

'Vergeet niet welke positie je in mijn huis hebt,' zei hij op een kille, zachte toon. 'Van mijn maîtresse of mijn vrouw verwacht ik onderdanigheid en respect. Wat dacht je eigenlijk toen je hierheen kwam en besloot van mijn geld te leven? Dat ik me net zo onberispelijk gedroeg als je man?'

Daarna ging hij weg en toen de deur met een klap achter hem dichtviel, voelde ze zich volkomen leeg. Wroeging en afkeer streden om voorrang. Ze kroop weer in bed. Hij kwam kort voor de dageraad thuis, stinkend naar drank, zijn adem zuur, zijn haar doortrokken van zoete rook. Ze liet toe dat hij haar in het donker op haar buik draaide en haar met zijn gewicht in bedwang hield, op haar uitgestrekt als een tweede huid. Zijn lichaam gloeide op de achterkant van haar benen, haar billen, haar rug. Hij duwde één hand onder haar borsten, legde de andere op haar achterhoofd en duwde haar gezicht tegen het kussen. Toen drong hij ruw bij haar binnen. Ze slaakte een kreet in het kussen en probeerde onder hem vandaan te komen, maar kon niets beginnen tegen zijn gewicht en hij stootte steeds dieper, terwijl ze zijn hijgende, vochtige adem op haar wang voelde. Later huilde ze, heel stil, de snikken inslikkend zodat hij haar niet zou horen, terwijl dikke tranen over haar wangen rolden.

De volgende ochtend gedroeg hij zich verzoenend. 'Ik moet geld hebben als ik me ooit van Baier wil bevrijden. Ik heb diamanten ter waarde van honderdduizend pond die ik over de grens wil smokkelen. Weet je wat we daarmee kunnen doen? Ik ga in Johannesburg alle goudvelden kopen en mijn eigen imperium opbouwen.'

'Op de *Cambrian* zei je dat je in de politiek wilde gaan. Je wilde iets betekenen voor Zuid-Afrika. Je wilde van alles bewerkstelligen voor het land.'

'Dat ga ik ook doen. Maar daar heb ik geld voor nodig. Geld is macht. Zonder geld ben ik niets.' Het was alsof ze Baier hoorde. Niettemin zat er een onweerlegbare logica in wat hij zei. Edwin had geen geld of macht en daarom bereikte hij nooit iets. William legde zijn hand onder haar kin. 'We zijn geen van allen perfect, Frances. Er moeten altijd offers gebracht worden. In jouw geval: je moet je niet zo krampachtig vasthouden aan je schoolmeisjesmoraal. Kun je dat voor me doen?'

Ze knikte, op haar hoede nu.

'Ik mag Baier niet erg,' zei William, 'en ik heb geen goed woord over voor de manier waarop er in Kimberley wordt gewerkt. Met het geld dat ik nu heb, kunnen we onafhankelijk worden. Opnieuw beginnen. Dat wil je toch?' Hij legde zijn handen om haar middel.

'Ja,' zei ze, hopend dat het waar was. Na gisteravond was ze bang. Ze vertrouwde hem niet. 'Ja, natuurlijk.'

'Zo mag ik het horen.' Hij kuste haar vluchtig.

Hij zei dat ze over drie dagen zouden vertrekken. De diamantpolitie was alert, zei hij. Ze hadden het kantoor van Baier al doorzocht en zijn boeken bekeken. Wie de stad verliet, werd aangehouden en gefouilleerd. Ze zouden voorzichtig moeten zijn.

'Hoe wil je de diamanten dan meesmokkelen? Stel dat je gepakt wordt?' vroeg Frances. Als de politie hen aanhield en de diamanten vond, zou William naar Breakwater gestuurd worden, en zijzelf waarschijnlijk ook. Hij kuste het puntje van haar neus. 'Maak je geen zorgen. Ik heb een plan.'

Er werd geklopt toen ze aan tafel zaten. Frances keek naar William. Ze zouden de volgende ochtend vertrekken en ze was nerveus. Hij gaf een teken aan de huisjongen, die de deur op een kier opende. Ze hoorden hem eerst zachtjes met iemand praten, waarna hij de deur helemaal opendeed en er een kleine zwarte jongen binnenkwam. Frances kende hem niet. Hij was hooguit dertien en zijn onderlip stak naar voren alsof hij moeite had niet te gaan huilen. Hij wipte nerveus van zijn ene been op het andere. William stelde hem een vraag en greep hem bij zijn kin, maar de jongen maakte alleen maar een snikkend geluid en keek hem niet aan. Hij hield een diamant tussen zijn gestrekte duim en wijsvinger alsof hij zich eraan zou branden. Frances zag zelfs van een afstand dat het geen alledaagse diamant was. Hij was groter dan het topje van zijn duim. Als het geen vervalsing was, was hij een fortuin waard.

Ze wilde tegen William zeggen dat hij de jongen meteen moest wegsturen, maar wist dat hij kwaad zou worden als ze zich ermee bemoeide. Hij zou het risico niet moeten nemen, nu ze op het punt stonden te vertrekken. William ging naar buiten. Ze hoorde hem het trapje af dalen naar de straat. De jongen bleef angstig midden in de kamer staan, met de diamant nog steeds tussen duim en wijsvinger. Toen William terugkwam, gaf hij Halvegare opdracht de inspecteur te halen. Eerst weigerde hij, maar toen William zijn stem verhief, vertrok hij. De schouders van de jongen met de diamant begonnen te schokken en zijn borst ging hijgend op en neer. William griste de diamant tussen zijn vingers vandaan, deed hem in zijn zak en stak een sigaret tussen zijn lippen. Het was volkomen stil in de kamer, op het zachte snikken van de jongen na en het schrapende geluid waarmee William een lucifer afstreek.

Opeens sprintte de jongen naar de deur, trok hem open en vloog naar buiten. William rende achter hem aan alsof hij dit had verwacht, en stak zijn been uit. De jongen viel. Frances holde naar de deur en zag hem languit liggen, met zijn hoofd op straat. William tilde hem op aan zijn kraag en sleepte hem weer naar binnen. De jongen zakte tegen de muur op de vloer en bleef zo zitten tot de inspecteur kwam en hem meenam.

Toen hij weg was, viel Halvegare tegen William uit, maar die wimpelde dat af.

'Logisch dat hij kwaad is,' zei William tegen Frances alsof hij het goedpraatte. 'Het is zijn neef.'

'Waarom heb je hem niet laten ontsnappen? Hij was al buiten.'

'Gut, wat zijn jouw morele opvattingen opeens veranderd,' zei William spottend. 'Ik dacht dat je niks van dieven moest hebben?' Ze wendde nijdig haar hoofd af. Hij nam een trek aan de sigaret en zei toen op een ernstige toon: 'Ik was bang dat het een valstrik was. Ik moest op zeker spelen.'

'Wat gaat er met die jongen gebeuren?'

'Dat weet je best, Frances,' zei hij. Hij draaide zich om en liep naar de slaapkamer. 'Zadel mij niet steeds op met de verantwoordelijkheid voor de dingen die je niet wilt horen.'

Ze lag lang wakker, luisterend naar Williams regelmatige ademhaling. Ze had gedacht dat ze de wrede kant van Kimberley niet meer hoefde te zien als ze bij hem woonde; dat ze kon ontsnappen aan de gevoelens van onrechtvaardigheid die bezit van haar hadden genomen toen die mijnwerker in haar armen was gestorven. Ze had niet gewild dat Edwin gelijk kreeg, besefte ze nu. Ze had gehoopt dat Williams bezigheden rechtmatig en beredeneerbaar waren, waardoor de mijnen acceptabel zouden zijn. Maar de gevoelens van onrechtvaardigheid waren met haar meegekomen en als ze aan de jongen dacht die nu in Breakwater terecht zou komen, kon ze Williams gedrag onmogelijk rechtvaardigen. Handel in gestolen diamanten was een egoïstische, wrede business, waarin iedereen op zichzelf was aangewezen. Elke poging om de industrie op een beschaafde manier te exploiteren werd erdoor ondermijnd.

Edwin zou haar twijfels veel beter onder woorden hebben kunnen brengen en ze kon het niet helpen dat ze William steeds meer met *zijn* ogen begon te zien als een man die wreder, werkschuwer en egoïstischer was dan ze ooit had vermoed. Ze begon te beseffen dat ze nu helemaal in de val zat en vermoedde dat Edwin had geweten dat het hierop zou uitlopen.

Ze wist ook dat ze niet immuun was voor gevaar. Hoe groot was de kans dat ze over de grens zouden komen zonder dat hun bezittingen doorzocht werden? Ze had allerlei verhalen gehoord over de diamantpolitie. Dat die diamantsmokkelaars in een hinderlaag lokte, dat er aan de grens vaak vuurgevechten waren, dat mensen over het *veldt* wegvluchtten en van angst hun diamanten zomaar van zich af gooiden. Die verhalen hadden tot nu toe nooit iets met haar te maken gehad, maar de gevaren waren heel reëel geworden toen ze de doodsangst en hulpeloosheid van de jongen had gezien die door de inspecteur was meegenomen.

William stond onder verdenking, maar leek er zeker van te zijn dat hij niet zou worden gepakt. Hij zei dat ze zouden doen alsof ze op groot wild gingen jagen en stond erop dat zij en Mangwa meegingen, om het eruit te laten zien als een onschuldig jachtgezelschap. De grens lag op een halve dag rijden van Kimberley en hun bagage zou nagestuurd worden. Hij was nuchter, kende de risico's en wilde natuurlijk niet vijfentwintig jaar in Breakwater zitten. Niettemin ging hij proberen diamanten met een waarde van honderdduizend pond de grens over te smokkelen.

'Ik ga kijken of de paarden gereed zijn.' William schudde haar wakker en glipte de slaapkamer uit. Ze drukte een nat washandje tegen haar ogen om de slaap te verjagen en kleedde zich in het donker aan. Het rijkostuum dat hij voor haar had gekocht was knalrood en had een strakke snit. Ze vond het veel te provocerend en voelde zich er niet prettig in. Ze had liever iets anders aangetrokken, maar William had daar niet van willen horen. Toen ze de woonkamer in liep, zag ze Leger, die tegen het raam geleund een pijp stond te roken. Toen hij haar zag, floot hij zachtjes.

'Wat doet u hier?' vroeg ze.

'Heeft hij je dat niet verteld? Ik ga met jullie mee.'

Frances staarde hem aan. Leger ging met hen mee? Waarom had William daar niets over gezegd? Ze had gehoopt hem nooit meer te hoeven zien. Nu zouden ze voortdurend in elkaars gezelschap verkeren. De kans dat ze zich ooit de echtgenote van William zou voelen was nihil zolang Leger er was om haar aan de waarheid te herinneren.

'Mooie stunt van Westbrook gisteravond,' zei hij met zijn hoge, schrille stem.

'Dat hij die jongen aan de politie heeft uitgeleverd? Dat noem ik geen stunt.'

'Maar die diamant,' zei hij. 'Wat een knots!'

'En het is heel verstandig dat hij hem aan de politie heeft gegeven.' Ze schikte haar hoed in de spiegel boven het bureau. 'Hij was het risico niet waard.'

Hij keek eventjes naar haar en lachte toen zachtjes. 'Heeft hij het je niet verteld?'

'Wat bedoelt u?' Ze keek naar hem in de spiegel. Leger wist iets wat zij niet wist en stond zich daarover te verkneukelen.

'Hij heeft de diamant van de jongen omgeruild voor een kleintje van veel mindere kwaliteit. De inspecteur weet nergens van en Westbrook is aanzienlijk rijker geworden. Zo'n schitterend exemplaar hebben we al maanden niet gezien.'

Het duurde een paar seconden voordat volledig tot haar doordrong wat hij zei, en toen werd haar iets duidelijk over William. Hij was een meedogenloze man – veel meedogenlozer dan ze had gedacht. Hij liet zich door niets en niemand weerhouden om zijn zin te krijgen. Het was typerend voor hem dat hij de situatie kalmpjes had uitgebuit. Voor die jongen maakte het niets uit, want die werd sowieso uitgeleverd, maar toch beviel het haar niet. Het deed hem niets dat de jongen levenslang in de gevangenis opgesloten zou worden en ze huiverde ervan dat hij met zo veel gemak mensen dingen voorloog.

Ze liep de achterdeur uit. Buiten was het nog fris en het zwart van de nachtelijke hemel begon al te veranderen in diepblauw. Ze zag schaduwen en hoorde het klakken van paardenhoeven toen de dieren onder het gewicht van hun zadels heen en weer stapten. Snel, hopend dat niemand haar zou zien, trok ze haar handschoenen uit. Ze knielde naast de deur en schoof een losse steen opzij. Eronder lag een plankje. Ze haalde het weg en groef de diamant op. Ze had hem niet willen meenemen, maar was van gedachten veranderd door wat Leger had verteld. Ze was er niet zeker van dat ze William kon vertrouwen. De diamant moest veel waard zijn en ze had méér nodig dan Williams belofte dat hij haar zou beschermen. Terug in de slaapkamer deed ze de deur dicht, rolde haar kous naar beneden en stopte de diamant in het holletje onder haar grote teen. Ze bond er een lintje omheen zodat hij niet zou verschuiven, trok haar kous weer aan en toen haar rijlaars. Haar handen beefden.

'Frances.' William stond in de deuropening. 'Wat ben je aan het doen?'

'Niets.'

'Kom. We gaan.' Hij bekeek haar. 'Als je hebt besloten iets mee te nemen, zorg er dan in godsnaam voor dat het goed verborgen zit.'

Ze liep achter hem aan naar buiten en besteeg de palomino-pony die hij voor haar had gekocht. De adem van de paarden maakte wolkjes in de koude lucht van de dageraad. Dit was de eerste keer dat ze het huis verliet sinds ze hier tien dagen geleden was ingetrokken. Wat was er sindsdien veel veranderd. Ze keek om toen ze wegreden en was er opeens helemaal niet zeker van dat ze er goed aan deed Kimberley te verlaten, maar zette die gevoelens ferm van zich af en gaf de pony de sporen. William reed voorop en Leger was de hekkensluiter, achter de met zakken haver en flessen water beladen paarden. Beide mannen hadden een jachtgeweer en een pistool aan hun riem. Twee jongens reden op muilezels met hen mee. De scherpe randen van de diamant drukten in haar vlees en ze deed een schietgebedje dat ze niet zouden worden aangehouden.

Op Market Square was het stil, afgezien van het snuiven van wat ossen en het weerklinkende geklak van de paardenhoeven op de harde grond. Ze kwamen langs twee mannen die zachtjes mopperend een lading timmerhout uitlaadden. Toen ze de andere zijde van het plein bereikten, hoorde Frances stemmen. Een groep geüniformeerde zwarten stond tegen de muur geleund te roken. Ze bekeken de ruiters met scherpe, alerte ogen. Frances vroeg zich af waarom ze zo vroeg op waren en of ze van de diamantpolitie waren.

Algauw lieten ze de gekleurde huizen van golfplaat achter zich en reden langs een groot tentenkamp. Een luidruchtige groep mannen zwermde uit over de straat, op weg naar de mijnen. Het waren hoofdzakelijk zwarte arbeiders die een pikhouweel op hun schouder droegen en hun ogen toeknepen tegen de stralen van de laagstaande zon. In het kamp stonden tussen de krotten van golfplaat grote tenten die dienstdeden als kantines. Het rook er naar verbrand vet, naar de dauw en naar zweet, maar dat alles werd overheerst door de stank en het lawaai van te veel mannen die te dicht op elkaar leefden.

Toen de weg zich verbreedde, lieten ze de stad achter zich en reden de glimmerende vlakte van de Karoo tegemoet.

Leger ging naast William rijden en Frances stond haar pony toe wat achter te blijven. De zon was opgekomen en wierp achter hen lange schaduwen op de droge grond. Ze keek om zich heen naar het vlakke land dat zich tot aan de horizon uitstrekte, voornamelijk begroeid met lage struiken, hier en daar afgewisseld met de roestbruine kruin van een aloë die als een wachtpost uit de grond oprees. De politie was nergens te bekennen. Mangwa liep aan een leidsel naast William, als een volmaakte fata morgana in zwart en wit. Hij liep met kortere stappen dan het paard, zodat hij om de paar meter eventjes moest draven om bij te blijven. Hij had last van de vliegen, die zich rond zijn ogen verzamelden als bijen in een honingraat, en schudde steeds zijn kop om ze weg te jagen.

Ze zag dat Williams hand op zijn zadeltas rustte. Zijn brede, vereelte vingers gleden heen en weer over het canvas. Aan de voorkant was een vak dat helemaal volgestouwd was. Hij liet zijn duim heen en weer gaan over de contouren van de bobbel, langs de leren randjes waarmee het vak was afgezet en over de brede riem met de koperen gesp. William leek kalm. Te kalm, vond ze, voor iemand die voor honderdduizend pond aan gestolen diamanten bij zich had. Zijzelf had pijn in haar buik van angst.

Voor hen rezen als reusachtige termietenheuvels bergen puin op. Een Boerenfamilie had zich over een ervan uitgespreid om de aarde te zeven. Ze zouden boffen als ze iets zouden vinden. Dit was grond uit de mijnen die al was doorzocht en daarna hier gedumpt. Aan de zijkant van de berg kwam met een rommelend geluid een steenlawine naar beneden. Een klein meisje sprong met de schuivende grond mee naar beneden en strekte haar handje uit naar Frances. Ze was helemaal bedekt met het bruine stof en het wit van haar ogen glansde als marmer in haar donkere gezichtje. Frances zocht in haar zak naar een paar centen en gooide haar die toe.

Terwijl de zon steeds hoger klom, reden ze langs *kopjes* die uit de grond oprezen en de contouren van het landschap verzachtten. Er was nog steeds geen politie te bekennen en ze begon te hopen dat ze niet zouden worden aangehouden. Opeens hield William zijn paard in. Vier of vijf lijken lagen schots en scheef op elkaar aan de voet van een *kopje*. Aasgieren zaten erbovenop. Frances zag een wirwar van ledematen en een beweging, alsof een van hen probeerde op te staan. Toen ze dichterbij kwam, besefte ze dat het een zwerm vliegen was die neerstreek en oprees al naargelang de bewegingen van de aasgieren. De vliegen bedekten de lijken steeds als een levende mantel. De doden waren naakt. En het waren allemaal zwarten. Een ervan lag met zijn hoofd in hun richting, boven op de benen van een ander. Zijn hoofd lag onder een scheve hoek. Een aasgier had zijn keel eruit gerukt, maar zijn gezicht was nog heel. De huid was bedekt met een massa witte blaasjes, die dicht op elkaar zaten en in de zon opdroogden tot een korst die al begon los te laten van het onderliggende vlees. Ze hield haar hand voor haar neus en mond tegen de walgelijke, zoete stank en slikte om het kokhalzen tegen te gaan.

'Ja, duidelijk de pokken,' zei Leger. Hij gaf zijn paard de sporen en spuugde op de grond.

'Ik dacht dat je het niet geloofde,' zei Frances toen ze naar William was gereden.

Hij wierp een blik op haar maar zei niets.

'Je zei dat je er zeker van was dat het om pemfigus ging.'

'Ik zei dat de artsen er zeker van waren dat het om pemfigus ging.'

Langzaam drong de afgrijselijke waarheid tot haar door. 'Je hebt het dus al die tijd geweten?'

'Geen van ons weet iets, Frances. Het zijn allemaal speculaties.' Zijn stem klonk scherp van ingehouden woede. Hij had haar al eens geslagen. Ze kende de waarschuwingssignalen, maar ze wilde zekerheid. 'Je wist dus dat Edwin er financieel niet beter van werd?'

'Wat heeft Matthews hiermee te maken?'

'Je hebt me tegen hem opgehitst.'

'Jezus, Frances, hij was je man! Kon je zelf geen oordeel vellen?'

'Maar als jij ook dacht dat het om de pokken ging, waarom heb je dan niets gedaan?'

'Gebruik je verstand,' zei hij. 'Heb je enig idee hoeveel het kost als er duizenden zwarten in quarantaine moeten? Als er zes maanden niet wordt gewerkt, is het gedaan met de mijnen. Iedereen in Kimberley heeft aandelen en de meesten hebben die gekocht met geleend geld. Heel Zuid-Afrika doet eraan mee. Het gaat niet om een paar mannen die winst willen maken. Het lot van een heel land staat op het spel. Als speculanten, internationale investeerders en banken horen dat hier pokken heerst, zakt het hele kaartenhuis in elkaar. Wat moet ik dan? En jij? En al die verrekte zwarten van Matthews?'

Ze luisterde maar met een half oor. 'Jij hebt invloed op Baier,' zei ze.

'Of er in Kimberley pokken heerst of niet is iets waar ik geen enkele verantwoordelijkheid voor draag.'

'Je kunt niet zomaar weggaan terwijl je weet dat de epidemie zich zal uitbreiden.'

'Waarom niet?' vroeg hij. 'Jij hebt de bijzonder irritante gewoonte om andere mensen schuldgevoelens aan te praten voor feiten waar je zelf geen weg mee weet. Je was zelf met die kerel getrouwd. Als er iemand is die in hem had moeten geloven, ben jij het. Het spijt me dat ik het moet zeggen, maar jij bent precies zoals wij allemaal – je wilde het niet weten.' Hij gaf zijn paard de sporen en reed weg om Leger in te halen. Ze besefte dat hij gelijk had. Ze had het niet willen weten en daardoor droeg ze net zo veel schuld als hij.

De zon stond in het zenit toen haar pony zijn oren draaide en schril hinnikte. Ze draaide zich om en zag een wervelende stofwolk. Voor de wolk uit reden twee mannen te paard in volle vaart op hen af. William keek om zich heen en zag dat er uit de tegenovergestelde richting ook twee agenten aankwamen, die hun de weg naar de grens versperden.

'Houd halt, meneer!' riep de sergeant. Hij hield zijn paard zo abrupt in dat het steigerde en wild zijn hoofd schudde. Het speeksel van het dier vloog in het rond. Mangwa rukte zo angstig aan het touw dat hij William bijna uit het zadel trok. Hij verhief zich op zijn achterpoten en draaide in het rond, terwijl hij met angstige ogen naar de vreemdelingen keek. Frances voelde haar hart bonken.

De sergeant had een karabijn over zijn schouder en zijn agenten hadden jachtgeweren. Frances zag dat William zijn eigen geweer van zijn schouder nam en losjes in zijn rechterhand hield. Hij wierp een blik op Leger, die zijn mond vertrok, zijn geweer eveneens in zijn hand nam en zacht klakkende geluidjes maakte met zijn tong. Frances bad in stilte dat William zich rustig zou overgeven. Met twee geweren konden ze niets beginnen tegen vier gewapende agenten. Hij zou gek zijn als hij zou proberen zich te verzetten. Maar toen ze naar hem keek, zag ze dat zijn gezicht een minachtende uitdrukking had.

'Meneer Westbrook. We zien ons genoodzaakt u te fouilleren. Ik heb reden u te verdenken van...' De sergeant zweeg amechtig. Hij hijgde alsof zijn longen zich met het woestijnstof hadden gevuld. Hij maakte een vaag gebaar naar hun groep en keek nerveus naar William. Tot Frances' verbazing hing William zijn geweer weer over zijn schouder, liet de teugels los, steeg af, en gaf Leger een teken zijn voorbeeld te volgen.

De sergeant keek niet meteen in Williams zadeltas. In plaats daarvan begon hij met het fouilleren van de mannen. Toen hij daarmee klaar was, wenkte hij Frances. Haar knieën knikten toen ze zich van de pony liet glijden. De sergeant stak een arm uit om haar te ondersteunen. Toen liet hij zijn handen over haar lichaam gaan, beginnend met haar haar, waarbij hij zijn duimen in en rond haar oren liet gaan. Vervolgens stak hij zijn vingers in de halsrand van haar rijkostuum. Ze zag dat William toekeek. Nu gleden de vingertoppen van de sergeant over haar taille en betastten de naden van haar kostuum. Ze had moeite niet instinctief een stap achteruit te doen. Zijn gezicht was amper twee centimeter van het hare verwijderd en zijn adem rook naar biltong. Toen ze haar ogen ophief naar de zijne, zag ze dat hij haar met strakke blik aankeek. Tot slot zei hij dat ze haar laarzen moest uitdoen. Haar keel maakte een gesmoord geluid toen ze zich bukte om de veters los te maken.

Ze zette haar voeten een voor een op de grond en gaf hem de laarzen. Ze hoopte vurig dat hij de kleur van het lintje niet door haar kous heen zou zien. Hij stak zijn handen in het warme, zachte leer, op zoek naar diamanten, en gaf de laarzen onverrichter zake aan haar terug. Toen hij haar bedankte, boog ze haar hoofd opdat hij niet zou zien hoe opgelucht ze was. Hij ging haar voeten niet nader bekijken. Met trillende vingers trok ze de laarzen weer aan. Toen William zag dat de sergeant met haar klaar was, spuugde hij voor diens voeten op de grond en liep met Leger het *veldt* op waar ze gehurkt, met hun hoed diep over hun ogen getrokken en hun rug naar de agenten, met elkaar gingen zitten praten. Frances bleef staan waar ze stond. Ze had geen idee of ze zich bij hen moest voegen of niet.

De agenten tilden de zadels van de paarden en betastten de hoeken ervan. Uiteindelijk, met voorgewende kalmte, verwijderde de sergeant de zadeltas, waarna hij de gespen van de drie riempjes losmaakte. Hij stak zijn hand in de tas en haalde er iets uit wat glinsterde in de zon. Hij duwde de voorwerpen heen en weer op zijn handpalm. Zijn schouders zakten en de nervositeit verdween van zijn gezicht. Dat was het dan. Hij moest de diamanten hebben gevonden. Maar opeens liet hij de voorwerpen die op zijn handpalm lagen tussen zijn vingers door op de grond vallen en zag Frances dat het geen diamanten waren maar jachtpatronen.

De sergeant veegde het zweet van zijn voorhoofd. William keek om en lachte schamper. 'U dacht toch niet dat het diamanten waren, sergeant?'

De sergeant zei tegen zijn manschappen: 'Fouilleer de jongens.'

De jongens gaven zich er gelaten aan over. Frances wist hoe het in zijn werk ging en hoewel ze met haar rug naar hen toe ging staan, kon ze niet ontsnappen aan de gesmoorde geluiden die de jongens maakten toen de agenten de binnenkant van hun wangen aftastten en hun vingers zo diep in hun keel staken dat ze begonnen te kokhalzen en te hoesten. Ze wist dat ze ook in de oren van de jongens zouden kijken en hun handen over hun hele lichaam zouden laten gaan, op zoek naar sneetjes die duidden op onderhuidse zakjes. Er klonk een rinkelend geluid toen ze hun riemen losmaakten en een protesterend gejammer toen de jongens zich vooroverbogen opdat de agenten hun handen tussen hun billen konden laten glijden.

'Niets te vinden, meneer. Wat moeten we nu doen?' De agenten haalden nerveus sigaretten uit hun zak en keken verwijtend naar hun meerdere. Hun arrogante zelfvertrouwen was verdwenen als sneeuw voor de zon. Nu de kans om een beroemde diamanthandelaar op te pakken was verkeken, schaamden ze zich, en weg was hun eerdere enthousiasme over het mogelijke schandaal dat hen enkele seconden geleden nog in de greep had gehad. Er gleed ook een onderstroom van angst door het groepje. Baier zou zijn neef beschermen en had de reputatie wraakzuchtig te zijn.

De sergeant dacht na. De aderen in zijn hals waren gezwollen en een straaltje zweet droop in zijn overhemd. 'Meneer Westbrook,' zei hij, 'u mag uw reis voortzetten. Dank u voor uw geduld.'

'Hebt u niet gevonden wat u zocht, sergeant?'

De agenten stegen op, keerden hun paarden en reden terug naar Kimberley.

Ze reden verder onder de brandende zon. Frances' omslagdoek was zo warm dat ze hem afdeed en op het zadel legde. De tere, rode haartjes op haar armen verschroeiden, haar mond was droog en ze likte met haar gezwollen tong steeds aan haar mondhoeken.

Met een soepele beweging draaide William zich in het zadel naar haar om. Ze keek met knipperende ogen naar hem. Hij bekeek haar taxerend, met een strak gezicht. Hij had haar nog niet vergeven. Haar hart miste een slag en begon toen veel te snel te kloppen. Ze bracht nerveus haar hand naar haar hals.

'Water,' riep hij naar een van de jongens, die zijn hielen tegen de flanken van zijn muilezel zette, langszij kwam rijden en een flacon omhoogstak. William bleef haar aankijken terwijl hij dronk. Het water droop over zijn kin en mengde zich met de donkere zweetplekken op zijn overhemd. Toen hij de flacon van zich afhield, verschenen er rimpeltjes in zijn ooghoeken en trokken zijn lippen zich tot een streep. Het was een geniepige glimlach en ook al had Frances zo'n dorst dat haar tong aan haar verhemelte plakte, ze weigerde hem om water te vragen.

Toen ze aankwamen bij de mottige verzameling krotten die de grens van het Britse territorium vormden, toomde William zijn paard in, en hij wachtte tot ze hem had ingehaald. Hij pakte haar hand. 'Was je bang? Frances, je dacht toch niet dat ik diamanten zou verstoppen op een plek waar die agenten ze zouden kunnen vinden?'

Een lach ontsnapte haar. Hij glimlachte terug. Ze was blij dat ze het gehaald hadden en William leek vergevingsgezind. Hij sprong soepel van zijn paard, met zijn geweer over zijn schouder, en hielp haar met afstijgen. Met zijn ene hand hield hij Mangwa's leidsel vast, terwijl hij haar met zijn andere hand ondersteunde.

Nu trok hij Mangwa naar zich toe met zijn arm stevig om de kop van het dier geklemd. Met zijn andere hand streek hij over de gespierde flank van de zebra. De strepen rimpelden onder zijn vingers. Zweet had, als een bevuilde vloedlijn, de perfecte strepen van zijn huid doen vervagen. Mangwa bewoog zich onrustig toen William hem bleef strelen, draaide zijn oren naar achteren, stampte met zijn achterpoten en probeerde met kruiselingse passen bij hem vandaan te komen.

Hij overhandigde het leidsel aan een van de jongens, die de zebra naar een kraal bracht. Mangwa snuffelde aan hem, alsof hij wist dat hij nu eten zou krijgen. De jongen deed zijn hoofdstel af en de zebra dribbelde naar de voedertrog waar hij gulzig grote happen hooi naar binnen begon te werken.

William liep de kraal in en nam met een snelle beweging het geweer van zijn schouder. Frances begreep opeens wat er ging gebeuren en schreeuwde naar Mangwa. De zebra hief geschrokken zijn kop op en keek naar haar. Ze holde op William af toen het schot klonk. De zebra sprong de lucht in, schokkend als een marionet. Een siddering ging door zijn lichaam. Hij kreunde en zijn achterpoten sloegen tegen de omheining van de kraal, die met een scherp gekraak onder hem bezweek. Ze bereikte hem op het moment dat hij neerviel. Er was geen bloed, maar het oog aan haar kant was wit en blind.

Ze slaagde erin zijn kop op te tillen en zodanig te draaien dat het gewicht ervan op haar schoot kwam te liggen. Slijm droop uit zijn bek, gevlekt met bloed. Zijn lippen waren teruggetrokken en lagen strak over zijn tanden gespannen. Ze hoorde William achter haar iets zeggen. Een van de jongens kwam de kraal in met een *tapanga*.

'Ga weg,' riep ze naar hem. De jongen bleef staan en staarde haar met open mond aan. William liep naar de zebra. Frances begon met een schorre stem tegen hem te schreeuwen. 'Wat moet je met hem? Laat hem met rust!' Ze stond op en begon William met haar vuisten te slaan, op zijn borst, zijn schouders, en zette haar nagels in zijn hals. Hij greep haar handen en hield haar in bedwang. Iemand anders sloeg zijn armen om haar lichaam en trok haar weg. Het was Leger die haar achteruitsleurde. William hurkte naast de jongen en legde zijn hand op Mangwa's schoft. Frances schopte naar Legers benen, krijsend van razernij, en gooide haar hoofd achterover in de hoop zijn kaak te raken, maar dat lukte niet. Hij legde zijn hand rond haar keel. Zijn vingers begonnen te knijpen tot ze bijna geen adem meer kon krijgen en toen draaide hij langzaam een van haar armen op haar rug. Haar schoudergewricht werd bijna uit de kom gedraaid. Misselijk van de pijn hield ze op met krijsen.

'Dat is beter,' zei Leger, zijn adem vochtig in haar oor. Hij duwde haar tegen de omheining. Zijn gewicht perste de lucht uit haar longen. Er gleed iets langs haar hals en ze zag vanuit haar ooghoek dat het gouden kettinkje dat William haar had gegeven, was gebroken en op de grond viel. Ze begon weer tegen te spartelen, maar hij hield haar in bedwang en lachte zachtjes. 'Ik had niet gedacht dat je zo'n fel grietje was.'

Ze kon haar lichaam niet bewegen, maar wel haar hoofd. De jongen zat gehurkt in de kraal. Met het kapmes sneed hij de zebra open van borst tot kruis. Het was een kaarsrechte snee. De maagzak gleed op de grond, gezwollen, wit, glanzend, als een gedeformeerde foetus, gevolgd door de paarse, kronkelende massa van de darmen. De jongen stak de punt van het mes in het gladde, witte vlies van de maag, dat door de zachte druk van het staal meteen openspleet. Er klonk een zucht van ontsnappende lucht en er lekte groene en bruine smurrie op de grond. William leunde naar voren, met zijn hoofd op de ribben van de zebra, en stak zijn hand in de maag. Grommend liet hij zijn arm er steeds dieper in verdwijnen, eerst tot zijn elleboog en toen helemaal tot zijn schouder. Even later slaakte hij een triomfantelijke kreet. Met een zuigend geluid kwam zijn arm weer tevoorschijn. In zijn hand hield hij een klein, tot een bal gebonden pakketje. En toen nog zo'n pakketje, en nog een. Ze wist wat ze bevatten.

31

DRIE DAGEN LANG ZEI FRANCES GEEN WOORD. ZE LOGEERden in een armoedig pension tot hun bagage zou komen en ze keek tandenknarsend toe toen twee zwarten het karkas van Mangwa op een kar laadden en meenamen om als vlees verkocht te worden. Het was haar schuld dat hij dood was. Zij had hem hierheen gehaald en ze had hem moeten beschermen.

William reageerde op haar zwijgen zoals hij zou reageren op de verwende kuren van een kind, namelijk door geen aandacht aan haar te besteden. Hij bracht zijn dagen door in gezelschap van Leger, kroop pas tegen de ochtend in bed en lag dan uren te snurken, terwijl zij gevangen lag tussen hem en de schilferige wand en zich afvroeg waarom ze niet had ingezien hoe dom ze was geweest.

Op de derde ochtend werd ze wakker met een zwaar hoofd en dikke ogen. Al haar spieren deden pijn en toen ze zich bukte om haar rijlaarzen dicht te rijgen, klopte het bloed in haar slapen. William kwam binnen en begon zijn tassen in te pakken.

'We vertrekken,' zei hij met een blik op haar.

'Ik ga niet mee,' zei ze zachtjes.

'Ze kan praten,' riep hij zogenaamd verrast uit. 'Alles staat al in de huifkar. We moeten over een halfuur vertrekken als we vandaag nog willen gaan. Als ik jou was, zou ik dus maar snel mijn spullen inpakken, anders mag je achter ons aan rennen.' Hij sprak op een luchtige, praktische manier, alsof er niets was gebeurd. Hij glimlachte zelfs en streek over zijn haar, dat een beetje vochtig was van het zweet. 'En hardlopen is in deze hitte niet aanbevelenswaardig.' Hij liep naar de deur, maar draaide zich daar om. Misschien was hij verontrust omdat ze weer bleef zwijgen. Op een serieuze, verzoenende toon zei hij: 'Frances, we hebben nu geld. We kunnen doen wat we willen. Ik ga in het noorden goudvelden opkopen. In Johannesburg kunnen we alles kopen wat ons hartje begeert. Je zult je een stuk beter voelen als je daar eenmaal bent.'

Ze zei niets. Hij vatte haar zwijgen op als vooruitgang en kwam naast haar op het bed zitten. Ze vond het niet prettig hem zo dicht bij zich te hebben. 'Jij vindt dat ik het je had moeten vertellen, maar je weet best dat ik dat niet kon doen,' zei hij teder terwijl hij een lok haar achter haar oor streek. 'Je zou het nooit goed hebben gevonden. En het is maar goed dat ik het gedaan heb. Het was kantje boord met die agenten. Een ander zou misschien gepakt zijn.' Hij nam haar hand in de zijne. Ze liet het toe en hij vatte dat op als een positief teken.

'Je zou me juist moeten bedanken,' zei hij. Ze had het gevoel dat haar lichaam niet meer bij haar hoorde en dat zijn stem van heel ver kwam. Ze voelde het contact tussen zijn hand en haar huid, maar het leek niets met haar te maken te hebben. 'Snap je het nu?' Hij kuste haar knokkels. Zijn lippen waren koud. 'We zijn vrij.'

'Tegen welke prijs?'

'Frances, doe alsjeblieft redelijk. Ik weet dat je op die zebra gesteld was, maar er stonden belangrijker dingen op het spel.'

'Je hebt toegestaan dat Leger me vastgreep.'

'Je was over je toeren,' zei hij sussend. 'Je moest gekalmeerd worden.'

Even bleef het stil. William keek alsof hij vond dat het gesprek lang genoeg had geduurd en stond op. Ze besefte dat dit alles hem verveelde. Hij begreep niet eens dat er een verandering in haar had plaatsgevonden.

Toen hij naar de deur liep, zei ze op zachte toon tegen zijn rug: 'Toen we nog in Kimberley waren, is er iemand bij mijn man gekomen. Midden in de nacht. Het was een mijnwerker en hij was ernstig gewond. Hij bloedde heel erg. Weet je waar ik het over heb?'

Hij draaide zich om. Zijn gezicht stond nu niet verveeld meer. Ze had zijn aandacht. 'Hoe moet ik nou weten welke kaffers er in Kimberley allemaal gewond raken?'

'Omdat er een lapje met een nummer op zijn hemd zat. Het was een van Baiers arbeiders.'

'Baier heeft honderden zwarte arbeiders en die kunnen we echt niet allemaal uit elkaar houden.'

'Nummer zes vier,' zei ze. 'Hij is in mijn armen gestorven. Zijn verwondingen waren gruwelijk. Je moet erover gehoord hebben.'

Hij vloekte binnensmonds. 'Wat voor spel speel je nu weer? Waarom probeer je me altijd in een hoek te drukken?'

'Wist je ervan?'

Hij keek haar recht in de ogen, met zijn kaken op elkaar geklemd, zijn gezicht verhard tot een wreed masker. 'Ja, ik wist ervan.'

Angst speelde geen rol meer. Ze *moest* de waarheid weten. 'Wat was er met die man gebeurd?'

'Hij was betrapt met een diamant die onder de huid van zijn dijbeen was genaaid. Baier vond dat hij gestraft moest worden.'

'Wie kreeg de opdracht hem te straffen?'

Hij draaide haar zijn rug toe en deed de deur open. 'We vertrekken over tien minuten. Als je mee wilt, moet je opschieten.'

Ze ging door. 'Er zat een leren band om zijn pols. Waar was die voor?'

'Dat weet ik niet. Misschien om hem een eindje over de grond te slepen.'

'Achter een paard?'

'Ja, achter een paard. Jezus, het was een dief, Frances. Hij wist welke risico's hij nam.'

Er begon haar iets te dagen. 'Was hij een van jouw mensen?'

'Hoe bedoel je?' vroeg hij op de effen toon van gevaarlijk sarcasme, en hij deed de deur weer dicht.

'Betaalde jij die man om diamanten uit Baiers mijn te stelen?'

William zei niets.

'Wat zou Baier gezegd hebben als die man het hem had verteld?'

'Die vent was een doortrapte leugenaar. Hij probeerde me tegen Baier uit te spelen.'

'En daarom heb jij hem laten straffen?'

'Ga je mee of niet?' snauwde hij.

'Wat doe ik hier?' vroeg ze. Eindelijk zag ze alles helder. 'Ik bedoel, het is duidelijk dat je niet van me houdt. Waarom heb je me meegenomen?'

Opeens zag ze dat hij ondanks zijn woede een beetje schaapachtig keek. Betrapt. 'Doe niet zo raar. Natuurlijk hou ik van je.'

Ze staarde hem verwonderd aan. 'Doe je dit omdat Baier het wil? Is dat de reden waarom je me hebt meegenomen? Want dit past echt in zijn straatje. Dat jij dokter Matthews zijn vrouw hebt afgepakt.'

'Welnee,' zei hij op een zachtere toon. 'Dit heeft niets met Baier te maken. Wat maakt het uit of het in zijn straatje past of niet? Zolang wij maar bij elkaar zijn.'

Inzicht. Zoals de lucht na een stofstorm opklaart, werd de waarheid aan haar geopenbaard. Ze voelde helemaal niets meer voor hem. Het was alleen maar een fantasie geweest. Hij zou haar onderhouden zolang hem dat uitkwam, zolang het voor hem een soort overwinning was dat hij haar bezat, zolang Baier zei dat het mocht, maar er zou geen liefde zijn, geen medeleven, geen vertrouwen. Hij was een onmens en een lafaard en ze wilde zo snel mogelijk van hem afkomen.

'Frances,' zei hij, 'ik beloof je dat ik alles zal goedmaken, maar nu moeten we echt gaan.'

'Ga maar. Ik wil niets meer met je te maken hebben.'

'Weet je wel wat je zegt?' Zijn woede vlamde meteen weer op. 'Denk maar niet dat ik je terugneem als je me straks op je knieën komt smeken.' Ze keek naar de muur en zweeg. Heel even bleef hij roerloos staan. Ze voelde dat hij naar haar keek, dat hij wachtte tot ze zou zwichten. Toen vloekte hij, waarna hij zich omdraaide en snel de kamer uit liep.

De deur was open blijven staan. Ze stond op om hem dicht te doen, ging toen weer op het bed zitten en sloeg haar handen voor haar gezicht. Wat had ze een enorme fout gemaakt. Hoe had ze ooit kunnen denken dat ze van hem hield? Een man die alleen maar om zichzelf en zijn ambities gaf, een man die zich aan zijn neef vastklampte en nog geen adem durfde halen zonder diens toestemming. Ze drukte haar vuisten tegen haar voorhoofd. Er was een tijd geweest dat ze had gedacht dat hij moed bezat omdat hij een impulsief leven leidde, maar nu was gebleken dat hij een man was die vol angsten zat, een Romeo in een pantomime met een werkschuwe rusteloosheid die constant afwisseling nodig had. Ze had van hem gehouden omdat hij zo overtuigend van zichzelf had gehouden en nu – te laat – zag ze hem zoals hij in werkelijkheid was: een groot kind, een eigenzinnige man die gevaarlijk was omdat hij altijd zijn zin doordreef.

Ze wachtte tot William en Leger de stad hadden verlaten en pakte toen haar spullen in. Het was niet veel en paste met gemak in de reistas die ze al die maanden geleden uit Engeland had meegebracht. Haar koffer stond in Williams huifkar. Ze verzocht een bediende van het pension haar pony te zadelen, maar de jongen kwam onverrichter zake terug. William had de pony meegenomen. Ze kreunde gefrustreerd.

Ze had geen geld en wist niet hoe ze nu in Kimberley moest komen, terwijl ze Edwin dringend moest spreken. Dat was het enige wat nu nog belangrijk was. Ze wilde van hem horen dat hij haar vergaf. Al wist ze zelf niet waarom hij dat zou doen. Ze was weggelopen met een man die hij verachtte, had hun huwelijk kapotgemaakt, hem in ieder opzicht verkeerd beoordeeld en geweigerd in de pokkenepidemie te geloven, enkel en alleen omdat ze bang was geweest voor de gevolgen als mocht blijken dat hij gelijk had. Ze wilde hem vertellen – als hij bereid was te luisteren – dat ze in Kimberley bang was geweest, geïntimideerd door de kracht van zijn vastberadenheid, maar diep in haar hart wist ze dat dat niet genoeg zou zijn. Ze moest hem ervan overtuigen dat ze was veranderd.

Ze verliet de kamer en liep met haar reistas in haar armen geklemd het felle zonlicht in. Haar ogen brandden en ze had een beurs gevoel in haar hele wervelkolom. Ze voelde zich vreemd, alsof haar lichaam ten prooi viel aan een ziekte terwijl haar geest zich ervan distantieerde. Ze rilde ondanks de warmte en voelde een tinteling van angst over haar rug kruipen. De lijken aan de voet van het *kopje* – die mensen waren aan de pokken gestorven. Wilde dat zeggen dat Mariella er ook mee besmet was? En was het mogelijk dat zij het nu zelf ook had? Ze drukte haar vingers tegen haar ogen om de pijn te verlichten. Misschien was slaapgebrek het enige waar ze aan leed.

De grensstad bestond uit een rommelige verzameling huizen en krotten van golfplaat, met hier en daar een kraal voor de paarden. Voor het pension stond een kleine, eenzame acacia waaronder een groepje zwarten in de schaduw zat. In een van de krotten had volgens het uithangbord een diamanthandelaar zijn kantoor. Het bleek een Amerikaan te zijn, jong, arrogant, en naar zijn armoedige kleding te oordelen, niet erg succesvol. Hij bekeek het dure rijkostuum dat William voor haar had gekocht en ze kreeg meteen spijt dat ze zich niet had omgekleed. Ze legde de diamant op het bureau. De man hield hem op naar het licht.

'Die is niet veel waard, mevrouw,' zei hij. Hij gaf hem aan haar terug.

'Ik geloof u niet, meneer.'

'Misschien kunnen we dan tot een prijs komen die tussen uw ongeloof en mijn wensen ligt.'

'Hoeveel kunt u me geven?'

Hij noemde een bedrag.

'Daarmee dupeert u mij schandelijk,' zei ze, want het zou amper genoeg zijn voor de terugreis naar Kimberley.

'Nee, mevrouw, daarmee bewijs ik u een dienst.' Hij keek haar veelbetekenend aan. 'U verkeert in moeilijkheden en ik kan u helpen. Maar ik ben niet van plan daar een fortuin voor te betalen.'

Hij telde een handvol bankbiljetten uit die ze aanpakte omdat ze zich niet helder genoeg voelde om lang met hem te bakkeleien.

Ze huurde een rijtuig. Het kostte haar bijna al haar geld, maar dat kon haar niet schelen; het was de snelste manier om in Kimberley te komen. De wielen ratelden op de ongelijke weg en ze hield zich aan de houten armleuningen vast om rechtop te blijven. De bank was erg ongerieflijk en haar tong lag droog en gezwollen in haar mond, als karton.

Een splinter doorboorde de huid van haar handpalm. Ze zoog het druppeltje bloed weg, zichzelf vervloekend dat ze was blindgevaren op haar eigen ideeën. Ze had haar hele leven bescherming gezocht bij andere mensen, geweigerd de onrechtvaardigheid van haar vaders dood en de afwijzende houding van haar oom te accepteren, noch de wrede werkelijkheid van wat er in de mijnen van Kimberley gebeurde. Nu zag ze eindelijk in dat Edwin, door te weigeren haar tegen de waarheid te beschermen, haar kracht had willen geven. Hij had haar niet alles voorgekauwd. Hij had gewild dat ze zelf tot conclusies zou komen. Hij had geduldig gewacht tot ze over haar meisjesachtige bevlieging heen zou zijn en uiteindelijk had hij haar meegenomen naar Kimberley opdat ze met haar eigen ogen zou kunnen zien wat corruptie inhield. Maar zij had de wereld evengoed niet gezien zoals die was.

In zijn artikel had hij de domme reactie van het Engelse meisje genoemd, dat in de Big Hole had gekeken en niet het lijden van de arbeiders had gezien. Dat was zij, besefte ze nu. Ze stond versteld over haar eigen naïviteit. Het was net alsof ze uit een fantasiewereld was gestapt en was terechtgekomen in een wereld die grimmiger en wreder was dan ze zich ooit had kunnen voorstellen, een wereld waarin ze rekening en verantwoording moest afleggen voor haar daden. Ze had nog nooit het gewicht van een dergelijke verantwoordelijkheid gevoeld en ging eronder gebukt.

Het rijtuig reed door een kuil waardoor ze opwipte op het bankje. Haar rug deed pijn en haar benen waren zwaar. Ze merkte dat de warme lucht die door het open raam naar binnen kwam, haar kippenvel bezorgde. Ze ging verzitten op het warme leer. De achterkant van haar benen was nat van het zweet.

Opeens besefte ze dat ze niet eerlijk was tegenover zichzelf. Ze wilde niet alleen dat Edwin haar zou vergeven. Ze wilde dat hij zijn armen naar haar zou uitsteken om haar naar zich toe te trekken. Ze wilde dat hij in haar oor zou fluisteren dat hij in Rietfontein van haar had gehouden en dat hij nog steeds van haar hield. Ze wilde dat hij haar nodig had en ze wist dat alleen zijn aanraking vergeving zou zijn. Ze herinnerde zich de avond in het huisje, na het schapen scheren, toen de brandewijn iets in hem had losgemaakt. Hoe hij naar haar had gekeken met zijn koele, grijze ogen, terwijl het zwart van de nacht zich door het raam aan hen had opgedrongen, en hoe graag ze toen had gewild dat hij haar zou kussen.

Ze hield van hem. Het kwam als een schok. Misschien had ze al heel lang van hem gehouden zonder het zelf te beseffen. Ze beet op haar lip, bang dat hij zou weigeren haar te ontvangen als ze eenmaal in Kimberley was, want dat zou ze niet kunnen verdragen.

Het rijtuig zette haar af bij Edwins provisorische kliniek. Legertenten stonden strak en roerloos in de hete, stille lucht. Een paar agenten van de sanitaire politie zaten onder een luifel. Ze hadden kakikleurige uniformen aan en waren gewapend. Een zwarte laadde brancards van een ezelwagen. Ze rook de zwavelgeur die ze herkende van het quarantainekamp. Er waren geen huizen in de buurt en op het terrein heerste de stilte van het *veldt* op het heetst van de dag. Het enige geluid was dat van de brancards die op elkaar werden gestapeld. Ze liep over het kale terrein naar de tenten en schrok toen een korhoen vlak naast haar met een kwakend geroep opvloog.

‘Kan ik iets voor u doen, mevrouw?’ Een verpleegster verscheen onder de luifel van de dichtstbijzijnde tent.

‘Ik ben op zoek naar dokter Matthews,’ zei Frances. Ze keek langs haar heen de schemerige tent in.

‘Die is er helaas niet.’

‘Weet u dat zeker?’

‘Heel zeker.’

Frances transpireerde en was een beetje duizelig. Ze probeerde helder te denken, maar voelde zich helemaal niet lekker. Haar hoofd bonkte en haar benen waren slap. ‘Waar kan ik hem vinden?’

‘Ik mag u helaas niet vertellen waar onze artsen zich bevinden.’

‘Aan mij wel. Ik ben zijn echtgenote.’

De vrouw trok afkeurend haar mondhoeken naar beneden. Frances vroeg zich af of alle verpleegsters hier wisten dat ze Edwin voor een ander had verlaten.

‘Frances?’ Anne stond opeens achter haar.

‘Weet jij waar Edwin is?’ vroeg Frances. ‘Ik moet hem dringend spreken.’ Ze opende en sloot haar handen, had het warm en voelde zich raar.

‘Hij is niet hier,’ zei Anne.

‘Wanneer komt hij terug?’ Ze deed haar best niet wanhopig te klinken.

‘Frances, je bent niet in orde.’ Anne pakte haar hand en leidde haar naar de koele schaduw van een kleinere tent die als een soort receptie diende. Ze keek haar met een vreemde uitdrukking in haar ogen aan.

'Wat is er?' vroeg Frances. Ze betastte haar haar. 'Waarom kijk je zo raar naar me?'

'Ga even zitten.' Anne wees naar een rechte, houten stoel en schonk een glaasje water voor haar in. Frances merkte dat haar hand trilde toen ze het aanpakte. Na een paar slokjes werd ze iets rustiger. 'Heb jij Mariella gezien?'

'Mariella?' Anne keek haar onthutst aan. 'Heb je het niet gehoord?'

'Wat niet?' Haar stem klonk in haar hoofd alsof ze onder water zat.

'Mariella is vorige week gestorven.'

Frances voelde de schok diep in haar buik. Ze hapte naar adem en vroeg: 'Gestorven? Waaraan?'

'Aan de pokken.'

'Was ze hier?'

'Pas toen het al te laat was.'

'Maar ik had nog zo tegen George gezegd dat hij Edwin moest laten komen.'

'Wanneer ben je bij haar geweest?' vroeg Anne haar op scherpe toon.

'Dat weet ik niet precies. Twee weken geleden ongeveer.'

'Dan moet je in quarantaine, Frances.'

Ze schudde haar hoofd. 'We zijn in Kaapstad allemaal ingeënt, Anne. Dat weet je toch?'

'Ja, maar dat heeft in Mariella's geval niet geholpen. Ze hebben problemen met de vaccins. Vanwege de hitte blijven die soms niet goed. Wij zijn hier allemaal opnieuw ingeënt.' Anne legde haar hand op Frances' voorhoofd. Ze keek bezorgd. 'Voel jij je wel goed? Je bent een beetje warm.'

Frances schudde haar hoofd. Ze voelde zich best. Prima.

Het kwam gewoon door de hitte. 'Ik voel me prima, echt, ik heb alleen een verre reis achter de rug. Daar ben ik moe van. Ik snap niet waarom George haar niet eerder hiernaartoe heeft gebracht.'

'Hij had bijna al zijn geld betaald aan een arts die erg overtuigend klonk en hem had verzekerd dat het niet om de pokken ging. Tegen de tijd dat ze hierheen werd gebracht, was het te laat.' Frances zag in gedachten de sjofele, op geld beluste dokter Robinson die in hun tent whisky had zitten drinken. Ze knikte. Natuurlijk. Ze had kunnen weten dat George niet naar haar zou luisteren. Iedereen wantrouwde dokter Matthews.

'Anne, ik moet mijn man spreken. Weet je waar hij is?'

'Hij is in Du Toit's Pan, een van Baiers kampen. Daar zijn veel zieken. Hij komt vanavond pas terug. Maar, Frances, je kunt daar niet naartoe gaan.' Anne legde haar hand op haar arm. 'Ik vrees dat we je echt in quarantaine moeten doen.'

Frances liep echter al bij haar vandaan en dook onder de tentflap door het felle zonlicht in. Anne riep haar na en snelde op een drafje achter haar aan. De agenten van de sanitaire politie keken op toen ze langskwamen en wachtten af of Anne hun een teken zou geven dat ze haar moesten tegenhouden, maar ze liet haar gaan. Frances keek niet om. Ze liep zo snel als ze kon naar de stad en algauw merkte ze dat ze helemaal alleen was.

Mariella was dood. Haar vriendin was dood en dat was gedeeltelijk haar schuld. Het besef kwam hard aan en ze bleef abrupt staan en kneep haar ogen stijf dicht om de schok te verwerken. William had in één opzicht gelijk gehad. Ze gaf altijd anderen de schuld in plaats van haar eigen verantwoordelijkheid te nemen. Als ze naar Edwin had geluisterd, zou Mariella waarschijnlijk nog leven.

Ze deed er twee uur over om naar Du Toit's Pan te lopen en werd onderweg geteisterd door een verzengende dorst. Tegen de tijd dat ze het kamp had gevonden, stond de zon laag aan de hemel en was ze bang dat hij misschien al was vertrokken. Het armoedige, smerige terrein was omgeven door een hoog rasterhek, waarlangs twee met geweren gewapende zwarten patrouilleerden, stof opwerpend met hun laarzen. Aan een paal buiten het terrein stonden paarden. Ze vroeg bij het hek of Edwin Matthews er was. De bewaker noteerde haar naam en gaf haar met een knikje toestemming naar binnen te gaan. Het kamp had in het midden een plein van kale, aangestampte, rode aarde, bezaaid met peuken, verroeste blikjes en gebroken flessen. Aan de ene kant daarvan stond een rij grote tenten en aan de andere kant een aantal hutjes van golfplaat. Voor een van die hutjes zat een blanke beambte met zijn benen gespreid en zijn hoofd achterover te slapen. De lage zon wierp gouden lichtbanen over het hele kamp en de stralen ketsten af op staaldraden, op het rasterhek en op de loop van de geweren. Frances was nooit in een gevangenenkamp geweest, maar stelde zich voor dat het er daar ongeveer zo moest uitzien.

Er waren geen zwarten op het terrein, die waren nog aan het werk in de mijnen. Het was volkomen stil. Ze ging de eerste tent binnen en moest even wennen aan het schemerdonker. Het was er warm en het rook er naar ziekte. Ze hield haar sjaal voor haar mond en neus. Edwin had gezegd dat je de pokken al aan de geur kon herkennen. Na een paar seconden waren haar ogen aan het schemerige licht gewend en begon ze vormen te onderscheiden. Er waren geen bedden, alleen kleedjes die op een rij op de houten vloer lagen. In de stilte kreunde iemand. Ze bleef staan. Toen er weer werd gekreund, begon haar hart heel snel te kloppen, maar ze was niet in staat zich af te wenden. De man lag op zijn rug, naakt, zonder deken. Zijn lichaam was bedekt met witte blaasjes die dicht bij elkaar gegroepeerd zaten en scherp contrasteerden met zijn zwarte huid, alsof hij was bespat met verf. Ze zag dat hij zijn hand naar zijn gezicht bracht om de vliegen weg te jagen die over hem heen kropen.

Zijn gezicht bestond uit een massa zweren waar pus uit sijpelde en zijn ogen waren helemaal opgezwollen vanwege de grote hoeveelheid samenklonterende pokken. Hij kreunde weer. Hij vroeg om water. Ze zag nergens glazen, alleen een verroeste ton in de hoek van de tent. Ze doopte een blikje in het lauwe water en bracht het naar de man. Zijn droge vingers raakten de hare toen hij het aanpakte. Hij begon gulzig te drinken. In de volgende tent was het precies hetzelfde en in de volgende ook. De stank was niet te harden. Het was duidelijk dat deze mannen op sterven lagen. Wie hen zag, kon dat onmogelijk ontkennen. Waar waren de artsen en verpleegsters die hen dienden te verzorgen?

Frances stond weer buiten, zwaaiend op haar benen, met een kurkdroge mond. Haar armen hingen zwaar langs haar lichaam, haar handen waren opgezet van de hitte en haar benen waren erg onvast. Ze zag zwarte vlekken voor haar ogen. Ze hoorde elders op het terrein mensen praten en strompelde in de richting van de hutten. Een ervan had een halve deur en zag eruit als een kantine. Binnen was niemand, maar ze hoorde stemmen achter de hut. Ze liep langs de slapende beambte door een beschaduwd gangetje tussen de hutten en kwam uit bij een open terreintje.

Eerst zag ze alleen Edwin en verder niets. Ze staarde als gebiologeerd naar hem. Hij stond half van haar afgewend en de lage zon gaf zijn haar een koperen kleur. Hij hield een vrouw tegen zijn borst geklemd. Frances zag haar schouders bewegen. Hij streelde haar haar en drukte zijn lippen op haar voorhoofd. Het was zuster Clara. Ze had haar verpleegsterskapje niet op en haar witte schort was vuil en verkreukeld. De dikke, blonde vlecht in haar ranke nek was half losgeraakt en de glanzende krullen vielen over haar rug. Het duurde even voordat Frances besefte dat ze huilde. Pas toen iemand vloekte, keek ze langs hen heen en toen wenste ze dat ze hier niet was gekomen. Zwarte lichamen lagen op elkaar gestapeld als hout voor een kampvuur. Vier agenten waren bezig hen uit elkaar te halen. Ledematen, handen en gezichten waren verwrongen tot de onmogelijke houdingen van acrobaten. Ze waren achteloos bijeen gegooid, een berg gebroken vingers en geknakte ruggen. Het zag eruit alsof hier een massamoord was gepleegd, alleen waren alle lijken bedekt met pokken.

Edwin keek op en zag haar. Ze dwong hem in stilte haar naam te zeggen, íéts tegen haar te zeggen, maar in plaats daarvan duwde hij zuster Clara zachtjes naar haar toe. 'Zorg dat ze verdwijnt,' fluisterde hij, zo luid dat zij het kon horen. Zuster Clara keek op en zag haar staan.

De verpleegster kwam op haar af.

'Edwin,' zei Frances, maar hij wendde zich af. Ze wilde naar hem toe lopen, maar hij leek opeens erg ver weg. Ze zei zijn naam nogmaals en slaagde erin een paar passen te doen, maar voordat ze bij hem was, zakte ze in elkaar.

32

EVEN LATER HOORDE ZE IEMAND – EEN VROUW – TEGEN haar praten. De vrouw zei haar naam en schudde zachtjes aan haar schouder. Met veel moeite deed ze haar ogen open. Er bewogen schaduwen in de kamer. Door kieren in het metalen dak filterde wat licht naar binnen. Ze lag op de vloer van een hut. Vlak voor haar zag ze de poten van een tafel en een stapel vuile dekens. Ze kon zich niet herinneren hoe ze hier was gekomen. Iemand moest haar naar binnen hebben gedragen. Ze was draaierig en misselijk. Haar mond prikte en haar keel zat dicht. Ze had moeite met ademen. Zuster Clara zat naast haar gehurkt, ondersteunde haar hoofd en drukte een glas water tegen haar lippen.

'Waar is mijn man?' vroeg Frances. Ze duwde haar hand weg. Ze moest Edwin spreken, hem vertellen dat ze een fout had gemaakt. Ze probeerde overeind te komen, maar toen draaide alles om haar heen en voelde ze zich misselijk worden. Ze boog zich opzij en begon heftig te braken. De gal brandde in haar neus en ze proefde de bittere smaak in haar mond. Toen ze slikte, leek het net alsof haar keel was gevuld met glassplinters. Hijgend ging ze weer liggen.

'Hij heeft gezegd dat we u naar de kliniek moeten brengen,' zei zuster Clara met haar zachte, melodieuze stem en zelfs nu viel het Frances op hoe volmaakt ze was met haar porseleinen gezicht, zachte mond en intelligente ogen. Ze werd bevangen door hetzelfde onrustige gevoel dat ze bij William thuis had gekregen als ze eraan had gedacht dat Edwin samen met deze vrouw in de noodkliniek werkte, en besefte nu dat het jaloezie was. Het was mogelijk dat Edwin van deze vrouw hield. Misschien had hij al van haar gehouden voordat hij naar Londen was teruggekeerd en zich gedwongen had gezien Frances ten huwelijk te vragen. Later, ze wist niet hoeveel tijd er was verstreken, werd ze door twee mannen op een brancard gelegd en naar een kar gedragen. Buiten was het donker en het plein was gevuld met mannen, zwarte arbeiders met pikhouwelen en bijlen, die lantaarns droegen, bier dronken en luid met elkaar praatten.

De brancard werd op de wagen gelegd. Ze rook de muffe geur van de muilezels en nog iets anders, iets wat vaag naar metaal rook, als bloed dat in de zon was opgedroogd. Ze kneep haar ogen stijf dicht om de braakneigingen te onderdrukken, maar dat hielp niet. Toen de kar schommelend in beweging kwam, vulde haar mond zich met speeksel. Ze dwong zichzelf te gaan zitten, boog zich opzij en begon krampachtig over te geven.

Ze droegen haar de kliniek binnen. Flikkerende kaarsen markeerden de rij lage veldbedden die aan weerskanten in een van de legertenten stonden. Het was warm onder het tentdoek, zelfs 's nachts. Het rook er naar carbolzuur en rottend vlees. Twee verpleegsters tilden haar op een bed. Ze vroeg zich af of haar voorgangster dat levend had verlaten.

Ze had hoge koorts en kreeg zweren in haar mond maar na een paar dagen zakte dat. Ze voelde zich aan de beterende hand, maar herinnerde zich dat Mariella dat ook had gezegd. Slikken deed pijn, alsof er een nest steekwespen in haar keel huisde, en toen ze naar haar lippen tastte, zag ze dat haar handen bedekt waren met rode vlekjes. Angst gierde door haar lijf. Zuster Clara kwam bij haar met een steek.

'Waar is Anne?' vroeg Frances. Ze vond het niet prettig om aangeraakt te worden door deze vrouw, die Edwin zo na stond.

'Ze komen verpleegsters te kort in het ziekenhuis van Kimberley,' zei zuster Clara terwijl ze de steek onder Frances schoof. 'Dus is ze teruggegaan.' Frances slikte moeizaam. Zonder Anne zou ze het nog moeilijker krijgen.

'En mijn man?' vroeg ze. Ze keek naar haar handen en probeerde alle emoties uit haar stem te houden. Edwin was nog niet bij haar geweest. 'Komt hij vandaag nog hierheen?'

'De ziekte heeft een van de dorpen rond Kimberley bereikt. Hij is daar naartoe om de mensen in te enten.'

Frances liet haar plas in de steek lopen.

'Waarom voel ik me beter?' vroeg ze toen zuster Clara de steek had weggenomen.

'Dit is het eerste stadium. Helaas zult u nog erg ziek worden, voordat u beter wordt.'

'Als ik beter word.'

'U maakt een goede kans. Het vaccin dat u hebt gekregen, zou invloed moeten hebben.'

'Hoeveel kans maak ik?' drong Frances aan.

De verpleegster keek haar recht in de ogen. 'Ongeveer twee derde van onze patiënten blijft in leven.'

Na twee dagen begon haar huid te jeuken en te branden en zwollen de rode vlekjes die er zo onschuldig hadden uitgezien, op tot dikke blaasjes. Er verschenen blaren in haar handpalmen. Ze wachtte op Edwin, maar hij kwam niet. Ze kreeg weer koorts, nog hogere koorts dan voorheen, en de wereld viel als glas uiteen in duizend glitterende scherven die niet in elkaar pasten. De blaren spreidden zich uit over de binnenkant van haar armen, haar buik en haar voetzolen. Ze zwollen op tot dikke puisten en werden hard. Toen ze ze betastte en voelde hoe rond en stevig ze onder de oppervlakte van haar huid lagen, wist ze heel zeker dat het cocons waren waaruit miljoenen transparante spinnen zouden komen die over haar lichaam zouden krioelen.

Haar huid werd haar te krap. Hij rimpelde en schrompelde als die van een kip aan het spit en leek los te laten van het eronder liggende vlees. Het deed verschrikkelijk veel pijn. Het voelde alsof een slager haar huid met een scherp mes verwijderde. Ze lag onophoudelijk te jammeren. Haar oogleden waren zo gezwollen van de etterblaasjes dat ze haar ogen niet meer kon openen waardoor ze in duisternis gevangenzat. Haar mond voelde alsof al het vel eruit was geschraapt en haar hele lichaam stond in brand. Het gekreun van de andere patiënten hield haar uit haar slaap en het zweet in haar oksels rook naar het sap van bedorven vlees.

De tijd leek heel langzaam te gaan en toen angstaanjagend snel. Toen ze een keer 's nachts wakker werd, voelde ze zich alsof het al een jaar donker was en de zon nooit meer zou gaan schijnen, en de volgende keer dat ze ontwaakte, was het nog licht maar begon het net te schemeren. Al die tijd leefde ze in angst dat ze Edwin nooit meer zou zien, dat ze zou sterven voordat ze de kans zou krijgen hem haar excuses aan te bieden. Ze droomde dat ze verdronk in een poel van dik, stroperig bloed. Edwin stond ernaast en ze probeerde hem te roepen, maar kon haar hoofd niet lang genoeg boven de oppervlakte houden. Het bloed liep via haar keel in haar longen, deed haar maag zwellen en veranderde haar angstkreten in schuimend rood geborrel. Ze schreeuwde zijn naam tot ze wakker werd. De verpleegsters kwamen bezorgd bij haar kijken, maar leken niet te begrijpen wat ze zei. Haar zinnen waren lange, glibberige dingen die nergens op sloegen. Ze susten haar tot ze was gekalmeerd.

Daarna brak de koorts en werd ze zich weer van zichzelf bewust als een normaal wezen met een lichaam en een geest die los van elkaar bestonden. Het was weer mogelijk helder te denken. Ze was in staat haar ogen op een kiertje te openen en lag lange tijd uitgeput naar de wanden van canvas te staren die een gele kleur hadden onder de brandende zon.

'Zo, ben je wakker?' zei Anne, gehurkt naast haar bed.

Frances glimlachte zwakjes. 'Ik dacht dat je weer in Kimberley werkte.'

'Dat was maar voor een week,' zei ze. Ze had een bekertje water in haar hand. Frances kwam op haar elleboog overeind en pakte het van haar aan. Het was fijn om een vertrouwd gezicht te zien. Het tinnen bekertje tikte tegen haar tanden en de zweren in haar mondhoeken prikten als naalden toen ze haar lippen opende om te drinken.

'Waar is mijn man? Is hij hier?' vroeg ze toen ze weer was gaan liggen, uitgeput van de inspanning.

Anne begon de lakens recht te trekken. Frances begreep dat haar vriendin verlegen was met de situatie. Zij wist natuurlijk waar Edwin was. 'Hij is gisteravond naar Kaapstad vertrokken. De gouverneur wilde hem persoonlijk spreken.' Frances had moeite haar teleurstelling te verbergen en zag dat Anne een envelop uit de zak van haar schort haalde. 'Hij heeft dit voor je achtergelaten,' zei ze. Ze gaf Frances de envelop. Het papier voelde droog en scherp aan tussen haar met korsten bedekte vingers. Anne stond op, maar voordat ze wegliep zei ze: 'Je huid zal genezen, Frances. Het zal niet zo erg blijven als nu lijkt.'

Frances haalde de brief uit de envelop. Er vielen wat bankbiljetten op het laken. Ze keek naar de woorden op het dunne papier.

Ik heb je familie in Engeland geschreven dat je ziek bent geweest en dat het klimaat in Zuid-Afrika te zwaar voor je is. Je tante zal er ongetwijfeld in toestemmen je in huis te nemen volgens de voorheen overeengekomen voorwaarden. Ik sluit geld in voor je terugreis naar Engeland en voor een verblijf van enkele weken in het sanatorium in Kaapstad opdat je volledig kunt herstellen alvorens de reis te ondernemen. Ik keer over drie weken terug naar Kimberley. Het beste is als jij daar dan weg bent.

Ze sloot haar ogen. Het was een kille brief, zonder mededogen of bezorgdheid, en ze begreep nu dat hij niets meer met haar te maken wilde hebben. Ze vouwde hem op en legde hem op de grond. Toen betastte ze voorzichtig haar gezicht. De blaasjes op haar wangen waren in korstjes veranderd. Ze waren hard en scherp en als ze erop drukte, leken het net tanden, want het was alsof ze diep in haar huid geworteld zaten. Hoe zou Edwin nu nog van haar kunnen houden? Als kind had ze gedacht dat uit mensen met pokdalige gezichten maden tevoorschijn zouden komen, alsof ze vanbinnen al aan het verrotten waren.

Ze besloot in Kimberley te blijven tot ze hem had gesproken. Ze moest hem nog een keer zien, onder vier ogen, als man en vrouw. Ze wist niet of ze het zou kunnen verdragen als hij haar echt zou dwingen Zuid-Afrika te verlaten en terug te keren naar Engeland. Dat zou betekenen dat ze hem nooit meer zou zien en dat vond ze zo erg dat ze er niet aan wilde denken.

Hij stemde in met een gesprek dat drie weken later plaatsvond in een kleine tent op het terrein van de kliniek. Zuster Clara kwam naar buiten toen Frances op het punt stond de tent te betreden. Ze glimlachte vriendelijk. 'Dag, mevrouw Matthews. Voelt u zich beter?'

'Ja, dank u.' Frances' zelfvertrouwen verdween als sneeuw voor de zon toen ze de vrouw zag, met haar reine, smetteloze schoonheid.

Edwin zat achter een bureautje midden in de tent. Hij stond op toen ze binnenkwam en keek haar rustig aan, maar stak niet zijn hand uit. In zijn ogen zag ze diep mededogen, maar ook onkreukbaarheid en eerlijkheid. Zijn ogen zeiden dat hij elke vorm van kwaad het hoofd kon bieden zonder zelf te veranderen. Hoe was het mogelijk dat deze man haar echtgenoot was geweest en dat zij hem had verworpen? Ze bleven beiden roerloos staan. Ze was zich scherp bewust van haar geschonden gezicht en van het feit dat zuster Clara hier een paar seconden geleden had gestaan. Ze vroeg zich af waarover zij en Edwin hadden gepraat, of hij net zo aandachtig naar haar had gekeken en genoegen had beleefd aan wat hij had gezien.

Alles wat haar voorheen aan Edwin had geïrriteerd, besefte ze nu, waren dingen waardoor ze zich bedreigd had gevoeld. Zijn vermogen te zwijgen, de bedachtzame manier waarop hij naar haar keek, peilend, alsof hij probeerde haar te doorgronden; de volharding waarmee hij haar had verteld over de dingen die hem interesseerden; het geduld dat hij aan de dag had gelegd tot zij bepaalde dingen zou gaan inzien. Hij kende haar beter dan wie ook; beter dan haar vader, die haar als een soort afgewerkt product had beschouwd. Edwin had het aangedurfd aspecten van haar wezen naar voren te halen en te proberen meer van haar te maken dan ze dacht dat ze in zich had, en daar had ze hem om gehaat. Nu wilde ze hem smeken haar te vergeven en haar terug te nemen, maar ze durfde het niet.

Hij verbrak de impasse door naar de linnen stoel te wijzen die tegenover het bureau stond. Ze ging zitten en herinnerde zich opeens hun ontmoeting in Londen, toen ze zijn aanzoek had geaccepteerd. Wat leek dat lang geleden en wat was er sindsdien tussen hen veel veranderd. Ze had toen gedacht dat hij haar tot een huwelijk dwong, tegen de wens van haar vader, wat haar enorm tegen de borst had gestuit. Nu wist ze dat hij zich ertoe verplicht had gevoeld, maar daar was ze helaas te laat achter gekomen.

'Hebben de verpleegsters je goed verzorgd?' vroeg hij terwijl hij ging zitten. Hij gedroeg zich te beleefd. Ze wist dat hij wou dat ze naar Kaapstad was vertrokken zonder om dit gesprek te vragen.

'Ja, ze waren erg aardig voor me.'

'Je hebt geluk. De littekens vallen mee.'

Ze wist dat dit waar was, al viel het niet mee om dankbaar te zijn. Haar gezicht was weliswaar minder beschadigd dan bij sommige mensen, maar ze schrok toch elke keer dat ze in de spiegel keek. Haar ogen en neus waren ongeschonden, maar de huid die voorheen zo mooi glad haar wangen en voorhoofd had bedekt, was rood en zat vol kleine kratertjes. Anne had gezegd dat de littekentjes op den duur minder opvallend zouden worden, maar ze wist dat haar huid de rest van haar leven een dikke, bobbelige textuur zou houden. Wat ze aan schoonheid had bezeten, was voorgoed verdwenen.

'Hebben ze je verteld dat je je met kokoswater moet wassen?'

Ze knikte. Het gaf haar een onbehaaglijk gevoel dat hij tegen haar praatte met de medische bezorgdheid van een arts. Ze wilde een gesprek met hem als haar echtgenoot.

'Heeft je reis naar Kaapstad iets opgeleverd?' vroeg ze.

'Ze vatten de situatie eindelijk serieus op, wat je vooruitgang kunt noemen. Ik hoop dat ze een onafhankelijke inspecteur van de gezondheidsdienst zullen sturen om een kijkje te nemen. Het is nog even afwachten.' Hij glimlachte naar haar, een vriendelijke glimlach, die geen toenadering inhield. De laatste keer dat ze hem achter een bureau had zien zitten, was in Rietfontein. Hij had zich naar haar toe gebogen om een teek te verwijderen die zich aan haar nek had gehecht, en ze had het zweet geroken dat was opgedroogd op zijn lichaam en de kracht van zijn hand gevoeld toen hij haar hoofd had vastgehouden. Ze keek nu naar zijn hand, die op het bureau lag, en werd overvallen door een gekmakend verlangen om door die hand aangeraakt te worden, zich in zijn armen te storten en de stevige warmte van zijn lichaam te voelen.

Ze sloeg haar ogen neer in een poging terug te keren naar het heden. Ze zag zijn knapzak tegen het bureau staan. 'Je hebt nu zeker geen tijd meer om insecten te verzamelen?' vroeg ze, terugdenkend aan hun wandelingen in Rietfontein.

'Nee,' zei hij kortaf. Hij wachtte tot ze ter zake zou komen.

Ze staarde naar haar handen tot ze het niet meer uithield en keek weer naar hem op. 'Edwin, het spijt me. Het spijt me allemaal heel erg. Ik dacht dat ik wist wat ik deed. Ik dacht dat ik van hem hield. Maar ik had het helemaal mis.' Hoe kon ze hem vertellen hoe afgrijselijk alles was wat ze nu wist over William? Maar hij wist dat al. Hij had altijd geweten hoe Baiers wereld in elkaar zat. 'Kun je me vergeven?'

Zijn grijze ogen bleven naar haar kijken. 'Je hoeft mij niet om vergiffenis te vragen.'

Toen hij verder niets zei, was ze de wanhoop nabij. 'Edwin, ik wil niet teruggaan naar Engeland.'

'Waar zou je anders naartoe moeten?'

'Ik zou graag in Zuid-Afrika willen blijven.'

'Waar zou je van moeten leven?'

'Je bent mijn echtgenoot,' zei ze zachtjes.

'Ik vind dat je het recht om je mijn echtgenote te noemen allang hebt verspeeld.' Zijn toon was kil en zakelijk. Het klonk zo afdoende dat ze er bang van werd.

'Wil je me geen tweede kans geven?'

'Ik heb je meegenomen naar Kimberley.'

'Heb je nooit om me gegeven?'

'Jawel,' zei hij. 'Ik gaf om je. Ik dacht zelfs dat ik van je hield.'

'Vanwege mijn uiterlijk?' Haar ogen brandden en ze beet op haar onderlip om haar tranen te bedwingen.

'Omdat je iets in je leek te hebben dat puur en ongerept was. Ik dacht dat je in Zuid-Afrika tot ontplooiing zou komen.'

'En nu?'

'Nu vind ik dat het tijd is dat je naar huis terugkeert. Naar Engeland. Je hebt hier genoeg geleden.'

'Ik wil niet terug naar Engeland,' zei ze. Haar zin eindigde in een snik. Ze was zich ervan bewust dat ze dingen begon te herhalen. Dat ze er niets nieuws aan had toe te voegen. 'Edwin –' begon ze, maar hij onderbrak haar.

'Frances, doe jezelf dit niet aan. We zouden geen van tweeën gelukkig worden. Er is van beide kanten niet voldoende respect. Het zou niet goed zijn, voor jou noch voor mij.'

'Maar als je ooit van me hebt gehouden –'

'Misschien was mijn liefde dezelfde als die van jou voor Westbrook.' Het deed haar pijn hem de naam zo onverschillig te horen uitspreken. William deed hem duidelijk helemaal niets meer. 'We zaten beiden vast in een fantasiewereld. Ik dacht dat ik in jou iets zag wat ik wilde, maar uiteindelijk kon ik het niet vinden.'

Hij stond op. Het onderhoud was voorbij. Ze besefte dat dit de laatste keer was dat ze hem zou zien. Ze had niet veel tijd meer. Handenwringend stond ze zelf ook op. 'Maar je kunt het mij toch niet kwalijk nemen dat ik het nooit heb begrepen?' Ze haalde diep adem. 'Er is me nooit iets uitgelegd. Lang geleden heb je me iets verteld over mijn vaders rozen. Kasplanten – je vond het monsterlijke dingen. Ze groeiden in een kunstmatig beheerst klimaat, werden beschermd en vertroeteld, geënt op de sterke wortels van andere planten om levensvatbaar te zijn; ze weken af van hun natuurlijke vorm. Ze waren weliswaar erg decoratief, zei je, gekweekt om hun prachtige kleuren, maar in wezen waren het wanproducten.' Ze ging steeds sneller praten en de logica van haar woorden won allengs aan kracht. 'Ik heb je gevraagd, misschien weet je het nog, wat ermee zou gebeuren als ze in het wild werden geplant. Of ze dat zouden overleven.'

Hij leunde met één hand op het bureau en keek haar kalm aan. 'En ik zei dat ze zouden sterven.'

'Nee. Je zei dat ze ofwel zouden sterven of gedwongen zouden worden zich aan te passen. Dat ze zouden terugkeren tot de moederstam.' Ze liep naar voren, met bonkend hart. Het zweet stond in haar handen. 'Snap je het nu? Ik ben precies zo.' De waarheid van haar woorden was overweldigend. 'Ik ben een wanproduct. Ik kan mijn haar op vijf verschillende manieren opsteken, ik kan schilderen, borduren en pianospelen, maar verder? Welke verdiensten heb ik tot mijn beschikking in de echte wereld, waar mensen leven en sterven? Waar je te maken krijgt met ziekten en corruptie? Waar ben ik goed voor? Jij liet me de echte wereld zien. Kun je het me kwalijk nemen dat ik ervan schrok? Ik wist niet hoe het in het ware leven toeging. Ik was er als de dood voor. Ik dacht dat die wereld mij, zoals ik was, zou verpletteren.' Haar wangen waren nat van haar tranen en haar mond was gevuld met de smaak van zout. 'Jij bent de enige die ooit heeft gedacht dat ik iets anders kon zijn. Die dacht dat ik kon veranderen. Ik heb me mijn hele leven gevoeld als een gewichtloos, hopeloos ding, behalve toen ik bij jou was.'

Hij bleef naar haar staan kijken zonder iets te zeggen. Misschien zag ze verdriet in zijn ogen, maar niets wat erop wees dat hij van gedachten zou veranderen. Ze wist dat ze verloren had. Ze droogde haar tranen, haalde diep adem en liep het felle zonlicht in.

33

ZE REISDE MET EEN EZELWAGEN. ZWARTE AARDE, EEN STOFfige weg en tot volmaakt ivoor verbleekte beenderen. Dit was de droogte waar men in Kimberley over sprak. Het was lente, overdag was het al warm en men zei dat boeren 's nachts huilend wakker werden van angst om nog een regenloze zomer.

Frances werd 's nachts niet huilend wakker vanwege de droogte, maar vanwege het vooruitzicht naar Engeland te moeten terugkeren. Ze kreeg er ware nachtmerries van. Haar tante had geschreven dat ze bereid was haar als kindermeisje in huis te nemen, maar Frances werd vervuld van wanhoop wanneer ze dacht aan het muffe, overvolle huis en de kleine zolderkamer die ze ook nog eens met twee kinderen zou moeten delen. Ze was de regen, de lelijke grote steden en de fabrieken die smerige rookwolken uitbraakten nog lang niet vergeten. Noch de armoede, de ontberingen, het roet, en het keurslijf van de maatschappelijke orde die iedereen op een vaste plek dwong. Elke minuut van haar leven zou een les in ootmoedigheid zijn. Ze zou voor iedereen een last zijn en genegenheid moeten schenken zonder te verwachten die zelf ook te krijgen; een vrouw die had gefaald, een vrouw die geld noch goed bezat. En ze zou gekweld worden door wroeging en het besef dat Edwin haar op den duur zou vergeten, terwijl zij juist steeds meer naar hem zou verlangen.

Dus ging ze naar Rietfontein. Het was haar enige kans. De voerman zette haar af bij de boerderij, bijna een jaar nadat ze daar voor het eerst was aangekomen. Licht hijgend bleef ze op het erf tussen de scharrelende kippen staan. De boerderij bood een troosteloze aanblik. De *koorsboom* wierp geen schaduw meer op het woonhuis. Hij was zo uitgedroogd dat de takken waren verschrompeld en er alleen nog maar een spichtig skelet over was.

Ze deed een schietgebedje voordat ze op de deur klopte. Alles hing af van mevrouw Reitz. Ze had haar een brief kunnen sturen, maar wist dat de vrouw haar verzoek zou hebben afgewezen. Mevrouw Reitz had geen enkele reden om haar een goed hart toe te dragen. Frances had zich onbehouwen en verwend gedragen toen ze hier woonde. Ze had ieder aanbod voor hulp geweigerd en een afstandelijke houding aangenomen. Nu moest ze proberen haar ervan te overtuigen dat ze zich nuttig kon maken.

Ze wachtte in de woonkamer. Mevrouw Reitz kwam binnen, bleef abrupt staan en staarde naar Frances. Die had daarop gerekend, maar het deed evengoed pijn en ze hief haar hand al half op om met haar vingertoppen over de putjes te strijken.

‘Waar is dokter Matthews?’ vroeg mevrouw Reitz. Frances had die vraag verwacht, maar bloosde evengoed.

‘Hebt u onenigheid gekregen?’

‘Hij wil dat ik terugga naar Engeland.’

‘Maar in plaats daarvan bent u hierheen gekomen.’

‘Ja.’ Frances aarzelde. Ze besefte nu pas ten volle dat haar verzoek volkomen belachelijk zou klinken. Waarom zou zij haar helpen?

‘Ik had gedacht... gehoopt dat u me in dienst zou willen nemen als gouvernante.’

‘Als gouvernante?’ herhaalde mevrouw Reitz, alsof ze het woord niet kende.

‘Ik zou uw kinderen les kunnen geven in Engels, Frans en tekenen.’

De vrouw stond op en sloeg haar rok af. ‘Het spijt me. Ik kan u niet helpen.’

‘Alstublieft. Zegt u niet meteen nee.’

‘Mevrouw Matthews, ik kan onmogelijk –’

‘Hij hoeft niet te weten dat ik hier ben,’ zei ze wanhopig.

Mevrouw Reitz keek haar scherp aan. ‘Daar gaat het niet om, mevrouw. Waar is uw gezonde verstand? Er heerst droogte. Het vee sterft uit. Er is geen water voor de schapen. En u wilt hier als gouvernante werken?’

‘Maar u hebt het reservoir. U hebt zelf gezegd dat daar altijd water in staat.’

‘Het reservoir?’ Mevrouw Reitz lachte zwakjes. Frances dacht aan het landschap waar ze doorheen was gereden, geblakerd alsof er brand had gewoed, gras dat in de grond verschrompelde als het haar van een oude man, dode struiken die ontworteld over het uitgedroogde terrein werden geblazen. 'Er is al twee jaar geen druppel regen gevallen. Kleine Jan weet niet eens wat regen is.'

'U hoeft me niet te betalen,' zei Frances. Haar hart bonkte van angst. Ze zag haar toekomst als droog zand tussen haar vingers wegglijden. 'Is hier niets wat ik kan doen?'

De vrouw staarde haar aan. Frances voelde de druk van haar verwijten. Ze wisten allebei dat de boerin weinig aan haar zou hebben.

'Kunt u koken?'

'Ik kan het leren.'

'Hebt u ervaring met wassen? Kippen verzorgen? Naaien?'

Frances schudde mismoedig haar hoofd.

'Waarom hier? Waarom gaat u niet naar huis?'

Wat moest ze daarop antwoorden? Dat er geen thuis was om naar terug te keren? De boerin keek nu erg verward. Ze begreep niet waarom een jonge vrouw die duidelijk niet op het *veldt* thuishoorde daar zo graag weer wilde komen wonen. Ze kon niet weten dat ze wilde leren van deze plek te houden, omdat Edwin ervan had gehouden.

Mevrouw Reitz liep bij haar vandaan naar het raam. 'U moet iets vreselijks hebben gedaan als hij u heeft verlaten. Een oprechter man dan hij ken ik niet.'

'Ja,' zei Frances. 'En zie mij nu. Ben ik niet genoeg gestraft?'

Het bleef stil. Ze keek naar de sterke, brede rug van de boerin, naar het strakke knotje dat grijs begon te worden. Ergens in het huis begon een kind te huilen. 'Waar zou u moeten slapen?' vroeg mevrouw Reitz, meer aan zichzelf dan aan Frances.

'In het huisje,' zei Frances stilletjes. Haar hart vulde zich met hoop.

'Helemaal in uw eentje? Doe niet zo raar.' De vrouw lachte schamper. 'We kunnen u ook niet bij de zwarte bedienden onderbrengen. U zult hier bij ons moeten slapen.'

Ze draaide zich om naar Frances. 'Wilt u echt werken?'

Frances knikte. 'Ja.'

'Nou, u boft. Ons Nederlandse dienstmeisje heeft vorige week haar ontslag genomen. Ze was bang dat we geen eten voor haar en de baby zullen hebben als er geen regen komt. En ze heeft waarschijnlijk gelijk. We kunnen ons amper bedruipen. Maar nu komen we dus een dienstmeisje te kort. Het loon is te verwaarlozen. U zult met de kinderen moeten helpen en in de keuken werken. Ik zal u een slaapplaats geven in het huis, maar verder hoeft u op niets anders te rekenen dan wat de rest van de bedienden krijgt.'

'Dank u, mevrouw Reitz.'

'Van nu af aan noem je me mevrouw, niet mevrouw Reitz,' zei de boerin en daarmee waren de nieuwe voorwaarden van hun relatie meteen vastgelegd. 'En je moet Nederlands leren.'

34

ER WAS EEN LADDER NAAR DE ZOLDER. DE HOUTEN VLOER kraakte en zat vol splinters. Aan het plafond hingen gerookte hammen en het stonk er naar dierenhuiden en oud papier. Er stonden kratten met flessen perzikbrandewijn en dozen vol keukengerei. Koffers met oude kleren naast stapels oude kranten. Het matras moest worden uitgerold. Ze duwde de kratten tegen de muur om ruimte te maken, voorzichtig, bang voor schorpioenen. Op onbewaakte ogenblikken werd ze getroffen door een diepe droefenis, als een vinger die zich steeds prikt aan een speld. Edwin had definitief met haar gekapt. Niemand wist dat ze in Rietfontein was en er was niemand aan wie ze het kon vertellen.

Ze spreidde een laken uit over het bed en stopte de randen in. De dikke katoenen stof voelde ruw aan. Mevrouw Reitz had haar een jutezak gegeven om als kussensloop te gebruiken. Ze haalde oude kleren uit een van de koffers om de zak op te vullen. Ze had gedacht dat ze in het huisje zou kunnen slapen. Dan zou ze nog enige onafhankelijkheid hebben gehad. Maar in plaats van gouvernante was ze een doodgewone dienstmeid die haar dag niet zou kunnen indelen zoals ze wilde. Ze moest haar laatste trots opzijzetten, hard werken en snel leren, als ze dit wilde overleven.

Er was een raam dat uitzicht bood op het *veldt* aan de kant van het reservoir en de ondergaande zon. De kale takken van de *koorsboom* trilden achter de ruit. De doornige wirwar van twijgen wekte de indruk dat de boom dood was en ze was benieuwd of vogels er evengoed nog steeds bescherming zochten. Ze bleef voor het raam staan en zag de kleur van de lucht langzaam verdiepen van bleek goud naar het donkergeel van eierdooiers. De hoge stam van een kokerboom, zwart afgetekend tegen het avondlicht, stond eenzaam in het *veldt*, als het zwarte silhouet van een in een mantel gehulde man die het huis in de gaten hield. In tijden van droogte amputeert de kokerboom zichzelf, had Edwin haar verteld. Hij onttrekt het sap aan zijn takken tot die zo droog worden dat ze van de stam vallen, zuigt al het vocht tot diep in de kern van zijn stam en wacht op regen.

Het licht zakte weg achter de horizon en liet smalle kleurstrepen achter. Ze had geen kaars, daar moest ze de boerin straks nog om vragen. Vleermuizen fladderden door de snel donker wordende lucht als flarden verkoold papier die door de wind werden meegevoerd. Ze voelde zich alsof ze alles met Edwins ogen zag. Ze haalde diep adem. Ze zou het niet makkelijk krijgen, maar was blij dat ze hier was.

Frances was verzwakt door de ziekte, emotioneel en lichamelijk beroofd van energie, en het werk dat ze in Rietfontein moest doen was uitputtend. Ze kon amper geloven dat ze een jaar geleden het lef had gehad zich over Sarah te beklagen. Die had in haar eentje niet alleen al hun maaltijden gekookt en al hun kleren en linnengoed gewassen en versteld, maar ook de rest van het huishouden gedaan. Geen wonder dat ze op het heetst van de dag altijd een dutje was gaan doen.

Om vijf uur bracht Frances meneer en mevrouw Reitz thee op bed. Daarna kleedde ze de jongste kinderen aan, diende het ontbijt op, ruimde de tafel af en deed de vaat, op de pannen na, want daar was een jongen voor. Vervolgens hielp ze met de bereiding van het middageten, en daarna was er weer de vaat, 's middags thee en tot slot de avondmaaltijd. Als ze niet in de keuken hielp of op de kinderen paste, moest ze samen met Maria, het Xhosa-dienstmeisje, zeep en kaarsen maken, matrassen vullen en koper poetsen, dagelijks de kippen voer geven, boter karnen, lampen vullen en lonten trimmen. In het begin was ze onhandig en traag, en kwamen haar vingers vol sneetjes, brandwonden en blaren te zitten, maar ze leerde snel.

Op maandag hielp ze Maria met de was. Dan verhitten ze water in de hoge, koperen pot, staken hun handen in het hete sop en kneedden en schrobden het wasgoed tot het schoon was. Vanwege de droogte werd alleen het hoogstnoodzakelijke gewassen, maar ondanks het feit dat de hoeveelheid wasgoed daarom veel kleiner was dan normaal, zag Frances elke week enorm tegen deze taak op. Het linnengoed moest gekookt, gebleekt, gespoeld en uitgewrongen worden, waarna ze het in een teil naar de tuin droegen en in de moestuin op de planten uitspreidden. De dag erna waren haar schouders zo stijf dat ze zich amper kon aankleden, en hadden haar handen, die in het water zo zacht en schilferig waren geworden, een harde, droge textuur.

Vier van de zonen woonden thuis. De vlasblonde, identieke tweeling met hun forse, atletische bouw en brede dijen bekeek Frances met hun helderblauwe ogen alsof ze een nieuwe diersoort was. De jongens waren oud genoeg om op het land te werken en gingen meestal met hun vader mee om de grote kudden schapen te hoeden, desinfecteren en scheren. Ze kwamen aan het eind van de dag zelden uit zichzelf binnen en dan werd Frances erop uitgestuurd om ze te roepen. Vaak waren ze dan ergens op het erf bezig dieren te martelen. Ze lokten met lange twijgen spinnen uit holen en trokken de vleugels van wespen. Eén keer hadden ze twee schorpioenen in een teil gezet en zaten ze lachend toe te kijken hoe de diertjes om elkaar heen draaiden, met hun gekromde staart opgeheven, in een duel op leven en dood. Frances had eventjes over hun schouder meegekeken, gefascineerd door hun vechtlust. Een andere keer zaten ze met een stok in een doos vol lichtbruine wormen te prikken, alleen waren het geen wormen, maar babycobra's die hun kop naar achteren trokken, met hun staart zwiepten en met dodelijke precisie op de stokken aanvielen. Toen meneer Reitz erachter kwam, gooide hij de slangen met doos en al in de oven. Frances was erbij en meende de jonge slangen te horen krijsen toen ze in de withete vlammen vielen.

Piet was een tengere, eenzelvige, verlegen jongen met een dikke bos donker haar, een bleke huid en grote donkere ogen. Hij was precies het tegenovergestelde van zijn wrede broers en bracht voortdurend gewonde dieren mee naar huis. De ene keer was het een springspitsmuis die was aangevallen door een arend, de andere keer een jong vogeltje met een doorzichtig, strakgespannen keeltje, dat uit het nest was gevallen en door Piet, met een diep bezorgde uitdrukking op zijn jonge gezicht, voorzichtig in de kom van zijn handen naar huis werd gedragen. De meeste van die dieren gingen 's nachts dood en dan probeerde de jongen, wanneer hij 's ochtends aan het ontbijt verscheen, de tragedie met een stoïcijns gezicht te verwerken. Zijn vader was vaak boos op hem. Als hij hem met zijn tinnen soldaatjes zag spelen of hem betrapte als hij in het gemorste meel bij de broodoven letters aan het schrijven was, gaf hij hem een draai om zijn oren. Hij zei dat hij lui was. 'Er heerst droogte,' zei hij dan, alsof de jongen daar iets aan kon doen. Frances vermoedde dat hij zich schuldig voelde dat de jongen vingers had verloren. Tot slot had je Jan, de jongste, die het grootste deel van de dag in een koel hoekje van het huis zat met zijn oppas, een negermeisje dat van een soort wilgentakken matjes vlocht voor de rugleuningen van de stoelen.

De droogte was de ergste sinds mensenheugenis. Gewapend met geweren bewaakten de mannen dag en nacht het reservoir om te voorkomen dat wilde dieren eruit zouden drinken. Het waterniveau zakte elke dag iets verder, zoals een plas opdroogt in de zon. De hardgebakken oppervlakte van het hete, uitgedroogde *veldt* kreeg een patroon van barsten dat leek op de knobbelige, leren huid van een krokodil. Frances had gedacht dat de familie Reitz rijk was omdat hun land zich tot de bergen aan de horizon uitstrekte, maar ze had niet begrepen dat het *veldt* zo kwetsbaar was dat hun rijkdom als zand door hun vingers kon wegstromen als de droogte nog lang zou aanhouden en het vee zou beginnen te sterven.

Mevrouw Reitz had in de keuken een vissenkom met waterschildpadden en zei dat het zou gaan regenen als die naar de oppervlakte zwommen. Op een dag was een van de honden verdwenen en later vonden ze zijn vacht terug achter de hutten van de zwarten, die zelf niets verbouwden en zo'n honger hadden dat ze volgens Maria de beenderen van dode dieren vermaalden om in leven te blijven. Het drinkwater op de boerderij was muf, troebel en lauw. De lente ging over in de zomer en iedereen wachtte. De kleur van het dorre *veldt* veranderde van lichtbruin in zwart, alsof de hete zon de aarde letterlijk had verbrand. Op een middag wandelde Frances met Piet naar de rivier. Ze staken hun voeten in het diepe, zware zand van de rivierbedding. Je kon je bijna niet voorstellen dat daar ooit water had gevloeid. Insecten en vogels waren er niet meer. Alleen de krekels sjirpten nog. Zelfs de mimosastruiken waren opgedroogd en hadden hun groene kleur verloren. Een paar geiten knabbelden nog aan de onderste takken. Omdat Frances had gehoord dat de blaadjes daarvan hun melk zou verzuren en dat hun jongen dan niet meer zouden drinken, probeerde ze ze weg te jagen, maar ze gaven kopstoten tegen haar benen en bleven eten.

Nederlands leren vond ze verschrikkelijk moeilijk. Mevrouw Reitz was de enige die Engels sprak en weigerde dat te doen nu Frances een dienstmeisje was. Frances raakte snel gefrustreerd wanneer ze iets niet begreep. Het probleem was iemand te vinden die haar de Nederlandse woordenschat kon leren. Uiteindelijk bleek ze hiervoor aan Piet een bondgenoot te hebben. Hij vond het leuk om de betekenis van woorden uit te leggen, had eindeloos veel geduld en begreep, misschien met een kinderlijke intuïtie, dat haar plaats in het huis afhing van haar vermogen de taal te spreken.

Er waren twee bedienden die in het huis werkten. De kok – een kleine, zwijgzame man met droevige ogen bij wie twee voortanden ontbraken – en Maria, het dienstmeisje. Zij was de dochter van Jantjie, de voerman, die meer dan tachtig jaar geleden op de boerderij geboren was. Maria had hoge jukbeenderen en kroeshaar dat ze zo kort hield als dat van een man. Er kwam altijd een hele horde kinderen naar de achterdeur van de keuken en Frances wist nooit welke daarvan van Maria waren. Ze had een kaarsrechte rug, was sterk en bekwaam en had Frances onder haar vleugels genomen alsof die een kind was, niet omdat ze haar zo graag mocht, maar omdat iemand de verantwoordelijkheid op zich moest nemen. Het was Maria die haar leerde koperpoetsen, koffiebonen malen met gedroogde vijgen, vis schoonmaken zonder in haar vingers te snijden en bleekwater te maken zonder haar handen te branden.

Het was Frances' taak kleding te verstellen en sokken te stoppen. Het enige wat ze ooit met naald en draad had gedaan, was borduren, en gedurende haar eerste week in het huis keek ze met toenemende paniek naar de hoeveelheid linnen die zich in de verstelmand opstapelde. Maria leerde haar sokken te stoppen, winkelhaken te repareren en een nieuwe kraag op een overhemd te zetten. Ze legde haar handen, droog en warm als leer, op die van Frances, met de stof tussen haar vingers geklemd in de gewenste plooien die bij

Frances altijd wegglipten als ze het zelfstandig probeerde. En elke keer dat Frances de naald verkeerd in de stof stak of een knoop in de draad liet komen, gaf Maria haar een standje in haar eigen taal, die leek te bestaan uit louter klinkers en klikklanken.

Frances at in de keuken: in jus gedoopte gekookte maïskolven waarvan de korrels tussen haar tanden bleven steken. Soms kwam Jantjie 's avonds. Hij bleef dan buiten staan, bij de open keukendeur, knikte naar Frances, stopte zijn pijp en praatte met Maria.

Elke middag moest ze zich een paar uur over Piet ontfermen. Meestal liep ze met hem naar het reservoir. Het was een ritueel geworden dat alle leden van het huishouden, zowel meester als knecht, regelmatig gingen kijken hoe ver het waterpeil was gezakt. Soms ging de tweeling met hen mee. De tweelingbroers worstelden dan met elkaar op de modderige oever, klemden zich aan elkaars lichaam vast en rolden over de grond tot een van hen de ander bedwongen had, knieën op ellebogen, de mond triomfantelijk geopend. Piet meed hen, hij had genoeg aan zijn eigen gezelschap, wat haar eraan herinnerde hoe ze zelf als kind was geweest. Hij ging gehurkt op de modderige grond zitten kijken naar de zwarten die de schapen bij het water vandaan joegen, of languit op de hete, droge grond liggen om te proberen met broodkruimels vogels naar zich toe te lokken. Zijn broers behandelden hem als een curiositeit. Als ze zich verveelden, gingen ze hem plagen en soms eindigde hun gesar in een gevecht tot ze hem lieten gaan met een bloedneus of een blauw oog.

's Middags pakten wolken zich samen tot bewegende

witte bergen die je deden denken aan schuimgebak en dan richtte iedereen de blik naar boven, hopend op regen, ook al hadden ze zich voorgenomen dat niet te doen. De zon verdween dan een poosje en de aarde slaakte een zucht van verlichting. Maar kort daarna werd de hitte weer over het landschap uitgestort en zagen ze teleurgesteld hoe de wolken in het niets oplosten boven de trillende horizon.

Het lot van Frances was onverbrekelijk verbonden met dat van het gezin. Als er geen regen kwam, kon de familie Reitz hier niet blijven en zou Frances moeten terugkeren naar Engeland. Ze besefte tot haar verbazing dat ze niet alleen op regen hoopte omdat haar toekomst ervan afhing, maar ook omdat ze steeds meer respect kreeg voor het leven op Rietfontein. Mevrouw Reitz was kortaangebonden en ruw, maar dat was ze niet zomaar. Ze zat nooit met haar handen over elkaar. Als ze niet met Jan op haar arm de moestuin wiedde, was ze in de keuken aan het bottelen en wecken, of kruiden aan het stampen om geneesmiddelen voor de kinderen te maken. En het resultaat van haar noeste arbeid was dit buitengewone gezin, dat op deze ongenaakbare plek zo goed gedijde.

Frances dacht vaak na over de doelgerichtheid, de hartstocht en het genoegen dat een dergelijk bestaan met zich meebracht. In Engeland was het leven zo heel anders geweest. Haar nichtjes en zij waren er prat op gegaan dat ze niets hoefden te doen, dat ze gedurende de lange zomerdagen geen vinger hoefden uit te steken. In de Karoo werd je beoordeeld op wat je kon: koken, schoonmaken, naaien, verstellen. Iedereen werkte hard en voer daar wel bij. Frances werd over het algemeen goed behandeld. Ze kroop elke avond volkomen uitgeput in bed, maar tot haar verbazing had ze altijd een voldaan gevoel, ook al kon je het niet echt tevredenheid noemen. 's Ochtends stond ze op met spierpijn, maar het was prettig om voortdurend bezig te zijn. Bovendien leerde ze veel; ze leerde hoe je dingen kon creëren; hoe je dit kale, afgelegen land met vereende krachten kon veranderen in iets moois.

Een paar bomen hadden de hele zomer water gekregen en droegen nu fruit. Frances hielp mevrouw Reitz in de keuken met jam maken. Ze genoot van het proces: het ontpitten van de vruchten, het koken van het zachte, gele vruchtvlees met de suiker in een grote koperen pot tot de hele keuken gevuld was met de zware, zoete geur. Ze vond het prachtig om de hete jam steeds dikker te zien worden en uiteindelijk een druppel vanaf de houten lepel op een marmeren plaat te laten vallen om te zien of de jam dik genoeg was. Het was haar taak de kleverige, amberkleurige massa in potten te lepelen, en toen ze ermee klaar was, likte ze verzaligd haar vingers af.

Haar Nederlands ging vooruit. Ze kon de familie nu verstaan en gesprekken voeren met de andere bedienden. Ze mocht vooral Jantjie graag. Met zijn bedaarde kracht en zijn belangstelling voor de natuur deed hij haar denken aan Edwin. Hij vertelde haar verhalen over het *veldt* en bracht het voor haar tot leven. Hij vertelde over perioden van droogte die jaren hadden geduurd en het land in een woestijn hadden veranderd, over de overstromingen die waren ontstaan omdat het water niet in de harde aarde had kunnen doordringen en over hoe het waterreservoir tot de rand toe was gevuld. Hij vertelde over zwermen sprinkhanen die na de regen waren gekomen. Hij had verhalen over zomerse hagelbuien met hagelstenen zo groot als je vuist. Over een winter waarin er een halve meter sneeuw was gevallen. Iedereen had verhalen over de zware donderbuien, maar niemand kon ze zo mooi vertellen als Jantjie. Hij had met zijn eigen ogen gezien hoe een heel span ossen op slag was gedood toen hun metalen tuig door de bliksem was getroffen.

Maria noemde hem een *slangmeester*. Ze zei dat hij het gif van slangen in wondjes in zijn huid wreef om er immuun voor te worden. Ze kregen daar nooit bewijs van, al liet hij de kinderen wel een keer zien hoe hij een schorpioen vasthield en zich keer op keer liet steken zonder blijk te geven van pijn of vergiftiging. Hij vertelde slangenverhalen zoals schoolmeisjes griezelverhalen vertelden en de kinderen kwamen soms stilletjes achter de deur zitten om mee te luisteren. Zo was er een geval geweest toen Maria nog klein was. Op een dag had ze de deur van de veranda opengeduwd en was een slang die op het kozijn had liggen slapen, boven op haar gevallen. Hij had zich als een strop om haar hals gewikkeld. Van de schrik was ze als verstijfd blijven staan tot de slang over haar rug van haar af was gegeleden zonder haar iets te doen. Jantjie vertelde met zo veel overtuiging dat Frances nooit wist of hij met de waarheid smokkelde of niet. Hij vertelde haar over de slangen die van melk hielden – hij had met zijn eigen ogen een slang aan de uier van een koe zien drinken – en over de Xhosa-vrouw die onder een boom in slaap was gevallen terwijl ze haar baby zoogde en bij het wakker worden een adder aan haar andere borst had aangetroffen.

Frances meed spiegels, maar kon niet voorkomen dat ze zichzelf af en toe in een ruit of de spiegel in de gang zag.

Ze merkte dat de rode kleur van de littekentjes langzaam wegtrok. De putjes waren ook niet meer zo diep als in het begin, al behield haar huid de grove textuur van ruwe klei. Vreemd genoeg was ze in haar dromen altijd ongeschonden. Ze vroeg zich af of dat ooit zou veranderen, zoals sommige mensen die lang in een ander land woonden, in de taal van dat land begonnen te dromen.

Ze verlangde naar nieuws uit Kimberley, maar ze kregen niet veel kranten en er kwam zelden bezoek. Een enkele keer stopten er mensen die onderweg waren van of naar Kaapstad en dan luisterde ze gretig naar hun gesprekken, maar ze vernam nooit iets van belang. Slechts één keer bleef een koopman overnachten en hoorde ze hem zeggen dat het slecht ging met de economie. De pokkenepidemie in Kimberley was nu officieel en alhoewel Edwins naam niet werd genoemd, was ze blij dat hij zijn doel had bereikt.

35

FRANCES MERKTE DAT PIET HAAR MOCHT EN WAS DAAR BLIJ om. Hij bracht haar insecten in luciferdoosjes om te bekijken, de chocolaatjes die ze als dessert kregen en op een avond, toen ze zijn nagels knipte, vroeg hij haar omzichtig of het waar was dat haar man haar had verlaten.

'Ja,' zei ze. Ze nam aan dat hij dat van zijn ouders had gehoord.

'Waarom?' Hij tilde zijn hoofd op om haar aan te kijken.

Ze nam zijn hand stevig in de hare, voelde de stompjes van de ontbrekende vingers hard en rond in haar handpalm, en knipte het witte randje van de nagel van zijn wijsvinger. 'Toen we trouwden, kenden we elkaar niet goed genoeg.' Ze beet op haar onderlip en knipperde met haar ogen om niet te gaan huilen. 'Tegen de tijd dat we elkaar wel goed genoeg kenden, was het te laat.'

Als de oudere jongens 's middags met hun vader wegreden, gingen Piet en zij lezen of wandelen. Op een middag vroeg ze of hij een geheim kon bewaren. Als ik je meeneem naar een heel speciale plek, beloof je me dan het aan niemand te vertellen? Hij knikte plechtig, blij dat hij mocht deelnemen aan een avontuur.

Ze namen een fles water mee en een parasol tegen de zon. Piet legde zijn droge handje in de hare. Ze greep het stevig vast. Een harde, hete wind veroorzaakte kleine zandverstuivingen die als wervelwinden over het *veldt* bewogen. Het land trilde en danste in de hitte. Piet hield zijn blik op de grond gericht. Hij zocht naar de *bloukopkoggelmander*, die je naar het noorden zag staren als er regen op komst was.

Toen Frances het huisje zag, werd ze verscheurd tussen blijdschap en droefenis. Dit was de plek waar ze Edwin het beste had gekend. Terugkomen was doen alsof er niets was veranderd. Een luxe. Toen ze het trapje naar de veranda beklom, werd ze overweldigd door herinneringen. De voordeur stond op een kier. Ze duwde hem voorzichtig open, op haar hoede voor slangen. Piet hield haar hand stevig vast, gefascineerd door het oude, verlaten huis dat gebukt ging onder zo veel geschiedenis. Binnen was het donker omdat alle luiken gesloten waren en in de gang rook het droog en een beetje muf naar de kamfer die Edwin in zijn studeerkamer had gebruikt. Ze bleef een ogenblik staan. Piet hing aan haar arm, ongeduldig en een beetje angstig. Toen ging ze de slaapkamer binnen. Het koperen bed stond er niet meer. De streepjes licht die door de kieren van de luiken binnen drongen, tekenden een frêle patroon op de kale vloer. Ze schrok van plotseling klapperende vleugels. Een vogel begon angstig rondjes te vliegen en botste tegen de luiken in zijn pogingen te ontsnappen. Frances lichtte het haakje op en duwde de luiken open. De vogel ontsnapte terwijl daglicht naar binnen stroomde.

Ze keek naar de kale vloerplanken en de afbladderende muren. Ze had dit huis als een gevangenis beschouwd, maar nu leek de eenvoud van deze afgelegen plek een zee aan mogelijkheden te bieden. Waarom had ze niet willen geloven dat ze hier gelukkig kon worden? Er was zelfs een gevoel van tevredenheid in haar gaan groeien, maar ze had het niet als zodanig herkend. In plaats daarvan had ze het Edwin kwalijk genomen dat hij haar naar Rietfontein had laten komen en had ze de hele dag aan William zitten denken. Ze liep naar de huiskamer en slaakte een verraste kreet. De piano stond nog in de hoek. Het was het enige meubelstuk dat in het huis was achtergebleven. Ze vroeg zich af waarom het niet verkocht was. Toen ze het laken eraf trok, waaierde er zo veel stof op dat ze begon te niezen. Ze klapte het deksel open en trok de kruk onder het klavier vandaan. De piano rook naar een Engelse zitkamer – naar bijenwas en de ruwe onderkant van meubels. Hij viel hier net zo uit de toon als zijzelf, dit stukje Engeland dat op het Afrikaanse *veldt* was gestrand.

En toen zag ze het boek met de bladmuziek dat op de standaard stond. De eerste keer dat ze aan de piano had gezeten, was dat haar niet eens opgevallen. Er stond een inscriptie in: *Voor mijn echtgenote. 1880.* Ze werd overmand door wroeging. Hij had het voor haar gekocht en verwacht dat ze het zou zien, maar ze was te veel met zichzelf bezig geweest.

Ze kende de sonates niet en had zelfs nog nooit van de

Duitse componist gehoord. Ze zette de eerste sonate in, de muziek aftastend, langzaam, soms haperend, maar allengs met meer vertrouwen tot de muziek de kamer vulde. Het was een prachtig, zangerig, nostalgisch stuk, veel te delicaat voor dit bouwvallige huis op dit troosteloze *veldt*, mijlenver van de beschaving die deze finesse had voortgebracht, en ze had bittere spijt van alle keren dat ze het voor Edwin had kunnen spelen en dat koppig had geweigerd. Hij had een piano voor haar gekocht in de hoop dat de muziek iets zou zijn waar ze samen van konden genieten, maar zij had gedacht dat hij alleen maar had willen pronken met het talent van het meisje dat hij had weten te strikken. Ze had alleen maar aan zichzelf gedacht, terwijl hij de muziek ook moest hebben gewild, als een soort uitlaatklep. Muziek had een wereld voor hen kunnen openen, deuren tussen hen kunnen ontsluiten, maar zij had die kans onbenut gelaten.

Ze had zich het afgelopen jaar vaak geschaamd dat ze nergens goed voor was. Ze had zich nutteloos gevoeld, geweten dat ze tekortschoot, maar nu ze de toetsen beroerde, herinnerde ze zich iets anders. De muziek was prachtig, van een onschatbare waarde, en kwam uit háár vingers. Haar trots groeide, haar hart zwol, en ze zei tegen zichzelf dat dit ook iets waard was en dat hij haar hierom had gewild.

De laatste noten verstomden. Ze liet haar voorhoofd tegen de kast van de piano rusten. Ze wist dat Piet achter haar stond en naar haar keek, maar was nog niet in staat zich om te draaien. Ze was moe; moe van het poetsen, het schrobben, het dienen van een gezin terwijl ze wist dat ze zelf nooit een gezin zou krijgen. Ze was het moe zichzelf verwijten te maken en naar Edwin te verlangen. Een ogenblik werd het haar allemaal te veel. Er ging een siddering door haar lichaam, een siddering van verlangen naar een verleden dat niet hersteld kon worden. Haar huwelijk had zich hier afgespeeld en ze had er niets van gemaakt.

Ze voelde een handje op haar schouder. Piet bood haar een goudkleurige veer aan. Ze droogde haar ogen, glimlachte en pakte de veer van hem aan. In de oude, kromgetrokken kast in de keuken vond ze een vergeten blikje Zweedse ansjovis. Ze ging met Piet op de veranda zitten, sloeg met een steen een gat in het deksel en trok een scherpe punt van het metaal omhoog. De ansjovis was verrukkelijk zout en vet. Ze aten hem met hun vingers en spoelden hem weg met warm water uit de fles. Een hagedis kroop onder een steen vandaan, het enige levende wezen op de eindeloze, lege vlakte met de zwarte mierenhopen. Ze had gehoopt dat Nanny er nog zou zijn, maar zag haar nergens.

Ze keerden via een andere route naar huis terug. Ze liepen de lage helling van het *kopje* op tot ze vrij uitzicht hadden op het *veldt* en de boerderij met alle bijgebouwen en kralen. Rechts was het reservoir, nu geslonken tot een modderige poel waarin het zonlicht amper werd weerspiegeld. Aasgieren cirkelden erboven als zwarte vliegers. Frances had gehoord dat er vandaag lammeren werden geslacht om de ooien te redden.

Toen ze thuiskwamen, zat de tweeling opgewonden op hen te wachten. Hendrik had een doos onder zijn arm en beloofde hun te laten zien wat erin zat. Het piepte en krijste en dreigde uit de doos te ontsnappen tot Hendrik op het deksel ging zitten. Een baviaan was van de dorst uit de bergen gekomen, vertelde Hermanus, en had de uiers van twee ooien kapotgezogen om de melk. Meneer Reitz had hem doodgeschoten en toen ze ernaartoe waren gelopen hadden ze gezien dat het een vrouwtje was met een jong op haar borst.

Op dit punt in het verhaal sprong Hendrik van de doos, tilde het deksel eraf en haalde er een jong baviaantje uit. Het was een onooglijk, mager ding, amper groter dan een rat en het klampte zich meteen aan zijn arm vast, schreeuwend van angst. Het aapje had roze oren en een roze gezichtje, kaal en gerimpeld als dat van een oud mannetje, met borstelige wenkbrauwen en een neus als van een hond. Zijn kopje was kaal en het haar op zijn lichaam was zo spaarzaam dat je de vlooien over zijn huid kon zien krioelen. Piet probeerde het aapje te pakken, maar Hendrik gooide het lachend naar Hermanus, die het opving – of liever gezegd, het baviaantje wist hem te grijpen en hechtte zich aan hem vast als een teek. Hermanus trok het diertje los en gooide het weer naar zijn broer. Piet stond erbij, happend naar adem, niet in staat hun wreedheid te begrijpen, tot Frances zich erin mengde. 'Geef hem nu maar aan Piet,' zei ze. 'Jullie hebben er de hele dag al mee gespeeld.' Met tegenzin gehoorzaamden ze.

De baviaan, die door Piet gewoon Baviaan werd gedoopt, werd met een flesje gevoed tot hij in staat was melk uit een kom te drinken. Dan zat hij er gehurkt naast, met zijn handen aan weerskanten van de kom en hief alleen zijn kop op, wit schuim snuivend, als hij in ademnood kwam. Piet was de enige persoon in het huis die zich voor hem interesseerde en de baviaan was gek op de jongen en was niet bij hem vandaan te slaan. Als de tweelingbroers te dichtbij kwamen, haalde de baviaan naar hen uit tot ze leerden hem met rust te laten. 's Avonds, als het gezin in de woonkamer zat en meneer Reitz voorlas uit de Bijbel, zat de jonge baviaan bij de lamp om nachtvlinders te vangen waarvan de tere vleugels als wolkjes stof verwaaiden wanneer hij ze in zijn mond stopte.

36

DE FAMILIE REITZ HAD JAREN GELEDEN IN HET RESERVOIR vis uitgezet en die had zich vermenigvuldigd. Nu het reservoir nog maar een fractie van zijn vroegere omvang had, was de oppervlakte veranderd in een spartelende massa. Elke dag zakte het waterpeil nog een paar centimeter waardoor de vissen steeds minder leefruimte hadden. Je zag hun schubben glinsteren in het modderige water, waarin ze zich wentelden en spartelden om aan de stralen van de hete zon te ontsnappen. Uiteindelijk zei meneer Reitz dat het iedereen op de boerderij vrij stond vissen te vangen en toen zag je elke middag negerjongetjes die door het water waadden en de vissen met hun handen probeerden te grijpen, schreeuwend en lachend als er eentje uit hun knuisten ontsnapte als een kronkelende bonk spieren. Ze gooiden de gevangen vissen in linnen zakken om mee naar huis te nemen. Honderden vissen werden met netten uit het water getrokken om op het droge te sterven, met wijdopen bek naar adem happend, hun natte schubben bedekt met zand, hun ogen binnen een paar seconden verdroogd tot een harde korst.

Frances moest de kok helpen de vis schoon te maken die levend in tonnen vanuit het reservoir werd aangevoerd. Met handen die glommen van het slijm en armen die bedekt waren met schubben, doodde ze de vissen door ze met hun kop tegen een hoek van het zinken aanrecht te slaan. Af en toe sprong er eentje uit haar handen. De vis viel dan op de vloer en bleef daar hulpeloos liggen, tot het bittere einde zijn kieuwen amechtig openend en sluitend. Ze sneed de ene vis na de andere open en liet de ingewanden in een emmer glijden. De familie en de bedienden aten vissoep, vispastei, visballetjes, vis met kerrie, vis op tien verschillende manieren bereid, en nog was de voorraad niet uitgeput. De kok vulde potten met gepekelde vis en flessen met vissaus, en het hele huis stonk naar vis.

Elke dag kwam meneer Reitz thuis met bloed op zijn overhemd en verhalen over hoe het leven op de boerderij langzaam werd vernietigd. Toen de mannen de schapen drenkten, waren springbokken dwars door de kudde heen gedrongen om bij het reservoir te komen. De springbokken hadden zich niet laten verjagen, zelfs niet toen de mannen op ze begonnen te schieten. Hardnekkig waren ze opgedrongen naar de rand van het water. Aan het eind van de dag kwamen de mannen thuis met wel dertig of veertig springbokken waarna ze dagenlang bezig waren die te villen, in stukken te snijden en in repen te drogen tot biltong. Mevrouw Reitz zei dat ze de kogels hadden moeten bewaren voor het vee. Ze zouden ze binnenkort nodig hebben. Struisvogels – grote, slordige bollen veren – verzamelden zich op het *veldt*, liepen rond het huis en tikten op de ramen. Het deed Frances denken aan verhalen over de hongersnood in Ierland – verhalen over half verhongerde bedienden die van hun meester geen toegang hadden gekregen tot het feestmaal. Alleen werd er hier geen feestmaal aangericht. De strijd om in leven te blijven gold voor iedereen. Als er dit jaar geen regen kwam, was het gedaan met de boerderij van de familie Reitz. Dan zouden ze niets meer kunnen verbouwen.

Op een middag zag Frances dat Maria een krant aan het verscheuren was. Ze legde snel haar hand erop en vroeg of ze hem mocht lezen. Ze nam de krant mee naar bed. Het was een krant uit Kaapstad van drie weken geleden. Op de voorpagina meldde een paginabrede kop dat de aandelen in Kimberley waren gekelderd: duizenden mensen waren failliet, de bodem was uit de markt gevallen, banken weigerden geld te lenen. *De woekeraars zijn erachter gekomen dat ze de kip met de gouden eieren hebben geslacht*, schreef de journalist. De waarde van onroerend goed was met tientallen procenten gedaald. Frances was tevreden. Baier kreeg zijn verdiende loon.

Op de binnenpagina stond een artikel over een gevangenbewaarder in Natal die de helft van zijn zwarte gevangenen had laten verhongeren, met ijskoud water had overgoten en stokslagen had gegeven, terwijl hij de andere helft een heerlijk leventje had gegund. Er waren artikelen over Boeren die vanwege de droogte hun boerderijen verlieten. Haar hart sloeg een slag over toen ze *dokter Edwin Matthews* in een kop op de derde pagina zag staan. Volgens het artikel was hij een held: *Hij heeft onvermoeibaar gewerkt om een van de beschamendste medische schandalen in de Britse geschiedenis aan de kaak te stellen.* Er was een inspecteur vanuit Kaapstad naar Kimberley gestuurd, die daar onmiddellijk had verklaard dat het wel degelijk om de pokken ging. Een handvol artsen in Kimberley was hun vergunning kwijtgeraakt en men had Baier ter ondervraging opgepakt. Ze las het artikel herhaalde malen en glimlachte elke keer als ze bij het stukje over Edwin kwam. Dit was het nieuws waar ze op had gewacht. Edwin was in het gelijk gesteld en Baier was – zelfs als hij erin zou slagen aan zijn gerechtelijke straf te ontkomen – geruïneerd.

Toen haar blijdschap om het nieuws was gezakt, voelde ze zich echter nog eenzamer dan voorheen. Edwins succes benadrukte het feit dat ze uit elkaar waren en dat zij had gefaald moed te tonen toen hij dat van haar nodig had gehad. Ze vroeg zich af of hij en zuster Clara nog steeds samenwerkten. Ze kenden elkaar al zo lang dat hun vriendschap en het vertrouwen dat Edwin in haar had, inmiddels misschien was veranderd in liefde. Ze werd zo door dat idee gekweld dat ze 's nachts transpirerend wakker werd, de dekens van zich afgooide en uit alle macht vocht tegen de gedachte dat hij misschien gelukkig was met een ander.

Op de lange, hete middagen, als al het werk in het huis gedaan was en iedereen een dutje deed, liep Frances met Piet naar het huisje. Baviaan zat dan op de rug van de jongen en hield zich behendig vast aan zijn overhemd. Piet hield van de rust in het huisje en bracht meestal een handvol tinnen soldaatjes mee die hij op de veranda in het gelid zette. Frances liep altijd rechtstreeks naar de piano. Het beroeren van de toetsen had op haar het effect van een kalmerend middel. Ze werkte het hele boek met sonates door en als ze de noten las beeldde ze zich in dat ze voor Edwin speelde. Het waren in totaal zes sonates en ze waren moeilijk – technisch en onbekend – waardoor het een tijdje duurde voordat ze ze onder de knie had. De eerste was heel fijntjes, maar ze werden allengs wilder, vol verrassende levenslust en wrede droefenis. Deze muziek had voor Edwin iets betekend. Hij had deze sonates met haar willen delen en elke keer dat ze ze tot leven bracht, was het alsof hij met haar praatte, haar over zichzelf vertelde. De muziek verplaatste hun echtelijke band vanuit de wereld van de herinnering naar een nieuw terrein. Het was een geschenk en ze was er dankbaar voor. Dat ze hierheen kon komen, haar vingers op de koele, ivoren toetsen zetten en een alternatieve werkelijkheid oproepen was het enige wat haar geestelijke gezondheid nog in balans hield. Maar wanneer ze was uitgespeeld en de stilte het huis weer voor zich opeiste, verdween die fantasiewereld en zat ze weer in haar eentje in de lege kamer.

37

TOEN FRANCES OP EEN OCHTEND TERUGKEERDE VAN HET kippenhok, was het erg stil in de keuken. De kok stond met zijn rug naar haar toe uien te fruiten voor de soep. Ze zette de mand met eieren op de tafel, sloeg de losse strootjes van haar rok en liep door naar de eetkamer om de tafel af te ruimen. De familie was al weg en op de tafel lagen zoals altijd plasjes gemorste thee en stukjes vlees tussen de borden met gestold eigeel. Pas toen ze zich omdraaide naar het dressoir zag ze het: een diertje, opengesneden van strot to kruis, lag met gespreide poten op de grond. Ze dacht eerst dat het een rat was, al was het dan wel een erg grote. Toen zag ze de roze oren, de vingers en de kleine, gerimpelde tenen en werd ze op slag doodmisselijk.

Ze liep snel terug naar de keuken. 'Weet hij het?' vroeg ze aan de kok. Hij knikte triest.

Meneer Reitz had de baviaan tijdens het ontbijt met een

mes gedood toen het diertje op het dressoir was geklommen en een handvol pap had gegrepen. Piet was erbij geweest en had het gezien. Er heerst droogte, had zijn vader verontschuldigend gezegd, we kunnen geen nutteloze mee-eters gebruiken. De jongen was de kamer uit gerend en sindsdien had niemand hem gezien, maar iedereen was ervan overtuigd dat hij tegen het middaguur wel weer zou komen opdagen.

Frances had het de hele ochtend druk met matrassen kloppen en lakens luchten, omdat er geen water gemist kon worden om ze te wassen. Het was nog warmer dan anders, drukkend warm. Piet kwam tussen de middag niet thuis. Toen Frances na het eten een stapel vuile borden naar de keuken bracht en met haar vingers de vette restanten van het gebraden lamsvlees in de afvalbak schraapte, stootte Maria haar aan. Ze wees naar buiten. Boven de horizon zag ze wolken hangen, stapelwolken die in een snel tempo dichterbij kwamen en in hoogte en omvang toenamen.

Tegen de tijd dat de vaat was gedaan, hadden de wolken een paarse kleur gekregen. De zon bescheen ze van onderen, waardoor het landschap gloeide, een weerschijn had, alsof er een lamp was ontstoken. Opeens was er buiten een hoop beroering. Mannen holden langs de keuken en gooiden de deuren van de stallen open. Ze gingen de schapen naar binnen halen. Frances keek naar Maria en zag haar lachen.

'Gaat het regenen?' vroeg ze, al was de vraag overbodig.

Jantjie kwam binnen. 'Ze moeten zien dat ze de jongen vinden,' zei hij tegen hen beiden, 'voordat de storm losbarst.'

Mevrouw Reitz kwam op een holletje de keuken in. Frances had haar nog nooit zo benauwd zien kijken. 'Heb je Piet gezien?'

Frances schudde haar hoofd.

'Word jij niet geacht op hem te passen?' vroeg ze bars.

'Maar hij is al sinds het ontbijt verdwenen,' zei Frances verward. Zij paste alleen 's middags op Piet. Bovendien wist de hele familie dat hij was weggelopen en had niemand zich bezorgd getoond of gezegd dat ze hem moest gaan zoeken.

Maria werd erop uitgestuurd om Piet in de bijgebouwen, stallen en kralen te zoeken. Frances en mevrouw Reitz zochten in het woonhuis, waar mevrouw Reitz onder en achter al het meubilair keek. Frances merkte opeens dat het buiten erg donker werd. Om vier uur hadden ze nog steeds geen spoor van de jongen gevonden. De verwachte regen bezorgde iedereen een koortsachtig gevoel. Iedereen wilde weten of de dijk van het reservoir het zou houden en wat ze moesten doen als hij zou breken. De mannen dreven de schapen van het *veldt* naar de stallen en zetten de luiken vast. Mevrouw Reitz ging op zoek naar haar man om te vragen of hij kon komen helpen de jongen te zoeken. Frances bleef in haar eentje achter in de keuken. De wind die over het *veldt* kwam aanwaaien, was koud en vochtig. Hij rook naar smeltende sneeuw. De hordeur van de keuken zwaaide open en viel met een klap weer dicht.

Opeens wist ze waar Piet zou kunnen zijn. Was het mogelijk dat hij er in zijn eentje naartoe was gegaan? Als dat zo was, was het haar schuld. Er was geen tijd om haar omslagdoek te halen. Ze moest meteen gaan, voordat de storm losbarstte. Ze holde door de gang en sprong het trapje van de veranda af. De temperatuur was sterk gedaald. Het was koud, onnatuurlijk koud. Een windvlaag bracht de geur van natte aarde met zich mee en een bliksemschicht schoot door het paarse wolkendek. Ze wist welke gevaren een storm met zich meebracht en bleef een ogenblik doodstil staan om te luisteren. Wat ze hoorde, leek de prelude van een natuurgeweld van monsterlijke afmetingen. Het rinkelen van metaal en het schrille gehinnik van een paard dat tegen de grendel van de staldeur schopte. Een los luik dat piepend heen en weer draaide aan zijn scharnieren en een deur die dichtviel. In de verte draaide het rad van de windmolen zo snel dat ze de schoepen niet kon onderscheiden. Een van de collies lag ineengedoken onder de veranda, angstig piepend. Ze kon zich amper overeind houden in de wind die om haar oren floot en Arctische temperaturen meebracht. Zou ze het huisje op tijd kunnen bereiken?

Ze begon te rennen, struikelend over de droge struiken. Het naderende onweer rommelde. Lichtflitsen schoten door de wolken. Ze had de wind in haar rug en werd erdoor vooruit gestuwd. Een donkere gedaante – een arend misschien – cirkelde boven haar en een ogenblik zag ze zichzelf vanaf zijn hoogte: een miniem wezentje dat over het *veldt* werd voortgestuwd in de baan van de storm. Als Piet in het huisje was, zou hij wel bang zijn. Hopelijk te bang om te proberen naar de boerderij terug te keren. Een donderslag dreunde in haar hele lichaam door. De grond beefde. Toen sloeg de bliksem op nog geen twintig meter afstand van haar in de grond en begon het ten volle tot haar door te dringen wat een enorme kracht dit natuurgeweld zou hebben. Ze rende zo hard als ze kon, met brandende longen, in een race tegen de storm. In de verte doemde het huisje op. Even later zag ze de jongen. Hij sprong van de veranda af. Ze zag hem staan onder het donkere wolkendek. Toen holde hij op haar af, met zijn mond open en zijn armen gespreid van opwinding om de storm. Hij riep: 'Ik heb hem gezien – de *bloukopkoggelmander*. Nu gaat het regenen.'

Donderslagen rolden door de lucht, een bliksemschicht zigzagde uit de wolken en sloeg tussen hen tweeën in de grond. Een ogenblik bleef het volkomen stil, alsof de wereld geschokt zijn adem inhield. Toen kletterde uit die stilte hagel neer. Het was alsof er duizenden projectielen uit de hemel werden geschoten. Alsof iemand vanuit de wolken op hen vuurde. Alleen waren het geen kogels, maar hagelstenen zo groot als cricketballen, met randen zo scherp als messen. Ze waren zo groot en hard dat ze over de grond stuiterden. Met haar armen rond haar hoofd geklemd rende Frances naar Piet. De jongen lag op de grond. Een hagelsteen raakte haar wang met de kracht van een baksteen. Ze viel languit neer, krabbelde overeind en kroop op handen en voeten naar de jongen. Ze tilde hem op en droeg hem met wankelende passen naar het huisje, waar ze onder het afdak van de veranda enige beschutting hadden, al zag ze dat het al begon door te zakken. Met donderend geweld sloegen de hagelstenen op de golfplaat. Het lawaai was onvoorstelbaar, erger dan het oorverdovende geraas van fabrieken vol grote machines.

Ze rukte de voordeur open, vluchtte naar binnen en droeg de jongen naar de lege slaapkamer. Het geroffel van de hagelstenen op het dak was beangstigend. Ze kon het geluid van haar eigen voetstappen op de houten vloer niet eens horen, noch haar stem toen ze Piets naam riep. En de bui leek nog steeds aan kracht toe te nemen. Opeens werden de luiken uit de scharnieren geslagen en vlogen hagelstenen met zo'n kracht naar binnen dat ze over de vloer doorrolden. Frances draaide zich om en droeg de jongen door de gang naar de studeerkamer. Die was aan de lijzijde van de storm gelegen, waar het raam tenminste beschut was. Het was donker in de kamer en ze moest even wachten tot haar ogen zich hadden aangepast. Tegen de muur stonden twee kratten en daarin bleken jutezakken te zitten die iemand daar had achtergelaten. Ze legde Piet op de kratten en stopte zijn benen in de zakken om hem warm te houden. Hij bewoog niet en ze hoopte met haar hele hart dat hij niet dood was.

Er zat een snee in zijn voorhoofd en er stroomde bloed over zijn gezicht in zijn mond. Ze probeerde met haar mouw het bloed te stelpen om te zien hoe diep de wond was, maar er bleef steeds nieuw bloed over zijn gezicht stromen. Haar hand was nat. Niet alleen van het bloed van de jongen, maar ook van haarzelf. In de halfdonkere kamer kon ze echter niet nagaan waar het vandaan kwam. Haar kleren waren half aan flarden gereten en doorweekt, haar haar was kletsnat van het bloed en het water. Ze bleef Piets naam roepen en zijn handen wrijven tot hij zwakjes kreunde en zijn ogen half opende. Ze haalde opgelucht adem. Hij leefde nog.

Voetstappen achter haar. Ze draaide zich om. Er stond iemand in de deuropening, met een zadel over zijn arm. Ze kon hem eerst niet goed onderscheiden, maar toen ze zag wie het was kon ze haar ogen niet geloven. De hagel denderde net zo luid als het onweer. Haar oren tuitten ervan. Ze stond als aan de grond genageld. Ze slikte. Een ogenblik van angst. Ze durfde het niet te geloven. Edwin zei iets. Ze verstond hem niet; te veel lawaai. Toen voelde ze zijn schouder langs de hare strijken. Hij liep de kamer door, gooide het zadel neer, knielde bij Piet. Na een paar seconden maakte hij een van zijn zadeltassen open, haalde er wat rollen verband uit en verbond het hoofd van de jongen. Ergens in het huis klonk een krakende klap. Het geraas van de hagelbui werd nog erger. Het dak boven de huiskamer moest zijn ingezakt. Ze bad dat het dak boven hun hoofden het zou houden. Toen hoorde ze midden in het geraas een ander geluid; vibrerende muziekklanken; valse tonen. De piano, besefte ze. De piano zakte in elkaar.

Edwin gaf Piet een drupje brandewijn, trok zijn jas uit en legde die over de jongen heen. Toen wendde hij zich tot haar. Hij duwde haar neer zodat ze met haar rug langs de muur gleed en met opgetrokken knieën op de grond kwam te zitten. Hij knielde naast haar. Liet zijn handen over haar hoofd, haar schouders en haar gezicht gaan, op zoek naar breuken en wonden. Zijn ogen waren witte flitsen in de schemerige kamer. Ze probeerde hem zwijgend te dwingen haar aan te kijken. En toen was de hagelbui in één keer voorbij. Een ogenblik heerste er een diepe stilte. Een stilte die zich over de hele wereld leek uit te spreiden. Een seconde van onwezenlijke stilte. Ze hoorde Edwins ademhaling en het druppelen van water. Ze voelde hoe zijn mouw langs haar jurk streek toen hij zijn handen over haar armen liet glijden.

En toen begon het te regenen. Ze hoorde het zachte ruisen van de druppels, als strelende vingertoppen.

Hij gaf haar een dotje watten en beduidde haar dat ze het tegen haar wang gedrukt moest houden. Ze voelde een scherpe, kloppende pijn toen ze druk uitoefende op de wond. Het begon harder te regenen; een weldadig, ruisend geluid van malse regendruppels dat aanzwol tot het klonk alsof ze onder een waterval stonden.

Edwin stond op en verliet de kamer. Na een paar minuten kwam hij terug.

'Hoe is het met Piet?' vroeg ze fluisterend.

'Piet redt het wel. Hij mag alleen niet nat worden. En we moeten hem warm houden. We kunnen hem niet naar de boerderij brengen. De ijslaag is meer dan een halve meter dik. Ik zal hulp halen zodra het ophoudt met regenen.' Een ijslaag van meer dan een halve meter dikte. Was dat mogelijk? Ze had gedacht dat ze het ergste achter de rug hadden, maar als het niet snel ophield met regenen, zou het huisje onder water komen te staan.

Hij kwam naast haar zitten met zijn rug tegen de muur. Het was nu volkomen donker in de kamer. De avond was gevallen. Ze zaten met hun schouders een paar centimeter bij elkaar vandaan. De kou begon tot haar door te dringen en ze begon te bibberen. Ze liet de met bloed doordrenkte dot watten op haar schoot zakken. Haar handen waren verdoofd. Toen ze probeerde haar vingers warm te krijgen door ze over haar rok te wrijven, voelde ze de stof niet. Regenwater stroomde over de ijslaag de kamer in en vormde een plas rond hun voeten.

'En?' zei hij. 'Ga je het me vertellen?'

'Wat moet ik je vertellen?'

Hij gaf geen antwoord. Een ogenblik bleef het stil tussen hen. Toen zei ze: 'Ik kon niet teruggaan naar Engeland.'

'En dus?'

‘Dus ben ik hiernaartoe gegaan. Mevrouw Reitz heeft me in dienst genomen.’

‘Als wat?’

‘Ze had een dienstmeisje nodig.’ Een gevoel van paniek zwol aan met iedere seconde die ze in zijn gezelschap doorbracht. De kloppende pijn aan haar wang, het ijskoude water rond haar voeten, dat was allemaal niet belangrijk. Haar hele bestaan was gekristalliseerd tot het simpele feit dat hij hier naast haar zat en de vrees voor het moment waarop hij weer zou vertrekken.

‘Maar je spreekt geen Nederlands.’

‘Ik heb het geleerd.’

‘Waarom is dit beter dan in Engeland bij je tante wonen?’

Wat moest ze daarop antwoorden? Dat ze hem niet had willen achterlaten? Ze zei: ‘Jij hield van deze plek en ik wilde weten of ik er ook van kon houden.’

‘En is dat zo?’

‘Ja,’ zei ze eenvoudig.

Weer een stilte. Het bleef regenen. Haar rokken zogen het ijskoude water op. Ze had bijna geen gevoel meer in haar billen. Haar tanden klapperden. Water drupte van het plafond als uit een lekkende kraan.

Hij voelde dat ze zich bewoog. ‘De helft van het dak is ingezakt,’ zei hij, ‘en de regen stroomt over de ijslaag heen.’

Ze zwegen weer een poosje. Toen vroeg ze: ‘En jij? Hoe kom jij hier zo opeens?’

‘Ik was op weg naar Kaapstad. De familie Reitz had nog wat geld voor me, van de verkoop van de meubels.’

‘Behalve de piano.’

'Behalve de piano.'

Omdat het jouw huwelijksgeschenk was, wilde ze zeggen; je hebt gezegd dat ze de piano niet mochten verkopen omdat die voor mij was. Maar ze durfde het niet. Hij wreef zijn handen tegen elkaar, ze herkende het geluid in het donker en wou dat hij zijn handen naar haar zou uitsteken, dat hij haar zou aanraken. 'Toen ik bij de boerderij aankwam, was de storm al losgebarsten en hoorde ik dat de jongen vermist werd. Ze zeiden dat jij achter hem aan was gegaan. We zijn allemaal gaan zoeken. Ik was hier niet ver vandaan toen het begon te hagelen. Mijn paard wilde ervandoor gaan en toen heb ik hem snel het zadel afgenomen. Het zadel heeft me gered.'

Haar hele lichaam schokte nu van de kou. Ze legde haar hoofd op haar knieën, wrong het water uit haar kleren en maakte zich zo klein mogelijk om warm te blijven. Het was ijskoud in de kamer. Ze zaten gevangen in een blok ijs. Het water in de kamer was al tot de rand van haar schoenen gestegen. Het huis werd gevuld alsof het een vijver was. Gelukkig lag Piet op de kratten. Daar bleef hij droog. Het was alsof de tijd vertraagde. Ze hoorde Edwin door de kamer lopen. Toen hij terugkwam, liet hij zich weer langs de muur glijden, zo dichtbij dat zijn overhemd haar mouw raakte en ze de warmte van zijn lichaam voelde. Toen hij zijn voet bewoog, maakte het een klotsend geluid. Ze stond zichzelf toe tegen hem aan te leunen.

Het bleef regenen. Haar armen raakten verdoofd. Ze zag het wit van haar manchetten op haar polsen, maar voelde ze niet. Het was alsof ze in een lekke boot zaten, die langzaam zonk. Ze vroeg zich af of ze had geslapen toen ze voelde dat hij aan haar handen trok. Hij zat op zijn hurken voor haar en masseerde haar handpalmen met zijn vingers. Ze deden pijn van de kou en ze piepte als hij te hard kneep.

'Hoe is het met Piet?' vroeg ze.

'Hij slaapt.' Pijnscheuten trokken door haar handen toen hij zijn duimen tegen de gewrichten duwde. 'Hij heeft het aan jou te danken dat hij nog leeft. Het was erg moedig van je om hierheen te gaan.'

Ze probeerde te lachen, maar moest haar kaken op elkaar klemmen tegen het klappertanden. 'Niet moedig, maar dwaas. Ik had geen idee dat het zo'n zware storm zou worden.'

Hij stond op en legde een kaars en een doosje lucifers op de rand van de krat. 'Doe de kaars alleen aan als het echt nodig is. Ik ga nu. Ik ga hulp halen.'

'Maar het regent nog.'

'Niet meer zo hard.'

Ze wilde niet dat hij zou gaan, maar hij liep al door de kamer. Het was buiten gevaarlijk met die ijslaag. Stel dat hij niet terugkwam? Stel dat hij had besloten haar hier te laten creperen? Het idee dat hij haar misschien zo haatte dat hij daartoe in staat zou zijn, vervulde haar met afgrijzen. Ze stond op en steunde met haar hand tegen de muur om in evenwicht te blijven. 'Edwin. Kun je me vergeven?' Ze stelde haar vraag in het donker. Ze kon hem niet zien.

Na een korte stilte zei hij: 'Is het een kwestie van vergiffenis?'

'Elke dag wens ik dat alles anders was gelopen. Dat ik opnieuw kon beginnen.'

'Je bent opnieuw begonnen,' zei hij rustig. 'Je kunt trots zijn op wat je hebt bereikt.'

Maar ze was niet trots. Ze was alleen maar verdrietig. Toen hij weg was, ging ze weer tegen de muur zitten. Haar rokken plakten aan haar benen, drijfnat en koud. Het water was tot boven haar enkels gestegen en kabbelde rond haar billen. Het was niet onlogisch om te denken dat ze hier weleens zou kunnen sterven. Ze had niet geweten dat je het zo koud kon hebben. Het was alsof de huid van haar lichaam was gestroopt en ijsblokjes tegen de uiteinden van haar zenuwen werden gedrukt. Het brandde. Een loodzware vermoeidheid nam bezit van haar.

Ze opende geschrokken haar ogen. Edwin zat over haar heen gebogen. Hij sloeg met zijn vlakke hand in haar gezicht om haar wakker te krijgen. Ze lag languit op haar rug en keek met starende ogen naar de opaalblauwe hemel. Ze voelde haar lichaam niet. Het lag volkomen roerloos. Het beven was gestopt. Op het *veldt* was het stil. Het regende niet meer. Edwin bleef haar naam herhalen, onophoudelijk, tot ze met haar ogen knipperde en probeerde haar spieren in beweging te krijgen. Hij stroopte haar natte kleren van haar af en trok haar een wollen hemd met lange mouwen en een dikke katoenen broek aan. Hij hielp haar rechtop te gaan zitten zodat hij haar armen in de mouwen kon steken, alsof ze een kind was. Haar huid was volkomen gevoelloos. Ze hoorde het schuren van de kleding, maar voelde niets. Het was alsof ze een porseleinen pop was. Ze voelde alleen de trillingen, de bewegingen toen hij haar ledematen beurtelings optilde.

Hij hield een fles tegen haar lippen. Ze dronk en voelde vuur ontbranden in haar lichaam. De hemel werd paars en toen azuurblauw. Ze had nog nooit van haar leven zoiets mooois gezien. Er dreef ijs op het water. Hij wikkelde haar in dekens. Ze lag op een kar, besefte ze toen die begon te bewegen. Ze hoorde het geluid van ossen die door water waadden. Het land, zover ze het kon zien, was wit, en de opkomende zon liet er lichtflitsen op terugkaatsen alsof het *veldt* uit kwarts bestond.

Een haardvuur knisperde, gloeiend heet. Waar was ze? Niet op haar zolderkamer. Edwin zat op een stoel naast het bed naar haar te kijken. Toen hij zag dat ze wakker was, leunde hij naar voren en pakte haar pols om haar hartslag op te nemen. Haar huid tintelde, heet van de koorts. Ze kon zijn beroepsmatige bezorgdheid niet verdragen.

'Toen ik ziek was,' zei ze, en ze voelde zich van binnenuit openbarsten, 'toen ik pokken had, ben je niet gekomen.' Ze had zich zo eenzaam gevoeld en zo dicht bij de dood, maar de volle omvang van zijn afwijzende houding drong eigenlijk nu pas tot haar door. 'Het kon je niet schelen of ik het zou halen of niet.' Tranen rolden over haar gezicht op het kussen. Ze wist dat hij haar zou verlaten, net als de vorige keer, en ze was er niet zeker van of ze dat nogmaals zou kunnen verdragen.

Zijn vingers drukten op het zachte deel van haar pols, brandden tunneltjes in haar vlees. 'Ik ben wel gekomen, Frances. Ik heb de hele nacht bij je gezeten. Ik ben pas weggegaan toen ik wist dat je het zou halen.'

Een gesmoorde snik wrong zich uit haar keel. 'Dus je wilde niet dat ik dood zou gaan?'

Hij liet haar hand op het bed zakken en glimlachte. 'Nee, ik wilde niet dat je dood zou gaan.'

'Ik had vertrouwen in je moeten hebben,' zei ze schor, 'maar ik was bang. Voor wat Baier ons zou aandoen. En voor jouw hardnekkigheid. En voor al die vreselijke dingen die ik in Kimberley had gezien.'

Hij legde zijn hand op haar voorhoofd en streelde haar gehavende huid. 'Frances,' zei hij zachtjes, 'jij kon er niets aan doen.' En zijn woorden en zijn strelende hand bevrijdden haar eindelijk van haar last.

Enige tijd later werd ze weer wakker. Het was nacht. In de kamer brandde geen licht, maar het vuur liet schaduwen op de muren dansen. Edwin zat naast het bed naar haar te kijken. Ze zag de donkere omtrek van zijn hoofd en schouders. Het vuur knetterde en siste. Haar lichaam was heet en haar huid was nat. De wond aan haar wang klopte en ze had een droge mond. Het gewicht van de dekens bezorgde haar kippenvel. Ze kon zijn gezicht niet zien en wist dus niet hoe hij keek. Hij zat doodstil, afwachtend. Ze slikte. Hij hoorde het blijkbaar, want hij stak zijn hand uit en legde hem op het flanellen hemd, op haar buik. Haar huid trok strak en sidderde toen onder zijn aanraking. Zijn vingertoppen beroerden haar zenuwen, leken eraan vast te kleven, als aan ijs. Hij duwde de stof omhoog en legde zijn hand rond haar borst. Haar ademhaling versnelde. Ze probeerde te gaan zitten. Ze had een brandend gevoel in haar longen. Zijn handen gleden over haar bezwete lichaam, schurend over haar gevoelige huid. Ze tastte naar zijn broekriem en maakte de gesp los. Hij bleef stil zitten toen ze zijn overhemd van zijn schouders liet glijden. Hij was helemaal nieuw voor haar, alsof ze hem nog nooit had aangeraakt. Zijn huid verwarmde haar lichaam en liet alles wat was geweest in het niets verdwijnen.

Later lagen ze naar elkaar te kijken. Ze streelde zijn gezicht, betastte hem met haar vingertoppen. Hij keek naar haar en zei: 'Ik had van het begin af aan eerlijker tegenover je moeten zijn. Ik verafschuwde mezelf toen ik hoorde dat je ziek was. Ik was zo lang boos op je geweest zonder het zelf te beseffen.'

'Ben je nog steeds boos?'

'Nee,' zei hij met een glimlach. Hij pakte haar hand en trok haar weer naar zich toe.

Ze sliep maar werd steeds wakker en elke keer stak ze haar hand uit en durfde pas weer te gaan slapen als ze wist dat hij er nog was. Het eerste daglicht kierde door de luiken. Ze keek naar hem toen hij zich aankleedde. Hij legde zijn hand op haar wang. Ze liet hem gaan zonder iets te zeggen. Er zou later genoeg tijd zijn om te praten. Ze sliep weer en toen ze wakker werd, was het helemaal licht. De koorts was weg. Op het nachtkastje lag een gouden ring. Ze legde hem op haar handpalm. Het was haar trouwring. Edwin had hem al die tijd bewaard. Glimlachend deed ze hem aan haar vinger.

Mevrouw Reitz stond in de keuken aardappelen te schillen. Toen Frances binnenkwam, keek ze met een stralend gezicht om en ze sloeg behoedzaam haar armen om haar heen. Frances verbaasde zich over het ongewone vertoon van genegenheid. Ze had zelfs gedacht dat het haar misschien kwalijk werd genomen dat Piet naar het huisje was gegaan. Per slot van rekening was zij degene die hem daar steeds mee naartoe had genomen.

'Hoe is het met hem?' vroeg ze.

'Heel goed, dankzij jou. Als jij niet achter hem aan was gegaan…' Ze maakte een verloren gebaar.

'Het was een geluk dat Edwin er was.'

'Ja. Maar jij wist waar je Piet kon vinden.' De oudere vrouw kneep zachtjes in haar hand. 'Je moet een paar dagen rust nemen om op krachten te komen. En je kunt er gerust op zijn dat je bij ons altijd een dienstje hebt.'

'Dank u.' Frances glimlachte terug, maar wilde daar nu niet aan denken. Edwin was er. Wat er die nacht was gebeurd – de dingen die hij had gezegd en de manier waarop hij haar had gestreeld – had alles veranderd. 'Waar is mijn man? Heeft hij al gegeten?'

Mevrouw Reitz keek haar bevreemd aan. 'Ja. Heeft hij geen afscheid genomen?'

Frances slikte. Alle logica viel weg. Mevrouw Reitz viste de aardappelschillen uit de gootsteen. Ze zou Frances later verzoeken ze naar de varkensstal te brengen.

'Hij is om vijf uur al vertrokken. Ik was toevallig net op. Ik heb gezegd dat het niet verstandig was om uit te rijden nu er overal nog zo veel water staat, maar hij wilde zo snel mogelijk naar Kaapstad.'

Ze had hem alles gegeven wat ze had. Nu voelde ze zich leeg. Gebruikt en opgebrand. Alle kracht die ze had opgebouwd sinds ze naar Rietfontein was gekomen, verdween als sneeuw voor de zon. Ze kon zich geen toekomst zonder hem voorstellen. Ze voelde het gewicht van de ring om haar vinger en vroeg zich af waarom hij die had achtergelaten als hij niet wilde dat ze bij elkaar zouden blijven. Ze hield zich voor dat hij terug zou komen, dat hij haar zou komen halen, maar dat leek niets anders dan een sprookje waarmee ze zich troostte.

In de nasleep van de storm kwam er een stroom van verhalen op gang, zoals opluchting opborrelt wanneer men ternauwernood aan een tragedie is ontsnapt. De opzichter was naar Piet aan het zoeken geweest toen de storm was losgebarsten. Hij had onder een overhangende rots voor de hagelbui geschuild. De hagelstenen waren rondom hem neergekletterd tot hij was ingesloten door een muur van ijs. Hij had een luchtkoker moeten hakken om te voorkomen dat hij zou stikken. Op een naburige boerderij hadden ze driehonderd schapen verloren. De dieren hadden in een open kraal gestaan en waren gedood door de hagelstenen. Het hele *veldt* lag vol dode dieren: vogels, slangen en antilopen die het natuurgeweld niet hadden overleefd. Het dak was van de melkschuur afgerukt en de luiken van het woonhuis bengelden aan de scharnieren. Desondanks was iedereen in een opperbeste stemming. Maar wanneer Frances naar de anderen keek, zag ze op hun vrolijke gezichten alleen maar haar eigen bodemloze droefenis weerspiegeld.

Het ijs smolt, het reservoir werd tot de rand toe gevuld, en de dijken hielden het. Toen het ophield met regenen, kwam het hele land in bloei te staan. Het was onvoorstelbaar mooi: een tapijt van gele bloemen spreidde zich over het landschap uit. Sappig jong gras schoot op uit de grond en het *veldt* kwam uitbundig tot leven. De lucht vulde zich met het gezoem van de insecten en vlinders fladderden als wervelende witte wolken boven de bloemen. En toen ze op een ochtend uit haar raam keek, zag ze dat er aan de takken van de *koorsboom* teer groen was verschenen. De boom had de droogte overleefd.

Frances dacht vaak aan de nacht die ze samen hadden doorgebracht. Ze had gedacht dat Edwin in die nacht een deel van zichzelf had ontvouwd en haar dichter tot zich had toegelaten. Dat hij in haar iets had gevonden wat hij nodig had; een plekje dat hem tevredenheid gaf. Maar nu begon ze aan zichzelf te twijfelen. Ze dacht aan zijn strelingen. Was het alleen genegenheid geweest, geen hartstocht? Was het mogelijk dat het gevoel van hereniging eenzijdig was geweest? Had hij geprobeerd haar lief te hebben uit plichtsgevoel en ontdekt dat dit onmogelijk was?

De zomer ging over in een milde herfst, het werd koeler, en vanuit het raam van haar zolderkamer zag ze zwermen zwaluwen vertrekken. Haar hart deed pijn van teleurstelling en ze begon zich af te vragen of ze de vogels misschien moest volgen. Terug naar Engeland.

En toen, twee maanden na de storm, werd er een brief voor haar bezorgd. Ze herkende het handschrift. De brief was van Edwin. Met bevende handen scheurde ze de envelop open.

Frances. Vergeef me dat ik je niet eerder heb geschreven. We hebben nu al een paar keer een valse start gehad, dus ik wilde eerst orde op zaken stellen in Kaapstad. Dankzij mijn werk in Kimberley heb ik het respect gewonnen van bepaalde mensen, die me nu een positie binnen de overheid hebben aangeboden. We kunnen een huis krijgen met uitzicht op zee en een vijgenboom in de tuin. Je hebt me gevraagd of we opnieuw kunnen beginnen. Als je daartoe nog steeds bereid bent, schrijf dan niet terug. Verlaat Rietfontein en neem de eerste koets naar Kaapstad.

Ze liet de brief zakken en glimlachte. De droogte was voorbij, de regen was gekomen. Haar werk hier was gedaan. Ze zou meteen haar koffer gaan pakken.

Dankwoord

Dank aan mijn redacteuren, Venetia Butterfield en Amy Einhorn, en het hele team bij de Penguin Group. Zonder hun hulp zou dit een veel minder lezenswaardig boek zijn. Dank aan de briljante Araminta Whitley, aan Harry Man, Alice Saunders en de rest van het team bij LAW. Eveneens dank aan Stephanie Cabot bij de Gernert Company, aan Nicki Kennedy, Sam Edenborough en hun ploeg bij ILA.

Diamant had niet geschreven kunnen worden zonder het archief van de British Library, waar ik gebruik kon maken van talloze dagboeken en authentieke verslagen van het leven op de diamantvelden – mijn dank gaat uit naar alle mannen en vrouwen die ze hebben geschreven.

Een aantal historici heeft uitstekende boeken geschreven over de politiek in Kimberley. Voor mijn research heb ik veel gehad aan *Diamonds, Gold and War* van Martin Meredith, *Capital and Labour on the Kimberley Diamond Fields, 1871-1890* van Robert Vicat Turrel, en *South Africa's City of Diamonds* van William H. Worger. Ik heb met een paar data gesmokkeld en het zal een nauwgezette historicus misschien opvallen dat bepaalde gebeurtenissen een paar jaar eerder of later hebben plaatsgevonden dan in dit verhaal.

De sobere schoonheid van de Karoo heeft me geïnspireerd tot het schrijven van deze roman, maar ik zou de verhalen niet tot leven hebben kunnen brengen zonder de hulp van drie boeken: *Karoo* van Lawrence Green, *The Plains of Camdeboo* van Eve Palmer, en *The Little Karoo*, een verzameling prachtige korte verhalen, van Pauline Smith. Dank ook aan Ailsa Tudhope, die me zo gul heeft laten delen in haar anekdotes over het leven in de negentiende eeuw in Prince Albert.

Ik ben veel dank verschuldigd aan allen die het manuscript voor dit boek vrijwillig of onder dwang hebben gelezen: William Beinart, Suellen Dainty, Colin Edwards, Kylie Fitzpatrick, Deborah Gaitskell, Kirsty Gordon, Tessa Hadley, Brett Hardman, Richard Kerridge, Angela Lett, Jack Wolf en Moogie Wood.

Ik had me geen trouwer schrijversgezel kunnen wensen dan Duke, die het boek talloze malen heeft horen voorlezen en er feilloos in is geslaagd daar rustig doorheen te slapen.

Dank aan mijn vader, aan Charlie, Whitney en Dorrie, en vooral aan mijn moeder, dat jullie me op dit pad hebben gezet.

En mijn allergrootste dank is voor Dave.